KB217758

송암 함태영

松岩

송암 함태영

김정회 著

연세대학교 대학출판문화원

송암 함태영

2022년 4월 8일 1판 1쇄

지은이 김정회
펴낸곳 연세대학교 대학출판문화원
주소 서울특별시 서대문구 연세로 50
등록 1955년 10월 13일(제9-60호)
전화 02) 2123-3378~80
팩스 02) 2123-8673
전자우편 ysup@yonsei.ac.kr
홈페이지 http://press.yonsei.ac.kr
인쇄 네오프린텍(주)

ISBN 978-89-6850-647-5(03990)

값 25,000원

서문

이 책은 대한제국의 법관이었고, 한국장로교회의 목사로, 대한민국의 3대 부통령을 역임한 송암(松岩) 함태영(咸台永)의 생애를 다룬 연구서이다. 함태영은 대한제국기에 최초의 근대 법조인으로 활동했고, 1919년 삼일운동 지도자 중의 한 사람이었으며 한국교회의 대표적인 목회자요, 신학사상가였다. 1945년 해방 이후에 그는 미 군정의 자문기구였던 남조선대한국민대표민주의원의 민주의원으로 활동했고, 초대 심계원장과 제3대 부통령을 역임하였다.

그는 언제나 역사의 중심에 있었으나 지금까지의 역사는 그를 주변인으로 취급하여 왔다. 지금까지 나온 몇 안되는 연구들도 함태영의 삶을 누군가의 주변에서 찾으려 했다. 평전조차 기록되지 않았던 이유도 그의 생애가 철저하게 저평가되었기 때문이다. 그에 대한 심층적인 연구가 담긴 평전이 필요했던 이유다. 그의 생애를 보다 역사적이고 사상적인 차원에서 살펴볼 때 비로소 그의 진면목을 볼 수 있을 뿐만 아니라 역사적 위치를 바르게 정립할 수 있기 때문이다.

책을 집필하면서 주목했던 것은 그의 사상과 심리에 대한 고찰이었다. 시대적인 상황 속에서 그의 사상이 어떤 시대적 상황 속에서, 그리고 어떤 고뇌와 고민 속에서 발현되었는지를 따라가 보려고 노력했다.

단순히 함태영이라는 인물이 위인이었음을 증명하고자 한 것이 아니다. 격동의 시대에 지식인이자 신앙인, 정치인의 길을 걸어야 했던 한 인간의 삶을 따라가며 그를 발견하고자 했다. 그리고 그가 어떻게 한국 교회와 대한민국이라는 역사의 무대를 관통할 수 있었는지를 이해하려 했다.

법관이 된 이후부터 함태영의 내면에 끊임없이 흐르기 시작한 이상은 위민국가(爲民國家)였다. 기울어져 가는 나라를 참된 근대적 국가로 다시 세우고자 했던 그의 열망은 근대 법학을 배우면서 싹트기 시작했다. 국권이 침탈되는 과정에서 좌절되었던 국가의 이상은 기독교를 만나면서 다시 자라기 시작했다. 그리고 사회복음주의를 접하면서 구체화 됐다. 그는 기독교 신앙과 국가를 따로 떨어뜨려서 생각하지 않았다. 기독교적 민주주의 국가 건설이라는 뚜렷한 목표를 가지고 있었기 때문이었다.

이 책은 함태영의 출생에서부터 사망에 이르기까지의 생애 전 기간(1873~1964)을 대상으로 한다. 그의 생애는 크게 5개의 시기로 구분되는데 제1기는 출생부터 1895년 법관양성소에 입학하기 전까지(1873~1895), 제2기는 법관양성소 입학부터 법관으로 살았던 시기로 기독교에 입교하기 전까지(1895~1909), 제3기는 기독교에 입교한 이후부터 삼일운동까지(1909~1921), 제4기는 목회자로 활동하던 시기(1922~1945), 제5기는 해방 후 정치에 참여한 시기(1945~1964) 등이다.

제1부는 제1기와 제2기를 다룬다. 제1부는 함태영이 근대와 만나는 과정을 그리고 있다. 법관양성소로 들어가 만난 근대 법학은 왕이 곧 국가라는 봉건적 인식을 극복하고, 국가와 왕을 분리하는 법치주의를

체득하는 계기를 제공한다. 그리고 법치주의 국가를 건설함으로써 국권을 회복할 수 있다고 믿게 된다. 성리학적 세계관에 기반한 충군애국의 사고가 법의 우위성을 깨닫기 시작하면서 그의 세계관에 균열이 일어난다. 법관양성소에서 그레이트 하우스 등으로부터 배운 영미식 근대법과 일본 교수들로부터 배운 독일식 법체계는 법관의 길을 선택한 그에게 지대한 영향을 끼쳤다. 그것을 보여주는 대목이 그가 행정과 사법을 철저히 분리하여 사법관으로서 자신의 정체성을 분명히 했다는 점에서 여실히 드러난다. 조선에서 법의 집행과 선고는 행정관의 업무에 속해 있었다. 뿐만 아니라 아무리 행정관이 올바른 재판을 한다 하더라도 피고의 벼슬이 높거나 상관일 경우에는 재판 자체가 무의미했다. 그러나 근대법 체계에서 사법과 행정은 구분된 영역이었고, 재판관은 법에 근거해서만 판단을 내려야 한다. 개인적인 관계나 관직체계가 영향을 미쳐서는 안된다. 그것이 왕이라고 할지라도 법에 의해 판단해야 한다. 함태영은 '김홍륙 사건'이나 '독립협회 사건'을 처리해나가는 과정에서 근대법관의 모습을 각인시켜준다.

함태영의 법관 시절은 대한제국이 근대국가로의 전환에 실패하고 주변국과의 각축전에서 승리한 일본이 주도권을 잡기 시작하던 때였다. 그에게 국가를 지키는 길은 한국법을 완성하는 것이었고 위민(爲民)하는 길은 올곧은 법관이 되는 것이었다.

제2부에서는 기독교 신앙과의 만남을 다뤘다. 함태영이 기독교 신앙을 접한 것은 학문적이거나 문명론적인 이유가 아니었다. 회심 이후에 그가 어떻게 변화되었고, 목회자로서 변화되면서 어떤 신학과 신앙을

가지고 3·1운동에 참여했으며 그것이 어떤 의미가 있는지, 목회자로서의 함태영이 추구했던 것이 무엇이었는지를 집중적으로 살펴보았다. 지금까지 3·1운동 연구에서 가장 철저하게 가려졌던 인물이 함태영이다. 천도교의 최린과 더불어 사실상 이 거사를 진두지휘했을 뿐만 아니라 기독교계를 하나로 통합하는 일과 이 운동의 정신을 신학적이고 신앙적으로 해석하여 한국기독교계를 설득했던 실질적인 산파가 함태영이다.

그는 전형적인 한국 복음주의 신앙의 표상이었다. 자신의 병이 치유되는 기적을 경험하며 하나님과 만난 그의 신앙은 지적이고 합리적인 신앙이 아니라 회심과 체험을 중시하는 신앙이었다. 그러나 그것만이 아니었다. 복음에 대한 신앙이 국가로까지 확장되어 민족과 국가를 구원해야 한다는 인식을 가지고 있었다. 월남 이상재와의 교류를 통해서 다져진 신부적(神賦的) 인간관과 국가관의 이상이 그에게서도 나타난다. 3·1운동은 그러한 신앙의 표출이었다. 그가 정치에 참여한 이유도 신부적 인간관과 국가관 때문이다.

그에게 개인의 회심을 통한 참된 인간관의 구현은 단순히 교회의 성장이나 확장을 의미하는 것이 아니었다. 기독교가 가지고 있는 참된 복음의 가치가 개인을 통해서 사회로 흘러들어 가야만 부패와 죄악, 불의로 가득찬 세상을 정의롭고 공정하며 참된 가치를 추구하는 사회로 만들 수 있다고 믿었다. 그에게 자유와 정의는 신앙적인 것과 동시에 사회적인 것이고, 국가적인 것이었다. 신앙과 사회, 교회와 국가가 나누어지는 것이 아니었다. 그가 일본을 극복할 수 있었던 이유도 여기에서 나온다. 일본에게 당당하게 독립을 요구할 수 있었던 이유다.

비록 3.1운동으로 고난을 겪어야 했지만 역사의 주관자는 하나님이었고 자신은 사명을 감당할 뿐이었다. 하나님 마음에 합한 사람이 되어야만 하나님의 섭리와 역사가 역사 속에서 나타나는 것이었다.

제3부는 목회시기를 다룬다. 3.1운동으로 지도자 중 최고형인 3년형을 선고받고 복역한 뒤 출소한 함태영은 평양신학교를 졸업하고 청주제일교회 담임목사가 된다. 그리고 이어서 조선예수교장로회의 총회장이 된다. 한국교회를 대표하는 위치에 오른 것이다. 그에게 교회의 역할은 단순히 개인구령에만 머무는 것이 아니었다. 그가 신학교에서 배운 목회학은 사회적 책무를 다하는 것을 목회자의 사명으로 가르쳤다.

일제 강점기 기간 중에서도 1920년대는 경제적 시련기였다. 농촌경제가 그만큼 어려웠다. 함태영은 청주와 마산에서 목회사역을 감당하고 있었다. 농촌의 현실을 타개해야 할 신학적 소이가 필요했다. 복음주의자인 그에게 죄의 본질을 이기심으로 보는 사회복음주의가 말하는 정의관은 기독교인이 어떻게 사회를 구원할 수 있는지의 신학적 단초를 제공해 주었다. 함태영에게 사회복음주의는 복음주의 신학이 가지고 있었던 복음의 사회적, 국가적 확장에 대한 신학개념을 제공해 주었던 것이다.

신부적 국가관은 신부적 인간관에 근거한다. 한 인간이 단독자로 자신의 자유와 주권을 인식하고 사명의식을 가질 때 올바른 민주주의 국가를 세워갈 수 있다는 것이다. 그러기 위해서는 복음을 전하는 교회 역할이 무엇보다 중요하다. 이러한 국가관은 일제 말기 혹독한 강압과 핍박 속에서도 교회를 유지하고 보수하는 것이 왜 중요한지를 깨닫게 한다.

제4부는 함태영의 해방 이후 기독교적 민주주의 국가의 이상을 구현하고자 했던 정치적 행적을 추적했다. 이 책에서 중점적으로 다루어지고 소개되는 부분이다. 그가 한국현대사에서 그만큼 중요한 위치일 뿐 아니라 그의 이상이 대한민국의 정체성과 상통한다고 보았기 때문이다. 함태영은 단순히 이승만의 권유로 정치를 시작한 인물이 아니었다. 그의 국가관은 이승만과의 것과는 달랐다. 그는 기독교 민주주의라는 분명한 이념적 지향성을 가지고 있었다. 그는 교회의 재건과 건국에 자신의 마지막 혼신의 힘을 다했다. 둘을 분리하지 않았고 우선순위가 있는 것도 아니었다. 교회와 국가는 병립(竝立)되어야 했다. 교회가 참된 개인을 만드는 곳이라면 국가는 그러한 개인들이 주도하는 곳이어야 했다. 개인의 자유가 지켜져야 하고 개인의 상식과 정의가 국가를 이끌어가는 원동력이 되어야 했다. 함태영은 기독교의 복음을 전하는 교회가 온전해야만 그러한 국가를 건설할 수 있다고 믿었다.

함태영은 대법원장후보이기도 했고 반민특위 특별재판장의 유력한 후보이기도 했다. 70이 넘은 나이에 제2대 심계원장(지금의 감사원)에 취임했다. 그는 권력에 흔들리지 않았다. 전쟁 중에 국민방위군 사건이 불거졌을 때 법에 의해 주어진 권한을 행사해 예산 집행을 정지시켰다. 피난지 부산에서 함태영의 모습은 고위공직자라고 하기에는 너무 남루했다. 두 아들은 군에 입대했고, 자신은 홀로 단칸방에서 생활했다.

1952년 부산정치파동을 거치면서 제3대 부통령에 선출되었다. 그러나 그가 부통령으로 할 수 있는 일이 거의 없었다. 참의원장이지만 참의원은 구성되지 않았다. 그가 할 수 있는 일은 민정시찰을 다니면서 전쟁의 참상을 확인하고 복구에 안간힘을 쓰고 있는 군과 공무원들을 격려 하는 것이었다. 부조리가 보일 때는 대통령에게 전하기도 했지만 그의 말은 묻히기 일쑤였다. 함태영의 모습은 이제 막 출항을 시작한 대한민국이 전쟁으로 모든 기반이 무너져 내린 상황에서 기독교 지도자의 표상이 무엇인지 보여주었다.

책을 진행하는데 가장 큰 어려움은 함태영의 자서전이나 일기, 평전과 같은 사료들을 찾기 어려웠다는 점이었다. 설교 세편과 심계원장 취임사, 부통령 취임사 등이 그나마 찾아낸 사료들이었다. 그런 한계에도 불구하고 현재까지 드러난 그의 활동과 업적에 대한 기록들의 진위와 실제를 확인하기 위해 사료들을 찾는데 집중했다. 그렇게 찾은 사료들을 토대로 당시의 정치적 상황, 한국교회의 상황, 신학적 특징들을 해석하려고 노력했다. 함태영 내면의 신념이 어떻게 행동으로 나타났는지를 파악해 가면서 그의 판단과 선택을 이해하려 했다. 아마도 사료의 부족은 앞으로도 채워야할 부분이다.

함태영은 법관, 목회자, 정치가였던 동시에 고뇌하는 사상가이자 고난 속에서 몸부림치는 시대의 행동하는 지식인이었다. 무엇이 그를 고뇌하게 만들었는지 고난을 견디며 이기게 했는지, 그리고 그가 발견한 것은 무엇이었는지를 이 글을 쓰는 내내 고민해야 했다. 여언에서 그 고민에 대한 결론을 내기 위해 노력했다. 시대의 거인을 아직은 어리고 미숙한 글로 표현한다는 것이 얼마나 큰 무리인지 절감한다. 그럼에도 불구하고 지금까지 아무도 그를 평가하거나 말하지 않았기에 감히 이 책이 함태영에 대한 역사적 평가로서 그 가치를 인정받기를 바라는 마음을 감히 가져본다.

함태영을 역사 속에서 처음 접하게 된 것은 박사논문과 씨름할 때였다. "한국기독교의 민주주의 이행연구 – 해위 윤보선을 중심으로"(서울장신대학교 박사논문, 2015)을 쓰면서 해위 윤보선과 공덕귀의 결혼식 주례자였던 함태영을 처음 만났다. 그렇게 논문의 한 페이지에 불과했던 그를 다시 연구의 주제로 삼을 수 있었던 것은 스승이신 김명구 교수님의 조언과 격려 때문이었다. 선생님의 학문적 조언과 통찰력, 그리고 이끄심이 있었기에 집필하는데 집중할 수 있었다. 존경과 감사를 어떤 것에 담아도 채워지지 않을 것이다.

마침 서울신학대학교 현대기독교연구소에서 진행된 "해방공간과 기독교"(도서출판선인, 2017) 프로젝트에 해방 이후 함태영에 관한 논문인 "함태영의 건국운동 참여의 사상적 배경"을 제출하면서 함태영에 대한 학문적 접근을 시작할 수 있었다. 이를 계기로 평전 집필을 본격적으로 계획하게 되었다. 그러나 평전 집필은 당시 아산정책연구원 원장이셨고 함태영 목사님의 손자이신 함재봉 박사님의 도움이 없었다면 불가능했을 것이다. 재정적인 지원뿐만 아니라 함재봉 박사님의 역작인 "한국사람 만들기"를 통해서 19세기말 조선의 상황을 보다 명료하게 이해할 수 있었다. 집필부터 편집과 출판에 이르기까지 물심양면으로 후원을 아끼지 않으신 박사님과 함태영 목사님의 유족분들께 깊이 감사를 드린다.

연동교회의 원로목사님이신 이성희 목사님과 당회에서 교회의 자료를 흔쾌히 열람케 해주셨고 김주영 담임목사님의 지원이 있어서 함태영 목사님의 목회 시절을 이해할 수 있었다. 청주제일교회에서 보내주신 자료들 역시 큰 도움이 되었다. 한국기독교회사 아카데미의 김석수 박사님은 평양신학교 시절의 함태영과 가족 사진을 찾아주었다. 유족들도 몰랐던 희귀한 자료다. 평강교회의 함명주 집사님은 집에서 보관하고 있던 “강릉 함씨 대동보”를 내어 주어 함태영 목사님의 가계를 확인할 수 있도록 해주었다. 평강교회의 김석한 원로목사님과 당회에서 기도와 배려를 통해 후원해주셨다. 특별히 서울장신대학교 박사과정의 이동일 목사님이 집필과정에서 자료의 수집과 정리를 도와주었다. 교정에 참여해 준 이준구 목사님을 비롯한 한국기독교사 아카데미의 회원들도 집필기간 동안 조언과 격려를 아끼지 않으셨다. 출판이 되기까지 응원과 격려를 아끼지 않으신 품는교회 김영한 목사님과 교역자들, 세밀하게 오타와 문장을 잡아주신 조영래 목사님께도 감사의 말씀을 전한다.

출판의 편집과 교정, 디자인을 위해 수고를 아끼지 않으신 연세대학교 대학출판문화원의 김성수 선생님과 심영주 선생님께 감사드린다.

그리고 무엇보다도 늘 응원하고 격려해주셨던 아버지와 매일 밤마다 철야로 기도해주신 장모님, 물심양면으로 후원을 아끼지 않으셨던 두 분 형님과 형수님, 든든한 기도의 후원자인 사랑하는 동생과 처형에게도 감사의 마음을 전한다. 집필하는 2년 동안 일주일에 이틀 이상 집에 들어가지 못했는데도 응원과 격려, 기도로 동역자가 되어 준 사랑하는 아내 민선과 태준, 태송, 태강이에게 특별한 감사를 전한다.

아무쪼록 이 책을 통해 함태영에 대한 역사적 재평가가 이루어지길 기대한다. 아울러서 한국기독교의 본래 모습과 대한민국의 정체성이 다시 조명되고 연구되길 소망해 본다.

2021년 9월

서울YMCA 월남시민문화연구소에서...

목차

6장 적극신앙단과 사회복음주의

제4부 함태영과 대한민국의 건국

7장 해방과 재건

8장 기독교적 민주주의 국가의 이상

9장 대한민국 부통령 함태영

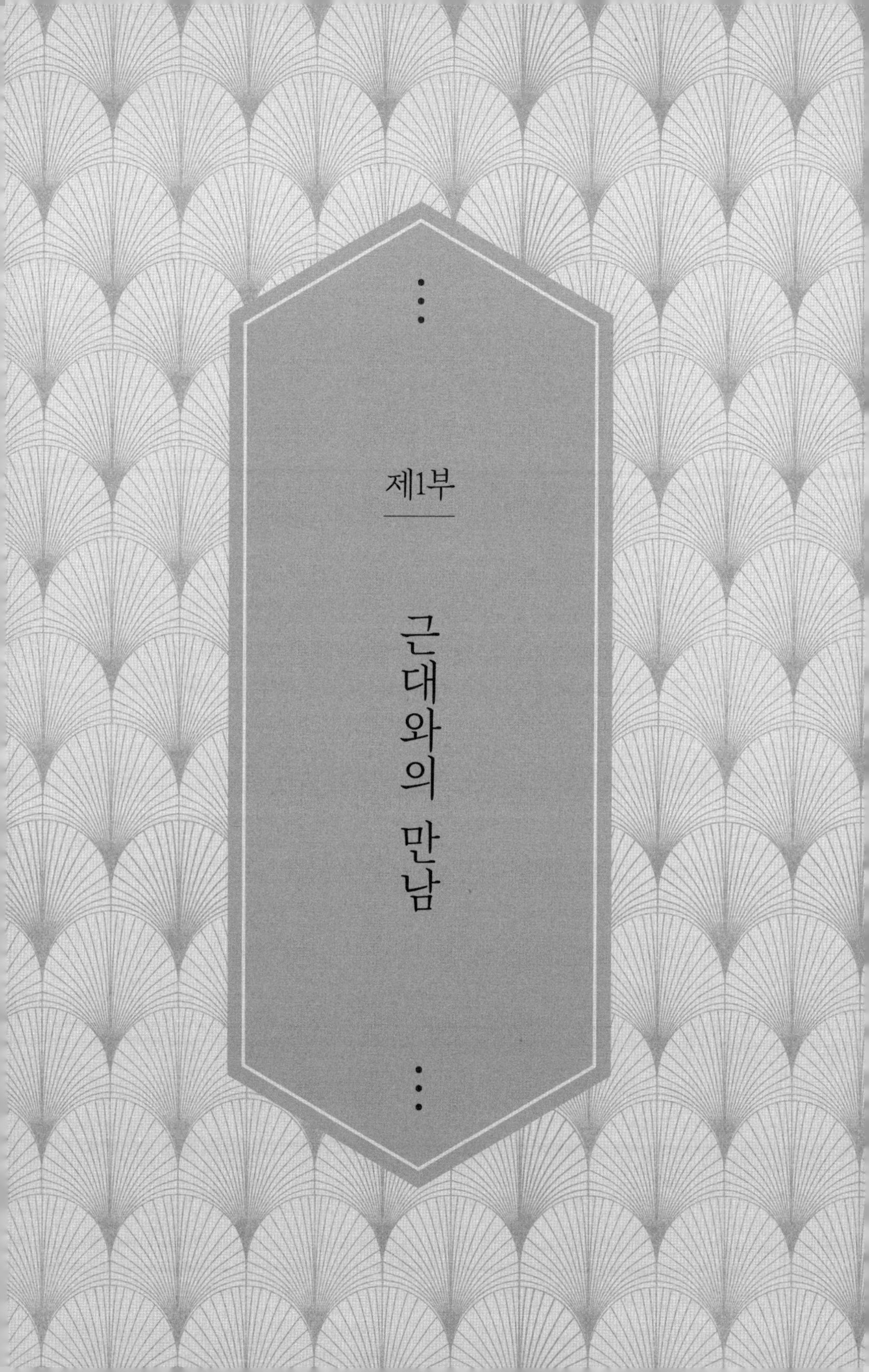

제1부

근대와의 만남

1장 함태영 생애의 시작

1.1. 출생, 개화시대의 도래

> .... 이제 함태영 씨의 당선은 문제없다고 이범석 씨는 안됐다고들 말한다. 함씨가 팔십만표를 리-드한 오후 5시 함씨의 거처를 방문한다. 서대신동 신(申)산부인과의 조그마한 한칸방 돗자루가 펴있고 돗 자루 위에는 목침하나 쪼그라 붙은 넥타이 두 개와 탈색한 군복바지 하나가 벽에 걸려 있다. 이것이 즉 함씨의 피난 온 이래의 방이며 그의 소지품 전부라고 한다. 희색 만면한 가인들 13일경 귀부할 씨이지만 벌써 방문객이 자자 - 한편 보수동 이범석씨 집앞에는 호위경관들이 그늘 밑에 말없이 웅크리고 앉아 지금까지 결과는 어떤가요?라는 질문에 「우리는 모릅니다」라고 묵묵- 대문이 굳게 닫친 이집이 쓸쓸해 보임은 기자의 주관만일까[1]

제2대 대통령 선거와 제3대 부통령 선거는 1952년 8월 5일 전쟁 중에 치러진다. 언론은 8월 9일부터 언론은 개표 결과를 보도하기 시작했다. 대통령 후보 이승만은 압도적 표차로 제2대 대통령에 당선된다. 그러나 부통령에는 모든 예측이 무색하게 함태영(咸台永)이 부통령에 당선된다.

1 "함옹(咸翁)을 고대(苦待)하는 한 간방(間房)", 『경향신문』, 1952년 8월 9일.

부통령 당선 직후의 함태영 (1952)

선거의 개표가 마무리되어 갈 무렵 신문사 기자가 그의 거처를 찾았다. 지금까지 잘 알려지지 않았던 그의 삶이 궁금했던 것이다. 기자는 거처의 궁색함에 아연실색할 수밖에 없었다. 산부인과 건물 이층의 단칸방에는 넥타이 두 개, 군복바지 한 벌, 바닥에 깔린 돗자리와 목침하나가 전부였다. 그가 얼마 전까지 국가의 예산을 감사하고 집행하던 심계원 원장을 지낸 고위공직자의 거처라고는 사실이 믿기 어려웠다.

함태영은 그때까지 역사에서 이렇다할 주목을 받지 않았던 인물이었다. 심계원 원장에 올랐을 때도 그를 특별하게 바라보지 않았다. 신문지상에 간간이 오르내리기는 했지만 선거를 앞두고 누구도 그를 주목한 이는 없었다. 함태영의 당선이 전적으로 이승만의 낙점으로 이루어진 것으로 보도되기도 했다. 그것은 선거과정에서 상대진영에 공격의 빌미가 되기도 했다. 장로교 목사였고, 정치적 위상이 전혀 없었던 그가 선출직으로는 최고위직에 속하는 부통령에 당선된다는 것은 불가능하다

는 것이었다.[2]

부통령 함태영씨의 득표수에 대하여 원외자유당에서는 "항간에서 이름도 모르는 함태영씨가 그와 같은 표수를 얻었다는 것은 괴기한 일로서 그것은 민의가 아니고 경찰의 강압에 의한 것이라"고 발표한 바 있거니와 전국에 조직망을 가지고 있는 전국공산주의타도연맹에서는 작 구일 이를 반박하는 발표를 하였다.
동 성명은 한말의 독립협회사건을 무사케 한 애국검사이며 독립운동의 최고지도자의 1인이고 대한민국의 심계원장인 함태영 씨를 이름도 없는 존재하고 하니 우리나라에는 이범석 씨만이 있다 다른 사람은 이름조차 없다는 그런 독선적인 언동은 용인할 수 없을 뿐 아니라 앞으로 민의를 무시하는 어떠한 개인이나 단체를 막론하고 계속 규탄할 것을 천명하였다. 이로서 과거 이범석 씨가 지도하던 민의는 이제 공산주의타도연맹의 지도하는 민의에 의하여 규탄을 받게 될 것으로 보인다.[3]

함태영의 이력은 대한제국의 애국검사, 독립운동의 최고지도자, 대한민국의 심계원장으로 구 누구에게도 뒤지지 않는 것이었다. 그럼에도 그는 세간에 잘 알려지지 않았다. 권력을 추구한 적도 없었고, 권세를 누려본 적도 없었다. 3·1운동 이후 한국장로교회의 존경받던 목회자로 살아왔던 그였다. 그러나 그의 삶을 살펴보면 그가 부통령 선거에 나선 충분한 이유를 발견할 수 있다. 그의 생애 속에서 발견되는 인간과 국가에 대한 신념, 그리고 기독교 신앙 속에 내연되어 있던 신학은 부통령 출마와 당선을 설명하는 충분한 이유가 된다.

부통령의 당선, 그것은 법관으로, 목회자로 살았던 함태영에게 기독

2 지금까지 함태영의 부통령 당선은 이러한 시각이 주류를 이루고 있다.
3 "咸氏不知云云(함씨부지운운) 語不成說(어불성설)", 『동아일보』, 1952년 8월 10일.

교적 민주주의 국가의 건설에 직접 참여하고 실현시킬 수 있는 기회였다. 그가 부통령에 출마했던 이유를 단순히 이승만과의 관계에서만 해석할 수 없는 이유가 있다.

함태영은 1873년 음력 10월 22일, 양력으로는 12월 11일에 함경북도 무산면 무산읍내에서 강릉 함씨인 함우택과 원주 변씨 사이에서 태어났다. 부친의 나이 36세에 얻은 독자였다. 사별한 첫 번째 부인과의 사이에서도 자녀를 얻지 못했던 함우택에게 함태영은 금지옥엽(金枝玉葉)이었다. 함우택은 아들의 탄생과 더불어 세도정치가 막을 내리고 서구 문명과의 접촉이 빈번해지자 새로운 시대가 도래하고 있음을 느끼고 있었다.

1870년대가 시작되었을 때 조선은 병인년의 양요와 제너럴 셔먼호 사건의 뒤처리로 어수선한 시국을 보내고 있었다. 흥선대원군은 병인양요에서의 승리와 셔먼호의 격침으로 인해 한층 더 쇄국의 의지를 불태우고 있었다. 여기에 셔먼호 사건의 수습을 요구하는 미국의 요구를 거절함으로써 다시 한번 강압적인 서양의 도전을 받게 되었다. 1871년 미국 함대의 공격까지 막아내면서 대원군의 정책은 성공하는 듯했다. 그러나 두 번의 양요를 거치면서 조선의 조정 내에서는 서양에 대한 새로운 이해와 함께 개화에 대한 필요성이 대두되기 시작했다.

"...그리고 기계를 제조하는 데 조금이라도 서양 것을 본받는 것을 보기만 하면 대뜸 사교에 물든 것으로 지목하는데, 이것도 전혀 이해하지 못한 탓이다. 그들의 종교는 사교이므로 마땅히 음탕한 음악이나 미색(美色)처럼 여겨서 멀리하여야겠지만, 그들의 기계는 이로워서 진실로 이용후생(利用厚生)할 수 있으니 농기구·의약·병기·배·수레 같은 것을 제조하는데 무엇을 꺼려하며 하지 않겠는가? 그들의 종교는 배척하고, 기계를 본받는 것은 진실로 병행하여도 사리에 어그러지지 않는다. 더구나 강약(强弱)의 형세가 이미 현저한데 만일 저들의 기계를 본받지 않는다면 무슨 수로 저들의 침략을 막고 저들이 넘보는 것을 막을 수 있겠는가? 참으로 안으로 정교(政敎)를 닦고 밖으로 이웃과 수호를 맺어 우리나라의 예의를 지키면서 부강한 각 나라들과 대등하게 하여 너희 사민들과 함께 태평 성세를 누릴 수 있다면 어찌 아름답지 않겠는가?"[4]

고종은 임오군란을 겪은 후 전국의 척화비를 뽑는 과정에서 내린 교서를 통해 자신의 입장을 천명했다. 쇄국(鎖國)이 아닌 개화(開化)를 공식화 한 것이었다.[5]

대원군은 집권지배계층을 문신(文臣)에서 무신(武臣)으로 전환하려고 했다. 성리학적 기반에서 출발하면서 무(武)보다는 문(文)을 숭상했던 조선시대의 권력과 주요 요직들은 대부분 문신들이 장악하고 있었고, 세도정치기에는 군영의 대장들조차도 문신들이 독점하고 있었다. 무신들은 일정한 직급 이상으로는 올라가기 어려웠다. 대원군은 이러한 구조를 무너뜨리고 무신들에게 각 군영의 대장을 맡게 했으며 이들의 품계를 정2품의 병조판서와 같은 반열로 올려주었다.[6] 문과에 급제해야만 출사를 할 수 있었던 지난 시대와는 사뭇 다른 풍경이 전개되고 있었다. 문과는 뇌물과 불공정한 관행으로 말미암아 사실상 인재등용문으로서는 유명무실해져 있었지만 이제 더 이상 문과만이 출사를 할 수 있는 등용문이 아니었다. 무과를 통해서도 출사를 할 수 있는 길이 열린 것이었다. 여기에는 당시 민란과 화적떼의 진압, 두 번에 걸친 양요(洋

---

4 『고종실록』 고종 19년 (1982) 8월 5일.

5 김성혜, "1873년 고종의 통치권 장악 과정에 대한 일 고찰", 「대동문화연구」 72권, 2010, p.355. 각종 세금의 징수로 일반인들의 불만이 높았고, 서원의 철폐로 조선시대의 주요한 여론주도층이었던 유생들의 불만은 최고조에 달했다.

6 연갑수, 『고종대 정치변동 연구』(서울:일지사, 2008), pp.42~43.

擾)와 척사 등의 사회적 격변으로 관료의 부족과 무관의 충원이 필요했던 이유도 있었다.[7]

고종에게도 그를 친위할 정치세력이 필요했다. 그들을 통해 자신의 왕권이 실현되기를 기대하고 있었다. 명성황후의 외척인 민씨 일가가 고종을 호위하는 세력으로 부상했고, 박규수를 비롯한 신진개화파 세력을 내세웠다. 여기에 대원군이 그랬던 것처럼 순수한 무인 출신들까지 등용하면서 자신의 세력 기반을 넓혀나갔다.[8] 개화의 시작은 새로운 시대의 출발을 의미했으며 조선이 내세웠던 성리학적 세계관이 가지고 있었던 중화주의와 신분질서에 근본적인 변화를 예고하고 있었다.

함태영은 그의 나이 13살까지 무산에서 자란다. 함우택이 무반으로 변방을 떠돌아야 했기에 가족이 함께 따라다니는 것은 쉬운 일이 아니었다. 함우택은 자신이 중앙 관직에 임용되어 한양으로 올라왔을 때 무산의 부인과 아들을 한양으로 부른다. 그러나 한양에서 가족이 해후한 것도 잠시 태영은 13세에 어머니를 여읜다. 태영은 16살에 밀양 손(孫)씨와 혼인한다.

강릉 함씨 가문은 시대의 변화 속에서 자신들에게 주어졌던 책임을 외면하지 않았던 가문이었다. 나라가 부정과 부패로 가득할 때 공정하고 의로운 나라를 만들기 위해 헌신하는 것이 그들에게는 당연한 것이었다. 함우택도 그러한 사명감을 가지고 있었다. 사헌부의 감찰로 중추원 의원으로 봉직하면서도 부정과 부패에 연루되지 않았으며 재물을 탐하지 않았다. 청렴한 삶을 사는 것이 사대부의 자부심이었다.

그러한 국가에 대한 사명의식과 의로운 세상에 대한 이상, 청렴한 삶

---

7 김영모, 『조선지배층연구』(서울:일조각, 1981), p.221.
8 장영숙, 『고종의 정치사상과 정치개혁론』(서울:선인, 2010), p.138.

에 대한 의식은 고스란히 함태영에게 이어졌다. 이 세 가지는 함태영이 평생 동안 지키고자 했던 신념과 같은 것이었다. 함태영은 한번도 개인의 영달과 입신양명(立身揚名)에 관심을 가지지 않았다. 국가가 자신을 필요로 할 때 그것이 어떤 상황이어도 사명을 감당해야 된다고 생각했다.

해방 직후 목사로 은퇴하고 황혼의 여생을 보낼 수 있었던 그가 정치에 참여해서 심계원의 원장으로 봉직하고, 부통령에 출마해 직임을 다 했던 것도 그러한 의식에서 비롯된 것이었다. 법관양성소를 나와 법관으로서 대한제국이 문을 닫는 순간까지도 소임을 다했던 것도 기독교에 입교하여 목회자로 한국교회의 기초를 세우는데 심혈을 기울이고 신학적 기반을 다지는데 선구자적인 노력을 기울인 것도 의로운 세상에 대한 이상을 실현시키기 위한 것이었다. 그는 일생 동안 재산을 모으는데 관심이 없었다. 연동교회에서 원로목사로 물러나 있을 때나 부통령에서 퇴임했을 때에도 자신 소유의 집을 가지지 않았을 정도로 청렴함이 그에게는 당연한 것이었다.

이른 나이에 결혼한 함태영은 가장으로서 한 가정을 꾸려나가야 하는 책임감과 부친의 뒤를 이어 출사함으로써 가문을 일으켜 세워야 하는 막중한 소명의식을 느끼고 있었다. 그런데 이 무렵 조선은 격변의 시기를 지나가고 있었다. 1882년 임오군란과 1884년의 갑신정변을 거치면서 주변과 서구 열강의 간섭은 한층 더 심화되고 있었다. 그럼에도 중앙과 지방 할 것 없이 탐관오리들은 늘어만 갔고, 부정과 부패는 근절되지 않고 있었다. 조선사회 전반에 대한 근본적인 개혁 요구가 안팎에서 대두되기 시작하고 있었다. 그런 와중에 일어난 동학농민운동과 청일전쟁은 더 이상 개혁을 늦출 수 없는 촉매제였다.

출사를 위해 과거를 준비하고 있던 함태영은 예기치 못한 상황에 직면해야 했다. 갑오개혁이 추진되면서 그가 준비했던 과거제가 폐지되었던 것이다. 성리학의 가문과 세계관으로 무장되어 있던 그가 관리가 되기 위해서는 서구의 문명을 배우지 않으면 안되는 상황이 된 것이었다. 함태영은 관직에 있던 아버지의 조언에 따라 갑오개혁의 첫 번째 산물이었던 법관양성소에 들어가기로 결정했다. 서구의 근대적 법관양성을 목표로 했던 법관양성소의 입학은 그가 서구의 근대문명을 학문적으로 만나는 출발점이었다.

1.2. 개화파 양반관료 함우택

함태영의 부친 함우택은 무관으로 변방을 떠돌다가 중앙관료로 등용되어 한양에 들어왔다. 변방에서부터 중앙에 이르기까지 그가 목격한 국가의 현실은 참혹한 것이었다. 그가 중앙에 진출한 이후 조선의 국토는 청일전쟁의 무대가 되었으며 중전인 명성황후가 일본의 낭인들에 의해서 시해되었다. 일본의 압박에 시달렸던 고종은 아관파천으로 궁을 탈출해 러시아 공사관으로 피신해야 했다. 청과 일본, 러시아에 둘러싸인 조선은 그저 힘없는 나라에 불과했다. 그런 와중에도 조정 관료들의 부정과 부패는 극에 달해 있었다. 특히 관료들의 비위를 감찰하는 사헌부의 감찰로 임명되었던 함우택은 당시의 집권세력들과 정부 관료들의 행태를 살펴보면서 개화와 개혁의 필요성을 절감하고 있었다. 개화는 나라의 일신(日新)을 위해서도 시급한 과제였다.

1876년 강화도 조약의 체결을 전후로 조선의 양반사회는 이에 대한 저항과 순응으로 양분되고 있었다. 저항하는 그룹들은 위정척사(衛正斥邪)를 주장했다. 이들은 전통적인 조선 성리학의 역사인식이었던 인성론과 의론적인 관점에서 세계를 보고 있었다.[9] 그들은 현실적 상황과 요구보다는 명분과 의리를 중시했다. 중국 중심의 사고를 벗어나지 못했으며 서양 문명의 도래로 성리학적 세계의 근간이 무너질 것을 경계하고 있었다.

그들에게 개화는 천주교와 양이(洋夷)를 받아들이는 것이었다. 이항로(李恒老)는 척사론을 주장하며 이기론(理氣論)을 통해서 서양을 해석했다. 리(理)와 기(氣)는 나누어지지 않으며 언제나 함께 간다. 그러나 리와 기 사이에는 분명한 우선순위가 있었다. 리와 기의 관계를 상하의 관계, 본말의 관계, 선후의 관계, 존비의 관계로 이해했다. 이러한 관점에서 서양은 기(氣)가 우선하고 리(理)가 뒤에 오기 때문에 예를 갖추지 못한 것이다. 천주교가 제사를 거부하는 것도 그와 같은 이유로 판단했다. 조선은 윤리이고 서양은 화리(貨利), 즉 재물욕이다. 중국의 성리학을 받아들인 조선이 리(理)를 따르기에 최고의 문명인 것에 비해서 서양은 기(氣)를 따르는 금수(禽獸)와 같은 것이었다.[10]

그러나 사대부들이 성리학의 본질로 여기고 있었던 민본(民本), 위민(爲民)의 정신이 위정척사를 주장하는 그들에게는 더 이상 없었다. 인간 본래의 삶을 중시하기보다는 예(禮)와 명분(名分)에 따른 질서체계를 강조했다. 피폐한 민심과 부정, 부패의 만연한 사회의 모습, 서구열강의 동아시아 지배가 현실화 되어 가고 있었던 시대적 상황 속에도 그들은 오로지 성현의 말씀과 도덕경(道德經)만을 바라보았다. 실제적이고 실용적인 방안을 찾는 것에는 관심이 없었다. 내부적인 개혁은 무기력했

9 권정호, “갑오개화파 개혁사상의 구조와 성격”, 「한국행정사학지」 10권, 2001년, p.185.
10 함재봉, 『한국 사람 만들기』 I (서울:아산서원, 2017), p.342.

고, 외부적인 위협은 이미 서양 열강의 다툼 속에 기울어 가고 있었던 중국만을 바라보고 있었다.

한편 개화를 받아들이고 본격적인 개혁을 통해 부국강병을 이루어 나가야 한다고 보는 그룹이 있었다. 그들은 작금의 사회적 모순과 부패의 원인을 성리학이 본래성을 상실했을 뿐만 아니라 중국 중심의 사고가 국력을 중국에 의존해야만 하는 현실을 만들었다고 보았다. 이들은 사회개혁과 함께 서양의 문명을 과감하게 받아들임으로 중국으로부터 벗어나서 자주적으로 국가의 힘을 키워야 한다는 부국강병(富國强兵)을 주장했다.

유길준은 개화를 "인간 세상의 천만 가지 사물이 지극히 선하고도 아름다운 경지에 이르는 것"이라고 정의했다.[11] 그것은 인간이 보다 나은 삶을 영위할 수 있게 하는 것이 개화의 당위성 속에 있다는 것이었다. 박영효 또한 1888년 1월 고종에게 올린 《건백서(建白書)》에서 백성을 교육하고 그들의 삶을 구휼하는 것이 개화의 중요한 방향의 하나임을 분명히 했다.[12]개화사상은 '인간화(人間化)'라는 근본적인 목표를 가지고 있었다. 모든 개화파들이 갖고 있던 자주의식이나 계급타파, 이용후생, 부국강병에 대한 주장도 결국은 '인간화(人間化)'와 연결되어 있었다.[13] 또한 공통적으로 개화의 방향에서 교육과 법률, 정치, 군사의 개화를 주장하고 있었다. 이는 곧 사회전반에 서양식의 근대화를 이루어야 한다는 의미를 담고 있었다.

그러나 이러한 인간화의 과정을 이루기 위한 개화의 방식과 역사인식

11 유길준, 허경진 역, 『서유견문』(파주:서해문집, 2013), p.394.

12 박영효, 『건백서』, 1888년 1월 13일. 박영효는 1조에서 세계정세, 2조에서 법률의 개편, 3조에서 경제부흥, 4조에서 백성들의 구휼과 구제, 그리고 교육, 5조에서 군비문제, 6조에서 정치, 7조에서 백성의 자유를 이야기함으로 자신의 개화사상의 방향을 이야기했다.

13 김명구, 『해위 윤보선의 생애와 사상』(서울:고려대출판부, 2011), p.26.

에 있어서는 차이가 있었다. 1884년의 정변을 주도했던 갑신개화파는 개화의 방식에서 서도서기(西道西器)적 입장을 가지고 있었다. 그들은 현재의 조선이 처한 현실을 통해 성리학적 세계관의 실패로 인식했다. 그리고 새로운 힘을 받아들여 부국강병을 이루어 주변국들과 대등한 관계를 만들어 나가야 한다고 생각했다. 그들이 말하는 새로운 힘이란 문명을 의미하는 기(器)만을 의미하는 것이 아니었다. 올바른 기(器)를 얻기 위해서는 정신, 즉 도(道)를 새롭게 해야 했다. 따라서 서양의 기를 위해서는 서양의 도(道)까지도 받아들여야 한다고 인식했다. 특히 그들은 서양의 도를 기독교로 인식했다. 신앙적 차원에서의 기독교보다는 서양의 정신문명으로써 서구사회를 이끌어 온 것을 기독교로 파악하고 이를 수용해야만 서구문명의 현실적인 힘을 가질 수 있다고 생각했다.[14] 그들은 도(道)보다는 기(器)를 우선했고 인간화 역시도 서구적 근대화를 통해 힘을 얻을 때 가능해질 것으로 여겼다.[15]

반면에 갑신정변의 실패로 갑신개화파가 지배계층에서 멀어진 이후 조선의 개화를 주도하는 그룹으로 떠올랐던 개화파는 동도서기(東道西器)적인 입장에서 개화를 진행시키고자 했다. 도(道)와 기(器)를 하나로 인식했던 위정척사나 갑신개화파들과 달리 이들은 도(道)와 기(器)의 분리가 가능하며 동양의 도(道)는 변할 수 없지만 기(器)는 언제든 가능하다고 주장했다.[16] 따라서 그들은 기본적으로 조선사회의 근간을 이루는 성리학의 동도(東道)적 가치가 서구 문명의 과학기술과 효용성을 결합

14 김명구, 『월남 이상재의 기독교사회운동과 사상』(서울:도서출판 시민, 2003), p.57.
15 윤치호, 『윤치호일기』, 1884년 7월 22일(음, 6월 1일), 윤치호는 고종을 알현하고 일본과 중국을 비교하여 설명하고 일본의 발전이 가능했던 이유를 설명했다. 그리고 그것이 백성의 이익을 위해 무엇이 옳은지를 판단해야 한다고 주장했다.
16 김명구, 『월남 이상재의 기독교사회운동과 사상』, p.60.

할 수 있다고 보았다. 전통적인 유교의 의리론에 입각하여 군주와 국가에 대한 충성을 강조했다. 여기에는 조선의 전통적 가치체계에 대한 자부심이 있었다. 그들은 갑신개화파와 달리 유교적 신분제의 존속과 지주제의 강화, 절대군주제를 주장했다.[17]

개화파는 계파를 막론하고 박규수(朴珪壽)의 사상을 이어받고 있었다. 박규수는 사(士)의 기준을 '효제충신(孝弟忠信)'에만 둠으로써 농(農), 공(工), 상(商), 매(買)에 종사하는 사람을 모두 사(士)로 보았다. 그는 사민(四民)의 신분을 직분으로 파악했다. 그는 사(士)로써 독서하여 직위를 갖는 사람들은 치인(治人)함에 있어서 반드시 위민(爲民)해야 함을 강조했다.[18] 동도서기를 주장했던 그룹은 사민평등(四民平等)과 사민개로(四民皆勞)를 주장했지만 그것이 직접적인 신분질서의 타파를 요구했던 것은 아니었다. 관직과 교육의 기회균등, 노동의 신성화, 능력에 따른 직능의 분화 등을 주장했다.[19] 그럼에도 그들이 주도했던 갑오개혁에서 공식적으로 신분제의 폐지의 법령을 제정할 수 있었던 것은 그러한 사민평등의 인식이 있었기 때문에 가능한 것이었다. 이는 위정척사론자들이 내세우고 있었던 전통 성리학의 인간관하고는 거리가 있었다. 전통 성리학에는 인간 개인의 평등한 권리관이 존재하지 않았다. 다만 도덕과 윤리를 갖춘 인간만이 존엄한 가치를 인정받기 때문에 신분제의 구분 또한 당연한 것으로 이해했다.[20]

---

17 권정호, "갑오개화파의 개혁사상의 구조와 성격", p.191.
18 손형부, 『박규수의 개화사상연구』(서울:일조각, 1997), p.25.
19 김명구, 『월남 이상재의 기독교사회운동과 사상』, p.82.
20 전세영, "퇴계 인본주의와 노비관", 「2018년 한국동양정치사상사학회 춘계학술회의」, 2018년 5월, p.70. 조선 성리학의 대가였던 퇴계(退溪)도 노비를 불쌍히 여기는 마음을 가졌지만 노비가 학문을 하는 인간이 아니고, 예를 모르기 때문에 천한 인간일뿐이며 오히려 비인격적 존재로까지 여겼다.

몰락한 양반출신 무관으로 주변부를 맴돌아야 했던 함우택이 접한 개화사상은 모든 민(民)이 도(道)와 예(禮)로써 교화되어 도덕적 사회를 실현해야 한다는 강릉 함씨 가문의 사상적 전통과 다르지 않은 것이었다. 진정한 위민을 실행하는 것이 성리학의 인간관을 실현하는 것으로 보았고, 사민평등의 위민정신을 내세운 동도서기적 개화사상은 함우택을 매료시키기에 충분했다.

개화사상가들은 조선의 가장 시급한 개화의 과제로 사법제도가 근대적인 모습으로 개혁되어야 한다고 생각했다. 조선 후기 사회에서 사법행정이 사실상 유명무실해졌을 뿐만 아니라 재판이나 사법행정이 대부분 정치적 당파에 의해 좌우되었기 때문에 공정성과 공평성을 추구했던 서구의 근대적 사법제도의 전환이 시급한 과제였다. 함우택은 그러한 개화의 목표와 흐름을 누구보다 잘 알고 있었을 뿐만 아니라 사헌부 감찰의 직무를 수행하며 사법제도의 개혁에 공감하고 있었다.

함우택이 동도서기적 개화의 이상을 받아들인 것과 그가 독자였던 함태영을 법관양성소에 보냈던 이유도 자신이 마주했던 국가의 현실에 대한 자각에서 비롯된 것이었다. 또한 아들이 급변하는 정세 속에서 개화시대의 새로운 주역이 되기를 바라는 마음과 갑오개화파가 추구했던 국가의 이상을 아들이 이어받기를 원했기 때문이었다.

함우택의 개화에 대한 이상과 위민의 애국정신은 함태영에게도 그대로 이어졌다. 그러한 부친의 생각은 함태영이 과거제 폐지이후 새로운 관리등용문으로 등장한 법관양성소로 진로를 결정하는데 영향을 주었다. 또한 법관양성소에서 서양의 근대 사법제도를 배우는데 있어서 누구보다 적극적일 수 있었다. 서양의 제도와 문물을 배우는 것은 나라를 새롭게 개혁하기 위해서는 필수적인 것이었다.

2장 함태영과 근대 법학

2.1. 법관양성소의 개소와 입학

> 과거로 관리를 선발하는 것이 나라의 법이다. 그러나 단지 과거로만 능력을 판단하기에는 어려움이 있다. 관리 선택의 방법을 변경하고 주제에 대한 다른 규칙들을 적용하도록 필요한 규정을 채택할 것을 전하께 청원하는 바이다.
> 오래된 근간을 가장 크게 뒤흔들 변화를 말하라면 바로 이 조항이다 물론 과거제도가 하나의 광대극에 지나지 않는다는 사실은 모든 조선인이 잘 알고 있다. 누구든 돈만 내거나 힘 좀 쓰는 관리를 움직인다면 급제도 장담할 수 있다. 하지만 아직 서울에 올라가서 급제를 꿈꾸는 오래된 관습이 있고, 예상치 못한 일이 가끔 일어나 급제하는 운이 따르는 예도 있다. 한민족의 전설과 민담은 과거 시험 이야기로 넘쳐나고, 과거제 폐지는 오늘날 조선인들에게 삶의 가장 중요한 요소를 없애는 것이나 마찬가지다.[21]

1895년 헐버트(H.B.Hulbert, 1863~1949)[22]는 《The Korea Repository》

21 Hommer B, Hulbert. "Korean Reforms", 『The Korean Repository』, 1895년 1월호, 6.;Hommer B. Hubert, 김동진 역,『헐버트 조선의 혼을 깨우다』(서울:참좋은친구, 2016), p.5.

22 1863년 1월 26일 미국 버몬트 주에서 회중교회 목사이자 미들버리(Middlebury)대학 학장이던 헐버트((C. B. Hulbert)의 차남으로 출생했다. 다트머스대학을 거쳐 1884년 유니온신학교를 졸업했다. 벙커(D. A. Bunker), 길모어(G. W. Gilmore)와 함께 1886년 7월 4일에 내

의 1월호 첫 꼭지에 "Korean Reforms"라는 글을 게재하여 조선에서 일어나고 있는 갑오경장(甲午更張)의 진행을 주목하고 있었다. 헐버트는 이 개혁의 주요 과제로 신분제도의 철폐와 함께 과거제도의 폐지를 들었다. 그중에서도 과거제의 폐지가 이번 개혁의 핵심이 될 것이라고 평가하고 있었다. 조선의 개혁에서 가장 중요한 문제가 관리 등용의 문제로 본 것이었다. 이는 갑오경장을 견인했던 동학 농민의 봉기 문제가 관리들의 부패에서 비롯되었다는 개화파 관료들의 인식과 크게 다르지 않았다. 관리들의 부정과 부패 문제를 바로잡지 않고서는 모든 개혁이 무의미하다는 현실인식이 깔려 있었던 것이다.[23]

갑오경장으로 불리는 갑오개혁은 정치, 행정뿐만 아니라 군사, 경찰, 사법, 사회, 교육제도에 이르기까지 사회 전반에 걸친 개혁이었다. 이러한 개혁의 요체는 조선의 제도를 근대화(近代化)시키는 것이었다.

> 법무대신 서광범 삼가 아룀. 법률학교를 설치하는 까닭은 인재를 배양하고 법률을 익혀 타일에 지방재판관으로 선보(選補)하는 데 용비(庸備)하기 위함이며, 또한 때에 맞추어 재판관을 아울러 취학(就學)케 하여 써 법률을 행하게 하기 위한 것으로서 그 경비를 양의타산(量宜打算)하여 탁지아문으로 하여금 변획(辯劃)케 할 뜻으로 삼가아룀. 개국 503년

한해 육영공원의 교사로 재직했으나 1891년 육영공원이 축소되자 교사직을 사임하고 귀국했다. 1893년 9월 미북감리회에서 목사 안수를 받고 선교사로 내한하여 문서출판 기관인 삼문출판사를 맡아 운영했고, 선교사들과 외국인들의 잡지인 *The Korea Repository*와 1901년에 영문잡지 *The Korea Review*를 창간했으며, 1903년에는 황성기독교청년회(YMCA) 초대 회장에 취임하여 YMCA를 이끌었다. 고종황제의 이준, 이위종, 이상설 등으로 구성된 헤이그밀사 파송을 후원하여 1907년 4월 직접 헤이그에 잠입, 이들을 지원했다. 해방 후 1949년 8월 이승만 대통령의 초청으로 내한했다가 서울에서 소천하여 양화진선교사묘역에 안장되었다.

23 국사편찬위원회, 『한국사 40– 청일전쟁과 갑오개혁』(서울:국사편찬위원회, 2013), p.1. 김홍집은 경장(更張)을 정치의 병폐를 바로잡는 것이라고 보고 문란해진 기강을 바로잡기 위해서는 새로운 방법으로 현실의 문제를 개혁해야 한다고 역설했다. 이는 갑오경장의 핵심이 과거제의 폐지에 있음을 말해준다.

12월 16일 봉지의윤(奉旨依允).[24]

1894년 갑오개혁의 새로운 관제개편에 따라 법무대신에 임명된 서광범(徐光範)은 법관양성소 제도를 시행하기에 앞서 그 당위성을 재판관을 양성하는 교육이 반드시 필요함을 역설하고 있었다. 이는 기존의 천거제도와 과거로 관리를 뽑는 방법에서 학교를 통한 인재양성의 필요성을 역설한 것으로 갑오개혁의 제도개혁이 관리등용제도의 개혁으로부터 비롯될 것임을 암시하는 것이었다. 법관양성소는 그러한 개혁의 출발점이었다. 1895년 3월 25일 법률 제1호로 재판소구성법이 공포되고, 동시에 제49호로 법관양성소 규정이 공포되었다.[25] 3월 29일에는 "법관양성소 설치의 건"이 주청 되었다.

> 법부내(法部內)에 법관양성소를 치(置)ᄒᆞ야 미인(米人) 구례(具禮) 급 일인(日人) 일하부삼구랑(日下部三九郎) 등에게 법률학강의를 촉탁(囑託)ᄒᆞ며 우(又) 법관의 양성은 공평무사(公平無私)청렴결백(淸廉潔白)의 덕의(德義)를 발양(發揚)케 ᄒᆞᆷ을 무(務)ᄒᆞ미 가ᄒᆞᆯ 사(事)[26]

법관양성소에서 법률학 강의를 하는 중요한 핵심 교수는 구례(具禮) 즉 미국인 법률고문이었던 그레이트하우스(C.R Greathouse)와 일본인 구사가베 산쿠로(日下部三九郎)가 주도하도록 했다. 양성하는 법관의 기본 덕목은 공평무사(公平無私)와 청렴결백(淸廉潔白)이었다. 조선 정

---

24 국회도서관, 『한말 근대 법령 자료집 I』(서울:대한민국국회도서관, 1971), 154.; 김효전, 『법관양성서와 근대 한국』(서울:소명출판, 2015), p.18에서 재인용.

25 『고종실록』, 1895년 3월 25일.

26 송병기외 편, 『한국근대법령자료집 1』(서울:국회도서관, 1970), pp.279~280. 최기영, "한말 법관양성소의 운영과 교육", 「한국현대사연구」 제16권, 2001년 3월호, p.43에서 재인용.

부가 법관양성소에 거는 기대를 짐작할 수 있었다.

함우택은 독자인 태영에게 근대식 사법제도 개편에 따라 법관을 양성하는 법관양성소에 들어가기를 조언했다. 그것은 갑오개혁의 목표가 관리를 바로 세워 부국강병의 초석을 다지는데 있다는 것을 누구보다 잘 알고 있었기 때문이었다. 특히 그가 사헌부의 감찰로 활동하고 있었기 때문에 관리들의 부정부패가 얼마나 심각한지를 직접 목도하며 엄정하고 공정한 법관의 필요와 중요성을 절감(切感)하고 있었다. 법관양성소가 이러한 문제를 해결해 줄 수 있는 개혁의 출발점이 될 수 있다고 생각했다. 더 결정적인 이유는 과거제가 폐지되면서 갑오개혁의 첫 번째 관리임용책이었던 법관양성소는 졸업과 동시에 사법관리로 임용되어 출사를 할 수 있는 기회이기도 했다.

그렇게 함태영은 갑오개혁의 출발을 알리며 이제 막 문을 열고 신입생을 맞았던 법관양성소에 들어갔다. 이때 그의 나이 21살이었다. 당시 법관양성소에 입학했던 1기생은 1895년 4월 16일에 모두 50명이 입학했다. 수업연한은 6개월이었고, 우등생일 경우에는 3개월의 과정을 밟게 했다.[27] 당시 법관양성소가 설립된 목적은 근대식 사법관의 자격을 갖춘 인물을 속성으로 교육하여 배출하는 것이었다. 그만큼 갑오개혁을 주도했던 세력에게 근대 문명국가로의 개화에서 사법제도의 변화가 절실했던 것이다. 최대 6개월의 기간 안에 새로운 법관을 배출해야 했다. 비록 짧은 기간이라 해도 이곳에서 양성된 사법관리들은 새로운 시대를 열어갈 근대지식인으로서의 위치를 부여받을 수 있었다.

학문에 대한 남다른 열정과 호기심을 가지고 있었던 함태영에게 법관

---

27 김효전, 『법관양성소와 근대 한국』, p.15.

양성소에서 배우는 근대의 법학은 자신이 그토록 찾고 있었던 이 세상을 바꿀 수 있는 이치(理致)였다. 당대의 대표적인 근대지식인이었던 서재필, 윤치호 등은 미국 유학을 통해서 서구의 사상을 체득하고 있었을 뿐만 아니라 기독교를 통해 서구의 정신문명까지도 받아들이고 있었다. 그런 기반이 없었던 함태영이지만 법학을 통해서 근대 서구의 법치(法治)사상, 법의 정신을 배울 수 있었다.

2.2. 법관양성소의 근대법학

2.2.1. 그레이트하우스 - 공정과 공평의 정신

폐하의 특별 요청에 따라, 그의 외교고문인 C. R. Greathouse가 법원의 회기에 참석하여 증인들을 조사하고 절차를 감독하도록 했습니다. 법원은 약 15일 동안 회기를 가졌으며 다수의 증인이 조사되었으며 모든 공식 문서에 대한 완전한 접근 권한이 부여되었습니다.
…재판으로 돌아가서 Greathouse는 우리에게 공정하고 신중하게 재판에 임했으며 고문이 사용되지 않았다고 말합니다. 우리는 그가 재판과 관련되는 한 지금까지의 공정한 재판 과정이 계속될 것이라고 확신합니다. 우리는 재판으로 드러난 것과 Greathouse 씨의 견해에 더해서 다른 사람들이 우리에게 제공한 정보에 대한 우리의 의견을 기초로 할 것입니다. Greathouse의 견해는 이 재판들이 동양의 법정에서 빈번하게 훼손되고 있는 절차의 심각한 오류로부터 자유로워져야 할 뿐만 아니라 절차의 순수성과 정직성, 인내심과 철저한 조사, 그리고 일반적으로 서구적 개념에 의거한 정의와 진실성을 가져야 한다는 것입니다. 정의와

진실성이 모든 면에서 우선하는 것입니다.[28]

1895년 3월 21살의 함태영은 법관양성소에 입소하면서부터 근대법학에 매료되기 시작했다. 그는 그 누구보다도 열심히 법학을 공부했다. 그가 법학을 공부하면서 깨달았던 것은 나라의 정의를 세우는 것이 바로 법치(法治)라는 사실이었다. 서구 근대 사회가 법치를 강화하면서 강대국으로 발전했다는 사실을 깨달았고, 실제적인 법치가 이루어질 때 비로소 공평(公平)하고 공정(公正)한 사회가 이루어질 수 있다는 것을 알게 되었다. 특히 법 앞에 만인이 평등하다는 근대법의 기본 사상은 그가 법관으로서 활동하는데 신념이 되었다.

법관양성소의 초대 소장은 법부 참사관이었던 피상범(皮相範)이 담당했다.[29] 교수진은 주로 일본인 교수들로 채워져 있었는데 학생들이 배웠던 과목과 시간, 교수진은 다음과 같았다.

〈표 1〉 법관양성소 학과 시간표[30]

요일 \ 시간	10시~11시	11시~12시	1시~2시
월요일	민법(高田)	민사소송법(高田)	법학통론(日下部)
화요일	형법(拙口)	형법(拙口)	민사소송법(高田)
수요일	형법(拙口)	민법(高田)	법학통론(日下部)
목요일	민법(高田)	민사소송법(高田)	형사소송법(高田)
금요일	형사소송법(高田)	형사소송법(高田)	법학통론(日下部)
토요일	현행법률(皮相範)	소송연습(高田, 拙口, 日下部)	

28 "Editorial Department – The Qeen's Death Again Investigated", *THE KOREAN REPOSITORY Vol 3*, March, 1896, pp.24~25.
29 최종고, 『한국법학사』(서울: 박영사, 1990), p.88.
30 위의 책, p.83.

함태영이 법관양성소에서 배웠던 과목은 민법, 형법, 형사소송법, 민사소송법, 법학통론 등이었다. 그리고 교수진은 일본인 다카다(高田), 호리구치(擑口), 구사가베 산쿠로(日下部三九郎), 미국인 그레이트하우스(C.R. Greathouse, 1848~1899), 피상범(皮相範)이었다.[31] 일본인 교수진들이 주로 실무적인 과목들을 담당했다. 1기 법관양성소의 교수진에서 가장 두드러진 특징은 그레이트하우스의 존재였다.

조선의 네 번째 고문으로 부임한 그레이트하우스는 미국 켄터키주 우드타드 출신으로 샌프란시스코로 이주해 법률가의 길을 걸었다. 그레이트하우스는 1891년에 고종의 외교고문으로 내부협판의 직위를 가지고 국내에 들어온[32] 1890년부터 약 9년간 외교·법률고문으로 조선의 격동기를 함께 한 미국인 고문관이었다. 그는 법학을 공부한 변호사 출신으로 정치에 참여하기도 하였고, 주일(駐日) 요코하마 총영사로 4년간 외교관으로 활동하기도 하였다. 그후 르전드르(李善得 ; Charles W. LeGendre, 1830~1899)[33]의 천거로 조선의 고문관으로 부임한 후 내무부에 소속되어 각종 외교 현안과 국제법 문제들을 담당하였고, 우정총국 회판으로 재직하면서 우편조직의 독립성 확보를 꾀하였다. 갑오개혁 후 법관양성소의 교수와 명성황후시해사건 진상조사 담당, 한성재판소의 주요 정치재판에 참여하여 직접 감독·심리를 통해 근대 사법제도의 정착에 크게 기여하고 있었다.[34]

---

31 김효전, 『법관양성소와 근대 한국』, p.78.

32 V. 콜랭 드 플랑시, "미국인 고문 데니의 해임과 그레이트하우스의 임명", 「프랑스외무부문서」 5 조선Ⅳ · 1891년 1월 26일, 『대한민국근대사자료집성』 제15권.

33 프랑스 올린스에서 출생했으며 소르본대학을 졸업하고 미국으로 건너가 미국으로 귀화했다. 남북전쟁에 참전했고, 일본에서 외교고문으로 활동했다. 1890년 고종에 의해 외교고문으로 발탁되었다. 1894년 부터는 궁내부 고문으로 활동하고 있었다.

34 김현숙, "(자료해제)대한제국기 미국 고문관 문서 해제", 「한국근현대사연구」, 31호, 2004년 12월호, p.319.

일본의 교수진들이 일본의 법치체계를 주로 이식하려고 했다면 그레이트하우스는 근대 법치주의의 보다 본질적인 의미와 태도를 전달하려 했다. 특히 그는 절차성과 투명성, 공정성을 중시하는 법관의 태도와 정의와 상식을 지향하는 법의 정신을 강조했다. 공정하고 공평한 재판, 그리고 사법부의 독립을 신념처럼 여기고 있던 인물이었다.

근대 법학은 크게 영미법과 대륙법으로 구분되어 발전했다. 영국과 미국을 중심으로 했던 보통법체계는 법관의 판단을 중요시한다. 기존의 판례를 중시하고 공정한 재판을 강조한다. 이를 위해 절차적 중요성과 시대적 상식, 보편적 윤리의식을 중요하게 여긴다. 특히 개인의 존귀함을 강조한다. 반면 대륙법은 법률에 의해서 정해진 것을 중시한다. 절차보다는 실체법이 중심이 되고 소송은 이를 위한 수단이 된다. 개인에 대한 이해보다는 법률의 안정성과 국가와 사회의 안전성에 더 무게가 있었다.[35]

영미법 체계는 자유주의적 인간관을 더 적극적으로 수용했다.[36] 자유주의적 인간관에서 모든 사람은 동등한 존엄성을 가진다. 평등은 시민들이 동등한 정치적 권리의 획득을 말한다. 법치는 통치의 수단이 아니라 개인의 자유와 인간 존중을 위한 수단이었다. 사회는 자유로운 개인이 사회계약을 통해 형성한다. 법이 없는 삶은 약육강식의 무정부 상태다.[37]

재판에서의 공정성은 이러한 인간이해를 전제로 했다. 고문이나 억

---

35 Eugen Bucher, 최병규 역, "영미법과 대륙법의 대조성", 「법학논집」 32권, 1996, pp.122~137.

36 자유주의적 인간관은 종교개혁을 통해 발현된 인간관(人間觀)을 토대로 발전했다. 종교개혁의 인간관은 신부적 인간을 강조했던 신학적 인간관과 자연으로서의 인간 이성을 중요시여겼던 자연주의적 인간관으로 분화되어 발전했다. 개인의 존엄성과 중요성을 바탕으로 하는 기본적인 구조는 다르지 않았다.

37 B.Z.타마나하, 이헌환 역, 『법치주의란 무엇인가』(서울:박영사, 2014), p.66.

압 등 자유를 침해하여 받아내는 자백은 그 자체로 증거능력을 상실한다고 보았다. 그레이트하우스에게 재판의 공평과 공정성은 가장 중요한 가치였다.

법관양성소의 교육을 책임질 핵심 교수로 임명되었던 미국인 그레이트하우스가 어떤 과목을 담당했는지는 정확하게 자료상으로는 나타나지 않는다. 다만 법관양성소에 깊이 관여하고 있었던 점을 미루어 보면 일본인 교수들의 과목을 나누어 진행했을 가능성이 높다.[38]

고종은 근대식 사법체계를 만들면서 서구열강의 동조와 재판의 투명성과 공정성을 인정받기 위해 조선과 일본이 아닌 제3국 미국 출신인 외교 고문 그레이트하우스를 고등재판소 임시 고문으로 임명하여 재판을 담당시켰다. 그가 법관양성소가 문을 열었을 때 교관으로 있었다는 것은 그만큼 영향력을 발휘할 수 있는 위치에 있었다는 것을 의미했다.

그레이트하우스는 명성황후 시해사건의 진상조사를 담당한 인사였다. 고등재판소 판사 권재형과 함께 약 2개월에 걸쳐 재판을 이끌어 갔다. 그는 소송 문서 확인 및 증인 심문을 진행했다. 특히 대원군에게 까지도 명성황후 시해와 관련된 서면 질의를 진행했다. 모든 재판에 입석해서 관행적인 잔학 행위를 근절시키고, 근대적 사법 절차에 따라 재판을 진행했다. 그 결과 13명의 체포자들을 고문 없이 공정하고, 공개된 재판으로 1명 사형, 4명 종신 유배, 5명은 더 짧은 유배를 선고했다.

그레이트하우스는 이를 통해 서양식 기준에 맞춰 심문 및 재판 절차에 대한 투명성과 정당성을 확보하였다는 평을 받았으며 서양적 정의(正義)

---

38 김현숙, "한말 법률고문관 그레이트하우스의 국제법 및 사법 자문활동", 「이대사원」 31권, 1998년 12월호, p.87.

와 통합(統合)의 관점에서 다루어지는 법치의 정신을 보여주었다.[39]

그는 이 재판 결과를 토대로 고등재판소 판사 권재형(權在衡)이 작성한 "개국 504년 8회 사변보고서"를 작성할 때 자문과 인준을 했다. 이 보고서는 그해 1월에 진행된 황도재판소에서 증거 불충분이라는 이유로 일본인들에게 대한 혐의 사실을 부인한 판결문에 대한 비판서이자 추가 보고서의 성격을 가지고 있었다.[40] 재판소 측은 이 보고서를 관보에 게재하여 공포하려 했지만 일본 정부의 항의로 보류되자 그레이트하우스는 이 진상보고서를 한글로 간행한 뒤에 외국 선교사들의 잡지였던 「코리아 레포지터리(Korea Repositary)」에 "왕후 시해사건에 대한 공식 보고서(*Official Report On The Death Of The Queen*)"라는 이름으로 전문을 공개했다. 보고서의 마지막 부분은 이 사건이 일본이 주도하고 조선 정부의 고위 관료들이 연루되어 있었음을 명시했다.

> 음모에 관련된 한국의 민간인들 중에는 고관의 일부가 있는 것으로 드러났습니다. 불행하게도, 재판이 끝나갈때, 이들의 대부분은 도주하여 현재 외국에 있는 것으로 확인되었습니다. 우리는 그들의 모든 사건에 대해 더욱 철저한 조사를 실시하고, 보고할 것입니다.
> 위의 보고서는 궁에서 벌어진 모든 분노할 사건들이 담겨 있다고 확신할 수 없습니다. 그리고 사복을 입고 칼과 권총으로 무장 한 일본인들은 일반적으로 소시(soshi)옷을 입는 평범한 일본인들과는 구분되는 사람이 많았고, 일부는 한국 정부의 일본 고문이며, 일본 공사관에서 급여를 받는 종사자들이나 일본 경무관들이었습니다. 소시(soshi)옷을 입은 자들과 함께 한 이들은 궁에 들어간 일본 군인들을 제외하고 약 60

39 김현숙, "한말 법률고문관 그레이트하우스의 국제법 및 사법 자문활동", p.91.
40 위의 논문, p.92.

명에 달했습니다. 고등재판소 최고법정[41]

그레이트하우스는 명성황후 시해사건의 관련자들 중 일부가 사변 직후 출범한 친일내각에 의해 부당하게 재판을 받고 처형되었음을 밝혀내는 것으로부터 재판에서의 공정성을 유지하려고 노력했다. 그리고 그 내용을 전면에 내세우고 있었다. 조선정부의 보고서가 예전 방식대로 강압이나 고문에 의한 자백에 기초한 것일 경우 자칫 정당성에 훼손이 갈 것이기 때문이었다.

이 사건 외에도 그는 정치적 재판을 감독하면서 당시 조선에서 피고인과 증인의 심리과정에서 당연시되었던 고문을 폐지하고, 법정에서 질서와 예의를 지키게 했다. 이러한 점들이 당시 주요한 언론을 통해서 알려지면서 찬사를 받았다.[42]

> 그동안에 즁ᄒᆞᆫ 옥사가 만히 ᄉᆡᆼ겨 셰샹 인심이 ᄒᆞᆫ 동안 흉흉 ᄒᆞ더니 졍부에셔 공평ᄒᆞᆫ ᄌᆡ판과 졍당ᄒᆞᆫ 법률 시ᄒᆡᆼ ᄒᆞ기를 위 ᄒᆞ야 미국 고문관 구례씨를 법부에 두고 이옥ᄉᆞ들을 모도 졍졍 방방이 결쳐 ᄒᆞ야 죄 잇ᄂᆞᆫ 사ᄅᆞᆷ은 맛당ᄒᆞᆫ 형벌을 밧고 죄 업ᄂᆞᆫ 사ᄅᆞᆷ은 ᄇᆡᆨ방이 되얏스니 이거슨 죠션에 처음 일이라 국가에 경ᄉᆞ요 인민의 목숨들이 튼튼 ᄒᆞ게 된거시니 엇지 우리가 치하 안 ᄒᆞ리요[43]

그레이트하우스는 이제 막 근대법학을 배우고 근대적 의미의 법관으로서 출발하는 법관양성소의 졸업생들에게 엄격한 법의 집행에 있어서

---

41 "Official Report on Matters connected with the Events of October 8th, 1895, and the Death of the Queen", *The Korea Repositary vol.3*, March, 1896. p.26.

42 김현숙, "한말 법률고문관 그레이트하우스의 국제법 및 사법 자문활동", p.94.

43 『독립신문』, 1896년 12월 29일.

중요한 것이 정당성과 투명성, 그리고 공정성이라는 분명한 방향성을 제시해 주고 있었다. 특히 법관의 독립성과 재판에서의 태도를 강조했다. 법관양성소를 수석으로 졸업할 정도로 누구보다도 근대법학에 고무되어 법관으로서의 삶을 시작했던 함태영에게 그레이트하우스의 가르침은 그에게 법관으로서의 자부심과 함께 법관으로서의 지표가 되었다.

1897년 6월 경기도 관찰사 오익영(吳益泳)[44]은 고종에게 상소를 올렸다. 관할지에 사는 홍정식과 윤용대 사이에서 일어난 일들로 인해 재판을 담당했던 검사시보 함태영에 대한 불만을 호소하는 내용이었다.

> …윤용대의 아우 윤상대가 그의 조카가 순검에게 구타당하여 거의 다 죽게 되었다고 하면서 고등재판소에 소송을 내었고, 고등재판소에서는 한성재판소 검사시보 함태영을 수원군에 내려보냈습니다. 그리고 그가 조사를 하면서 신을 호출하는 일까지 벌어졌습니다. 신이 비록 보잘것없는 사람이지만 그 직책이 칙임관인데 일개 검사가 처음부터 성상께 아뢰지도 않고 제멋대로 이러한 행동을 하였으니, 조정의 기강이 신의 일로 인해 여지없이 땅에 떨어지고 말았습니다. 신의 평소 처신이 남들로부터 신뢰를 받았더라면 어찌 이런 일이 생겼겠습니까. 스스로를 돌아보건대, 부끄러워 몸 둘 곳이 없습니다. 이에 감히 충정을 드러내어 성상께 아뢴, 자애로우신 성상께서는 부디 신이 지닌 직책을 속히 체차하시고 직무를 제대로 수행하지 못한 신의 죄를 다스리시어 신과 같이 능력 없는 자들에게 경계가 되게 하소서……[45]

44 오익영(吳益泳, 1849~?), 본관은 해주(海州)이고, 자는 우삼(友三)이다. 1873년(고종 10) 사마시에서 생원 3등으로 합격하였고, 이듬해 증광문과에서 병과로 급제하였다. 1878년 홍문관부수찬을 거쳐 1880년 사간원대사간에 임명되었다. 1881년(고종 18) 성균관대사성에 올랐으며, 1889년 이조참판에 제수되었다. 1890년 사헌부대사헌에 임명되고, 이듬해 다시 이조참판을 지냈으며, 1895년 공주부관찰사에 임명되고 중추원 1등 의관에 임용되었다. 1896년 경기관찰사를 거쳐 1898년 궁내부특진관·봉상사제조를 지내고 칙임관 3등에 서임되었다. 홍영식(洪英植)·김홍집(金弘集) 등 개화파와 교유하였다.

45 『고종실록』, 1897년 6월 11일 (음력 5월 12일).

오익영은 행정관인 자신의 관할에서 생겨난 사건의 재판에서 6등 주임관의 벼슬에 불과한 검사시보 함태영이 자신을 불러 조사한 행위가 불경(不敬)하다는 것을 자신의 직을 걸고 상소를 올린 것이다. 아직 근대적인 사법체계를 알지 못했던 당시에 6등 주임관인 검사시보가 3등 칙임관인 관찰사를 소환한다는 것은 상상하기 어려운 일이다. 그럼에도 함태영은 법관으로서 가져야 하는 공정성을 위해 관할 행정관인 관찰사를 소환해야 했다. 함태영이 배운 재판은 양쪽 모두의 이야기를 다 들어보고 정황을 파악해서 정확한 사실을 확인하고 거기에 합당한 판결을 내려야만 공정하고 공평한 재판이었다. 이를 위해서는 재판을 담당하는 법관이 최종 결정권자일 때 가능했다. 함태영에게 법 앞에서는 모든 사람이 평등했다. 귀천(貴賤)을 따지는 순간 재판은 불공정하며 불공평한 것이 되었다. 오익영을 관찰사가 아닌 한 개인으로서 대하고 조사에 임했던 것이다.

이 사건 이후 함태영은 한성재판소 검사시보에서 한성재판소 판사로 품계가 올라갔다.[46] 그리고 이어서 법부검사를 거쳐 1898년 8월 21일 고등재판소 검사로 승진했다.[47] 고등재판소는 관할하는 사건들이 대부분 국가의 중대 의옥(疑獄)사건이나 정치적인 문제로 어렵고 껄끄러워 오랜기간 해결치 못하고 있었던 사건들을 처리해야 하는 법원이었다. 아직 25세의 젊은 검사였던 함태영이 다루기에는 만만치 않은 사건들이 대부분이었다.[48]

그가 부임한지 한 달여가 지났을 때 김홍륙(金鴻陸, ?~1898) 독차

46 『고종시대사』4집, 1897년 11월 1일.
47 위의 책, 1898년 8월 21일.
48 최종고, 『한국의 법률가』, p.56.

(毒茶)사건이 일어났다. 김홍륙은 함경도 사람으로 블라디보스톡에서 거주하면서 러시아어를 배웠다. 그리고 러시아 공사관의 통역으로 일을 하다가 아관파천 때 고종의 총애를 받았다. 한성부 판윤의 자리까지 오를 정도로 그 위세가 대단한 인물이었다. 그러다가 고종은 경운궁으로 환궁하자 김홍륙을 흑산도로 귀양보낸다.[49]

이것이 독차사건의 발단이 되었다. 귀양 간 김홍륙이 자신의 수하 중 러시아 공사관의 주방을 담당했던 공홍식에게 아편 한냥쭝을 보내 고종과 황태자를 독살하려고 했다는 것이다. 알려진 바로는 김홍륙이 공홍식에게 사주하고 공홍식이 궁궐 안 보현당 창고지기 김종화를 1천원에 매수하였고, 김종화는 9월 11일 고종과 태자에게 커피를 올릴 때 약을 탔다는 것이다. 커피를 마신 고종과 태자가 구토하기 시작했고, 태자는 정신을 잃었다. 내시와 시녀들이 커피를 맛보았는데 그들도 중독되었다는 것이다.[50]

이날은 고종의 생일 다음날이었다. 김종화는 김홍륙이 추천해서 고종과 태자에게 수라상을 진상했던 사람으로 서양 요리로 이름이 나 있었다. 특히 수라상이 내시와 시녀들이 먼저 시접을 하고 나서 고종과 태자가 마시기 때문에 시접을 했던 내시와 시녀들이 문제가 되어야 했는데 아무런 문제가 없었다. 사건은 흑산도에 귀양 가 있는 김홍륙의 사주에 의한 황제 독살 음모 사건으로 증폭되고 있었다.

이 사건을 담당했던 함태영은 이 사건을 증거불충분으로 판단하고 김홍륙에게 무죄 또는 가벼운 처벌로 끝내려고 했다. 그러나 민씨 가문에

49 『고종실록』, 1898년 8월 25일.

50 정교, 조광 편, 김우철 역주, 『대한계년사』 3, 1898년 9월 11일, p.142. 독립협회를 주도했던 인물 중에 한 사람이었던 정교는 『대한계년사』에서 이 사건을 다룰 때 『독립신문』에 게재되었던 최종 선고서의 내용을 그대로 인용했다.

서 극형에 처해야 한다는 압력을 계속 보냈다. 사법관으로 정치가들의 간섭을 극도로 배제하고자 했던 함태영은 그러한 압력과는 상관없이 자신의 판단을 고수했다. 이 사건에 대한 진전이 없자 고종이 함태영을 비밀리에 불러 독대를 했다. 당시의 사법체계에서 정치적 사건 재판의 최종 판결은 검사나 판사에 의해 이루어지기 보다는 왕명에 의해서 내려지는 것이 당연한 것으로 받아들여지고 있었다. 다음 날 함태영은 고종의 명을 따라 김홍륙에게 사형을 구형해야만 했다.

함태영은 훗날 김홍륙의 먼 일가였던 장공 김재준이 이 사건에 대해서 물었을 때 이 사건이 민씨 일파의 조작에 의한 것이었으며 고종이 이 사건을 지혜롭게 처리했다고 회상했다. 함태영은 심문과정에서 만난 김홍륙을 '거인'으로 높게 평가했다.[51] 윤치호나 독립협회원들이 김홍륙에 대해 평가했던 것과는 사뭇 달랐다.[52] 김홍륙에 대한 정치적 평가가 그에게 중요한 것이 아니었다. 함태영은 그를 앞서 오익영 사건에서와 같이 한 무죄한 개인으로서 먼저 그를 대한 것이었다. 공평과 공정의 법치적 정의의 신념을 가지고 있었던 함태영이었다. 이 사건의 공정함은 피고인 김홍륙이 외부의 압력에 의한 자백이 아닌 피고인의 자유로운 진술과 고백을 할 수 있을 때 확보될 수 있었다.[53] 함태영은 고문이나 압박의 방법을 사용하지 않았고 김홍륙의 자유로운 진술을 확보할 수 있었다. 비록 최종 판결을 내리는 과정에서 자신의 뜻을 관철시키지는 못했지만 함태영은 그레이트하우스가 강조하고 있었던 재

---

51 김재준, 『범용기』(서울: 장공자서전 출판위원회, 1983), pp.299~300.

52 윤치호는 자객들이 김홍륙을 칼로 공격했지만 실패한 것에 대해서 거세게 비판했다. 김홍륙에 대해서는 악한 섭정자로까지 평가했다. 윤치호, 『윤치호일기』, 1898년 2월 23일.

53 아직 변호사가 없었기 때문에 피고인의 자기방어권을 갖는 것은 무척 중요한 법치 질서의 하나였다.

판의 공정성을 자신이 맡은 사건에서도 그대로 실천하고 있었다. 재판을 진행함에 있어 신분의 귀천은 중요하지 않았다. 존재의 평등이 담보되지 않는 재판은 불공정할 수밖에 없었기 때문이었다. 함태영은 그레이트하우스로부터 법관이 정의를 어떻게 실현해야 하는지를 배우고 있었던 것이다.

2.2.2. 일본의 근대법학 – 법치국가의 이상

법관양성소가 문을 열었을 때 서양법률고문인 그레이트하우스가 중요한 역할을 담당했지만 주요 과목들을 가르친 것은 일본 교수들이었다. 일본교수진은 구사가베 산쿠로(日下部三九郎)를 필두로 다카다(高田), 호리구치(掘口) 등이 이루어져 있었다. 특히 구사가베 산쿠로는 일본 도쿄대학 법학과를 졸업하고 주한 공사관의 서기관으로 와 있으면서 그레이트하우스와 함께 법률학의 기본이었던 법학통론을 가르쳤다.[54] 이외에도 민법은 다카다가 총괄해서 가르쳤으며 형법은 호리구치가 담당했다. 법학의 구체적인 내용과 실행을 일본인 교수진이 담당하고 있었던 것이다.

법관양성소 1기생들은 근대법의 정신과 법관의 태도를 이해하는데 있어서 그레이트하우스의 영향을 받았으나 또 다른 한편으로는 일본의 헌법체계도 법관양성소 학생들에게 막대한 영향을 주었다. 더구나 법관양성소를 설립한 갑오개혁이 일본의 영향력 아래 진행되고 있었다. 일본은 일찍부터 서구의 근대법 체계를 수용하여 헌법에 근거한 국가를 수립하고자 했다. 이러한 법체계에서는 입법의 중요성과 함께 법의 문

54 김효전, 『법관양성소와 근대한국』, p.342.

구와 규정이 중요한 의미를 갖고 있었다. 일본 교수진들은 당연하게 성문법적 체계와 실체법의 유무를 중시했으며 법관은 법을 적용하는 사람이지 판단하는 사람을 의미하는 것이 아님을 강조하였다.[55]

법관양성소에 가르쳤던 근대법학의 과목들은 법학통론, 민법과 민사소송법, 형법과 형사소송법, 현행법률 등으로 이루어졌다. 아직 한국의 형법이나 민법의 개념이 없을 뿐 아니라 법전이 없었기 때문에 대부분의 법학이 명치유신 이후 일본이 도입했던 근대법학의 수준에 맞춘 것이었다.[56] 1904년 법관양성소가 재개교하고 교수진을 확충하는 과정에서 관비유학생으로 일본에 건너가 법학을 전공했던 이들이 교수진으로 합류하면서 그들이 일본에서 배운 근대법학을 체계화 시킴으로써 한국 근대 법학의 기초를 마련하였을 정도로 당시 일본의 근대법학은 한국의 근대법학 형성에 큰 영향을 주었다.[57]

일본이 서구의 근대법학을 수용하여 입헌군주제를 확립하는데 주도적인 역할을 한 인물은 이토 히로부미(伊藤博文, 1841~1909)였다. 이토는 입헌군주제를 확립하는 과정에서 독일출신의 법학자인 쉬타인(Lorenz von Stein, 1815~1890)[58]의 견해를 받아들였다. 그는 쉬타인을 만난 이후에 서구의 국가들이 전제군주에 대항해 입헌제를 쟁취한

55 최종고, 『한국법학사』, p.142.

56 위의 책, p.82.

57 김효전, 『법관양성소와 근대한국』, p.350. 대표적인 인물이 1905년 법관양성소 소장으로 임명된 이면우(李冕宇, 1879~1925) 교관으로 임명된 장도(張燾, 1876~?), 홍재기(洪在祺,1873~1950), 석진형(石鎭衡, 1877~1946), 류동작(柳東作, 1877~1910), 최진(崔鎭, 1876~?), 신우선(申佑善, 1873~1943) 등이 대표적인 인물들이었다.

58 독일의 사회학자이자 법학자로, 킬대학교수를 역임했다. 헤겔(G.W.F. Hegel)의 국가론(國家論)에 영향을 받아 공동사회를 국가와 사회의 2가지 구성 요소로 분류하고서, 이익이 개제된 사회에서는 유산자와 무산자의 계급대립이 불가피한데 반하여 자유로운 인격체인 국가는 사회적 차원의 대립 과정을 사회정책으로 완화한다고 생각하였다. 그의 견해는 군주제를 옹호하는 근거로 받아들였다. 독일행정학의 초석을 다진 인물이었다.

것과는 달리 천황제를 중심으로 기존의 여러 국가기구를 입헌적으로 바꿈으로써 입헌체제의 수립이 가능하다고 확신했다.[59]

헌법제정의 목적이 개인의 자유나 존엄함의 가치가 우선했던 것이 아니었다. "제가(齊家)의 법, 정부의 조직 및 입법부 조직"을 확립해 국가체제를 안정시킬 필요성 때문이었다.[60] 일본의 입헌체제에서 국민은 국가에 대한 의무와 복종해야 할 권리를 규정하며, 서양의 자연권이나 사회계약설에서 다루는 개인에 대한 이해는 국가의 조직과 체제 아래에서 제한되는 것이었다.[61]

그레이트하우스로부터 근대 법치주의의 근본 이념을 배웠던 함태영은 일본인 교수진들로부터는 법체계가 한 국가의 모습을 어떻게 변모시킬 수 있는지를 배웠다. 특히 입헌군주제로 기존의 왕권을 그대로 둔 상태에서 법치를 실현함으로 강력한 국권을 유지하고 있었던 일본의 모습은 함태영에게 법치국가를 이상적인 국가의 형태로 인식하게 했다. 법전과 법치제도의 확립이 독립국가를 유지할 수 있는 기본적인 힘이라고 인식하고 있었다. 함태영도 대한제국의 한계를 이러한 법적 질서의 부재와 법치체계가 만들어지지 않은데서 찾고 있었다. 비단 함태영만이 아니었다.

1905년 이토 히로부미가 초대통감에 취임했을 때 조선의 법관들은 일말의 기대를 하고 있었다. 그것은 대한제국의 법체계를 부정하지 않

59 방광석, 『근대 일본의 국가체제 확립과정』(서울:도서출판 혜안, 2009), p.149. 이토가 메이지 헌법 제정 과정에서 독일 법학을 적극 수용한 자세한 내용음 함재봉, 『한국 사람 만들기 III: 친미기독교파 1』(경기도 광주: H프레스, 2020), pp. 567-573 참조.

60 위의 책, pp.161~162.

61 최종고, 『한국법학사』, P.288. 관비유학생으로 일본으로 건너가 경응의숙과 동경 중앙대학에서 법학을 공부한 유치형(俞致衡)은 처음으로 『헌법』을 저술했는데 이 책은 동경대학의 호즈미 야스카(穗積八束)의 헌법강의를 기초한 것이었다.

고 개선하여 근대법 체계로 전환하겠다는 이토의 의지 때문이었다. 그것은 일본의 사법체계와는 다른 것이었다. 또한 법치의 확립은 대한제국의 한계를 극복할 수 있다는 기대를 갖게 했다. 고종이 사실상 강제 퇴위를 당하는 상황 속에서도 함태영은 통감부 아래에서 법관으로서의 활동을 이어간 이유다.

그러나 함태영이 일본 법체계를 그대로 수용했던 것은 아니었다. 다만 법치에서 말하는 공정성이 절차적 정당성을 확보해야 하는데 그것이 법전(法典)과 제도를 통해서 확립해야 한다는 법치에 대한 인식 때문이었다. 대한제국은 몇차례의 개선을 통해 사법제도를 확립하려 노력했지만 통감부 시대가 될 때까지도 근대적 사법체계를 완성하지 못하고 있었다. 사법권은 행정권으로부터 완전히 독립되지 못했을 뿐만 아니라 오히려 행정권에 종속되어 있었다. 헌법과 민법, 형법 어느 것 하나 법률로 명문화되어 있지 않았다.

함태영은 일본 교수들로부터 법학을 배우면서 그러한 법전과 제도적 절차의 정당성에 대해 배우고 있었다. 그것이 바르게 되어야 법정에서의 공정성이 보장될 수 있었다. 함태영은 일본의 법학을 통해서 오히려 개인에 대한 이해와 공정과 공평의 정의관을 심화시키고 있었던 것이다.

이는 함태영이 고종의 강제 퇴위 후에도 법관직을 버리지 않은 이유다. 임금의 존재보다 법치를 보다 더 중요시하게 되었기 때문이다. 이는 일본의 법학이 추구했던 법의 인식과는 다른 것이었다. 일본의 법질서는 사회진화론의 토대 위에서 이루어져 있었기 때문에 사법체계 또한 국가유기체론의 영향 아래에 있었다. 강력한 국가체제의 유지가 일본 법체계의 지향점이었다. 개인보다는 국가가 법치의 근간이었다.

그러나 함태영은 국가보다는 법치, 그 속에 있는 인간에 초점을 맞추고 있었다. 법치는 인간을 다루는 것이고 법치가 가능하다면 국가는 언제나 다시 일으켜 세울 수 있는 것이었다. 고종이나 일본의 존재보다도 한국법의 제정과 체제 확립이 더 중요한 문제로 다가왔던 것이다.

2.3. 함태영과 이준(李儁)

『전일 그렇게 씩씩하고 장하게 나라를 위해서 일하던 그가 이 수만 리 타국 화란 땅까지 와서 나라를 위해 애쓰다가 여기에 묻혀 버렸다는 것이 너무도 장하기도 하거니와 이렇게 죽어도 그 눈으로 내 나라의 독립도 보지 못할뿐 아니라 자기의 큰 뜻을 이루지도 못하고 여기에 죽고 말았으니 그것이 애석하고 섭섭하여 눈물이 나왔다. 나는 아무것도 한 것 없이 이런 곳까지 왔건만 그는 여기에 누워 오고 가는 동족에게 나라 사랑한다는 것이 무엇임을 가르치고 있어 감격의 눈물이 나지 않을 수 없었다. 그와 나와의 개인적인 관계는 그 무덤 앞에서 순간 하나도 없었다. 다만 나도 이 다음 그가 그의 혼이라도 만날 수 있는 날이 올 것을 바라며 그의 혼이라도 하나님의 축복을 받아 편히 쉬기를 간절히 기도했다』[62]

1956년 8월 14일 부통령 임기를 마친 함태영은 4일 뒤인 8월 18일 평생 그토록 가보고 싶었던 미국과 유럽의 교회들을 방문하고 성지순례를 하고자 80이 넘은 노구를 이끌고 비행기에 몸을 싣는다.[63] 그리고 그해 11월 20일 네덜란드의 헤이그를 찾았다. 그는 기나긴 여행을 동행하

62 김정준, 『함태영옹 세계일주기』(서울:성문학사, 1957), pp.163~164.
63 『경향신문』, 1956년 8월 20일.

고 있었던 김정준(金正俊)과 함께 떨리는 마음으로 한 사람의 묘를 수소문하며 찾아다닌 끝에 공동묘지 한 자락에 외롭게 놓여 있는 무덤을 발견했다. 그 무덤 앞에는 유엔군으로 한국전에 참전했던 네덜란드 참전용사들이 세운 비석이 있었고 묘비에는 "李儁"이라는 한문 글자가 쓰여 있었다. 준비해 간 흰 국화와 분홍국화 두 다발을 꽃병에 꽂던 함태영은 하염없이 눈물을 흘렸다.[64]

함태영은 해방이 되자 잊혀져 있던 이준 열사에 대한 공적을 알리는 일에 적극적으로 나섰다. '일성이준열사추념회'(후에 일성이준열사기념사업회)를 조직하는데 앞장섰고 초대 총재로써 활동할 만큼 이준에 대한 남다른 존경심을 가지고 있었다.[65]

이준(1859~1907)은 함경북도 북청 출신으로 호는 일성(日醒), 어릴 때의 이름은 선재(璿在)였다. 1895년 37세의 늦은 나이에 법관양성소에 입학했다. 이때 함태영을 만났다. 법관양성소에 입학하기 전에 이미 함흥 순릉삼봉의 벼슬을 하고 있었던 이준은 중앙으로의 진출을 모색하고 있었지만 과거제 폐지와 함께 관료로 중앙에 진출할 수 있는 길이 막혀 있었다. 갑오개혁에서 중앙 관료로 등용될 수 있는 대안으로 제시된 것이 양성기관을 통해 근대적 관료들을 양성하는 것이었다. 그 첫 번째 결과물이 법관양성소였다. 정치적 관료가 되고자 했던 이준은 법관양성소에서 법학을 하는 목적이 법관이 되겠다는 생각보다 정치적인 목적을 이루고자 하는 마음이 훨씬 강했다.

법관양성소를 졸업한 이준은 1896년 한성재판소 검사보로 임용되었

---

64 김정준, 『함태영옹 세계일주기』, p.161.

65 http://leejun.org/bbs/board.php?bo_table=ljdata&wr_id=52, 「사단법인이준열사기념사업회」 홈페이지의 역대대표 및 임원 명단에는 1945년 8월 15일 해방이 되자 함태영이 주도하여 기념사업회가 결성되었고, 함태영이 초대총재로 활동했다고 기록하고 있다.

지만 탐관오리들의 처리문제로 고위층과 갈등을 빚다가 33일 만에 파면되었다. 그리고 이를 계기로 사회의 부패척결이라는 목표를 가지고 독립협회에 참여하며 민권운동에 참여했다.[66]

이준은 대한제국의 문제를 단순히 법치의 문제가 아니라 정치구조의 문제가 먼저 해결되어야 한다고 본 것이었다. 독립협회 운동에 참여하여 평의장(評議長)으로 활동했던 이준은 독립협회가 해산되면서 법부대신이었던 장박(張博)과 함께 일본으로 건너갔다. 거기에서 이준은 박영효의 권유를 받아 와세다대학에서 법학을 전공했다.[67] 다시 한국으로 돌아와 평리원 검사로 복귀했을 때도 정치적인 활동은 계속 이어갔다. 특히 일본의 침략이 노골화되어 가던 시점에서 이에 대항하기 위한 활동들을 활발하게 전개하여 공진회, 신민회, 서북흥학회, 오성학교의 설립을 주도했다. 이러한 활동이 1907년 고종의 밀사로 헤이그로 가게 되었던 배경이었다.

함태영은 이준이 면관된 한성재판소 검사직을 이어받았다. 그리고 그가 기독교에 입교하고 신학교에 입학하기 전까지 법관의 자리를 떠나지 않았다. 국가의 부정부패 문제를 정치구조의 문제로 인식했던 이준과 달리 함태영은 이를 법치와 법관의 문제로 인식하고 있었다. 행정과 입법, 사법이 엄격히 분리되어 있었던 영미권에서 사법권은 독립적인 구조를 가지고 있었다. 아직 서양식 근대법 체계를 갖추지 못한 조선에서 사법권이 보장될 리 없었지만 함태영은 그것을 법치와 법관의 문제로 인식하고 있었다. 법관이 공정한 재판을 진행하는 것이 우선되어야만 하는 것으로 생각한 것이다. 그러한 함태영의 태도를 가장 잘

66 일성이준기념사업회, 『이준열사, 그 멀고 외로운 여정』(서울: 한비미디어, 2010), p.28.
67 이선준, 『일성 이준 열사』(서울: 을지서적, 1994), p.46.

보여주는 것이 바로 독립협회 사건의 담당검사로서 이를 처리하는 과정에서 나타난다.

1898년 10월 수일파(守日派) 거두인 신기선(申箕善)이 법부대신 겸 중추원(中樞院)의장에 있음을 기화로 갑오경장(甲午更張)때 이미 폐지한 노륙법(孥戮法)과 연좌제(連坐制)를 부활시키려고 하였다. 법부협판인 이인우(李寅祐)도 여기에 동조하였다. 이런 움직임을 독립협회가 반대하여 고등재판소에 고발하기 위해 담당 검사였던 함태영에게 고발장을 가지고 온다. 직속상관을 고발한 건으로 난처했던 함태영이었지만 법부대신과 협판을 구금하기 위해서는 황제에게 상소해야만 구금의 재가가 필요했기에 황제에게 상소함으로써 고종이 내막을 알게 되면서 신기선과 이인우를 파면한 것이다. 자신의 직속상관들이었지만 자신이 위기에 처할 것을 감수하고도 법대로 처리한 것이다.[68]

같은 해에 독립협회 사건의 단죄를 맡은 함태영은 그들을 취조하는 과정에서 그들의 주장이 정당하다는 것을 확신한다. 고종과 독대한 함태영은 독립협회에 대한 적대감을 가지고 있었던 고종에게 독립협회 인사들의 정당성을 주장하고 공정한 재판이 될 수 있도록 조치해야 한다고 진언함으로써 독립협회 인사들이 무죄를 선고받도록 한다.[69]

자신이 충성을 바치던 고종이 강제로 퇴위 당한 이후에도 함태영은 관직을 버리지 않았다. 통감부 하에서 검사와 판사의 직을 이어갔다. 심지어 1910년 경술국치(庚戌國恥) 이후에도 계속해서 판사로 재직하고 있었다. 함태영이 이 시기에 비분강개하며 한탄하며 법복을 벗고 국외 탈출을 기도했다는 증언이 있지만 총독부가 들어선 이후에도 판사로

68 함동욱, "고종황제와 검사 함태영", p.479.
69 위의 글, p.483.

재직했던 것은 사실이다.[70] 이는 애국을 충군으로 여겼던 그에게서 이제는 충군이 아닌 법치의 실현을 애국과 위민으로 사상적 변화가 나타난 것을 의미했다.

1907년 이후 사실상 대한제국의 행정부를 대신했던 통감부가 대한제국의 사법권을 완전히 장악하기 시작했고, 재판소는 일본인들이 완전히 장악하고 있었다. 그런 상황에서 판사로 활동한다는 것은 쉬운 일이 아니었다.[71] 그럼에도 그가 총독부 하에서까지 판사로 일했던 것은 그가 가지고 있었던 법치와 정의에 대한 신념을 그대로 실현하는 것이 잃어버린 국권을 다시 찾는 궁극적인 길이라고 생각했던 것이다.

공평과 공정, 그리고 질서에 대한 중요성은 그가 기독교에 입교한 뒤 목회활동을 하면서도 크게 벗어나지 않았다. 초기 한국장로교회의 헌법과 정치조례의 기초를 놓는 일에 적극적으로 참여했을 뿐만 아니라 교회의 중요한 분쟁이 있을 때마다 그 해결의 중심에는 함태영의 이름이 있었다. 공정과 공평의 원칙이 그에게는 반드시 실천해야 하는 신념이자 과제였다.

해방 후 함태영은 정치활동을 시작하고 고령임에도 심계원장에 임명되었다. 심계원은 오늘의 감사원과 비교해서 감찰기능이 없이 국가의 수입과 지출의 결산 및 감사를 임무로 하는 기관으로서 제헌헌법에 따라 설치된 대통령 직속의 헌법기관이었다. 막강한 권한을 가지고 있는 만큼 부패의 요소들이 많을 수밖에 없었던 기관이었다. 함태영은 '이도

70 위의 글, p.487. 함동욱은 1910년에 함태영이 국외탈출을 기도했다고 적고 있다. 그러다가 넓적다리에 종양이 생겼고 이때 언더우드와 만나 기독교 입교했다고 기록한다. 그러나 함태영이 기독교에 입교한 해가 1909년이었고, 국외탈출하려 했다는 기록은 찾기 어렵다. 또한 고종이 폐위된 뒤에 법복을 벗었다고 했지만 1907~08년에도 여전히 법부서기관으로 활동하고 있었다.

71 전병무, 『조선총독부 조선인 사법관』(서울: 역사공간, 2012), p.32.

심계원장 함태영 (1952)

(吏道)'를 강조했다.

> 우리나라의 이도(吏道)가 극도로 타락하여 국법이 사사(私事)에 이용되고 권위가 상품화하고 있는 현상을 개탄하는 동시에 관직자의 염결(廉潔)을 강조하고 황금과 권세가 인격을 더럽히는 것을 추호라도 용허(容許)하여서는 아니된다.[72]

그는 자신이 법관으로 있을 때 상부나 궁중의 '법에 없는 부탁이나 간섭'을 여러 차례 받았지만 '한 번도 법 아닌데 굴종한 일이 없었다.'고 말한 바 있었다.[73] 함태영은 건국의 가장 우선순위를 법치의 확립에 두었다. 그것은 단순히 절차적으로 법을 지키는 것을 의미하는 것이 아니었다. 법을 집행하는 관리, 즉 공무원의 윤리의식을 바로 세우지 않으면 법을 사사로이 이용하게 되고 그렇게 되면 권력을 남용하게 되어 부정과 부패가 양산된다는 것이었다. 그에게 있어 법치는 이를 실현하는 중

72 『동아일보』, 1949년 12월 6일.
73 류대영, "함태영, 해방정국에서 기독교 조직을 재건하다",「한국사 시민강좌」 43권, 2008년 8월호, p.384.

요한 과제였다. 그에게 있어 건국의 과정에서 가장 시급한 것은 법치였으며 법치국가를 위해서는 개인의 정의가 바로 서야만 했다.

법관양성소를 졸업한 함태영은 오직 법치가 바로 서야만 국가를 바로 세울 수 있다고 믿었다. 국가의 기강을 세우는 것도 국권을 회복할 수 있는 길도 법치를 실현하는 일이었다. 함태영은 자신의 행동양식을 결정하는데 있어서 신념과 사상을 거스르려 하지 않는 특성을 가진 인물이었다. 1905년 을사늑약의 체결로 온 겨레가 분노의 감정 가운데 사로잡혀 있는 상황에서도 함태영은 대한제국의 법관으로서 그 직무를 다하고 있었다. 별다른 정치적 활동에도 참여하지 않았다. 그에게는 이러한 국가의 위기가 법치가 바로 서지 못했기 때문이었다. 법관으로서 올바른 법치를 실현하는 것이 충군이요, 애국이었다. 적극적으로 국권회복운동에 나섰던 이준과는 다른 관점에서 국가를 인식하고 있었던 것이다.

이준은 국권회복을 절체절명의 과제로 인식하고 평리원 검사이면서도 정치적 활동과 국채보상운동과 같은 애국계몽운동에 적극적으로 참여했다. 그리고 헤이그의 만국평화회의에 고종의 비밀특사로 파견되어 활동했다.[74] 뜻을 이루지 못했던 이준은 1907년 7월 14일 헤이그에서 순국했다. 함태영은 이준의 죽음에 가슴 아파했다. 이는 그의 죽음이 무모한 것이 아니라 국가를 위한 충정에서 비롯되었다는 것을 알고 있었기 때문이었다.

이준이 가지고 있었던 국가에 대한 인식과 충정의 마음을 흠모하고 존경했던 함태영 자신도 개화파 관료요 법관으로 국가는 삶에 있어서

74 연동교회, 『연동교회 애국지사 16인 열전』 (서울: 연동교회, 2009) p.71~76.

우선순위였다. 그러나 이준이 국권의 회복을 정치적 독립과 체제 변혁적인 것에서 찾은 것에 비해서 함태영은 법치국가의 실현 속에서 찾고 있었다. 나라의 근간을 세우는 법치가 바로 세워지면 국권을 다시 찾을 수 있을 것으로 생각했다.

함태영에게 법관양성소는 짧은 기간이었음에도 법치에 대한 신념을 분명하게 각인시켜 주었다. 사상이 형성되는 곳이었을 뿐만 아니라 그의 사대부가의 신념이 근대주의적 신념으로 변모하는 사상전환의 장소였다.

1895년 11월 10일자 '관보(官報)'에는 1기 법관양성소의 6개월 과정을 모두 마치고 졸업시험을 통과한 졸업생 47명의 명단이 실렸다. 여기서 함태영의 이름은 최우등으로 맨 앞자리에 위치해 있었다.

> 함태영(咸台永), 이인상(李麟相), 이용성(李容成), 서인수(徐寅洙), 이용설(李容卨), 윤성보(尹成普), 이풍의(李豐儀), 구건서(具健書), 홍종한(洪鐘瀚), 이용복(李容福), 류지연(柳志淵), 김익희(金翼熙), 이선재(李璿在)[75], 윤희형(尹熙衡), 류학근(柳學根), 이긍수(李兢洙), 최래학(崔來鶴), 정영택(鄭永澤), 윤상직(尹相直), 이도상(李道相), 이완영(李完榮), 이철승(李澈承), 이종우(李鐘雨), 서상희(徐相喜), 고은상(高殷尙), 홍용표(洪龍杓), 임병응(林炳應), 정낙헌(鄭樂憲), 박빈병(朴斌秉), 김면필(金勉弼), 김병제(金丙濟), 윤형중(尹衡重), 원용설(元容卨), 조한위(趙漢緯), 한용교(韓鏞敎), 오세준(吳世俊), 유학주(兪鶴柱), 정운철(鄭雲哲), 한성윤(韓成潤), 조세환(曺世煥), 권흥수(權興洙), 연 준(延 浚), 박연 환(朴延煥), 이행선(李行善), 정섭조(鄭燮朝), 권재정(權在政)[76]

---

75 이준(李儁)의 다른 이름이다.

76 최종고, 『한국법학사』, p.86.

졸업생들의 진로는 주로 법부관리로 임용되어 주사와 서기로 활동했다. 함태영을 비롯한 이선재(이준), 이용상, 이종우, 정낙헌, 윤성보, 홍용표, 홍종한 등은 검사와 판사 등으로 임용되어 조선의 첫 번째 근대적 법관으로서 역할을 시작했다.

2.4. 대한제국의 법관 함태영

2.4.1. 대한제국과 함태영

갑오개혁을 통해 새롭게 제정된 사법제도는 재판제도를 서구식으로 전환하는 것이었다. 특히 행정권과 사법권을 분리시키려는 의도가 강하게 나타나고 있었다. 1895년 3월 25일 공포된 재판소 구성법에 따라 법원은 지방, 한성, 개항장, 순회, 고등 재판소 및 특별법원으로 나누었다. 법관은 특별규정을 두어 임용토록 했는데 초기에는 사법시험제도가 없어 법관의 자격과 임용에 관한 규정이 사실상 적용되지 않았다.

지방재판소의 경우에는 지방행정관(관찰사, 목사, 감리 등)들이 판사를 겸임하도록 했다. 한성재판소와 개항장재판소는 내각총리대신을 거쳐 법부대신이 주청하여 왕이 임명하도록 했다. 순회재판소의 경우에는 고등재판소나 한성재판소의 판사 중에서 법부대신의 주청을 받은 자를 왕이 임명했는데 이는 임시관직이었다. 1901년이 되어서야 순회재판소의 판사가 임명되었다. 고등재판소는 재판장은 법부대신이나 법부협판 중에서 맡았고 판사는 법부의 칙임관이나 주임관, 한성재판소의 판사

중에서 왕이 임명했다. 초대 고등재판소 재판장은 1894년 서광범(徐光範, 1859~1897)[77]이었고, 판사는 이재정(李在正, 1846~1921)[78]이었다. 특별법원은 법부대신이 재판장을 맡았고, 판사는 4명이 임명되었는데 이 중의 한명은 중추원의관이었고, 나머지 3명은 고등재판소 판사, 한성재판소 판사, 법부 칙·주임관 중에서 법부대신이 주청하는 자를 왕이 임명했는데 모두 임시관직이었다.[79]

본래의 규정에 따르면 법관은 사법시험을 거치서 임용되게 되어 있었지만 제도가 만들어지지 않아 법관양성소 1기생들은 대부분 법부대신과 법부협판의 천거에 의해서 법관으로 임용되었다. 사법제도의 근대화를 위해 규정을 만들었지만 아직 법관양성도 되지 않았고, 규정에 나와 있는 제도들도 구비가 되지 않은 상태로 법관양성소가 문을 연 것이었다. 따라서 법관양성소 1기생들에게 법관으로서 활동하는 것이 그리 쉬운 일이 아니었다. 대한제국의 사법제도는 1899년이 되어서야 규정의 개정과 제도 정비가 이루어지면서 실제적인 모습을 드러냈다. 특히 고등

77 조선 말기의 정치가, 관료. 고급 관료의 양반 자제로 태어나, 일찍이 일본, 미국, 유럽 등 선진 문물을 접하고 근대화사상이 강하였다. 수구정권을 타도하고 근대화된 정부를 세우려고 갑신정변을 일으켰다가 실패하여 망명생활을 하였다. 후에 귀국하여 김홍집 내각에서 활약하였다. 미국으로 전권공사로 발령받았다가 친러정부에 의해 해임된 후, 젊은 나이에 병으로 미국에서 생을 마쳤다.

78 조선 말기의 문신, 대한제국의 관료, 일제 강점기 초기의 시인이다. 1882년(고종 19년) 진사시에 합격하고 1883년(고종 20년) 음서로 전옥서 참봉이 된 뒤 법부와 탁지부 등에서 관리로 일했고 1888년 10월 통리교섭통상아문 주사, 1893년 12월 전우총국(電郵總局) 주사, 1894년(고종 31년) 6월 외무아문 총무주사, 1894년 7월 법부 참서관 등을 역임했다. 1895년 2월 법무아문협판, 이후 고등재판소와 특별재판소 등 사법 기관의 판사를 지냈다. 그뒤 고등재판소 판사, 1895년(고종 32년) 탁지부협판, 1896년(건양 원년) 탁지부대신서리 등을 거쳐 그해 8월 인천감리 겸 부윤으로 나갔다. 1897년 인천감리사 겸 인천부윤으로 재직 중 쓰치다 조스케(土田讓亮)를 살해한 혐의로 끌려온 김창수(훗날의 백범 김구)를 심리하였다. 1897년(건양 2) 중추원 2등 의관과 중추원 1등 의관을 역임했다. 1896년(고종 33년) 7월 2일 서재필, 윤치호, 박정양, 유길준 등과 함께 독립협회의 창립에 참여하고, 1898년 5월까지 독립협회 위원이자 만민공동회 위원으로 활동하였다.

79 법원행정처, 『한국법관사』(서울: 고법사, 1976), pp.20~21.

재판소를 평리원(平理院)으로 개칭하고 제도상으로 사법과 행정을 분리하려고 했다.[80]

함태영은 이준과 함께 법관양성소 1기생으로 입학하여 최우등으로 졸업했다.[81] 1896년 이준이 한성재판소 검사에서 면관되었을 때 그의 뒤를 이어 검사에 임명되었다. 23살의 어린 나이에 검사로서 재판을 진행한다는 것은 쉬운 일이 아니었다. 그러나 함태영은 누구보다 법관으로서의 자부심과 법학도로써의 자긍심으로 가득했다. 그가 배운 서구의 근대 법학은 나이와 출신을 중시하는 조선의 성리학적 세계관과는 전혀 다른 인식과 태도를 갖게 했다.

대한제국의 법관 함태영의 원칙은 공정함과 공평함이었다. 이제 막 개혁의 몸부림을 치며 출발하려고 했던 대한제국은 일본처럼 법적 체계와 시스템이 완비되어 있지 않았다. 법전에 의한 판결보다는 법관의 태도와 판단이 재판에 영향을 더 많이 줄 수밖에 없었다. 이는 또한 재판에 있어서 행정부 관료들의 재판 개입이 수월하고 커다란 영향력을 발휘할 가능성을 보여주고 있었다. 더군다나 아직 재판에 죄인들을 변호하는 변호사가 없이 검사가 기소하면 검사가 재판을 주도하고 판사가 판결을 내리는 방식이었기 때문에 검사의 역할은 무척 중요했다. 판사는 최종판결을 내리는 입장에서 정치적 외풍을 견뎌내야 했다. 서구의 근대적 개념의 재판이 익숙하지 않은 대한제국이었다. 지방의 경우는 행정관이 법관을 겸하고 있을 정도로 재판이 정치적인 판단에 의해

80 위의 책, p.26. 재판장이 사법행정을 관할하기 시작했지만 여전히 칙임관, 주임관의 구속과 관련된 사건이 국사범 사건, 특지(特旨)로 내려온 죄인에 관한 처리는 법부대신의 지시를 따르도록 함으로써 사법권이 완전히 독립된 것은 아니었다.

81 「관보」, 제212호, 1895년 11월 13일(음). 함태영이 평생동안 존경했던 이준(李儁,이선재)은 일반과정을 거쳤다.

서 이루어지는 경우가 많았다. 검사나 판사가 공정한 재판을 진행하기가 극히 어려운 환경이었던 것이다.

1898년 고등재판소 검사로 시무하던 함태영이 맡았던 가장 중요한 사건이 '김홍륙 사건'이었다. 김홍륙 사건은 1898년 10월 11일 김홍륙과 공홍식, 김종화가 교수형에 처해지고, 김홍륙의 아내 김소사가 백령도로 귀양가는 것으로 마무리 되는 듯 했다. 그런데 이 사건을 접했던 러시아 공사 마튜닌(N.Matunine), 미국 공사 알렌(H.N.Allen), 프랑스 공사 플랑시(V.Collin de Plancy), 독일 공사 크리인(F.Krien), 일본 공사 가토 마스오 등, 외국 공관들에서 외부(外部)에 조회를 신청하며 강력하게 항의하고 있었다. 김홍륙과 그 일당들이 고문에 의해 가혹행위를 당해 진술했다는 것이었다.[82] 이 문제의 파장은 쉽게 가라앉지 않았다.

노륙법(孥戮法)[83]과 연좌제는 갑오개혁을 거치면서 공식적으로 폐지된 제도였다. 최소한 규정상으로는 고문과 연좌를 금하고 있었던 것이다. 그런 상황에서 고문의 문제가 정국의 이슈로 부상하고 있었다. 김홍륙에 대해서 강력하게 비난하고 있던 독립협회조차도 이 문제를 심각하게 다루기 시작했다. 더군다나 법부대신이었던 신기선(申箕善, 1851~1909)[84]과 법부협판 이인우(李寅祐)는 김홍륙 사건을 처리하는 과정에서 자신들의 정치적 목적을 위해 노륙법을 부활시키려 하고 있었

---

82 정교, 『대한계년사』 3, pp.192~193.

83 연좌제에 의하여, 죄인의 아내, 아들 등을 함께 사형에 처하는 법으로 1894년 갑오개혁에서 연좌제가 폐지되면서 함께 폐지되었다.

84 본관 평산(平山). 자 언여(言汝). 호 양원(陽園). 시호 문헌(文獻). 1877년(고종 14) 정시문과(庭試文科)에 급제하여, 교리(校理)를 거쳐 1882년 관제개혁 때 참의경리내무아문사무(參議經理內務衙門事務) · 참의군국사무(參議軍國事務)를 역임한 뒤 부호군(副護軍)이 되었다. 1886년 갑신정변(甲申政變) 때에 김옥균(金玉均)의 일파였다는 죄로 전라도 여도(呂島)에 위리안치(圍籬安置)되었다가 1894년 갑오개혁으로 등용되어 김홍집(金弘集) 내각에서 공부(工部)를 거쳐 내부 · 법부 · 학부 대신을 역임, 참정(參政)에 이르렀다.

다. 신기선과 이인우는 친러파의 거두로 당시 실권을 잡고 있었던 인물들이었다. 독립협회에서는 이에 대한 부당함을 알리는 서신을 중추원 의장이자 법부대신이었던 신기선에게 보냈지만 돌아온 답신은 독립협회가 이 일에 더 이상 관여하지 말라는 것이었다.[85]

1898년 10월 1일 독립협회 회원들은 중추원 앞에서 모여 집회를 열었다. 대표자들이 신기선과 만나 사직을 권고했다. 신기선은 이를 거부했다. 10월 2일 사법위원 정교(鄭喬)를 비롯한 세 사람은 신기선과 이인우를 고등재판소에 정식으로 고발하기로 결정했다. 그들은 고발장을 들고 고등재판소 검사인 함태영을 찾아갔지만 함태영은 이들의 고발장을 접수하지 않았다. 이유는 그날이 재판소가 쉬는 휴일이었기 때문이었다. 함태영은 독립협회 회원 천여명이 재판소 앞에서 집회를 하며 재차 고발장을 올리는데도 뜻을 굽히지 않았다. 함태영에게 법치는 엄격하게 지켜져야 공정성을 담보할 수 있었다. 여러가지 상황에 따라 원칙이 흔들리면 공정하지 않은 것이었다. 함태영은 끝내 그날 고발장을 접수하지 않고 자신이 고발장 접수를 약속했던 다음날 오후 2시가 되어서야 고발장을 접수했다.

사실 이 고발 사건을 맡은 검사라면 누구나 적잖게 당황할 수밖에 없었다. 이유는 바로 신기선과 이인우가 고등재판소의 재판장과 판사로 그에게는 직속상관이었기 때문이었다. 그런데도 함태영은 이 고발장을 접수했다. 다만 칙임관 이상의 품계는 황제의 명령이 있어야만 구금이 가능했다. 함태영은 이를 황제에게 보고하겠다고 지령(指令)했다.[86] 함태영은 이 사건을 대하면서 정치적인 이해관계를 따지지 않았다. 오히려

85 정교, 『대한계년사』 3, pp.160~161.
86 위의 책, p.166.

정확한 절차와 과정을 거쳐야 한다고 본 것이었다. 독립협회 회원들이 찾아왔을 때도 그는 규정을 들어 거절했고, 절차에 따라 황제에게 보고했다. 직속상관을 자신이 다룸으로써 생겨나게 될 재판의 불공정 시비를 미리 차단한 것이었다.

10월 3일 독립협회의 총대위원이었던 윤하영(尹夏榮, 1849~?)[87] 등이 고등재판소 검사 함태영을 다시 찾아와 재차 사건 처리를 요청했지만 함태영은 재판소에 소속된 아전으로 권한이 없음을 분명히 하고 재판소 안으로 들어오지 못하게 하였다.[88] 독립협회 회원들이 김홍륙의 심문 때 자신들이 방청할 수 있게 해 달라고 요청했지만 함태영은 이 역시 재판권의 독립과 전례가 없음을 들어 거절했다.[89] 대립으로 치닫던 이 사건은 독립협회의 파면상소를 고종이 윤허하고 나서야 일단락되었다.[90]

조선시대 법관은 행정관과 동일시 되었으며 독립된 재판이 아니라 정치적 이해관계에 얽혀 재판이 이루어졌다. 절차보다는 상관의 명령이 중요했다. 그러나 법관양성소에서 근대적 서구의 사법체계를 배운 함태영에서 사법권은 독립적이어야 했으며 절차와 심문과정이 공정하지 않으면 그 재판은 효력이 없는 것이었다. 법은 모든 사람에게 공평하게 적용되어야 했다. 법관이 정파에 따라 그 태도를 바꾸는 것은 용납하기 어려운 일이었다.

---

87 본관은 해평(海平). 사과 윤승구(尹升求)의 아들이다. 1894년 식년문과에 병과로 급제하여 파격적으로 16일 만에 수찬 · 부교리에 임명되었다. 그 뒤 독립협회운동, 특히 1898년 이후 윤치호(尹致昊) 등이 협회를 주도하여 활발하게 민권운동을 하던 시기에 적극 참여하여 총대위원(總代委員) 등으로 선출되어 의회설립운동을 하였다.

88 정교, 『대한계년사』 3, p.168.

89 위의 책, p.170.

90 『고종실록』, 1898년 10월 11일.

2.4.2. 독립협회 – 근대적 이상의 확인

신기선과 이인우의 사건과 김홍륙 다독(茶毒)사건의 처리과정에서 독립협회와 연결되었던 함태영은 채 한 달이 되지 못해서 다시 독립협회 사건과 마주해야 했다. 1898년 11월 5일 고종은 독립협회를 해산하고 회원 17명을 구속시킨다. 다음은 독립협회 회장 윤치호(尹致昊, 1866~1945)의 일기다.

> "독립협회 주요인사 17명이 체포되었다는 소식을 들었다. 중추원 부의장인 조병식은 법부와 궁내부 대신 대리에 임명되었다. 민종묵은 다시 축출되었다. 김홍륙에 자신의 첩을 제공하여 궁내부 대신 자리에 올랐던 가증스러운 인간인 남정철은 어제 밤에 고문관이 되었다.
> 제국신문 편집장인 이승만과 배재학당 보조교사인 양홍묵이 찾아왔고, 우리는 가능한 한 빨리 대중에게 이 일을 알려야 한다는 데 동의했다. 두 사람은 나가서 다른 이들의 지원을 받아 경무서 앞에서 군중을 소집했다. 군중들은 자신도 체포되어 독립협회 회원들과 함께 처벌받겠다고 주장했다.
> 오늘 자 관보에는 독립협회를 해산하고 헌의육조를 승인한 대신들을 해임한다는 소위 칙령이라는 것이 실렸다! 이런 사람이 바로 왕이다! 아무리 감언이설로 사람을 속이는 비겁자라도 대한제국의 대황제보다 더 야비한 짓을 저지르지는 않을 것이다!!!
> 정부는 지금 친일파의 노예인 유기환과 친러파 악당인 조병식 손아귀에 놓여 있다. 즉 러시아인과 일본인이 탐나는 권리를 양도받기 위해 한창 자신들 노예를 후원하고 있는 것이다. 망할 일본인들! 일본인들은 곧 조선의 마지막 희망, 즉 독립협회를 깨부수기 위해 러시아인을 지원할 이유를 찾을 것이고, 그렇게 되기를 진심으로 바란다."[91]

---

91 『윤치호일기』, 1898년 11월 5일.

독립협회는 서재필과 윤치호 등 기독교에 입교한 인물들의 주도로 만들어진 정치단체였다. 기독교 이데올로기를 바탕으로 한 독립협회는 정치참여에 회의적이었던 미국 개신교 선교사들조차도 참여를 반기고 있었다. 특히 배재학당을 세우고 인재들을 양성하고 있던 아펜젤러는 배재 출신들이 독립협회에서 활동하는 것에 크게 고무되어 있었다. 배재 출신들이 근대문명을 습득하고 있음을 의미했기 때문이었다. 1896년 5월 21일 서재필을 필두로 시작된 독립협회 주요 인사들의 특강을 통해 배재학당의 학생들은 민주주의와 국제정세에 눈을 뜨게 되었고, 개인의 자유, 인권, 민주주의, 의회주의를 배운다.[92]

1896년 8월 29일부터는 매주 1회씩 토론회를 개최하여 대중들을 계몽하기 시작하면서 자주독립, 자유 민권, 자강개혁(자주근대화)이라는 독립협회의 사상을 정립해 나갔다.[93] 독립협회의 목표는 서구식 민주주의를 대한제국에 접목시키는 것이었다.

서구의 근대적 정치체제를 꿈꾸며 이를 실현함으로써 부국강병을 이루겠다는 독립협회의 이상은 러시아와 일본에 의지해 정치적 기득권을 지키려고 했던 세력의 거센 도전을 받는다. 고종이 이들 사이에서 갈피를 잡지 못하면서 실권을 쥐고 있었던 수구파 모략으로 독립협회가 존폐의 기로에 서 있을 때 이 사건을 담당한 검사가 함태영이었다.

함태영은 서구의 근대적 법치 사상을 배웠다. 자신이 실현하고자 했던 근대의 이상이 입헌민주주의를 추구한 독립협회의 이상과 큰 차이가 없다는 사실을 알았다. 특히 개인의 자유와 평등을 골자로 했던 자유민권사상은 함태영이 근대법 체계를 배우면서 자연스럽게 인식하고

92 김명구, 『한국기독교사』 1, p.207.
93 신용하, 『갑오개혁과 갑오독립협회운동의 사회사』 (서울: 서울대학교출판부, 2002), p.338.

있었다. 법 앞에 모든 사람이 평등할 뿐만 아니라 공정하게 재판을 받아야 한다는 것은 근대법치주의의 기본이었다. 함태영이 독립협회 인사들과 이념적 공감대를 형성하고 있었음은 그가 독립협회와 관련된 사건을 담당했을 때 독립협회 인사들의 증언을 통해 그들의 주장이 설득력이 있다고 판단하고 그들의 주장을 옹호한 것에서 그대로 나타난다.

독립협회는 대한제국의 선포를 계기로 정치개혁을 주장하며 영향력을 확대하는 한편 만민공동회를 통해 자신들의 정치적 신념을 일반 대중들에게 확산시키고 있었다. 독립협회는 입헌민주주의를 추진하기 위해 대한제국에서 신설된 중추원에 의회 기능을 부여하길 원했다. 고종 역시도 초기에는 독립협회의 의견을 반영해 중추원 의원에 대한 추천권의 일부를 독립협회에 주었다.[94] 그러나 독립협회의 정치개혁시도는 친러파의 모함을 받고 좌절된다. 친러파는 독립협회 이름으로 삐라를 뿌려 독립협회가 주장하는 것이 입헌군주제가 아니라 서구식 공화정이며 국체를 바꾸어 박정양을 대통령, 윤치호를 부통령 이상재를 내부대신, 정교를 외부대신으로 삼으려 한다고 하는 것 고종은 독립협회를 해산시키고 주요 간부들을 체포한다.[95]

당시 함태영은 고등재판소 검사로[96] 이 사건의 주임 검사를 맡는다 그러나 당시는 행정과 사법이 엄격히 분리된 체제가 아니었기 때문에 법관의 판결 이전에 독립협회의 유무죄 여부는 이미 결정 된 것이나 마찬가지였다. 고등재판소가 판결을 내리고 황제가 재가를 하면 다음날 바로 형을 집행하도록 되어있었다. 친러 수구파들은 이상재, 남궁억, 정교

94 신용하, 『갑오개혁과 독립협회운동의 사회사』, pp.343~344.
95 정교, 『대한계년사』 3, pp.263~264. 모두 17명의 간부가 체포되었다.
96 『고종실록』, 1898년 8월 22일.

등 7명을 극형에 처해야 한다고 주장하고 있었다. 급박한 상황이었다.

이때 고종이 함태영을 불러 독대를 한다. 검사인 함태영이 독립협회 사건을 어떻게 보는지 견해를 묻기 위해서였다. 이 자리에서 함태영은 독립협회 기소의 이유였던 왕정전복 음모가 모함이라는 견해를 밝힌다. 그러면서 당시 고등재판소의 재판장이었던 조병식(趙秉式, 1823~1907)[97]은 친러파의 거두로 독립협회 역모 사건을 꾸민 사람이었다. 조병식을 교체할 것을 고종에게 진언했다.[98]

함태영과 독대한 다음날 고종은 법부대신을 독립협회에 우호적이었던 한규설(韓圭卨, 1848~1930)[99]로 교체한다.[100] 한규설은 이미 1896년 고등재판소의 재판장을 역임했던 인물로 재판의 공정성을 위해 무엇을 해야 하는지를 알고 있는 인물이었다. 재판의 공정성을 주장했던 함태영의 진언이 받아들여진 것이었다.

---

97 1896년 중추원 1등 의관에 임명되고 이어 법부대신 · 비서원경(秘書院卿) · 외부대신을 거쳐 1898년 의정부참정(議政府參政)이 되었다. 그러나 이 무렵 황국총상회장(皇國總商會長)이 되어 황국협회(皇國協會)를 배후에서 조종하여, 독립협회(獨立協會)를 타도하는데 선봉에 서는 등 횡포가 심하였는데, 오히려 독립협회의 처벌 요구로 통진에 유배되었다. 곧 방면되어 의정부참정에 복직되고 이어 법부대신서리가 되었으나, 민종묵(閔種默) · 이기동(李基東) 등과 함께 당시 이른바 5흉으로 만민공동회의 규탄 · 습격을 받고, 독립협회를 무고한 사실이 탄로되어 체포령이 내려지자 외국인 집으로 피신하였다.

98 함동욱, "고종황제와 검사 함태영", p.482.

99 1883년(고종 20) 전라좌수사가 되고 이듬해 경상우병사, 1885년 금군별장(禁軍別將)을 거쳐 우포도대장(右捕將)에 임명되었다. 그런데 이 무렵 갑신정변에 연루되었던 유길준(俞吉濬)을 연금 형식으로 보호하고 있으면서, 『서유견문(西遊見聞)』 집필을 도와, 완성할 수 있도록 해주었다. 그 뒤 친군우영사(親軍右營使) · 상리국총판(商理局總辦) · 기기국총판(機器局總辦)을 거쳐 1887년에 형조판서, 이어 한성부 판윤에 임명되었다. 그 후 우포장 · 형조판서 · 한성부 판윤 · 친군장위사(親軍壯衛使) · 연무공원판리사무(鍊武公院辦理事務) 등을 차례로 역임하고, 1894년 총어사(摠禦使), 1896년 법부대신 겸 고등재판소 재판장에 임명되어 사법집행의 공정을 기하려고 노력하였다. 그리고 당시 독립협회(獨立協會)가 결성되자 활동에 호의적 태도를 취하였으며, 1898년에는 독립협회가 주최한 만민공동회(萬民共同會)의 열기가 고조되는 가운데 중추원 의장(中樞院議長)으로 임명되고, 다시 법부대신으로서 고등재판소 재판장을 겸임하였다. 그러나 이듬해 정부의 탄압으로 독립협회가 해산당하게 되면서 본직에서 해임되었다.

100 『고종실록』, 1898년 11월 7일. 한규설의 법부대신 임명일자가 『승정원일기』에는 1898년 11월 9일로 나온다. 당시 고등재판소의 재판장은 법부대신이 담당했다.

한규설은 함태영과 이 사건의 처리를 상의하며 공정한 재판을 위해 노력한다. 그러나 문제는 조병식의 수하인 법부협판 이기동(李基東)이었다. 이기동은 11월 5일부터 법부협판과 재판장을 겸임하며 이 사건에 직접적으로 개입하기 시작했다.[101] 특히 구속된 독립협회 인사들 중 이상재와 정교를 포함한 7명을 사형에 처할 것을 요구하고 있었다. 한규설의 부임과 함께 재판장의 직임에서 물러난 이기동은 이 사건을 서둘러 처리해야만 했다.

함태영은 직속상관이었던 이기동으로부터 지속적인 압박을 받았다. 재판소를 찾아온 이기동은 황실과 연결된 직통전화로 고종에게 직접 독립협회를 모함하며 거만하게 아뢴다. 곁에서 이기동과 고종의 통화를 듣고 있던 함태영은 격분하여 통화 중인 수화기를 빼앗아 버리고 전화통을 깨트려 버렸다. 이제 막 전화기가 운영되던 직후로 궁궐에만 있었던 전화기였다. 더군다나 황제와 통화 중인 직속상관의 전화통을 빼앗아 부숴버렸다는 것은 대역죄인으로까지 몰릴 수 있는 사건이었다. 그러나 고종이 통화가 끊어지자 고장 난 것으로 알고 전화기를 내려놓으면서 위기를 모면할 수 있었다.[102]

함태영은 독립협회와 친분을 가지고 있었던 것도 아니었다. 오히려 김홍륙 사건을 지나면서 엄격한 절차의 공정성을 주장하며 독립협회의 요구를 들어주지 않았던 전례가 있었다. 하지만 재판을 정치적으로 자신들이 원하는 대로 처리하려는 친러파의 행위는 사법부의 독립을 중요시 여기고 있었던 함태영에게는 있을 수 없는 일이었다. 비록 황제와 관계되어 있다 하더라도 그에게는 반드시 지켜져야 하는 것이 법치의 정

101 정교, 조광 편, 이상식 역주, 『대한계년사』 4 (서울:소명출판사, 2004), p.41.
102 최종고, 『한국의 법률가』, p.58.

신이었다.

만민공동회의 반발과 지속적인 상소로 고종이 생각을 바꾸어 독립협회를 음해했던 조병식, 민종묵, 이기동, 신태휴 등에 대한 체포 명령이 내려지고 독립협회는 재설립되었다.[103]

그런데 이 과정에서 재판을 담당했던 함태영은 면관된다. 이유는 직속상관이었던 죄인 이기동이 규정을 어기고 감옥을 활보하고 다니는 것을 제대로 감독하지 못했다는 이유였다. 문제를 제기했던 쪽은 만민공동회 였다. 함태영이 재판을 5흉(凶)의 한명으로 지목된 이기동에 유리하게 이끌려 했다고 오해한 것이었다.

법관으로서 독립성을 유지하고 공정함과 공평함을 잃지 않으려 했던 함태영은 고등재판소에서 면관과 복직을 거듭해야 했다.[104] 고등재판소 검사로 활동하던 그는 1899년 3월 13일자로 한성재판소 검사로 전임되었다. 좌천이었다. 보부상들과 수구파들이 정권을 잡고 독립협회 세력이 물러나면서 였다. 1899년 4월 3일 함태영은 사표를 던져 의원 면직된다.[105]더 이상 법관으로서의 활동이 무의미했다.

함태영은 독립협회 사건을 처리하는 과정에서 독립협회가 추구하는 근대 국가로의 전환에는 공감하고 있었다. 그가 꿈꾸던 법치주의의 이상이 근대국가 없이는 이루어질 수 없다는 사실을 알았기 때문이었다. 그럼에도 그가 이후의 독립협회 운동이나 정치활동에 참여하지 않았던 이유는 여전히 충군애국(忠君愛國)이 정의라는 정신이 여전히 그에게 남아 있었기 때문이었다. 법관으로서 자신의 역할을 다하는 것이 충

103 정교, 『대한계년사』 4, p.98.
104 『고종실록』, 1898년 11월 27. 함태영은 11월 22일 면관되지만 11월 27일 다시 복직되었다.
105 『고종실록』, 1899년 4월 3일.

군이요, 애국이었다. 독립협회가 추구했던 공화정이나 민주주의의 이상 속에는 더 이상 충군의 개념이 없었다. 오히려 고종의 존재가 근대국가의 걸림돌로 여겨지고 있었다. 독립협회 운동에서 가장 주목받은 인물 중의 한명이었던 이승만은 전제정치의 폐해를 극복하지 못하면 나라의 독립을 유지하기 어렵다고 보았다. 그는 특히 백성이 나라를 사랑하여 국권(國權)을 확장해야 한다고 보았는데 여기에 국권이 군주에게 있다는 것과 군주에 대해 충성해야 된다는 말이 없었다.[106] 독립협회를 실질적으로 이끌고 있었던 윤치호도 독립협회원 17명이 체포되었다는 소식을 접하고는 황제를 야비한 인물이라고 일갈하고 있었다.[107]

그러나 함태영에게는 여전히 충군(忠君)이 전제되어 있었다. 그것이 나라를 지키는 것이었다. 군주의 명령은 반드시 따라야만 하는 국가의 명령이기도 했다. 이는 그가 검사직에서 면관되었을 때 고종의 밀명을 받아 일본을 다녀온 데서도 알 수 있다. 고종은 검사직에서 물러나 있던 함태영에게 일본으로 망명 중에 있던 인사들 유길준, 박영효, 우범선 등의 동향을 살펴오라는 명을 내렸다. 일본으로 건너간 함태영이 만난 대표적인 인물이 우범선(禹範善)이었다.[108] 우범선은 1895년 명성황후 시해사건 당시 훈련대 대대장으로 일본군을 도운 혐의로 체포령이 떨어져 피신했다가 아관파천 직후 일본으로 망명한 인물이었다. 이때의 만남은 해방 후에 우범선의 아들인 우장춘이 국내에 들어왔을 때 함태영을 만나 소회를 나누는 계기가 되기도 했다. 이때 함태영은 일본에서 망명객들에 대한 동향을 제대로 파악할 수 없었다. 박영효 등을 만나기

106 이승만, 오영섭 역주, 『독립정신』(서울:연세대학교 대학출판문화원, 2019), pp.154~155.
107 『윤치호 일기』, 1898년 11월 5일.
108 1903년 일본에서 고영근에 의해서 암살되었다.

는 했지만 자신의 임무를 파악하고 있었던 일본의 감시가 일본 활동 내내 이어졌기 때문이었다. 오사카 부지사였던 키구치가(大阪府知事 菊地侃二) 외무성에 보낸 외국인 동정보고를 시작으로 함태영의 일본내 활동은 각 지역의 행정관들에 의해서 지속적으로 보고되었다. 동정보고서들에 의하면 함태영은 6월부터 10월까지 일본 각지를 방문하여 박영효 등과 접촉. 다만 일본 곳곳을 다니며 일본의 발전상을 둘러볼 수 있었다.[109]

이때까지만 해도 그는 국가의 주권은 임금에게 있다고 생각했다. 고종의 명령이 곧 국가의 명령이었다. 주군인 고종을 따르는 것, 공정한 법관으로 국가에 이바지 하는 것이 당연한 도리였고, 사명이었던 것이다.

2.4.3. 위민애국(爲民愛國)의 이상

대한제국이 출범하였지만 갑오개혁도 국가의 면모를 일신(一新)하는데 실패하면서 개혁이 심화되기 보다는 일본과 러시아 세력을 등에 업은 정치세력과 자주적인 근대화를 추구했던 독립협회를 중심으로 한 세력 간의 갈등만 심화되었다. 독립협회의 해산은 자주적인 근대화가 사실상 좌절되었음을 의미하는 것이었다. 사법제도 역시 마찬가지였다. 정치적 소용돌이 속에서 사법권의 독립은 사실상 의미가 없는 것이 되었다.

1899년 5월 재판소양성법이 전면개정 되었다. 고등재판소는 '평리원(平理院)'이라는 이름으로 변경되었다. 그러나 이 개정에서 두드러지는

---

109 일본외무성 기밀문서, [孔服敬 · 裵致實 · 咸台永 등의 動靜], 『要視察外國人ノ擧動關係雜纂 韓國人ノ部 (三)』, 明治三十二年六月十三日 (1899년 06월 13일).

특징은 행정권과 사법권을 분리했던 갑오개혁의 본뜻과는 달리 사법권을 다시 행정권으로 귀속시켜 놓았다는 것이다. 재판관련 업무를 행정기관과 합설(合設)케 했고, 판사도 지방관으로 충당토록 했다. 고등재판소였던 평리원 조차도 명목상으로만 독립되었을 뿐 재판장이나 판사의 판단보다는 법부대신의 결정에 따라 재판이 진행되었다.[110]

초기부터 행정권으로부터 독립된 사법권을 확보하려고 했던 법관들의 노력은 사실상 좌절되었다. 누구보다도 법치가 실현되기를 바랬던 함태영에게 그런 상황을 받아들이기는 쉬운 일이 아니었다. 그가 법관에서 한동안 물러나 있었던 이유다. 공정하고 공평한 재판을 기대하기 어려웠다. 그것은 법관으로서 최소한의 양심을 버리는 것과 마찬가지였다.

고종이 함태영을 법관으로서가 아니라 밀사로 활용했던 이유도 그의 강직한 성품과 법관으로서의 자부심을 잘 알았기 때문이었다. 고종은 1902년 2월 일본에서 돌아온 함태영을 전라남도관찰부의 주사(主事)로 임명했다.[111] 관찰부 주사는 판임관 6등에 해당되는 품계로 같은 품계이기는 했지만 전라남도의 관찰부로 이동하는 것은 사실상 좌천이었다. 더군다나 관찰부 주사는 법관이 아니라 행정관이나 마찬가지의 일을 해야 했다. 1903년 9월 전라남도 관찰부 주사의 직임에서 의원 면직된[112] 함태영은 1904년 다시 철도원 주사로 임명되었다가 한 달이 채 되지 않아 의원면직되었다.[113]

고종은 함태영에게 지속적으로 관직을 주었다. 그의 강단과 국가에

110 법원행정처, 『한국법관사』, pp.26~27.
111 『승정원 일기』, 1902년 2월 14일.
112 『승정원 일기』, 1903년 9월 3일.
113 『승정원 일기』, 1904년 6월 13일. 함태영은 7월 6일 면직되었다.

대한 충성심을 알고 있었던 것이다. 함태영도 자신에게 맞지 않은 옷이었음에도 고종의 명을 거역하지 않았다. 자신에게 주어진 사명에 최선을 다하려 노력했다. 하지만 근대적 법관으로 교육받고 활동했던 그에게 행정관으로의 임무는 버거운 일이었다. 행정관은 정치적인 상황을 고려해야 하고, 유연성을 발휘할 수 있어야 했다. 당쟁으로 얼룩진 대한제국의 정치 상황 속에서 고지식할 정도로 원칙에 충실하려 했던 함태영은 그 직임을 감당하기가 그만큼 어려웠다.

한편 독립협회가 해산되면서 근대국가로의 전환을 꾀했던 모든 정치적 노력들이 좌절되었다. 이제 대한제국의 운명이 자주적인 개화와 개혁의 힘으로가 아니라 주변 강대국들의 패권에 의해 결정되는 순간을 맞이하고 있었다. 그 마지막 패권의 다툼이 1904년 발발한 러·일 전쟁이었다. 그리고 이 전쟁에서 놀랍게도 일본이 승리했다. 러시아가 한반도에서 주도권을 상실하고 일본이 주도권을 완전히 장악한 것이었다.

> "오늘 아침 6시쯤 무관 민영환 대감이 자결했다. 죽기를 결심했다면 차라리 싸우다가 죽는 편이 좋았을 텐데, 민영환 대감의 조용한 용기에 경의를 표하라. 그의 애국심에 경의를 표하라. 그의 영웅적인 죽음에 경의를 표하라. 그의 죽음은 그의 삶보다 더 많은 기여를 할 것이다.
> 오후에 수많은 청년들이 종로에서 군중들에게 애국적인 연설을 하거나, 하려고 시도했다. 일본 헌병과 군인들이 그들을 해산시키려 했다. 실랑이가 뒤따르면서 일본 헌병과 경찰이 그들이 던진 돌에 부상당했다. 일본인은 100명 이상을 체포했다. 구경꾼들은 그 장면을 보고 정확하게 1898년 종로에서 발생했던 유사한 사태를 떠올렸다. 다만 당시 해산시켰던 이들은 조선인 군인이었다. 그 사태도 11월에 일어났다. 황제는 사악한 고문관에 관한 진실을 말하고 개혁을 요구했다는 이유로 자기 백성들을 곤봉으로 때리고 총검을 찔렀다. 지금은 일본인들이 황제를 위

해 정확히 똑같은 짓을 하고 있다."[114]

1905년 11월 30일 윤치호는 자신의 일기에서 민영환의 자결을 안타까워하며 을사늑약으로 인한 민족의 울분을 토로하고 있었다. 11월 17일 새벽에 기습적으로 체결된 소위 '을사보호조약'으로 대한제국의 외교권은 박탈되어 일본으로 넘어갔고, 조선에 주재하고 있었던 대부분의 나라들이 공관을 폐쇄하고 철수했다. 대한제국은 더 이상 국가로서 존재하지 않았다.

외교권을 장악한 일본은 통감부를 내세워 대한제국의 내정을 장악했다. 그리고 한국인들의 반발을 무마하고 '보호국'화를 정당성화시키기 위해 제도개혁에 박차를 가하고 있었다. 초대통감 이토 히로부미(伊藤博文)가 가장 중점을 둔 것은 사법제도의 개혁이었다. 그는 한국의 국정을 개선하기 위해서는 치외법권의 철폐, 사법제도의 확립과 정비가 가장 시급히 해결해야 할 과제라고 생각했다. 사법제도의 개선은 공정한 재판제도와 기본법전의 구비에 초점이 맞추어져 있었다.[115] 혼란을 겪고 있었던 한국의 사법제도 개선을 초대 통감인 자신이 직접 주도하겠다는 의도를 가지고 있었던 것이다.

이 시기에 한국 내부에서도 헌정과 법 제도에 대한 연구와 교육이 활기를 띠고 있었다. 1905년 4월에는 「형법대전」을 공포했고, 7월에는 민법기초위원회가 설치되었다. 대한자강회와 같은 단체는 자주 자강을 내세운 입법시도를 지속적으로 전개하고 있었다.[116] 행정사무관으로 있다

114 『윤치호 일기』, 1905년 11월 30일.
115 이영미, 김혜정 역, 『한국사법제도와 우메 겐지로』(서울:일조각, 2011), p.12.
116 문준영, "이토 히로부미의 한국 사법정책과 그 귀결", 이성환, 이토 유키오 편저, 『한국과 이토 히로부미』(서울:선인, 2010), pp.165~166.

가 관직에서 잠시 물러나 있던 함태영도 1905년 3월 30일 다시 평리원검사로 복귀했다.[117] 그리고 7월 25일 함태영은 다시 법부 참서관으로 임명받아 법률기초위원으로 기초법률을 제정하는데 중용된다.[118]

"… 지금 이상설의 재주와 현명함이 의정부의 직임에 반드시 적합하지 않다고 볼 수는 없습니다만, 그의 장점은 법을 관장하는 데에서 더욱 드러날 수 있으며 그의 능력은 법률을 제정하는 데에서 더욱 발휘될 수 있습니다. 이것은 신들과 법부의 대소 관원들 누구나 다 분명히 보아 알고 있는 사실입니다. 신들의 생각으로는 오늘 그의 대임으로 차출된 신하가 비록 우, 직, 기, 설의 재주와 진평, 주발, 왕릉, 관영의 현명함을 지녔더라도 '법률'이라는 한 분야를 정밀하고 깊이 연구하여 크고 작은 문제를 적절하게 처리하는 일에 있어서는 필시 이상설보다는 못할 듯합니다. 현재 법률에 관한 일이 제대로 거행되지 못하고 법전이 완성되지 않고 있는 것은 반드시 있을 수밖에 없는 우려이니, 삼가 밝으신 성상께서는 반드시 살펴 주시리라 생각합니다. 그리고 삼가 생각건대, 옛 성인이 관직을 만들어 직임을 맡겼던 뜻은 그 사람을 영광되게 하고 그 사람에게 녹봉을 주려 했던 것이 아니라 필시 백성과 나라를 중하게 생각해서 그리했던 것인데, 지금은 제정하는 법전과 법을 집행하는 직임이야말로 백성과 나라로 볼 때에는 너무나 중요한 관련이 있습니다. 그리고 그 재주를 헤아려 직임을 맡기되 그 직임을 오랫동안 맡겨서 일의 성과를 바라는 것이 고금의 정치가들의 변함없는 원칙인 것입니다.

그런데 만약 아침에 군대를 다스리게 하였다가 저녁에는 예악(禮樂)을 관장하게 하고 어제는 재무(財務)를 맡겼다가 오늘은 형정(刑政)을 다루게 한다면, … 이것이 바로 오늘날 조정의 가장 큰 병의 뿌리이며, 국세(國勢)가 이렇게 기울게 된 것도 여기에서 말미암지 않았다고는 못할 것입니

117 『승정원일기』, 1905년 3월 30일.

118 『승정원일기』, 1905년 7월 25일. 법률기초위원장은 법부 협판이었던 이준영이 맡고 법부 참서관이었던 조경구, 김낙헌, 함태영, 법관양성소 교관 정명섭을 법률기초위원을 겸임케 했다. 여기에 정영택, 김철귀, 석진형, 엄주일 등을 법률기초위원에 임명했다.

다. 이것은 신들이 의논할 수 있는 사안이 아니기는 합니다만, 본부의 일은 실로 신들과 관계된 절박한 문제이기에 감히 이렇게 연명으로 호소하는 것이니, 삼가 밝으신 성상께서는 반드시 살펴 주시리라 생각합니다. 이상설을 참찬으로 임명한다는 명을 속히 거두신 다음 옛 직임을 그대로 맡겨 실효를 거둘 수 있도록 해 주신다면, 이는 본부의 다행일 뿐만 아니라 바로 조정의 다행이며 백성과 나라의 다행일 것입니다. 신들은 너무나 황송하여 대죄(待罪)하는 마음을 금할 길이 없습니다. ……"[119]

1905년 11월 6일 함태영은 김낙헌을 비롯한 법부 참서관들과 함께 고종에게 상소를 올렸다. 상소의 내용은 법률기초위원장으로 민법 제정을 총괄하고 있던 이상설(李相卨, 1817~1917)[120]이 의정부 참찬으로 옮겨서 법률제정의 어려움이 예상될 뿐만 아니라 법전이 완성될 수 없을 것에 대한 우려를 표하는 내용이었다. 고종은 이 상소를 받아들이지 않았다. 그리고 이들이 상소에서 우려했던 내용대로 대한제국 스스로에 의해서 법전이 제정되지 못한 상태에서 통감부 시대로 넘어오게 된 것이다.

이토 히로부미의 사법제도 개혁은 일본 민법전의 기초위원이자 동경제국대학 교수였던 법학박사 우메 겐지로(梅謙次郎, 1860~1910)[121]를 법률고문으로 고빙(雇聘)하면서 시작되었다. 우메는 재판제도 개선정책

---

119 『승정원일기』, 1905년 11월 6일.

120 이범세(李範世) · 여규형(呂圭亨) · 이시영(李始榮) · 이회영(李會榮) 등과 신학문을 공부하였다. 또 헐버트(Hulbert,H.B.)와도 친교를 맺어 영어 · 프랑스어 등을 익혔으며, 특히 수학 · 물리 · 화학 · 경제학 · 국제법 등을 공부하였다. 1904년 6월 박승봉(朴勝鳳)과 연명으로 일본인의 전국 황무지개척권 요구의 침략성과 부당성을 폭로하는 「일인요구전국황무지개척권불가소(日人要求全國荒蕪地開拓權不可疏)」를 올렸다. 1905년 학부협판(學部協辦)과 법부협판을 역임했으며, 11월 초 의정부참찬(議政府參贊)에 발탁되었다.

121 마쓰에 번(현 시마네현 마쓰에시) 출신. 도쿄 외국어학교(현 도쿄 외국어대학) 프랑스어과를 수석으로 졸업한 뒤, 사법성 법학교에서 프랑스법을 배웠다. 문부성의 국비 유학생으로 프랑스 리옹 대학교의 박사(Doctorat)과정에 진학했다. 수석으로 박사 학위를 취득하고, 박사학위 논문 화해론으로 현지에서 높은 평가를 받았다. 귀국 후, 도쿄 제국대학 법과대학 교수에 전념하려 했다. 이후 20년 동안 학감, 교장, 초대 총리(총장)로 와후쓰 법률학교(현,호세이 대학)의 설립, 발전에 큰 기여를 했다.

과 법전편찬사업으로 개혁의 방향을 잡았다. 재판제도는 재판소를 설치하고 재판의 수속과 사무 등을 개선하는 방향으로 추진되었고, 법전편찬사업은 일본과는 다른 한국 고유의 법전을 편찬한다는 취지에 따라 추진되었다. 특이한 것은 우메가 법전편찬을 주도하면서 한국의 관습을 기초로 한 「민상이법통일법전(民商二法統一法典)」을 구상하고 전국의 관습 조사를 실시한 것이었다. 이토와 우메는 이 일로 인해 일본 본토로부터 비판을 받기 시작했다. 일본법을 적용하면 한국 고유의 법전이나 재판제도를 둘 필요가 없다는 것이었다. 이토가 일본 국내의 반대에도 불구하고 사법제도 개혁을 강력하게 추진했던 것은 한국을 병합이 아닌 보호국화 해야 한다는 생각 때문이었다.[122] 통감부의 사법제도 개혁은 사실 을사늑약 이전의 대한제국 법부에서 추진하고 있었던 개혁 과제들과 크게 다르지 않았다. 법부의 서기관으로 있던 함태영도 이러한 우메의 사법제도 개혁에 참여하고 있었다.

함태영이 통감부의 법관으로 참여하는 것은 쉬운 일이 아니었다. 민족적인 울분이 여전하고 전국 곳곳에서 의병활동이 활발하게 전개되고 있던 때였다. 그가 존경했던 이준(李儁)은 한국으로 다시 돌아와 평리원 검사로 다시 임용되어 활동하다가 1907년 7월 네덜란드 헤이그에서 개최되는 만국평화회의에 고종의 밀사로 파견되었다가 뜻을 이루지 못하고 숨을 거두고 말았다.

1907년 7월 21일 고종이 통감부와 대신들의 강압을 견디지 못하고 황태자에게 양위해야 했다. 이어서 7월 24일 정미7조약이 체결되었다. 정

122 이영미, 김혜정 역, 『한국사법제도와 우메 겐지로』, p.13. 이토는 한일병합에 대해 부정적이었지만 1909년 4월경부터 보호국화에 대한 생각을 버리고 병합을 승인하기에 이른다. 이는 일본 국내와의 갈등, 한국내부의 반발, 그리고 한국의 개혁이 자신이 원했던데로 진행되지 못한다는 판단 때문이었다.

미7조약으로 행정과 사법권을 통감부가 장악했다. 경찰권도 빼앗겼고, 군대도 강제로 해산되었다. 대한제국의 국가로서의 모든 권한이 통감부로 넘어간 것이었다.[123]

그런데 정미7조약으로 가장 큰 변화를 가져 온 것은 사법제도였다. 1907년 12월 23일 새로운 재판소 구성법이 제정되었다. 재판소의 종류는 대심원, 공소원, 지방재판소, 구(區)재판소의 4종으로 하였다. 일본의 재판소 제도를 그대로 모방한 것이었다. 다만 일본과 다르게 대심원에서만 모든 상고심을 다루도록 했다. 대심원장과 검사총장의 직급을 다른 대신들과 동등한 서열로 대우해 줌으로써 일본인 사법관들을 감격하게 했다. 이를 주도한 우메 겐지로가 가장 중요하게 생각하고 있었던 것은 바로 사법권의 독립이었다.[124]

이것은 함태영이 법관이 된 이후 신념처럼 가지고 있었던 법치의 근간이었다. 대한제국의 황제인 고종이 강제로 퇴위되었음에도 그가 법치국가의 기대감을 가지고 있었던 것은 애국의 관점이 충군에서 위민, 법치의 관점으로 바뀌었음을 의미하는 것이었다. 국가주권의 상징이었던 왕의 존재가 이제 국민, 법치의 존재로 변화 된 것이었다. 이는 그가 받아들였던 자유주의적 인간관, 근대 법치주의의 영향이었다.

함태영에게 더욱 기대를 가지게 하는 것이 있었다. 그것은 우메가 한

---

123 정미7조약의 내용은 다음과 같았다. “하나, 한국 정부는 시정(施政)의 개선에 관해서 통감의 지도를 받도록 할 일. 둘, 한국정부의 법령 제정 및 중요한 행정상의 처분은 미리 통감의 승인을 거칠 일. 셋, 한국의 사법 사무는 보통의 행정사무와 구별할 일. 넷, 한국 관리를 임명하고 해임하는 일은 통감의 동의로써 이를 행할 일. 다섯, 한국 정부는 통감이 추천한 일본인을 한국 관리에 임명할 일. 여섯, 한국 정부는 통감의 동의 없이 외국인을 초빙하여 고용하지 않을 일. 일곱, 메이지 37년(1904년) 8월 23일에 조인한 한일협약 제1항은 폐지할 일” 한일협약 제1항은 한국이 일본정부가 추천한 재정고문을 반드시 초빙해 고용해야 한다는 내용이었다.

124 이성환, 이토 유키오 편저, 『한국과 이토 히로부미』, p.172.

국법을 입안하고자 했던 것이었다. 우메는 한국의 사법체계를 만들면서 일본이 지도적 위치를 점하도록 해주는 프랑스주의를 채택하지 않고 토인재판소[125]의 개량에 의한 재판권의 독립이 가능한 영국주의를 채택했다. 일본 정부가 이를 강력하게 비판하고 나섰는데 그것은 한국판 영국주의가 성공하여 한국법권이 회복되는 것은 한국의 독립 보장이라는 보호정치의 명분에 합치되는 것이기도 하지만 한편으로 한국민과 제외국에 한국의 독립을 확인시키는 것으로 인식될 수 있었기 때문이었다.[126]

특히 치외법권의 철폐를 근거로 하는 재판제도의 정비는 공정한 재판에 따른 한국인의 정당한 이권 주장과, 각종 외국인과의 소송사건에서 한국사람의 권리옹호, 법률정비에 따른 한국의 여러 경제적 이권의 회수 등이 가능할 것이라는 당위성이 제기되었다.[127]

함태영은 국가의 존망이 위태로운 상황 속에서도 한줄기 희망의 끈을 놓지 않고 있었다. 그는 아직 대한제국이 무너진 것이라고 받아들이지 않았다. 여전히 자신에게 주어진 법관으로서의 사명을 다하고 올바른 법치의 정의를 실현한다면 국가의 기틀과 국력이 다져질 것이라고 생각했다. 비록 일본 통감부에 의한 것이지만 독자적인 법전의 제정이 실현된다면 독립적인 지위를 찾을 수 있을 것이라고 믿었다. 함태영은 1908년 순종황제가 자신을 대심원 판사로 임명할 때 이를 거부하지 않았다.[128]

그러나 함태영의 인식이 달라지고 있었다. 임금이 곧 국가였던 그가 이제는 임금과 국가를 분리하고 있었다. 이제 그에게 애국은 위민(爲民)

125 피지배국의 재판소를 의미한다.
126 이성환, 이토 유키오 편저, 『한국과 이토 히로부미』, p.179.
127 이영미, 김혜정 역, 『한국사법제도와 우메 겐지로』, p.187.
128 『승정원일기』, 1908년 10월 4일.

국가를 이루는 것이었다. 이미 그가 법관으로 나서면서부터 그가 가지고 있었던 위민국가의 이상이 고종의 퇴위와 함께 분명하게 각인되어 나타난 것이다. 함태영에게 있어 충성은 임금에 대한 것이 아니라 위민에 대한 것이었고, 그러한 국가를 세워가는 것이었다. 임금이 물러났어도 법치를 통해 국가를 다시 세울 수 있는 것이었다. 또한 백성을 위한 국가가 정의로운 국가라는 사실이 신념으로 자리하고 있었다.

여기에 그 시대를 살아야 했던 대한제국 법관들의 고뇌가 있었다. 대한민국 임시정부의 지도자이자 대한민국 초대 부통령을 지냈던 성재(省齋) 이시영(李始榮)도 법부의 민사국장으로 기본법전을 편찬하는 법전조사국의 위원으로 임명되어 활동을 시작했다.[129] 이시영은 1905년의 을사늑약에 강력하게 반대하여 이를 주도했던 박제순과의 사이에 예정되어 있던 집안 간의 혼사를 파혼했을 정도로 일본에 대한 반감을 가지고 있었다. 그럼에도 그가 법관으로서 자신에게 주어진 일들에 나섰던 것은 자신이 1906년부터 우메 겐지로와 함께 기본법전의 편찬에 관여하면서 우메의 의도와 목적을 누구보다 잘 알고 있었기 때문이었다. 사법권의 독립을 이루는 것에 대한 기대감을 가지고 있었던 것이다.[130]

강제로 퇴위한 고종을 비롯한 모든 이들이 비운에 빠져 있었고 나라를 포기하고 있었던 때였다. 공직에 나가거나 통감부의 개혁에 동참한다는 것 자체가 민족에 대한 반역으로 여겨졌다. 울분에 가득한 이들이 의병을 일으키고 있었고, 을사5적[131]을 비롯한 친일파들에 대한 암살과 테러 기도가 계속되고 있었다. 그럼에도 대한제국의 법관으로 그들

129 『관보』, 1908년 6월 27일.
130 최종고, 『한국의 법률가』, p.23.
131 1905년 을사늑약체결을 주도했던 박제순(朴齊純, 외부대신), 이지용(李址鎔, 내부대신), 이근택(李根澤, 군부대신), 이완용(李完用, 학부대신), 권중현(權重顯, 농상부대신)을 일컫는다.

이 할 수 있었던 선택은 사법부의 독립을 통해 대한제국의 자주성을 되찾을 수 있을지 모른다는 여망이 담겨 있었다.

함태영은 비록 통감부 안에서 일본인의 지휘 아래 일해야 했지만 대한제국에 대한 자부심과 충성을 버리지 않았다. 대심원 판사로 막 활동을 시작하던 그때까지 한번도 정치단체나 사회단체에 참여하지 않았던 함태영이 애국계몽단체였던 기호흥학회에 5원을 기부했다.[132] 잃어버린 국권을 다시 회복해야 한다는 그의 간절함이 배어 있었다.

1908년 통감부의 재판소 구성법에 따라 새롭게 구성된 대심원은 일본인 대심원장과 검사총장 아래에 일본인 판사 74명, 검사 32명, 한국인 판사 36명, 검사 9명으로 이루어져 있었다. 한국인 법관들은 일본인들의 지휘를 받아야 했고, 모든 재판이 일본인들의 뜻에 의해 이루어질 수 있는 구조였다. 한국법 제정을 추진했던 이토 통감과 우메 겐지로가 1909년 4월 물러나면서 조선 통치는 일본과의 병합으로 기울기 시작했고, 사법체계도 일본법을 그대로 적용했다. 한국인 법관들이 기대하고 있었던 마지막 희망도 무너지고 말았다.

---

132 「기호흥학회 월보」 제3호, 1908년 10월 25일.

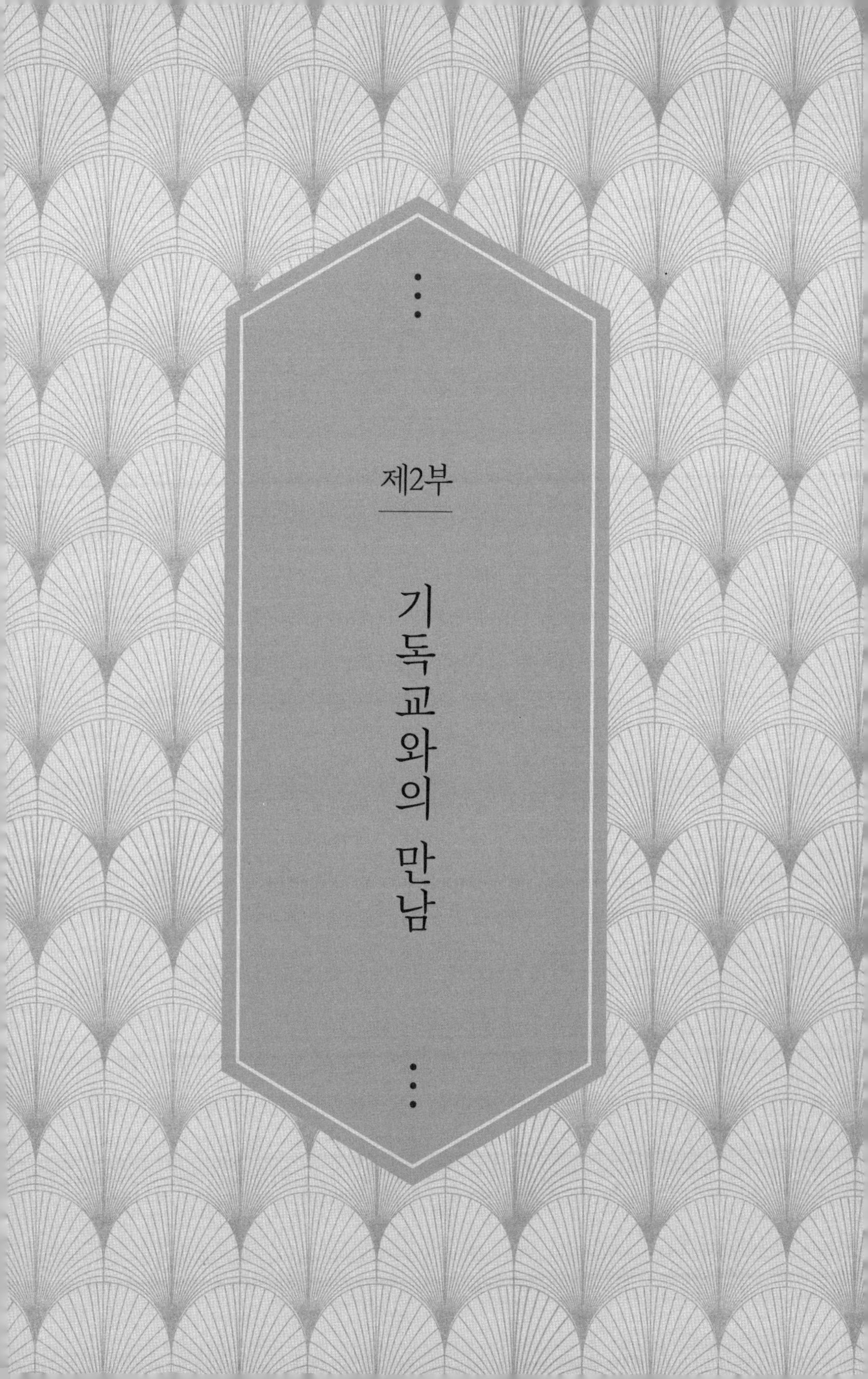

제2부

기독교와의 만남

3장 기독교 입교 - 초월성과의 조우(遭遇)

3.1 묘동교회 영수 함우택

함태영의 가문에서 가장 먼저 기독교 신앙을 받아들이고 교회를 출석한 인물은 그의 부친 함우택이었다. 1903년 함우택은 대한제국에서 의회의 성격을 가지고 있던 중추원(中樞院) 의관에 임명되었다.

이 당시 중추원은 갑오개혁의 대표적인 관제개혁의 하나로 설립되었으며 독립협회가 주장했던 의회설립운동으로부터 영향을 받아 의회의 성격을 띠는 구조를 가지고 있었다. 중추원은 의장 1명과 부의장 1명, 그리고 의관(議官) 50명으로 구성되어 있었다. 의관의 절반은 정부에서 국가에 공로가 인정되는 자로 선발했으며 나머지 절반은 독립협회가 중심이 되었던 인민협회 중에서 27세 이상으로 정치, 법률, 학식에 통달한 자로 투표 선거하도록 규정하였다. 의관들의 역할은 의안(議案)을 토론하고 다수결로 결정하여 국정에 참여하는 것이었다. 그러나 이 토론이 1905년 이후에는 찬성여부만을 결정하는 것으로 규정이 바뀌면서 의관의 명칭도 찬의(贊議)로 변경되었다.[1] 함우택은 정부 측에서 임용된 중

1 이방원, "한말 중추원 연구", 「이대사원」, 31권, 1998년 12월호, p.120.

추원 의원이었다.[2] 정부의 추천은 국가에 대한 공로가 인정되는 자들 중에서 고종의 윤허를 거쳐 천거되었기 때문에 함우택은 대한제국 안에서 신뢰받는 관료로써 어느정도 인정을 받은 것이었다.

그러나 함우택의 중추원 의원 활동은 그리 오래가지 못했다. 당시 중추원은 러일전쟁에서 일본의 승리와 맞물려 일본의 입김이 더욱 강하게 작용하기 시작했다. 그리고 1905년 관제의 개정을 통해 의관의 수를 15명으로 줄이고 의관의 명칭을 의원으로 개칭하며 그 기능 자체를 무력화 시켰다. 또한 을사늑약이 체결되면서 사실상 국권이 상실되는 상황을 지켜보아야 했다. 칠십을 바라보는 함우택에게도 관료로서의 삶은 더 이상 무의미한 것이었다. 그때 그가 찾은 것은 그가 서양의 정신으로만 알았던 기독교에 입교하면서부터였다.

함우택은 관료직을 그만둔 1905년을 전후로 연동교회에 출석했다. 그가 갑작스럽게 기독교에 입교한 뚜렷한 동기는 발견하기 어렵다. 다만 중추원 의원으로 독립협회 회원들과 가깝게 교류했던 그의 이력으로 보면 그 시기에 기독교에 입교했던 독립협회 인사들로부터 영향을 받은 것으로 보인다. 기독교 입교이후 함우택은 이원긍(李源兢)과 가까운 관계를 유지했다. 연동교회와 묘동교회로 신앙의 동지로 행보를 같이 했을 정도로 신앙관이나 지향하는 바가 다르지 않았다.

廣廈千間大庇心(광하천간대비심)
流行坎止到如今(류행감지도여금)
始知救世由眞理(시지구세유진리)
遂向蓮東聽福音(수향연동청복음)

2 『승정원일기』, 1903년 7월 8일. "함우택(咸遇澤), 윤익병(尹益炳), 김희종(金喜鍾), 차상후(車尙厚), 신현욱(申鉉昱), 장석인(張錫寅), 강형수(姜瀅秀)를 중추원 의관에 임용하고"

천 간이나 되는 크나 큰 집이
크게 마음을 감싸니
고행 길 멈추고 여기에 이르렀네
진리로 세상 구하는 일 이제야 알게 되어
드디어 연동에서 복음을 듣게 되었네.[3]

대한제국의 법부협판을 지냈던 이원긍(李源兢, 1849~?)[4]은 예수를 만난 감격을 그렇게 한시(漢詩)로써 담아내고 있었다. 복음의 진리를 들었던 그 시대의 지식인들에게 예수 복음은 세상을 구할 진리였다.

이원긍은 독립협회 회원으로 활동했던 개화파 지식인이었다가 한성 감옥에서 예수를 믿고 기독교에 입교한 인물이었다. 그가 한성 감옥에서 나와서 연동교회에 출석하기 시작한 것은 1904년의 일이었다. 이원긍이 1907년 장로로 가택을 받을 정도로 평신도 지도자로서 영향력을 가지고 있었다.

함우택이 출석했던 연동교회에는 월남 이상재(李商在)를 비롯해 김정식(金貞植), 이원긍(李源兢), 홍재기(洪在箕), 유성준(兪星濬), 박승봉(朴勝鳳), 민준호(閔濬鎬) 등이 출석하고 있었다.[5] 이들은 대부분 한성 감옥에서 예수를 믿고 기독교에 입교한 인물들이었다.

그들은 개화파 관료로 활동하면서도 독립협회에 참여하며 서양의 근

3 이능화, 오세종외 역, 『조선기독교와 외교사』 (서울:삼필문화사, 2014), p.246.
4 호는 취당(取堂). 충청북도 괴산 출신으로 국학자 이능화(李能和)의 아버지이다. 진사로서 음성 현감 · 춘천 판관을 역임하고, 1891년(고종 28) 증광문과에 급제하여 홍문관교리 · 이조참의 · 북청부사 등을 역임하하고 1894년 내무아문참의가 되고, 갑오개혁 때 신설된 군국기무처의 회의원(會議員)이 되었다. 그뒤 법부협판을 지냈는데 독립협회 회원으로 활동했다. 1901년 황국협회의 무고로 인한 독립협회 지도자에 대한 일련의 검거선풍으로 말미암아 3년간의 옥고를 겪은 뒤, 1904년 이상재(李商在) · 이승만(李承晩) 등과 더불어 석방되었다. 수감되어 있을 때 미국선교사 벙커(Bunker, 房巨)의 전도로 기독교에 입교하였다.
5 연동교회 90년사 편찬위원회, 『연동교회90년사』 (서울:연동교회, 1984), pp.77~78.

대제도의 적극적인 도입을 통해서 국권회복과 부국강병에 대한 이상을 가지고 있었다. 독립협회 사건으로 한성감옥에 들어갈 때까지 그들에게 기독교는 서양의 정신이었다. 동도(東道)를 가진 조선의 정신문명이 서도(西道)인 기독교보다 우월하다는 인식을 가지고 있었다. 충군과 애국을 우선시하는 그들에게 개인을 중요시하고 인간의 존재를 초월적인 하나님과 관계해서 인식하는 기독교의 정신은 받아들이기 어려운 것이었다.

그런 그들이 복음주의 선교사들이 중요하게 생각했던 회심을 경험하며 기독교에 입교했다. 복음주의 신앙에서 회심은 기독교 신앙의 출발점이며 새로운 변화와 갱신을 의미한다. 그들의 삶이 완전히 기독교인의 삶으로 변화된 것이었다. 유성준은 자신이 예수를 믿은 후 자신의 삶이 바뀌었음을 고백했다.

> 내가 그리스도 교회에 드러온 후로는 감히 거즛말을 하거나 악한 일을 행치 못하엿스며 간혹 아름답지 못한 사샹이 써오를 때에는 즉시 하나님께 긔도하야 반셩케 하는 은혜를 엇엇으로 공자의 니른바 "쇼인은 능히 션을 하지 못하고 군자는 악을 하지 아니한다"는 말슴이 예수의 니른바 "션한 나무가 악한 열매를 맺지 못하고 악한 나무가 션한 열매를 맷지 못하는 것과 갓치 션인이 악을 향치 못한다"하신 말슴과는 차이가 잇는 뎜을 발견하엿고 또 신쟈의게 대하야 구쥬 예수의 십자가 공덕으로 하나님의 은춍이 나타날 뿐 아니라 영원히 잇슴을 확실히 밋는 동시에 젼 셰계 동포가 다 회개하야 예수의 참 도리를 밋고 서로 사랑하며 셔로 도움으로 하나님의 공졍인자하신 무한한 은혜를 닙어 공존공영하기를 간절히 바라는 바이다.[6]

그리스도를 믿은 후의 가장 큰 열매는 입신양명을 추구하며 벼슬

6 『기독신보』, 1928년 8월 8일.

을 하려던 자신의 목표가 세상에 복음을 전해 하나님의 공존공영하기를 바라는 것으로 바뀐 것이었다. 유성준이 추구했던 이상과 현실의 삶이 기독교의 복음으로 말미암아 근본적으로 변화된다. 이는 기독교가 국권회복을 위한 도구나 사회를 변화시킬 근대 이데올로기로서가 아니라 내면의 신앙으로 자리 잡았음을 의미했다. 그러나 그들은 단순히 개인 구원의 감격이 교회의 울타리 안에만 머물러서는 안된다고 생각했다. 복음의 사명이 개인 구령과 더불어 민족, 국가 차원으로까지 확대되어야 한다고 보았다. 이러한 구원관은 일제강점기에 기독교 민족주의로 발현되었으며 이상재가 내세웠던 신부적(神賦的)국가관과 연결되었다.[7]

함우택이 개화파 지식인들이 거쳤던 회심의 과정을 거쳤는지는 알 수 없다. 다만 그가 묘동교회가 연동교회에서 분립하는 과정에서 이원긍과 더불어 이를 주도하고 영수의 자리에 올라갈 수 있었던 점을 미루어 신앙적으로도 지도자의 위치에 있었음이 분명하다. 당시 영수는 교회의 평신도 지도자로 대개 장로로 피택될 신앙과 덕망을 인정을 받는 인물들이었다.

함우택이 연동교회에 출석하고 있을 때 함태영은 대심원 판사를 역임하고 있었다. 서당의 훈장을 했고 사대부가로서 나름의 자부심을 가지고 있었던 함우택이 기독교를 받아들이는 것은 쉬운 결정이 아니었다. 그가 기독교 신앙을 받아들인 것은 성리학적 세계관이 더 이상 그 시대의 조선을 구원할 능력이 없다는 사실을 깨달았기 때문이었다. 또한 그들이 추구했던 사민평등의 위민 정신을 기독교 신앙 속에서 발견했기

7 김명구, 『한국기독교사 1 ~1945』 (서울:예영, 2018), p.223. 신부적 국가관은 역사의 주관자가 하나님이시라는 인식을 중심에 두고 있었다. 이상재는 도덕력을 강조했으며 의를 행하면 하나님께서 그 국가를 반드시 도우실 것이라는 믿음을 전제하고 있었다. 이상재는 이러한 국가관을 토대로 일본이 한국을 식민지 삼은 것 비판했다.

때문이었다.

사대부 출신 교인들은 교회가 민족을 영도(領導)해야 한다고 생각했다. 기독교가 환상적 위안과 도취적 안식을 주는 것이 아니라 삶 속에서 실제로 쓰여야 한다고 믿었다. 공동선(共同善)을 추진하고 형성해 나가는 새로운 윤리 형태도 띠어야 한다고 강조했다. 사대부들이 지녔던 국가에 대한 책임의식을 그대로 발현하고 있었다. 그들은 기독교의 초월성과 나라 사랑을 분리하지 않았다.[8]

함우택은 개화파 관료였지만 동도(東道)의식의 사대부로서 위신과 정신을 중요하게 여겼던 인물이었다. 그가 기독교 신앙을 연동교회에서 시작했던 이유도 개화파 양반관료 그룹이 자리를 하고 있었던 영향이 컸다. 기독교 신앙을 받아들였지만 양반으로서의 신분의식이나 자주의식을 완전히 버린 것은 아니었다. 이는 연동교회와 묘동교회의 분리 과정에서 잘 드러났다.

1907년 5월 연동교회에 소아회가 조직된 직후 함우택은 이 교회에서 장로로 가택된 이원긍(李源兢), 평신도 지도자의 위치에 있었던 오경선(吳慶善)등과 함께 연동교회를 떠나 새로운 교회설립을 모색하기 시작했다.[9]

분립을 추진했던 이유는 크게 두 가지였다. 우선 연동교회의 구성원들이 가지고 있었던 신분적 갈등이 첫 번째였다. 연동교회는 양반 지식인 계층들이 교회로 들어오면서 초기 구성원들의 주류를 이루고 있었던 천민계층들과의 보이지 않는 갈등이 존재하고 있었다. 주일예배 순서에서도 양반들은 순서도 맡지 않았다. 강단 가까이에는 상민들이, 출

8 김명구, 『해위 윤보선 생애와 사상』, p.38.
9 연동교회 90년사 편찬위원회, 『연동교회90년사』, p.86.

입문 가까이에는 천민들이 앉을 정도로 그 구분이 뚜렷했다. 1대 장로였던 고찬익의 경우도 칠천역(七賤役)에 속하는 천민이었고 2대 장로로 가택된 이명혁도 천민이었다. 양반 사대부가의 후손들이 하루 아침에 천한 신분의 사람들과 함께 자리를 한다는 것은 받아들이기 쉽지 않은 일이었다. 더군다나 평신도 지도자인 장로를 뽑는데 천민출신들이 연이어서 뽑히는 것을 받아들이기가 쉽지 않았다. 그런 가운데 양반 출신으로 장로에 가택되었던 이원긍이 장로로 임직하지 못하는 일이 벌어졌다.[10] 그리고 이 일은 연동교회를 담임하고 있었던 게일과의 갈등으로 확대되었다.[11] 결국 이원긍, 함우택, 오경선을 중심으로 했던 인물들은 묘동교회를 설립한다.

묘동교회가 설립되었을 때 그 구성원의 대부분은 양반이었다. 이는 묘동교회의 건물 모습에서도 나타났는데 1910년 묘동교회를 신축했을 때 'ㄱ'자형 건물을 지었다. 남녀가 함께 할 수 없다는 유교적 전통을 그대로 적용한 것이었다.[12] 함우택은 연동교회를 나오면서 그의 독자였던 함태영과 입장을 달리했다. 함우택은 기독교적인 윤리와 성리학의 윤리가 다르지 않다고 보았다. 그러나 신분에 대한 성리학적 인식은 여전히 그의 인식 속에 남아 있었다. 아직까지 기독교에서 말하는 신부적(神賦的) 인간이해를 도덕적 개념 위에서 이해하고 있었던 것이다.[13] 또한 게일이 이원긍의 장로 장립을 취소하는 과정에서 보인 모습이 그의 눈에

10 연동교회 100년사 편찬위원회, 『연동교회100년사』 (서울:연동교회, 1995), p.193.

11 이 갈등은 장로장립과 관련되어 있었다. 이원긍이 장로선거에서 불법을 행했다는 것을 근거로 장로장립을 받지 못했다. 그런데 새로이 광대출신의 임공진이 장로로 피택되면서 불거졌다. 이원긍 등은 게일이 이원긍의 장로장립을 독단적으로 취소한 것으로 이해함으로써 정치적인 문제로까지 확대되었다.

12 묘동교회 100년사 편찬위원회, 『묘동교회 100년사』 (서울:묘동교회, 2011), pp.23~25.

13 성리학에서 인간은 도덕적 인간을 추구한다.

는 불공정하게 보였다. 외국 선교사인 게일이 조선인인 자신들을 무시한 것으로 이해했던 것이다. 그들은 스스로 무엇을 할 수 있어야 한다는 자주성을 중요하게 여기고 있었다. 아직 선교사의 영향력이 지대했던 당시 상황에서 교회를 분립한다는 것은 쉬운 일이 아니었다. 그럼에도 이를 강행한 것은 선교사로부터 독립하겠다는 의식이 강하게 작용한 것이었다.

이때 함태영도 연동교회를 출석하고 있었다. 함태영은 부친의 행보를 따라가지 않았다. 함우택이 신분제도를 바라보는 동도적 인식에 더 이상 찬성하지 않았기 때문이었다. 그러나 이때 함우택이 가지고 있었던 자주적인 의식은 함태영에게도 영향을 미치고 있었다. 이는 특히 그가 게일 목사의 후임으로 제2대 연동교회에 담임목사로 부임하고 적극신앙단에 가입했을 때 두드러지게 나타났다. 함태영은 선교사들의 영향력으로부터 한국교회가 벗어나야 한다고 주장하는 적극신앙단의 주장을 당연하게 받아들이고 있었다.

함우택은 가문을 일으켜 세워야 한다는 사명으로 무반의 관직을 시작으로 대한제국의 중추원 의관을 지냈다. 개화기의 관료로서 활동했던 그가 위민애국과 국권회복을 위해 찾았던 진리이자 소망은 기독교였으며 황혼의 나이에도 평신도 지도자로서 그의 신념을 굳건히 했다. 그가 이루고자 했던 가문의 중흥과 위민국가의 건설, 기독교를 통한 국권의 회복이라는 사명은 그의 아들 태영에게 계승되었다. 함태영이 목회자이면서도 심계원의 원장과 부통령으로 공직에 나갔던 것도 국가에 대한 사명의식 때문이었다. 또한 평생을 청렴하고 결백하게 살아야 했고 공정하고 공평한 사회를 만들어야 한다는 의식도 그의 부친 함우택으로부터 물려받는다.

그러나 함태영은 부친 함우택보다 서도(西道)를 훨씬 더 적극적으로 받아들였다. 근대 법치주의를 통해 서양의 정신문명이 가지고 있었던 본질을 탐구하면서 조선의 성리학을 근간으로 하는 동도(東道)적 신분질서를 극복하고 있었다. 근대법학을 통해 신분의 문제를 뛰어넘고 개인의 가치를 인정했다. 더 나아가서 그가 기독교에 입교한 이후에는 기독교의 도(道)가 새로운 국가의 근간이 되어야 한다는 생각을 갖기 시작했다.

3.2. 회심과 기독교 입교

"나의 축사 순서가 돌아왔다. 나는 교회가 걸어온 길을 이야기했다. ... 현재의 당회장(함태영)이 아직 신자가 되기 전 판사직에 있을 때 다리뼈에 장기치료를 요하는 중병이 걸려 우리 병원에 입원하여 치료를 받던 중 주변의 분위기에 감회되어 예수를 구세주로 받아드린 일, 그 뒤 판사직을 사임하고 신학공부를 하여 목사가 된 일, 목사 된 후 한동안 시골교회에서 시무하다가 자기가 처음 예수를 만난 그 병원에서 가까운, 이제는 크게 성장한 교회로 옮겼고, 마침내 서울에서 가장 큰 장로교회인 이 교회의 목사가 되었다는 감회어린 이야기를 하고, 이제 이 모든 것이 결집된 매우 뜻 깊은 교회의 창립30주년을 맞이하여 진심으로 축하한다고 했다."[14]

14 올리버 R. 에비슨(Oliver.R.Avison), 황용수 역, 『구한말 40여년의 풍경』(경산:대구대학교 출판부, 2016), p.510. 에비슨은 자신의 글에서 연동교회 30주년 기념식이라고 적고 있지만 이는 40주년을 잘못 기억한 것으로 보인다.

대심원 판사로 활동을 시작할 무렵 함태영은 극심한 고통이 찾아와 세브란스 병원에 입원해야만 했다. 당시 세브란스 병원을 담당하고 있었던 올리버 R. 에비슨(Oliver R. Avison, 1860~1956)[15]은 1934년 10월 21일 연동교회 40주년 기념식에서 축사를 하면서 당시에 판사로 있던 함태영이 병원에 입원해 있었는데 다리뼈에 장기입원을 요하는 중병이었다고 증언했다.

1909년 가을 대심원 판사로 활동하고 있었던 함태영은 중병을 앓으며 사경을 헤매고 있었다.[16] 당시 다리뼈에 종양이 발견될 정도로 그의 병은 위중한 상태였다. 극도의 고통 속에 하루 하루를 보내고 있었던 그에게 당시의 의술로 이 병을 고치는 것은 쉽지 않았다.[17] 그는 이 병원에서 언더우드(H. G. Underwood, 1859~1916)[18]를 만났다. 질병의 고

---

15 1860년 6월 30일에 영국 요크셔에서 태어나 1866년 캐나다로 이주하였다. 1879년 오타와의 고등사범학교를 졸업하였고, 1884년에는 토론토의 온타리오 약학교를 졸업 후에 모교에서 교수로 활동하였다. 1884년 토론토 대학교 의과대학에 편입하여 1887년 6월에 졸업하였다. 의과대학 재학 중인 1885년 7월 제니 반스와 결혼하였다. 의과대학을 졸업한 후에 강사를 거쳐 교수가 되었으며 토론토 시장의 주치의로도 활약하였다. 1892년 9월 선교 모임에서 만난 H. G. 언더우드로부터 해외 선교의 제안을 받자 교수직을 사임하고 1893년 미국 장로회 해외선교부의 의료 선교사가 되었다 1893년 8월 서울에 도착하여 제중원에서 의료선교사로 사역했으며 이후에 세브란스 병원과 의전을 통해 의료사역에 전념했다.

16 연동교회 90년사 편찬위원회, 『연동교회 90년사』, p.139. 연동교회사는 함태영이 1908년에 복부내종으로 사경을 헤매다가 기도의 힘으로 치유받고 연동교회를 나오게 되었다고 기록하고 있다. 그런데 함태영의 증언은 언더우드의 기도를 받고 치유받았다는 것인데 당시 언더우드는 안식년으로 미국에 들어갔다가 1909년 9월이 되어서야 한국으로 돌아왔다. 따라서 함태영이 치병(治病)을 경험하고 기독교에 입교한 이 사건은 1909년 9월 이후로 보아야 한다.

17 함태영의 부통령 시절 비서실장이었던 함동욱은 함태영이 넓적다리에 종양이 있었다고 증언한다. 이는 에비슨의 증언과도 일치한다. 다리뼈에 종양이 생기는 골종양은 극심한 고통을 동반하는 것으로 알려져 있으며 현대 의학에서도 다리절단을 유도하는 경우가 빈번한 것으로 알려져 있다.

18 영국 런던에서 출생하였으며 미국으로 이주하여 1881년 뉴욕대학교를 나왔고 1884년 뉴브런즈윅신학교를 졸업하였다. 미국 북장로교 선교사가 되어 1885년 4월 5일 미국 북감리교의 H.G.아펜젤러 목사와 함께 조선(朝鮮) 제물포를 통해 입국하였다. 1886년 고아들을 모아 고아원(후일 경신학교가 됨)을 설립하였고 1887년부터는 순회전도에 나섰다. 1897년 서울 정동교회를 설립하였고 1889년에는 기독교서회(基督敎書會)를 창설하였다. 성서번역위원회를 조직, 그 회장 등을 역임하며 성서의 번역사업을 주관하는 한편, 1890년에 《한영사

통 앞에 무기력하고 나약한 자신의 모습에 절망하고 있었던 함태영이었다. 극심한 고통 속에서 만난 하나님은 세상의 지식과 기술, 문명, 모든 상식 그 너머 있는 초월적 존재였다. 또한 이 체험은 단순한 경험으로 끝나지 않는다. 함태영은 병이 치유되는 그 순간 초월적인 하나님을 만났다. 함태영은 그 자리에서 회심(回心)을 경험하고 있었다. 기독교 신앙에서 회심은 단순히 종교를 선택하는 것이 아니다. 자신의 인생 전체와 세계관, 지식과 모든 것에 있어서 주관자가 초월적 존재인 하나님이라는 사실을 선언하는 것이다.

함태영의 회심은 영적인 것이며 초월적인 존재에 대한 실제적 체험이었다. 어떤 지적인 전환이나 감정의 고조에 의해서 일어난 사건이 아니었다. 절망과 고통의 끝에서 얻은 구원의 기쁨이었고, 은혜였다.

사대부 양반의 후예였고 개화파 관료였으며, 근대법학을 공부한 당대의 지식인이었던 함태영에게 초월적인 하나님과의 조우(遭遇)는 그가 가지고 있었던 근대의 이상과 양반으로서의 모든 인식구조를 전환시키는 결정적인 사건이었다. 또한 그의 영적인 체험이 미국 북장로교와 서울지역을 대표하는 선교사였던 언더우드를 통해서 이루어졌다는 점 또한 놀라운 것이었다.

한국기독교는 1884년 의료선교사였던 알렌(H.N.Allen, 1858~1932)[19]이 입국하면서부터 본격적인 선교가 시작되었다. 당시 한국교회

전》, 《영한사전》을 출판하고, 1897년에는 주간지 《그리스도신문》도 창간하였다. 1900년 기독청년회(YMCA)의 조직에 참여하였으며, 1915년에는 자신이 설립한 경신학교(儆新學校)를 연희전문학교(연세대학교의 전신)로 발전시켰다. 1916년 신병으로 귀국, 애틀랜틱시티에서 사망하였다.

19 1881년 웨즐리언 대학 신학과, 1883년 마이애미 의과대학 졸업. 동양에서의 전도를 희망하여 같은 해 미국 장로교회 의사로 중국 상하이(上海)에 갔다가, 1884년(고종 21년) 서울의 미국 공사관 의사로 조선에 왔다. 갑신정변으로 자상을 당했던 민영익을 치료해준 공로로 광혜원(후에 제중원)을 설립하고 의료사역을 시작했으며 이후 선교사들이 조선으로 들어오는

안에는 두 가지의 신앙적 흐름이 나타나고 있었다. 우선 교회가 문명개화와 국권회복, 독립의 원동력이 될 것이라고 보고 신앙적 관점이 아닌 문명적인 관점에서 기독교를 받아들이는 흐름이었다. 1895년 명성황후 시해사건 이후 개화파 지식인들이 교회로 들어오면서 이러한 현상은 구체적으로 나타나기 시작했다. 그들의 신앙에서는 개인 구원의 문제보다는 국가, 민족, 사회의 문제를 해결하는 것이 더 중요했다. 초월적인 세상보다는 현세의 세상에 이루어지는 하나님의 나라를 추구했다. 신앙의 목적보다는 충군애국(忠君愛國)의 기반 위에 개화를 통한 부국강병이라는 목적이 뚜렷했다. 그들은 개화를 단순히 서구의 문물을 받아들이는 것만이 아니라 서구의 정신인 기독교를 받아들이는 것으로 인식했다.[20]

그런가 하면 정치적이고 사회적인 목적으로 기독교를 받아들이는 것에 대해 비판하며 기독교를 신앙적 동기에 의해서 수용하고 순수한 신앙적 관점에서 받아들이려는 흐름이 있었다. 복음적 신앙운동은 개인의 영혼이 구원받는 것이 가장 큰 목표였으며 회심과 강력한 성경적 윤리를 강조했다. 이 세상에서보다는 저 너머에 있는 내세에서의 하나님나라를 지향했다. 1907년의 대부흥운동 이후부터는 이 흐름이 한국교회의 주류로 자리잡아 가고 있었다. 그러나 서울과 평양, 원산, 안동, 인천 등 각 지역마다 교회의 강조점이 달랐다. 이들을 이끌고 있었던 선교사들조차도 내적 회심을 통해 한국교회 교인들의 윤리와 의식을 바

데 중요한 역할을 담당했다. 그러나 1887년 한국공사관 고문으로 활동을 계기로 1890년 주한 미국공사 서기관으로 시작해서 대리공사까지 역임하는 등 선교사보다는 외교관으로 활동했다.

20 김정회, 『한국기독교의 민주주의 이행연구-해위 윤보선을 중심으로』 (서울:해위윤보선대통령기념사업회, 2017), p.55.

꾸려 했던 선교사들이 있는가 하면 교육이나 엄격한 교회 시스템으로 이를 극복하려는 선교사들도 있었다.

1907년 평양을 중심으로 영적대부흥운동이 전국을 휩쓸고 지나갔을 때도 서울지역의 새문안교회, 안동교회, 연동교회 등의 장로교회들에서는 큰 반향이 나타나지 않았다. 선교사들은 부흥운동을 통해 표출된 조선 교인들의 반응에 힘겨워 하고 있었다. 그들은 개인구령의 선교관이나 부흥회적 경건보다는 사회 윤리적 가치관이나 국가 구원의 문제를 더욱 중시했기 때문이었다.[21]

서울지역의 교회들을 대표하고 있었던 언더우드도 복음주의 부흥운동에 영향을 받아 한국에 선교사로 자원했던 인물이었다. 그의 사역은 학교와 고아원을 세우고, YMCA 설립에 참여하는 등의 일에 많은 관심을 기울였지만 교회와 순회전도와 같은 복음을 전하는 것이 자신의 주된 사역이라는 사실을 늘 인식하고 있었다. 기독교 사회단체로 출범했던 YMCA의 성격을 정하는데 있어서도 언더우드는 YMCA가 복음주의 기관이라는 목표를 설정해야 한다고 주장하고 YMCA의 활동이 복음주의 교회의 연장이 되어야 한다고 주장했다.[22] 교회가 사회를 지향함에 있어서도 그것이 언제나 복음과 연결되어 있어야 한다는 신학적 신념을 확고히 한 것이었다.

언더우드의 사역이 주로 서울을 중심으로 이루어졌지만 그는 정기적으로 서울 외곽지역을 순회하며 전도하는 일에 열심을 내고 있었다. 언더우드는 특히 이 사역을 통해 자신의 신앙과 신학의 본래성을 확인하고 있었다. 그가 서울 외곽지역을 다니며 하는 순회전도 사역 중에는

---

21 김명구, 『한국기독교회사 1 -1945년까지』, p.234.
22 김명구, 『복음, 성령, 교회』(서울:예영, 2017), p.220.

선교사들의 사역에서 잘 드러내지 않았던 신유(神癒)의 은사가 나타났을 정도로 영적인 체험과 내적 회심을 중요시했다. 1893년 안산읍 발안장터에서 언더우드는 굿을 하는 박수와 무당을 내쫓고, 불치의 중한 병에 걸려 누워 있던 환자를 위해 금식하며 삼일 밤낮으로 기도하여 일어나게 했다.[23] 이러한 체험을 한 계층들은 주로 중하류계층에 속하는 사람들이었고, 서울의 중심부에서 벗어난 지역에서였다. 이와 같은 영적인 사건은 그가 순회전도를 통해 쉽게 교회를 세울 수 있는 계기가 되었다.[24]

그런데 이러한 신유의 경험이 당대의 개화파 관료요 지식인이었던 함태영에게 나타난 것이었다. 복음주의 신앙에서 회심은 신앙의 출발점을 의미한다. 한국에 왔던 선교사들의 목표도 교인들 각자가 회심에 이르는 것이었다. 이는 거듭난 존재가 되었다는 증거였으며 거룩한 삶을 살아가게 되었다는 표시였다. 이 회심의 과정에 이르러야만 비로소 진정한 기독교인으로의 전환이 이루어진다.[25] 함태영은 그 누구보다 강력한 영적 체험을 통해 회심을 경험했다. 이제 자신의 삶의 모든 가치관은 기독교 신앙에 맞추어졌으며 삶의 주인이 하나님이라고 고백했다. 언더우드가 기대하고 있었던 것처럼 그의 신앙은 철저하게 내적회심을 통한 개인구원이 우선하는 것이었고, 영적인 것을 더 중요하게 여겼다.

1922년 평양신학교를 졸업한 함태영은 청주읍교회를 비롯해, 문창교

23 H.G. Underwood, "Prayer Cure", *The Korea Mission Field Vol. Ⅲ*, May, 1907, p.68.
24 김명구,『복음, 성령, 교회』, p.216.
25 김명구,『한국기독교사 1 -1945년까지』, p.221.

회와 연동교회를 담임했다. 그런데 담임목사로 부임하는 곳에서 그가 반드시 우선시 했던 것은 영적인 부흥회를 여는 것이었다. 부흥회의 강사는 길선주(吉善宙, 1869~1935), 김익두(金益斗, 1874~1950), 주기철(朱基徹, 1897~1944) 목사와 같은 이들이었다. 영적인 체험을 통해 개인이 변화되고 회심해야만 한다는 복음주의 신앙이 그대로 나타난 것이었다. 그런데 법관이자 지식인이고 양반이었던 함태영에게는 가문적으로 계승되어 온 위민애국의 정신이 내재되어 있었다. 이는 개인구원의 복음이 단순히 개인 차원에서만 머물지 않을 것임을 의미하는 것이었다.

3.3. 기독교 신앙의 출발점 연동교회

언더우드로부터 회심을 경험한 함태영은 게일(J. S. Gale, 1863~1937)[26]이 시무하고 있던 연동교회에 출석했다. 언더우드를 따라가지 않고 연동교회에 출석한 것은 그의 아버지였던 함우택이 이미 연동교회 교인으

---

26 1884년 토론토대학에서 문학을 전공했으며 졸업 후 동 대학 YMCA 파견 평신도선교사(독립선교사)로 1888년에 내한했다. 1883년 방미사절단 민영익을 만난 계기와 포먼(J. N. Forman), 윌더(R. P. Wilder)의 외지선교사 지원 순회연설, 1885년 프랑스 메칼선교회와 엘리자베스선교회의 봉사활동에 참가한 일 등을 통해 한국선교에 비전을 갖게 되었다. 1888년 12월 15일에 평신도 선교사로 내한하여 이듬해 3월에는 황해도 송천에서 평생의 동역자 이창직을 만났다. 1897년부터는 8년 동안 전국을 12회나 순회했으며 이 여행을 통해 성경 번역의 필요성을 절감했고 한국학 연구를 위한 안목까지도 넓힐 수 있었다. 1891년에 미북장선교부로 이적한 후 1900년에는 기포드 선교사의 후임으로 동대문 근처 연못골교회에 부임하여 20년간 시무했으며 마펫((S. A. Moffet)의 추천으로 1897년에 인디애나주 뉴엘버니장로회에서 목사안수를 받았다. 1904년에는 벙커(D. A. Bunker)와 함께 수감 중이던 이원긍, 김정식, 이상재, 이승만 등의 독립협회 회원들을 입교시키는 과정에서 교육사역에 비전을 품었고 1904년 교육협회 설립과 1903년 YMCA 창립에 큰 영향을 미쳤다. 1890년부터는 성서공회 전임번역위원으로 3년간 종사했으며「한영대자전」을 편찬하고「辭課指南」등을 번역 발행했으며「한국민족사」,「구운몽」,「춘향전」등을 출판했다.

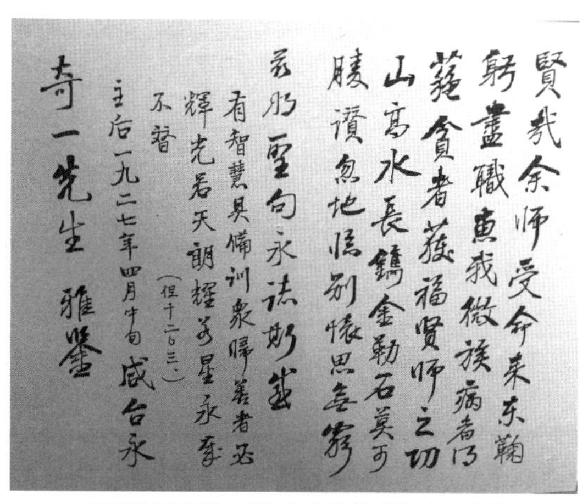
賢哉余師受命來東鞠
躬盡職惠我微族病者得
蘇貧者獲福賢師之功
山高水長鐫金勒石莫可
勝讚忽地臨別悵思無窮
茲將聖句永法斯箴
有智慧具備訓衆歸善者必
輝光若天朗耀若星永垂
不替 (但十二〇三)
主后一九二七年四月中旬 咸台永
奇一先生 雅鑒

1927년 귀국하는 게일에게 쓴 함태영의 고별사

로 이름을 올리고 있었다는 것과 법관양성소의 동기였고 자신이 존경했던 이준(李儁)과 독립협회 사건을 담당하며 취조를 담당할 때 감명을 얻었던 월남 이상재를 비롯한 독립협회 출신 인사들이 대부분 연동교회에 출석하고 있었기 때문이다. 그리고 보다 중요한 것은 연동교회가 가지고 있었던 독특한 신앙적 구조가 이제 막 기독교인의 삶을 시작하는 함태영과 잘 맞았기 때문이었다. 신유의 체험을 통해 초월적인 하나님의 존재를 경험한 함태영이었다. 이러한 유형의 신앙은 주로 중하류계층이 기독교 신앙을 받아들이는 방식이었다. 양반, 지식인, 관료층들은 내적회심을 거치더라도 기적을 경험하는 경우는 그렇게 많지 않았다.

연동교회는 중하류계층과 양반 관료계층이 함께 있는 구조를 가지고 있었다. 여기에 당시 연동교회를 담임하고 있었던 게일(James S. Gale)의 성향도 영향을 미쳤다. 게일은 한국의 역사와 문화에 지대한 관심을 가지고 있었다. 또한 학교를 통한 인재양성에도 관심을 가지고 있었던 인물이었다. 그러나 그는 오히려 영적인 접근을 통해 한국인들이 기독교를 받아들이길 원하고 있었다. 언더우드와 마찬가지로 순회전도를 통해 귀신을 쫓아내며 신유의 기적이 일어나는 사건들을 경험하고 있었다.[27] 지적인 것과 영적인 체험을 모두 중요시 여기고 있었던 인물이었다. 그러한 성향은 다양한 계층이 어우러져 있었던 연동교회를 이끌기에 충분했다.

> 매 주일 아침마다 8백~1천 명이 거적때기를 깔고 조선식으로 양다리를 쭈그리고 앉아 예배를 드린다. 크기가 60×80피트 공간의 오른편엔 비단 두루마기를 입고, 갓을 쓴 남자들이 앉아 있다. 왼편엔 담색 치마에 쪽진 머리의 여자들로 꽉 차 있다 부인네들과 아이들, 노인과 젊은이들, 양반과 평민, 전직 관리들, 전과범 등 모든 사람들은 그날의 메시지를 기다리며 우리가 예배를 집전할 때 간절한 마음으로 주목하고 있다.[28]

연못골 교회(현, 연동교회)를 담임하고 있던 선교사 게일은 예배 광경을 그렇게 묘사했다. 천여 명에 가까운 사람들이 드리는 예배 광경 속에는 남녀가 구별되어 앉아 있다. 그리고 노인과 젊은이들, 양반과 평민이 함께 어우러져 있었다. 연동교회는 하류층부터 상류층 양반에 이르기까지 다양한 신분계층이 모여 있었다. 1904년 당회가 설립되었을 때 장로로 장립된 인물은 고찬익(高燦益)이었는데 그는 평남 안주 사람으로 칠천역(七賤役)에 속하는 사람으로 천민이었다. 그런데 그해에 독립협회 사건으로 한성감옥에 투옥되었던 인사들이 석방되어 나왔다. 그

27 제임스 S. 게일, 최재형 옮김, 『조선, 그 마지막 10년의 기록 (1888~1897)』(성남:책비, 2018), p.330. 게일은 콜레라에 걸려 죽게 되었던 신씨의 아내를 기도를 낳게 하는 현장을 목격했다. 그리고 기도를 통해 귀신이 나가는 일들이 일어났다고 기록하고 있다.

28 J. S. Gale, "연못골 교회 (예배)"(Lotus Town Church(service)), 유영식 편역, 『착한목자 - 게일의 삶과 선교 2』(서울:도서출판 진흥, 2013), p.326.

들 중에는 옥중에서 회심을 경험하며 예수 믿기를 결심한 인사들이 있었다. 그들 중에 이상재(李商在), 김정식(金貞植), 이원긍(李源兢), 홍재기(洪在箕), 유성준(兪星濬), 박승봉(朴勝鳳) 등이 연동교회로 출석했다. 이들이 교회를 출석하기 시작하면서 연동교회에 양반관료 계층들이 눈에 띄게 늘기 시작했다.[29] 함태영의 부친인 함우택도 이 시기에 교회를 출석하기 시작했다. 양반관료군들의 증가는 연동교회 교인들의 신앙을 보다 애국적이고 사회적인 방향으로 확장시켰다.

한성감옥에서 회심을 경험한 이들이 가지고 있었던 신앙의 모습은 중하류계층이 이해하고 있었던 신앙의 모습과는 그 지향점에 있어서 차이가 있었다. 한성감옥에서 처음으로 회심을 경험하며 예수를 믿었던 인물은 이승만(李承晩)이었다. 그는 선교사들로부터 차입받은 성경과 선교사들의 도움을 통해 성령의 임재를 체험했다.

> 그때 나는 그들이 말하던 예수를 믿지 않고 있었다. 그런데 내가 어디선가 들었던 말이 떠올랐다. "네가 너의 죄를 회개하면 하나님께서는 지금이라도 용서하실 것이다."라는 말인데, 그 말이 나의 마음에 떠오르자마자 나는 나의 목에 걸려 있던 나무칼에 머리를 숙이고, "오 하나님, 나의 나라와 나의 영혼을 구하여 주옵소서"하며 기도했다. 나에게 가장 기이했던 것은 1900년 전에 죽은 사람이 나의 영혼을 구할 수 있다고 생각했다는 것이다.[30]

이승만은 하나님께 자신의 구원뿐만 아니라 국가의 구원까지도 요청하고 있었다. 기독교 복음이 개개인뿐만 아니라 한국도 구원할 수 있다

---

29 연동교회90년사편찬위원회, 『연동교회90년사』, p.77.

30 올리버 R, 에비슨(Oliver.R.Avison), 황용수 역, 『구한말 40여년의 풍경』, p.282.; 김명구, 『한국기독교사 1 ~1945』, p.217.

는 신념이 그 속에 있었던 것이다. 그에게 독립은 인간의 힘이나 의지로 되는 문제가 아니었다. 하나님의 섭리와 은혜로 가능한 것이었다. 이는 기독교의 복음이 근대 이데올로기의 의미만이 아니라 영혼의 구원자였고 한국이 나아가야 할 목표임을 고백하는 것이었다.[31] 개인구원과 국가구원의 의식이 따로 구별된 것이 아니라 동시에 나타나고 있었던 것이다. 이승만에게서 나타나는 국가구원의 의식은 그의 외교독립론이나 이상재의 신부적 국가관에서도 연결되었다. 이승만을 통해 전도를 받고 회심에 이르렀던 개화파 지식인들은 대체로 국권회복과 인재양성이라는 신앙적 지향을 가지고 있었다. 대부분의 독립협회 인사들이 출석하기 시작한 이후로 연동교회도 그런 성향이 강화되고 있었다.

1909년 6월 10일 연동교회가 설립한 경신학교는 제4회 졸업식과 진급식을 거행했다. 그런데 단상에 있어야 할 태극기가 없어지는 상황이 벌어졌다. 당시는 통감부 시대로 태극기를 내걸지 않는다고 해서 문제라고 느껴지지 않을 수 있는 상황이었다. 그러나 졸업식은 중단되었고, 1시간 가까이 태극기를 찾는데 시간을 소요해야 했다. 그들은 태극기 없이는 졸업식을 진행할 수 없다고 믿었다. 이를 본 학부대신 이재권은 축사를 하면서 경신학교 학생들이 정치한다며 강하게 비판했다. 이에 학생들이 그를 쫓아내고 예배당 안에서 통곡을 했다. 그들이 가지고 있었던 국가에 대한 의식과 그들의 신앙에서 이 문제는 결코 정치적인 문제가 아니었다. 오히려 신앙의 문제였고, 신앙에서 국가를 사랑하는 것은 당연한 것이었다.[32]

연동교회에서 함태영은 개인의 영적인 체험을 중요시하면서도 신앙이

31 김명구, 『한국기독교사 1 ~1945』, p.219.
32 연동교회 100년사 편찬위원회, 『연동교회100년사』, p.196.

개인과 교회에만 머물지 않고 확장되어야 한다는 신앙적 지향을 가질 수 있었다. 이는 연동교회 안에서 이상재와의 교제 속에서 더욱 심화되었다. 또한 신부적 세계관으로 개인과 국가를 이해하기 시작했다.

3.4. 월남 이상재와의 교우(交友) – 신부적 세계관

> "그때에 여러 어른들을 취조하게 되었는데 피수자들이 그렇게 당당할 수가 없었어. 특히 월남선생은 조금도 굴하지 않으시고 독립협회 주장을 열을 올려 개진하셨지. 그 어른 정열가이고 웅변가이시면서도 사리판단이 아주 예리하셨어. 경술(庚戌)생이시니까 그때에 48세였지. 나보다는 스물 세 살이나 위였으므로 아버지같은 연세이셨지만 그 눈빛이며 그 정열이며 그 배짱이며가 젊은이 못지 않았어. 나는 취조를 맡은 검사였으므로 그 분과는 반대되는 입장에 서 있는 셈이었지만 월남선생은 수구파의 썩은 대신을 미워하면서도 나에게는 어른으로서의 예의를 잊지 않으셨어. 나는 월남선생을 취조하면서 오히려 설교를 당하는 셈이 되었고, 우리나라에도 이처럼 훌륭한 인물이 계시는구나 하고 존경하게 되었어"[33]

1957년 6월 28일 월남 이상재(李商在, 1850–1927)의 묘비건립식에 참석하고 돌아오던 함태영은 자신의 비서인 함동욱에게 이상재와의 첫 만남을 회고했다. 그가 이상재를 만났던 것은 기독교에 입교하기 훨씬 전이었다. 검사와 피고인으로서의 만남이었지만 검사 함태영은 이상재의 성품과 인격에 감동하고 있었다.

---

33 함동욱, "고종황제와 검사 함태영", p.481.

함태영이 연동교회에서 신앙생활을 시작했을 때 이상재도 연동교회에 적을 두고 있었다. 연동교회 내부에서도 이상재는 장로로 피택될 정도로 존경과 신임을 받고 있었지만 그는 교회 활동보다는 주로 YMCA활동에 주력하고 있었다. 피택 받은 장로의 직분도 스스로 받지 않았다.[34]

이상재는 기독교 입교 이후에 세계관의 인식에서 큰 변화를 나타내고 있었다. 그런 그가 예수를 믿고 난 뒤에 서양, 특히 미국의 도덕력이 기독교 정신의 소산이라는 사실을 발견했다. 미국을 비롯한 근대국가의 원천이 문명론적인 힘이 아니라 기독교 정신에 입각한 도덕력에 의한 것으로 본 것이다.

> 옹(翁)은 이 모양으로 조선의 말로(末路)를 조선의 운명과 함께 걸어 나리어 오면서 보았다. 그리하여 옹은 조선의 경신(更新)은 정치적 경장(更張)에 구하여 보려다가 못하고 마침내
> 『조선을 부활시킬 길은 오직 조선인의 영혼을 죄악에서 건지어 조선인으로 하여곰 순결한 민족이 되게 하는대 있다.』고 자각하였다. 순결한 정신과 순결한 생활이 모든 힘의 원천인것을 자각한 옹의 자각은 위대한 자각이었다. 옹(翁)이 기독교에 입교하여 세례를 받은 것은 지금붙어 25년이나 전이라고 하거니와 그때에 옹(翁)의 계급 사람으로 50이나 넘은 이가 기독교인이 되기는 여간한 자각과 결심과 용기가 아니라고는 못할 일이다.
> (중략)
> 용기와 아울러 옹(翁)의 덕(德) 중에 중요한 것은 그의 강한 신념이다. 신앙없는 방인(傍人)의 눈으로 보면 치(痴)라고 할만하게 옹(翁)은 신앙의 인(人)이다. 다만 신(神)에게 대한 신앙뿐이 아니요. 모든 의(義)에 대한

34 『경기충청노회 제1회 임시노회록』, 1912년 3월 2일. 경기충청노회에서는 연동교회에서 청원한 이상재, 민준호, 장붕, 이석진 4인 중 이상재는 자신의 허락이 있으면 장로 청원을 허락하기로 했다. 그러나 이상재는 이를 거절했다.

신앙이다. 아무리 역경에 있더라도 의는 반듯이 최후의 승리를 얻는다는 확신이 있다. 그럼으로 옹(翁)은 조선의 장래에 대하여서도 비관하지 아니한다. 전능의 신은 의인(義人)의 신인 것을 믿는 때문에 그는 모든 의롭은 일에 대하여 희망을 가지고 낙관을 가진다. 그의 늙은 얼굴, 큰 눈에 뜬 웃음은 이 신념의 웃음이요. 희망의 웃음이다. 신앙으로 사는 옹(翁)에게는 아무러한 역경이라도 실망이나 비관으로써 위협하지 못한다. 옹(翁)의 희망은 금강불괴(金剛不壞)의 희망이다.[35]

이광수가 평가한 이상재에게 더 이상 정치적 힘이나 문명적인 힘을 키우는 것은 중요한 문제가 아니었다. 그는 기독교 입교 이전까지만 해도 동도서기적 입장을 견지하며 독립협회 운동에 참여하고 있었다. 특히 정신의 도(道)와 문명의 기(器)를 분리해서 생각하지 않았다. 그런 관점에서 이상재가 보았던 이상국가의 모델은 미국이었다. 미국을 다녀온 뒤에 가졌던 미국에 대한 긍정적인 인식은 특히 그들의 준법과 도덕성에 있어서 조선보다도 동도(東道)에 가까운 나라로 인식했기 때문이었다.[36] 기독교 입교 이후에는 이 도덕력을 더 이상 유교적 관점이 아닌 바라보지 않고 도리어 기독교적 관점에서 바라보기 시작했다. 기독교 신앙에 입각한 새로운 도덕력을 통해 순결한 민족으로 변화하는데서 조선의 부활이 가능하다고 믿고 있었다. 그에게 의를 세우는 것은 하나님의 의를 세우는 것을 의미했으며 성서적 윤리의 실천이 이루어질 때 인간의 문제뿐만 아니라 국가의 문제도 해결할 수 있다고 믿었다. 특히 이상재는 진정한 문명국은 문명의 힘으로부터 나오는 것이 아니라 하나님의 계명, 즉 각인과 각국에 품부(稟賦)하신 도덕을 지키는 나라를 의

35 이광수, "現代의 奇人 李商在翁", 『동광』 1권 2호(1929년 11월호), p.7.
36 김명구, 『월남 이상재의 기독교 사회운동과 사상』(서울:시민문화, 2003), p.83.

미하는 것으로 보았다.[37]

이상재는 도덕을 중심으로 하면 언젠가는 역사의 변혁이 일어난다고 보았다. 그는 이것을 기독교에서 찾았다. 그는 도덕입국(道德立國)을 하나님의 뜻으로 생각했고 그래야만 진정한 독립을 이룰 수 있다고 보았다. 그것은 한국이 정의와 인도, 윤리와 도덕, 사랑과 용서를 실행하면 역사에 외연(外延)되어 장차 이 땅이 변혁된 세계, 즉 하나님의 나라를 맞이할 것이라는 확신에서 나온 것이었다.[38] 그는 일본이 가지고 있는 힘을 악(惡)으로 인식했다. 그들이 가지고 있는 힘이 단순한 물질문명적인 힘일 뿐이며 정신문명인 도덕력(道德力)을 수반하지 않고 있다고 보았다.[39] 특히 이상재는 일본의 이러한 힘이 결국은 악한 것인데 일본이 가지고 있는 힘을 통해 일본을 제압하는 것은 악(惡)을 악(惡)으로 갚는 것이었다. 그것은 악을 선으로 갚으라는 기독교 사상과는 맞지 않는 것이었다.[40]

이상재에게 있어 기독교 신앙은 단순히 개인과 국가 안에 머물러 있는 것이 아니었다. 세상의 모든 이치, 특히 역사와 국가, 세계를 바라보

---

37 위의 책, p.116.
38 위의 책, p.235.
39 "조선목사의 일본관", 『복음신보』, 1911. 8. p.24. 김명구, 『월남 이상재의 기독교 사회운동과 사상』, p.183에서 재인용.
40 이상재, "조선의 청년이여". "헌즉 그것을 놓고 보게 되면 이왕의 성경에 말씀한 것 같이 세상엔 악으로 악을 이기는 법은 없느니라 그랬어 사람 많이 죽이고서 사람 죽이는 사람이 어떻게 능히 이길 수가 있느냐 헌즉 악으로 악은 이기는게 아니요 필경은 세상은 선으로 악을 이기는 것인즉 은근즉 풍조에 끌려서 지금 조선 청년들에게도 그런 악한 생각으로 화(和)해 들어가는 일이 많이 있어 그런즉 그게 만일 조금만 더 크게 부풀려 나가게 되면 조선도 같이 따라서 멸망 가운데 들어가"
"헌즉 그것이 큰 비관이여 하지만 특별히 낙관하는 것은 무엇이냐 하면 이왕에 하나님이 세계를 한번 온전히 세계를 온전한 세계를 만드시자고 제일 약한 조선을 택하고 제일 적은 조선을 택하고 제일 도덕심 있는 조선 청년을 택해서 이와 같은 것으로 벌써 품부(稟賦)하게 주셔서 작정해 놓은 노릇이니 그러니까 아무리 사람의 힘으로 정하고 하자고 한대도 필경 끝에 가서는 하나님의 뜻대로 될 줄 알고 그럴 줄 알고서 글로 낙관해"

는데 있어서도 기독교 신앙이 중심이어야 했다. 세상 역사의 주관자가 하나님이시라고 믿었기 때문이었다.

> **문:** 피고는 한일합방에 대해 어떤 감상을 가지는가.
>
> **답:** 그 당시 총독부로부터 나한테 의견을 물어왔으나 나는 무슨 일이든 하나님의 뜻이니 내가 말할 것은 없다고 답신한 일이 있으며, 당시 조선은 하나님에게 죄를 지었기로 하나님의 뜻으로서 병합 된 것이라고 생각하였으며 아무런 감상도 없었다.
>
> **문:** 합병 후 10년간의 정치에 대해 어떤 생각을 품고 있는가.
>
> **답:** 나는 정치에 대해 마음을 두지 않기 때문에 정치에 대해선 생각이 없으나 다소간 잘못됐다고 생각한 일이 있다. 그것은 내가 종교에만 몰두하고 있는데 정치에 관계없는 종교에 대해 경찰관이 간섭하기 때문인데 보기를 든다면 종교를 위해 사람들을 모았을 때 모은 사람이나 모인 사람들을 경찰에 데리고 가서 조사를 하는 것 등이다. 그밖에 사람들로부터 들은 말이 있는데 내가 체험한 것이 아니기 때문에 그것은 말하지 않겠다.[41]

이상재는 일본이 한국을 강제 병합한 것을 힘의 관계가 아닌 하나님과의 관계에서 해석하고 있었다. 조선이 망한 것은 하나님께 대한 죄의 결과였다. 그런데 일본도 지난 10년간 불의를 행하고 있었다. 이는 일본이 하나님의 심판을 피하지 못할 것이며 조선의 독립이 하나님의 뜻에 의해 이루어질 수 있다는 것이었다.

함태영의 기독교 신앙은 서양의 정신문명을 문명론적으로 수용하거나

---

41 『이상재 신문조서』, 1919년 5월 22일.

국권회복을 위한 도구로서 받아들인 결과가 아니었다. 초월적이고 영적인 체험이 그를 기독교 신앙으로 안내한 것이었다. 이는 그가 사대부로, 법관으로 추구했던 위민애국, 법치, 정의의 실현과 같은 모든 삶의 주제들을 인간의 도덕, 이성, 힘에 의해서가 아니라 하나님과의 관계 속에서 바라보기 시작했음을 의미하는 것이었다. 이상재와의 교우는 그의 신앙적 구조를 세계관으로 심화시켜 주었다.

1910년 묘동교회가 연동교회에서 분립하여 나갔다. 그 과정에서 함태영의 부친인 함우택도 이원긍을 따라 묘동교회로 갔다. 그러나 함태영은 그들의 주장에 한편으로는 일리가 있다고 하더라도 그것이 교회를 분열시키는 명분이 된다고 보지 않았다.[42] 하나님의 뜻과 섭리가 그에게 우선하는 개념이었다. 성리학에서 우선하는 부자간의 윤리적 기준이나 선교사 게일에 대한 반발이라는 측면에서 보면 함태영이 묘동교회로 가는 것이 당연했을 것이다. 그러나 함태영은 이 문제를 하나님과의 관계 속에서 교회의 분열문제를 해석하고 있었다. 기독교 입교 이후의 함태영에게 초월적인 하나님의 존재는 절대적인 가치였고 기준이었다. 교회분립과정에서 불거져 나온 양반과 천민의 신분상의 문제도 큰 문제가 되지 않았다.

함태영이 연동교회를 다니기 시작하면서 했던 일 중의 하나가 동대문 주변의 상인들에게 전도하면서 그들을 연동교회에 출석하게 한 일이었다. 대심원 판사로 있던 신분의 사람이 중하류계층에게 복음을 전한다는 것이 당시로는 쉬운 일이 아니었다. 그럼에도 복음을 전할 수 있었던 것은 기적적으로 복음을 체험한 사람만이 가능한 것이었다.

42 전필순, 『목회여운』(서울:대한예수교장로회 총회교육부, 1965), p.80.

그런데 이 일로 그의 부친과 다툼이 있었다. 천한 사람을 왜 교회로 나오게 하느냐는 것이었다. 부친인 함우택이 유교적 신분질서에 기반한 동도적 입장을 여전히 견지하고 있었다. 하지만 함태영은 이미 근대 법치주의를 통해서 인간의 가치와 존엄성을 인정하고 있었고, 그것을 법관으로서 자신의 삶 속에서 반영하며 실천하고 있었던 인물이었다. 그가 이상적으로 그리며 만들고 싶었던 근대국가의 이상도 여기에 있었다. 그는 그의 가문이 가지고 있었던 위민국가의 이상향을 개인의 가치를 존중하는 법치주의를 내세웠던 법치국가의 모델 속에서 찾았다. 국운이 기울고 국권이 일본에게 넘어가고 있었지만 법치의 정신과 법치국가의 희망을 포기하지 않은 이상 법관의 직을 포기할 수 없었다. 일본에 대한 관점도 여기에 초점이 맞추어져 있었다. 그러나 이토 히로부미의 실각과 사망은 그런 일말의 희망에 대한 좌절을 안겨주었다.

그런데 그가 초월적 존재인 기독교의 하나님을 만난 것이다. 그는 인간 실존이 하나님으로부터 비롯되었으며 그 관계 속에 이를 때 존귀하고 존엄한 존재가 된다는 사실을 깨달았다. 신분과 직업, 사회적 위치, 학벌, 도덕과 법치와 같은 것이 인간의 가치를 존귀하게 하는 것이 아니었다.

그에게 있어 초월적 존재인 하나님은 저 너머에 계신 분이 아니었다. 하나님은 세상에 내재하셔서 역사하시는 실재하는 신이었다. 자신에게 어떤 고통과 질병이 있다하더라도 이 모든 것을 주관하시고 통치하시는 분이었다. 인간 존재는 하나님의 사명을 받고 보냄을 받을 때 가치와 명분이 있게 되는 것이다. 역사는 하나님의 보냄을 받은 존재로서 사명을

수행하는 무대였다.[43]

1910년 8월 29일 통감부 시대가 끝나고 대한제국이 일본의 식민지가 되면서 '조선총독부'시대가 시작되었다. 통감부 시대에서 총독부 시대로 넘어갈 때 한국인 법관은 판·검사를 합쳐서 모두 76명이었다. 일본인 법관이 241명이었기 때문에 한국인 법관의 수는 전체법관의 3분의 1도 되지 않는 숫자였다. 총독부가 들어선 이후에는 추가로 한국인 42명이 법관으로 임용되었는데 대부분 재판소 서기를 담당했던 인사들로 전문적인 교육과 재판의 경험을 가지고 있었던 일본인 법관들과는 비교가 되지 않을 정도의 경력이었다.

조선인으로 재판과 법률에 있어서 경험과 지식을 갖추고 있었던 인사들은 대부분 통감부 시대에서 승계된 법관들이었다. 그나마도 76명의 법관들 중에서 88%인 67명이 퇴직했는데 1912년 이전에 퇴직한 인원이 55명에 달했다.[44] 대심원 판사로 있었던 함태영은 1912년 3월 "조선총독부 재판소령"에 따라 자연스럽게 2심이었던 복심법원의 판사로 그 직임을 수행하고 있었다. 개정령에 의하면 복심법원은 전국에 단 3곳만 설치되었으며 복심법원의 재판은 3인 판사의 합의제로 진행되었다.[45] 함태영은 경성복심법원의 판사였다. 사실상 조선인 법관으로는 가장 권위 있는 자리에까지 올라간 것이었다.

대한제국의 법관이었던 함태영이 일제의 총독부 아래에서 법관을 한다는 것은 수치스럽고 굴욕적인 일이었다. 민족적 울분에 통분하며 외국으로 나갈 것을 고민할 정도로 그의 감정을 주체하기가 힘들었다.[46]

---

43 민경배, 『역사와 신앙』(서울:연세대학교출판부, 2000), p.138~139.
44 전병무, 『조선총독부 조선인 사법관』, p.52~53.
45 위의 책, p.55.
46 함동욱, "고종 황제와 검사 함태영", p.487.

그러나 그가 이 일을 견디면서 법관으로서의 역할을 수행할 수 있었던 것은 비록 국권을 상실했다 해도 여전히 국민이 존재했기 때문이었다. 조선총독부가 들어섰을 때 일본은 한국을 더 이상 보호국이 아닌 대륙으로 가는 거점으로 인식했다. 한국인에 대한 차별은 행정, 사법, 입법권의 모든 분야에서 행해졌다. 합병이 이루어져 한국인의 국적이 공식적으로 일본이 되었음에도 헌법상 일본인으로서의 권리가 부여되지 않았다. 총독부는 헌병경찰제를 도입하며 무단통치(武斷統治)로 한국인을 통치하려고 했다.[47] 그에게 위민은 사라진 국가보다 살아있는 백성을 지키는 것이었다. 그 시대 그가 할 수 있는 최선의 길은 법관으로 일본의 통치와 맞서는 것이었다.

그러나 더욱 결정적인 것은 그가 기독교 신앙을 받아들이면서 나타난 역사 인식의 변화였다. 기독교 입교 이후에 그에게 있어서 법복은 단순히 대한제국을 상징하거나 일본을 상징하는 것이 아니었다. 역사의 주관자인 하나님이 이 땅의 백성들을 구원하시기 위해 그에게 주신 사명이었다. 또한 하나님의 뜻에 합당한 삶을 사는 것은 기독교인의 당연한 책무였다. 법복을 벗는 것 역시 하나님의 뜻과 의지로 이루어져야 하는 일이었다. 법관직의 유지는 그가 가지고 있었던 신부적 역사의식의 발로(發露)였던 것이다.

그의 법관으로서의 경험과 경륜은 그가 한국장로교회가 형성되는 과정에서 신학과 역사, 정치조직과 법률을 제정하는데 주요한 역할을 담당하도록 했다. 그리고 3.1운동 과정에서 이 운동의 성격을 규정하고 이끌어가는데 중요한 위치를 맡게 해 주었다.

---

47 전상숙, 『조선총독정치연구』(서울:지식산업사, 2012), p.84.

3.5. 105인 사건

3.5.1. 함태영과 한국장로교회

기독교 신앙을 받아들인 뒤 연동교회에 출석하던 함태영은 1911년 8월에 연동교회에서 장로로 임직한다.[48] 이때 한국의 장로교회는 1907년 독노회[49]를 조직하고 1912년에 총회를 조직하여 전국적인 조직을 마무리해 가던 시기였다. 함태영은 1912년 조선예수교장로회 제1회 총회에 경기충청노회의 총대로 참여했다. 장로가 된지 불과 2년 만의 일이었다.

한국의 장로교회는 본래 미국의 남북장로교와 캐나다 장로교, 호주장로교 선교부가 각각 한국선교에 임하고 있었다. 그러나 선교지가 중복되며 경쟁하는 양상이 나타났다. 이에 대한 선교방법론적 해결책을 모색하기 위해 1893년 "장로회 정치를 쓰는 미션공의회(The Council of Missions Holding rhe Presbyterian Form of Covernment)"가 조직되며 하나의 장로교회를 설립한다는 결정을 했다. 이어서 회장인 레이놀즈의 제안에 의해서 교계예양협정(Comity arrangement)이 이루어졌다.[50] 이는 뒤에 미국 남북감리교 선교부와도 협정이 체결되면서

48 연동교회100년사편찬위원회, 『연동교회100년사』, p.266.

49 장로교회의 정치제도는 개교회의 당회, 지역교회를 대표하는 노회, 권역별 대회, 그리고 총회로 이루어진다. 1907년 당시 한국교회 안에 처음으로 노회가 조직되었는데 이를 '독노회(獨老會)'라 부른다. 장로교회의 특성 상 노회가 조직되면 정치조직의 골격이 완성된 것으로 보며 목사와 장로의 임직이 가능해지고 치리(治理)가 가능해진다. 총회는 여러노회가 전국적으로 조직되었음을 의미하는 것이다.

50 민경배, 『한국기독교회사』(서울:연세대학교 출판부, 2010), pp.208~209. 네비우스 선교방법은 장로교의 4개 선교부와 감리교의 2개 선교부가 선교지 분할을 핵심으로 했던 선교정책으로 중국 선교사였던 네비우스의 선교방법론이었다. 한국에 온 선교사들은 이 선교방법에서 자립(自立)과 자치(自治), 자전(自傳)의 원칙을 주요원칙으로 받아들이고 한국적인 상황에 맞게 선교정책을 수립하였다. 선교지는 미국북장로교가 서북지역 중 평안도와 황해도 지

장로교와 감리교 간에도 교계예양이 이루어졌다. 이 협정은 한국인이 주도하는 한국장로교회가 설립될 때까지 각 선교부가 그 지역을 관할하도록 했다. 각 선교부는 활동지역의 각기 다른 풍토, 다양한 계층과 연결되면서 특유의 신앙적 성향을 만들어 냈다.[51]

1907년 평양을 중심으로 시작된 영적대부흥운동은 한국교회의 중심을 서울에서 평양으로 이동시키고 있었다. 교회와 교인 수에 있어서도 평양이 서울을 압도하기 시작했을 뿐만 아니라 한국교회가 가지고 있었던 신앙의 주류가 바뀌고 있음을 의미하는 것이었다. 영적체험과 개인구령을 중시하며 신앙과 정치문제를 엄격히 분리하며 비정치화를 추구하는 신앙유형이 주류로 자리잡은 것이었다. 그러나 여전히 서울을 비롯한 지역에서는 개인구령보다는 비운에 빠진 국가의 구원에 대한 문제에 더 큰 비중을 두고 있는 교회들이 있었다. 한국장로교회가 출범하기 위해서는 이러한 서로 다른 지역과 신앙의 특징들을 하나로 아우를 수 있는 신학과 정치규범, 법체계가 필요했다.

1907년 영적대각성운동의 물결이 전국으로 확산되며 한국교회를 대부흥시키고 있을 때 한국장로교회는 "대한국 예수교 장로회"의 설립을 서두르고 있었다. 우선적으로 제정된 것이 '대한장로교신경'이었다. 장로교의 신앙고백은 교회의 신학적 지향을 드러내는 상징이었다. 한국장로교회는 장로교의 개혁주의 전통을 의미하는 웨스트민스터 신앙고백 대신에 인도장로교회가 채택하고 있던 '12신조'를 그대로 받아들였다. 이것은 감리교와 하나의 복음주의 단일교회를 이루겠다는 의도를 드러

역, 충북과 경북지역을 관할했고, 미국남장로교가 전라도 지역을 관할했다. 캐나다장로교는 함경도와 간도지방을, 호주장로교회는 경남지역을 관할했다. 감리교는 강원도와 인천, 충남지역이 관할지였고, 서울과 평양이 공동 관할지로 정해졌다.

51 김명구, 『한국기독교회사1 ~1945』, p.181.

낸 것으로 신학적으로 복음주의 장로교회임을 분명히 한 것이었다.[52]

"대한국예수교 장로회 독노회"는 1912년 9월 1일 평양 경창문안 여성 성경학교에서 경기충청노회, 전라노회, 경상노회, 함경노회, 남평안노회, 북평안노회, 황해노회가 참여하는 제1회 "예수교장로회조선총회"를 개최했다.[53] 4개의 장로교회가 단일한 전국적인 조직을 갖춘 총회를 완성한 것이다. 1911년 8월 이원모와 함께 장로로 장립된 함태영은 그해 12월 대리회에서 노회로 격상된 경기충청노회 참석을 시작으로 1912년 제1회 총회에 경기충청노회의 총대로 참여했다.[54] 함태영의 장로로서의 활동이 한국장로교회의 시작과 같았던 것이다. 이상재가 장로 임직을 거부하고 YMCA일에 전념하며 자신의 신앙을 구현하려고 했다면 함태영은 오히려 한국장로교회의 기초와 기틀을 다지는데 매진하고 있었다. 이상재의 신부적세계관이 교회보다는 사회, 국가 속에서 이루어져야 하는 것이었다면 함태영은 그 출발이 언제나 교회로부터 시작되어야 했던 것이다.

기독교 입교 이후에 함태영이 가지고 있었던 신앙의 구조는 한국 장로교회의 다양한 신앙적 지향들을 수용하고 통합할 수 있는 구조를 가지고 있었다. 이는 그가 장로교회 총회가 구성되고 하나의 신학과 정치 조직을 이루어 나가는데 있어서 주요한 역할을 맡게 될 것을 의미하는 것이었다. 더군다나 당시의 한국장로교회가 처해 있는 상황은 법조인 함태영의 이력을 필요로 하고 있었다.

---

52 김석수, "1930년대 이전 한국장로교회 복음주의 신학연구", 「한국교회사학회지」, 제50집, 2018년 8월호, p.258. 인도장로교회의 '12신조'는 연합을 전제로 만들어진 신경으로 여겨졌기 때문에 4개의 장로교 선교부 뿐만 아니라 감리교와의 연합에 있어서도 신학적인 유연성을 가져올 수 있었다.

53 『조선예수교총회록』, 1912년 제1회 회록, p.1.

54 연동교회100년사편찬위원회, 『연동교회100년사』, p.202.

한국장로교회의 총회가 열리던 시기 한국교회는 '105인 사건'의 소용돌이 속으로 빠져들고 있었다. 총독부에 의해 조작된 이 사건은 선천지역을 중심으로 한 기독교 세력과 비밀결사인 신민회를 목표로 하고 있었다. 한국장로교회 안에 총독부를 법적으로 상대할 인물이 필요했다. 단순히 '105인 사건'의 대응에 관한 문제가 아니었다. 총독부로부터 가해질 여러 상황에 대비하고 법적인 문제들이 일어나지 않도록 준비해야 했다. 전국적인 조직을 갖춘 한국장로교회의 출범은 그 자체로 총독부에게 경계의 대상이 되는 문제였기 때문이었다. 경성복심법원 판사로 재직하고 있던 함태영은 장로로 장립을 받자마자 경기충청노회의 문권위원으로 선정되었다.[55] 노회의 문권위원은 노회에 소속된 각 교회의 공문서를 관리하고 법적인 문제를 다루는 일을 맡았다. 1912년 9월 장로교 총회는 총독부에 사단법인등록을 하는데 있어 이를 전담할 9명중의 한명으로 함태영을 임명했다.[56] 이 중에서 법적인 문제에 대응할 수 있는 인물은 함태영이 유일했다. 나머지 인물들은 장로교회와 각 지역을 대표하는 인물들로 구성되었다. 함태영은 한국교회가 그를 필요로 할 때 그것을 마다하지 않았다. 장로로 장립되는 순간부터 그러한 역할을 감당하는 것을 자신에게 맡겨진 사명으로 여겼기 때문이었다.

그러나 '105인 사건'은 함태영의 진로를 또 다른 방향으로 이끌고 있었다. 판사로서 이 사건을 겪으며 그는 기독교인으로 하나님의 뜻을 따르는 것이 무엇인지에 대한 고민을 하기 시작했다. 또한 법치국가를 내세우며 근대 문명국가를 자부했던 일본의 적나라한 실체를 목격하면

---

55 『경기충청노회록』, 제1회, 1911년 12월 4일, p.5.

56 『조선예수교장로회총회록』, 1912년 제1회 회록, p.26~27. 9명은 원두우, 곽안련, 마포삼열, 쥬공삼, 위대모, 김필수, 홍승한, 김규식, 함태영이었다. 선교사가 5명, 한국인 목사 2인 (김필수, 홍승한), 장로 2인(김규식, 함태영)이었다.

서 일본에 대한 강한 거부의식과 자신이 꿈꾸는 이상 국가의 출발이 어디에서부터 시작되어야 하는지를 근원적으로 다시 생각하기 시작했다. '105인 사건'은 그가 신학을 공부하기로 결심한 결정적인 계기가 된다.

3.5.2. 105인 사건의 내막과 충격

> 7월 2일 서울
> 어제(월요일)는 이 획기적인 재판의 세 번째 날이었으며, 가장 중요한 특징은 신문 당한 피고들 모두가 매큔의 신성학교 교사들과 학생들이었다는 사실이다. 또 다른 중요한 사실은 몇 명의 피고들이 자신들의 자백은 고문에 못 이겨 한 것이었음을 통역관을 통해서 재판장에게 항의하였다는 점이다. 전에도 이런 종류의 진술이 있었지만, 나는 이제야 통역관들이 피고들의 '고문'(torture)이라는 조선말을 훨씬 부드러운 단어로 대체했음을 알았다.[57]

1912년 7월 1일 '데라우치총독모살미수사건'(105인 사건) 1심 재판의 세 번째 공판이 열리던 경성지방법원은 피고들이 주장하는 고문의 이야기로 술렁이고 있었다. 지난 두 번의 공판에서 피고들이 계속 주장했던 고문이라는 단어를 통역관들이 처음으로 제대로 통역을 했기 때문이었다. 이후로 진행된 매회의 공판에서 피고들은 경찰에서의 진술이 고문에 의해 강요된 진술이라는 점을 지속적으로 제기하기 시작했다. 이 사건의 전말이 비로소 드러나기 시작했던 것이다. 105인 사건은 실체 자체가 존재하지 않았던 기획과 음모에 의해서 조작된 사건이었다. 또한 고문에 대한 진술은 그 동안 일본이 내세우고 있었던 문명국가이며 법치

57 Japan Chronicle 특파원, 윤경로 역, 『105인 사건 동찬 참관기(The Korean Conspiracy Trial, 1912)』(서울, 한국기독교역사연구소, 2001), p.45.

국가임을 내세웠던 자신들의 주장을 스스로 부정하는 것이었다.

통감부 시기에 한국에 파견되어 한국의 재판제도에 개입하며 사법정책을 주도했던 일본의 법무보좌관들은 그들이 경험했던 한국의 재판제도를 야만국가에 비유할 정도로 미개하다고 힐난하고 있었다.

> "고문이라는 야만적인 행위는(중략) 임지에 도착한 당시 실로 눈뜨고 볼 수 없었다. 미개한 시대에는 어느 나라를 막론하고 고문이 있었을 것이다. 우리나라도 옛날에는 진술서가 완결될때를 기다려 죄를 논하는 시대가 있었다. 그러나 보아소나드(Boissonade)박사의 강력한 주장, 즉 고문과 보아소나드는 양립할 수 없다는 주장에 따라 고문은 폐지되었고 그후 30년이 지났다. 그런데 지금 이 나라에 와서 그 참혹함을 다시 목격하게 되니 어찌 놀라지 않을 수 있겠는가?"
> "내가 일본에서 사법에 몸담고 일한 수년 동안 고문의 실상을 알지 못했는데 지금 이 나라에 와서 그 참극을 직접 목격하니 혀가 오그라들어 말을 할 수 없음을 한탄한다. 다시 말해서 명치성세에 태어난 자는 행복하노라"[58]

그런데 이 사건의 재판에서 드러난 문명국을 자처했던 일본 당국이 잔인할 정도의 고문을 자행했다는 사실이 폭로된 것이었다. 더군다나 그 고문의 종류가 무려 7여 가지에 이르렀다. 총독부가 이 사건을 조작했다는 증거들이 나오기 시작한 것이다. 애초에 이 사건의 조작을 주도했던 구니모토(國友尙謙) 경부는 이 사건의 발단을 다음과 같이 회고했다.

메이지 44년(1911) 7월 26일 평안도의 흉도들이 전년인 43년(1910) 12월

58 이영미, 김혜정 역, 『한국사법제도와 우메겐지로』, p.25. 「법률신문」 1907년 9월 15일, 12월 20일자에 실린 일본 법무보좌관들의 증언들이다.

> 총독의 서순(西巡)을 틈타 암살을 계획했지만, 목적을 이루지 못한 것을 한스러운 일로 여기고 지금도 흉모를 계속하는 중이라는 소문을 듣고, 또 어떤 우두머리 한 사람으로부터 들으니 그 일이 사실일 뿐만 아니라 당시 평양에서는 흉도 중 청년 수명이 총독을 뒤따라 신의주에 갔지만, 목적을 이룰 수 없어 그만두고 때가 오면 또 계속 실해할 것을 결의하였다는 사실을 알고, 다시 조사를 진행하려 흉도의 근거지는 평양에서는 대성, 일신 두 학교 및 예수 숭실중학교, 선천에서는 예수 신성중학교 기타 영유, 정주 각지의 학교도 모두 그 일로 모여 기회를 엿보고 있다. 특히 평양에 있는 미국인 선교사 스왈렌(소안련), 베어드(배위량)의 무리도 이 폭거를 후원하고 숭실중학교 생도 중의 흉도를 교사(教唆)하였다는 사실을 알았지만, 미국인 두 명의 이름만 알 수 있어서 조선인 흉도의 이름은 한명도 발견할 수 없었다.[59]

구니토모는 이 사건을 알게 된 것이 강도사건으로 붙잡힌 이재윤이라는 한국인을 잡아 취조하면서 그가 암살모의에 가담했다는 사실을 알았으며, 이재윤의 증언에 따라 신민회 간부들을 조사함으로써 이 사건의 실체를 파악했다고 주장하고 있었다.[60] 그러나 일본 경찰이 기소한 123명에 대한 1심 공판에서 일본의 이 주장이 뒤집힌 것이다. 재판에서 계속된 피고인들의 증언은 경악스러운 것이었다.

구니모토에 의해서 기획된 이 사건의 절정은 헌병경찰제권을 총괄하고 있던 조선주차사령관 겸 경무통감인 아카시가 피고인들을 취조를 담당하면서부터였다. 그는 러시아 주재 일본 무관 출신으로 있으면서 잔인한 고문기술을 익히던 중에 조선총독으로 부임한 데라우치의 지시

59 國友尙謙, "不逞事件ニ依ツテ觀タル朝鮮人", 『백오인사건 자료집』 2권, p.16~17. 김승태, "105인 사건과 선교사의 대응", 「한국기독교와 역사」 36권, 2012년 3월호, 11에서 재인용.
60 윤경로, "105인 사건에 관한 기독교사적 이해", 「기독교사상」 32권, 1988년 12월호, p.113.

에 따라 조선총독부 경무총감에 임명된 인물이었다.[61] 1912년 1월 25일 이 사건에 연루되어 잡힌 검거자들이 아카시가 담당하는 경무총감부 헌병유치장에 이첩되어 왔다. 살인적인 고문은 그때부터 시작되었다.

> 전신엔 피가 흘으고 살이 떨어졌고 화상으로 성한 곧이 없이 문자 그대로 유혈이 만신(滿身)하였다. 몸에 잇는 수분과 피가 땀으로 다 빠졌고 채죽 끝에 말라 버렸다. 이십분 지내고 삼십분 지내고 수백 개의 매를 맞아도 숨이 통(通)치 못하였다. 개와 같이 목을 매어 끌고 단니며 발길로 차고 비비고 모든 발악을 다했다. 그래도 호흡은 통치 안으니 코에 물을 배가 터지도록 부어 넣고 배를 주물고 가슴을 비비고 엎어치고 재처 치니 코에서 물이 쏟아지기 시작하여 어언(於焉)간에 호흡이 터져 나왔다. 이렇게 나오는 시간이 4~50여 분간을 요했다.[62]

구타는 기본이었고, 온몸에 기름을 바른 뒤 인두와 담뱃불로 담금질하기, 손가락 사이에 철봉을 끼우고 손끝을 졸라맨 뒤 천장에 매달고 잡아당기기, 손발톱에 대나무 못 박기, 입안에 석탄가루 쑤셔 넣기, 못을 박은 널빤지에 눕히기, 코에 뜨거운 물을 붓고 거꾸로 매달기 등 70가지가 넘는, 정상적인 사람들이 생각할 수 없는 방법을 사용했다.[63]

구니모토가 경성지방법원에 송부한 피고인들의 진술서는 모든 피고들이 순순히 자신들의 죄를 인정하고 있었다. 특히 선천지역에서 검거된 피고들은 이 사건의 주모자로 신민회의 간부였던 윤치호, 안창호, 양기탁, 유동열 등을 지목했다. 그리고 놀랍게도 선천의 이승훈과 함께 선

61 위의 논문, p.109.
62 선우훈, 『민족의 수난』(서울;독립정신보급회, 1955), p.58.
63 김명구, 『한국기독교회사~1945』, p.329.

교사인 윤산온(George S. McCune,1878~1941)[64]이 실질적으로 이 사건의 배후에서 활동했다고 증언하고 있었다.[65]

1912년 6월 28일 진행된 첫 번째 재판부터 고문이 이슈화되기 시작했다. 자신의 진술을 모두 인정한 김일준을 제외한 대부분의 피고인들이 고문을 받은 후 강압적인 분위기에서 작성한 진술서임을 강조했다.[66] 특히 이 재판에서 가장 주목을 받고 있었던 인물인 좌옹 윤치호도 자신의 진술이 고문에 의한 것임을 일관되게 진술했다. 그는 이 사건을 기획하고 주도한 비밀결사 신민회의 회장으로 지목되었으며 형이 확정되면 최고형이 유력시 되는 인물이었다. 그의 구속은 외국 선교사들과 한국기독교계는 물론이고 그를 1910년 에든버러 세계선교대회에 한국대표로 참가시켰던 존 모트 등의 국제기독교 인사들과 단체들의 우려를 자아냈다. 그리고 한국에서 시작되는 첫 번째 재판을 주목하고 있었다. 한국 YMCA의 부회장을 맡고 있던 윤치호였기 때문에 YMCA의 회장 저다인(J.L.Gerdine)과 총무 질레트(P.J.Gillett)는 적극적으로 이 문제를 조사하고 일본 관리들과 접촉했다. 그러나 윤치호에 대한 면담조차 하지 못한 그들은 보고서를 국제YMCA대표이자 에든버러 세계선교대회 계속위원회 위원장을 맡고 있던 존 모트(J.R.Mott)에게 보내 실상을 전할 정도로 국제기독교계의 관심을 불러일으키고 있었던 것이다.[67]

---

64 선천에서 활동했던 미국 북장로교 선교사로 선천의 신성학교 교장, 숭실전문학교 교장 등을 역임했다. 105인 사건과 관련하여 체포되기도 했으며 3 · 1운동에 학생들이 참여하는데 많은 영향을 끼쳤다. 신사참배 거부를 주장하다가 총독부에 의해 추방당했다.

65 "신효범의 신문조서", 『한민족운동사자료집 3: 105인사건 신문조서 2』(국사편찬위원회, 1987), pp.1~8. 신효범을 비롯한 피고들의 진술은 경찰의 취조에 어떤 이의 제기도 없다. 신문내용이 거의 일치한다.

66 선우훈, 『민족의 수난』, p.108. 재판장은 진술서를 인정하는 김일준의 심리를 종일동안 진행했다.

67 김승태, "105인 사건과 선교사의 대응", p.10.

첫 번째 재판이 있던 6월 28일부터 이 사건에 연루된 것으로 알려졌지만 치외법권으로 기소를 면했던 선교사들과 영국과 미국의 기자들이 이 재판에 참석하여 재판의 추이를 지켜보았다. 그런데 재판이 진행될수록 고문에 의한 강요된 자백이라는 사실이 명백해지고 있었다. 더군다나 검사측이 내세웠던 유력한 증거였던 피고들의 진술서 내용들은 모두 부정되고 있었다. 안태국은 기소장에 나와 있는 총독 암살을 위해 하루전날 선천으로 갔다는 내용을 반박했다. 그는 자신이 선천으로 갔다는 그 시각에 종로의 명월관지점에서 이승훈과 양기탁 등과 7명과 함께 유동열의 출소를 위로하기 위해 식사를 같이 했으며 이를 입증하는 당시의 요리대 영수증을 증거로 제출했다.[68] 윤치호도 서울에서 이 사건을 모의했다고 하는 시각에 송도 집에 머물러 있었다는 것을 증명할 증인을 채택해 줄 것을 요청했으나 그 어느 것도 채택되지 않았다.[69]

1912년 9월 28일 1심법원인 경성지방법원은 123명의 기소자들 중 105명에 대해 징역 5~10년 형을 선고하고 18명에게는 무죄를 선고했다. 재판 중에 나왔던 고문의 증언들은 모두 무시되었다. 또한 문제가 될 것 같은 선교사들의 이야기는 모두 기재하지 않았다.

그러나 그 파장은 만만치가 않았다. 선고가 내려지고 선고서가 반포되었다. 동경의 유명한 법률가 오사와와 오가와랑은 이 재판이 미개하고 야만적인 일이라고 비판했다.[70] 미국의 각 교단 선교부들은 더 심각하게 이 결과를 받아들였다. 1912년 10월 10일 뉴욕의 앨딘 클럽에서 "조선 상황에 대한 비밀회의"(The Confidential Conference on the

---

68 선우훈, 『민족의 수난』, pp.111~112.
69 이승만, 김명구 역주, 『한국교회핍박』(서울:연세대학교출판문화원, 2019), p.105.
70 위의 책.

Situation in Korea)가 개최되었다. 미국 북장로교 선교부 총무인 브라운의 제안으로 개최된 이 회의에는 미국 각 교파들의 선교본부 관계자들뿐만 아니라 미국 정계와 학계, 언론계의 주요 인사들까지 30여 명이 참여하고 있었다. 이 회의에서는 2시간의 토론 끝에 14개조의 권고문을 발표했다. 일본에 공정한 재판을 촉구하고 이 사건이 고등법원에서의 재판에는 대표단을 참석시켜 지켜보도록 했다.[71] 국제적인 문제로 비화되는 것에 부담을 느낀 일본은 2심 법정에서 105인 가운데 99명을 무죄로 석방하고 6인에 대해서는 특사 형식으로 석방시키면서 이 사건을 마무리 했다.

이 사건은 국내에 있었던 선교사들뿐만 아니라 미국의 기독교계에 충격을 가져가 주었다. 동양의 문명국으로 긍정적인 이미지를 가지고 있었던 일본이 고문을 자행할 뿐만 아니라 기독교를 탄압하는 국가라는 인식을 갖기 시작한 것이었다. 더군다나 1907년 이후 한국교회는 비정치화라는 뚜렷한 신앙적 흐름을 가지며 신앙과 정치의 문제를 엄격히 구분하고 있었다. 이런 한국교회의 특징은 105인 사건의 재판에서 변호인들이 내세울 수 있었던 주요한 논리가 되기도 했다.[72]

함태영은 이 사건이 진행되는 과정을 가장 가까운 곳에서 지켜보고 있었다. 1911년 이 사건이 기소되었을 때 함태영은 경성복심법원의 판사로 재직하고 있었다. 이제 막 연동교회의 장로로 장립되어 한국장로교회의 총회 창립에 관심을 기울이며 활동을 시작하던 시기였다. 1심 공

71 윤경로, 『105인 사건과 신민회 연구』(서울:일지사, 1990), pp.167~168.

72 Japan Chronicle 특파원, 윤경로 역, 『105인 사건 공판 참관기』, p.305. 1심 재판의 마지막 공판에서 우자와 변호사는 자신이 맡은 피의자들이 대부분 5~20년 가까이 기독교를 신앙한 사람들로 정치적 일을 알지 못한다고 변론했다. 한국교회가 신앙과 정치를 분리하고 있었던 신앙적 특성을 언급한 것이었다.

판이 진행되면서부터 불거진 고문에 대한 증언들은 함태영에게 커다란 충격을 안겨주고 있었다.

3.5.3. 일본에 대한 거부와 저항

대한제국의 법관이었던 함태영은 고종의 밀명을 받고 일본을 다녀온 적이 있었다. 일본에 망명중이었던 박영효를 비롯한 인사들의 동향을 파악하기 위한 것이었다. 교토(京都)와 도쿄(東京) 등 일본의 주요 도시들을 둘러보며 일본의 발전상에 놀라워했다. 고국으로 돌아와 고종에게 보고하는데도 망명자들에 대한 동향보다 일본의 발전상을 이야기할 정도로 그가 본 광경은 놀라운 것이었다.[73]

법관양성소에서 일본인 교수들로부터 근대 법치국가의 동양적 모델로 일본을 배웠던 그에게 근대화 된 일본의 모습은 갑오개혁을 통해 대한제국이 이루고자 했던 모습처럼 보였다. 함태영에게 애국은 위민의 정신을 실현하는 것이었다. 그리고 근대 법학을 통해서 개인의 가치가 갖는 중요성을 인식하며 근대적 법치의 토대 위에 국가를 세울 때 진정한 위민(爲民)의 국가를 이룰 수 있을 것이라 생각했던 대한제국은 근대 국가로의 전환에 실패하면서 일본의 사실상 식민지로 전락하고 말았다. 근대 법치의 토대 위에 서양의 문명을 받아들이면서 동북아시아의 패권을 거머쥔 일본이었다. 함태영에게 일본은 패권 국가로 역사의 실체였다. 일본과 맞서 싸우는 것은 무모한 일이었다. 그에게 나라를 다시 찾는 것은 조선의 왕조체제로 돌아가는 것이 아니었다. 새로운 근대 국가의 건설이라는 목표가 그에게 있었다.

73 함동욱, "고종황제와 검사 함태영", p.487.

그가 통감부 시대에 다시금 법관으로 임용되어 대심원 판사의 직에까지 이르렀던 이유도 근대 법치국가를 건설했다고 자부하는 일본이 한국을 법치국가로 이끌 수 있을지도 모른다는 일말의 기대감 때문이기도 했다.

1912년 3월 경성복심법원의 판사로 재직하게 된 함태영은 '105인 사건'의 내용을 주시하고 있었다. 더군다나 여기에 연루된 인사들 중에는 그가 막 활동하기 시작한 조선 장로교회의 지도급 인사들이 포함되어 있었다. 선천의 양전백이나 선교사 윤산온이 대표적인 경우였다. 여기에 신민회의 회장을 맡았다는 이유로 구속된 윤치호를 비롯해 안창호 등 신민회 인사들은 이미 대한제국 시절부터 독립협회와 YMCA 활동으로 그 명성이 잘 알려져 있었던 인물들이었다.

그런데 6월 28일 첫 번째 재판이 진행되면서부터 들려오는 고문에 대한 진술은 실로 경악스러운 것이었다. 함태영이 대한제국의 법관으로 있으면서 한 번도 들어보지 못했던 가혹하고 잔인한 고문이 행해지고 있었고, 사건 자체가 고문에 의해서 조작되었다는 사실이 밝혀지기 시작했건 것이다. 한 달여간 계속되는 재판은 고문에 대한 계속된 증언과 조작된 증거들이 나오는데도 미리 정해져 있는 것처럼 흘러가고 있었다. 그 순간 함태영은 일본이라는 국가체제 안에서 자신이 법관으로 있는 것이 무의미함을 느끼고 있었다.

메이지 유신 이후에 일본은 화혼양재(和魂洋才)를 바탕으로 근대국가 체제를 구축할 수 있었다. 조선의 동도서기파들이 그랬던 것처럼 도(道)와 기(器)를 분리하여 인식하려고 했다. 그리고 일본의 정체성을 조선이 유학의 정신에서 찾은 것과 달리 천황을 중심으로 한 이데올로기를 발전시켜 나가면서 분열되었던 일본을 통일하는 구심점으로 삼았다.[74] 일본의 국가체제는 천황이라는 역사적, 이념적 구심점 위에 서양의 기술 문명과 제도들을 도입하면서 근대적 체제를 갖추어 나갔다. 그러나 그들이 헌법적 질서를 내세우고 근대적 교육제도와 입법제도를 갖추고 있음에도 그들이 추구했던 국가의 통치 이데올로기는 근대 법치주의 국가와는 거리가 멀었다.

일본은 1889년 "대일본제국헌법"공포와 1890년 "교육칙어"의 발포를 통해 천황절대주의를 체계화시켜 놓았다.[75] 일본의 근대 정치와 교육 이데올로기를 주도했던 이토 히로부미는 천황을 신(神)의 위치에 올려놓으며 국가의 중심이자, 국체로 삼았다. 모든 체제와 개인은 천황을 위해서 존재해야 했다. 이는 한국을 강제병합한 후인 1911년 8월 공포된 "조선교육령"에도 그대로 적용되었다.[76] 이러한 일본의 군국주의의 민낯이 '105인 사건'을 통해서 그대로 드러난 것이었다.

이제 막 기독교에 입교하고 한국장로교회의 중심에서 활동을 시작한

---

74 함재봉, 『한국인 만들기 Ⅱ』(서울:아산서원, 2017), p.69.

75 https://anthropo.tistory.com/373. "교육칙어"의 한국어 번역본 전문:
"저는 우리 일본이, 선조들의 '도의국가실현'이라는 원대한 이상을 기포로 생겨난 나라라고 믿습니다. 전국민이 합심하여 노력한 결과, 오늘날에 이르는 훌륭한 성과를 이루게 된 것입니다. 이는 원래 타고난 일본의 국체가 훌륭하기 때문이라고 말하지 않을 수 없습니다만, 더불어 저는 교육의 근본 또한, '도의입국(道義立國)'을 달성하는데 있다고 믿습니다.
국민 모두는, 자식은 부모에게 효를 다하고, 형제 자매는 서로 힘을 합쳐 도우며, 부부는 사이좋게 지내며, 친구는 서로를 믿으며, 그리고 자신의 언동을 신중하게 하고, 모든 사람들이 사랑의 손을 뻗어 학문에 힘쓰며 직업에 전념하고, 지식을 쌓으며, 인격을 닦고, 더욱 나아가, 사회공공을 위해서 공헌하며, 또 법률이나 질서를 지키는 것은 물론이며, 비상사태가 발생했을 경우에는 신명을 다해서 나라의 평화와 안전을 위해 봉사하지 않으면 안 됩니다. 그리고, 이것들은 선량한 국민으로서 당연한 것 뿐만 아니라, 또 우리들의 선조가 지금까지 물려준 전통적 미풍을 한층 밝게 하는 것이기도 합니다.
국민이 걸어가야 할 이 길은 선조의 교훈으로서 반드시 지켜야 합니다. 이것은 시대와 장소를 불문하고 변하지 않는 바른 가르침이기 때문에 나도 국민 여러분과 같이, 조상의 가르침을 가슴에 안고 훌륭한 일본인이 되도록 마음으로부터 염원합니다."

76 김명구, 『한국기독교사 1 - 1945년까지』, p.310.

함태영이었다. 오직 하나님만을 절대자요, 역사의 주관자로 인정하는 한국교회의 복음주의 신앙은 구조적으로 천황을 신격화하는 일본의 이데올로기를 받아들일 수 없었다. 그럼에도 법관으로서나마 역사의 사명을 감당하겠다는 그의 의지는 일본이 고문과 강압에 의한 사건 조작을 통해 한국인들을 무자비하게 탄압했다는 사실을 접하는 순간 꺾일 수밖에 없었다.

함태영은 1심 재판이 거의 끝나갈 무렵인 1912년 7월 경성복심법원 판사직을 휴직했다.[77] 이 시기에 판사직을 사직하거나 휴직한 인사는 그가 유일했다. 당시 규정에는 법관의 사직이나 휴직은 총독의 허가를 받아야 했다. 함태영이 사직이 아닌 휴직을 선택한 이유는 크게 두 가지로 해석할 수 있다. 우선은 그의 사직이 가져올 법원 안팎의 영향 때문이었다. 당시 총독부는 이 사건의 1심 재판 과정에서 나온 고문에 대한 진술과 조작에 대한 가능성이 대두되면서 곤혹스러운 입장에 처해 있었다. 일본 내지에서도 이 사건을 주목하고 있었다. 그런 상황에서 조선인 최고 법관의 사직은 그 자체로 여러 해석이 나올 개연성이 충분했다. 여기에 함태영 개인으로서도 법관직의 사직은 그 자체로 일본에 대한 저항으로 해석될 수 있기 때문에 사직 이후 변호사를 비롯한 어떤 법조계 활동도 어려울 수 있었다. 당시 조선인 변호사는 허가제로 총독부의 허가를 받아야만 활동이 가능했다.[78] 총독부가 사직 자체를 인정하지 않을 개연성이 훨씬 높았던 것이다. 휴직은 여전히 신분상으로 판사의 직을 유지하는 것을 의미했다. 함태영은 다시 법조계로 돌아오지 않았다. 함태영에게 이 휴직은 사직을 의미하는 것이었다. 자신의 신분

77 전병무, 『조선총독부 조선인사법관』, p.347.
78 위의 책, 192. 조선인 변호사의 활동 전반을 지방법원의 검사정의 통제를 받아야 했다.

이 여전히 법조인임을 분명히 했지만 일본의 법조체계 아래에서는 더 이상 법조인으로 활동하지 않을 것을 선언한 것이었다.

또 하나의 고려했던 점은 경제적인 이유가 있었다. 당시 함태영은 두 명의 부인과 사별하고 연동교회의 집사였던 고숙원과 결혼한 지 얼마 되지 않았다. 큰 아들 병석은 이미 출가했지만 둘째 아들 병승은 아직 어린 나이로 학교에 다니고 있었다. 여기에 고숙원과의 사이에서 어린 아들이 있었다. 그는 법조인으로 살아오면서 재산을 모은 적이 없었다. 청렴결백을 법관의 사명처럼 여기고 살았던 그였기에 판사의 직을 사직하는 것은 생계에도 막대한 타격이 될 수 있었다. 그러나 휴직한 판사에게는 급여의 4분의 1이 지급되도록 규정되어 있었다.[79] 경제적인 이유도 무시할 수 없는 상황이었다.

함태영은 1919년 3·1운동에 연루되어 경찰의 심문을 받을 때 자신의 직업을 '휴직판사'로 답했다.[80] 1912년 휴직 이후 그가 다시 법조계로 돌아가지 않았던 것이다. 이는 일본의 법치체계를 인정하지 않겠다는 것임과 동시에 일본의 이데올로기를 거부하는 것을 의미했다. 또한 일본의 법치체계의 근간이었던 천황제 이데올로기와 군국주의의 이론적 근거였던 사회진화론을 받아들일 수 없었던 것이다. 사회진화론은 힘이 곧 정의였다. 강한자만이 살아남는 적자생존(適者生存)과 우승열패(優勝劣敗)의 원리에 기반하고 있었다. 힘이 곧 정의라고 인식하는 그들의 세계관에서 힘 있는 일본이 한국을 지배하는 것은 당연한 일이었다. 이는 한국의 애국계몽운동을 전개하던 개화파 지식인들의 이론적 근거이기도 했다. 약자의 나라를 강자의 나라를 만들 수 있다는 이론을 제공

79 법원행정처, 『한국법관사』, p.49.
80 『경성지방법원 예심계 함태영 신문조서』, 1919년 7월 21일.

한 것이었다.[81]

그러나 함태영은 여호와 하나님 이외에는 절대자를 인정하지 않는 기독교 세계관과 인간과 개인의 가치를 존귀하게 여기는 개화와 근대 법치주의의 의식을 가지고 있었다. 철저하게 천황을 국체요, 신으로 여기는 일본의 천황제 이데올로기를 거부할 수밖에 없는 인식구조를 가지고 있었던 것이다.

함태영은 '105인 사건'을 통해 문명적인 실체였던 일본을 영적인 실체로 바라보기 시작했다. 일본이 한국교회를 핍박하는 것은 단순히 민족이 민족을 억압하는 것에서 끝나는 것이 아니었다. 우상을 섬기는 악한 영이 하나님의 영을 가진 하나님의 백성들을 핍박하는 것이었다. 성서에 나오는 골리앗을 영적 실체로 바라봤던 다윗이 하나님을 믿는 믿음으로 담대하게 맞섰던 모습처럼 일본을 바라보았다.

그에게 악한 영, 마귀는 거짓을 말하게 하며, 분내게 하며, 탐심을 가지게 한다. 또한 성신을 근심케 하는 존재이다. 마귀를 이기는 것이 선을 행하는 것이었다.[82] 악한 영은 힘으로 이길 수 있는 존재가 아니다. 그에게 일본은 힘과 문명의 실체였다. 그런 일본을 힘으로 맞서기에는 그들의 근대화의 전환과 문명적인 발전이 놀라웠다. 그것을 인정하지 않을 수 없었다. 하지만 일본이 영적인 실체로 보이는 순간 이제 이 싸움은 선한 영과 악한 영의 싸움이 된 것이었다. 이 싸움을 이기기 위해서는 선한 일을 행해야 했다. 성서에서는 그것을 하나님의 공의, 정의를 행하는 것으로 이해한다.[83] 지금까지 함태영은 정의를 법학에서 말하는

81 김명구, 『해위 윤보선의 생애와 사상』, p.64.
82 함태영, "모사마귀승기(毋使魔鬼乘機)", 『희년기념설교집』(조선기독교서회, 1940).
83 잠언 2장 9절, "네가 공의와 정의와 정직 곧 모든 선한 길을 깨달을 것이라".

공평과 공정함 속에서 찾았다. 그것이 법치를 통해서 이루어진다고 보았다. 그러나 기독교 입교 이후에 함태영은 공평과 공정의 정의가 기독교의 선을 행하는데 기초하고 있다는 사실을 깨닫기 시작했다.

불의하고 악한 일본을 거부하는 것은 당연한 것이었다. 일본에 대한 강한 거부감은 극일(克日)로 각인되고 있었다.[84] 한국이 일본으로부터 독립이 되어야 한다는 의식을 갖기 시작한 것도 이때부터였다.

함태영은 위민(爲民)의 국가를 세워야 한다는 원대한 이상을 본질로부터 다시 정립해야 했다. 자신이 경험적으로 체득하고 있었던 신부적 세계관을 신학적으로 정립하길 원했다. 신부적 인간이 무엇이며 신부적 인간관에 입각한 국가의 모습은 무엇인지가 그의 관심이었다.

---

84 일본에 대한 거부 의식은 자신의 아들이 친일적인 활동을 한다고 인식했을 때 강한 거부감을 드러내고 관계를 끊으려 할 정도로 강력한 것이었다. 1919년 총독부에서 발행한 민적(民籍) 등본에는 장남인 병석(秉晳)과 그 가족을 호적에서 빠진 것이 나타난다. 병석의 가족은 해방이 되어서야 다시 호적에 입적되었다.

4장 함태영과 3·1운동

4.1. 조선예수교장로회 신학교 입학

기독교 신앙에서 회심과 함께 중요한 변화와 전환을 이루는 것이 소명(Calling)의 발견이다. 소명은 초월적인 하나님으로부터 보냄을 받았다는 것을 자각하는 것이다. 기독교에서 인간은 궁극적으로 할 일이 있기 때문에 그 존재의 의미가 있다. 그것은 초월자인 하나님으로부터 부여되는 것이지 자신의 가치와 능력으로 주어지는 것이 아니다. 함태영은 치병(治病)의 기적을 통해 기독교 신앙을 접했다. 죽음의 공포와 사경을 헤매는 고통 속에서 벗어나 하나님의 형상으로서의 거듭남을 경험한 것이었다. 따라서 그에게 존재의 가치는 하나님으로부터 부여되는 소명에 의해서만 나타나게 되어 있었다.[85] 그가 법관직을 유지하고 있었던 이유가 여기에 있었다. 아직 그에게 소명의 실제적인 확신과 역사의 무대가 드러나지 않았다. 그러나 '105인 사건'을 거치면서 자신에게 주어진 소명을 확신하기 시작한다. 또한 그것은 새로운 국가건설의 기초가 기독교로부터 출발해야 한다는 당위성에 대한 확신이었다.

함태영은 법관양성소에서 법학을 공부할 때도 학문적 명료성과 합리

85 민경배, 『역사와 신앙』, p.159.

성을 터득하는 것을 중요시 여겼다. 그리고 그것이 신념이 되면 반드시 그 신념을 실현시키려 노력했다. 이제도 마찬가지였다. 기독교의 신부적 세계관이 단순히 영적으로만 이해되는 것이 아니라 신학적 명료성으로 다가와야 했다. 그러한 신학적 신념이 분명히 서야만 역사의 무대에 비로소 설 수 있다고 보았기 때문이다.

1912년 7월 경성복심원 판사직을 휴직한 함태영은 교회와 노회, 총회 활동에 전념하고 있었다. 이제 막 출범한 '조선예수교장로회 총회'에서는 문권위원으로서 총독부에 법인 등록하는 문제를 전담하다시피 했다. 그런데 1913년 제2회 총회에서 함태영은 자신의 신분이 여전히 관리의 신분이기에 더 이상 이 문제에 관여할 수 없다는 이유로 사면을 요청했다.[86] 그러나 휴직한 판사였기에 함태영이 문권위원으로 활동하는데 큰 문제가 있었던 것은 아니었다. 그보다는 연동교회 내부의 문제로 총회 활동을 적극적으로 하기 어려웠기 때문이다. 교회의 문제는 그가 신학교에 입학하는 것도 미뤄놓아야 할 정도로 심각한 것이었다.

1922년 조선예수교장로회신학교(평양신학교) 졸업앨범에 담긴 가족사진

1913년 연동교회는 담임자였던 게일 목사가 윌리암 블랙

86 『조선예수교장로회 총회 제2회 회록』, 1913년 9월 11일, p.40.

스톤(William Blackstone)의 저서인『예수의 재림』을 번역하면서 문제가 되었다.『예수의 재림』은 세대주의적 전천년설에 입각한 종말론을 담은 글로 당시 미국 교회에서 베스트셀러로 인기를 끌던 책이었다.[87] 문제는 이 종말론을 신봉했던 플리머드 형제단(Plymouth Brethren)이 1896년 국내에 들어와 활동하고 있었는데 연동교회 교인들 중의 일부가 플리머드형제단[88]으로 옮겨간 적이 있었다는 점이 문제가 되었다.[89] 교회 분란의 원인이었던 교단에서 발행한 책을 담임목사가 번역했다는 것이 교인들에게는 불안감을 주기에 충분했다. 불과 3년전에 묘동교회로 교인들이 분립하여 나간 상황에서 다시 교인들이 동요할 수 있다는 것은 심각한 문제였다. 더군다나 그 원인이 담임목사인 게일로부터 촉발되었다는데 문제의 심각성이 있었다.[90] 이 문제를 해결해야 할 위치에 있었던 인물이 장로로 장립된 지 얼마되지 않았음에도 선임 장로로 활동하고 있었던 함태영이었다. 신학교에 가려던 계획은 교회가 안정을 찾은 뒤로 미뤄야만 했다. 함태영은 1913년 12월 경기충청노회에서 신학교 입학을 허락받았지만[91] 다음 해에도 신학교에 입학을 하지 못하고 1914년 12월 경기충청노회에서 신학생 시취문답을

87 세대주의적 전천년설은 예수의 재림이 있기 전에 있을 천년왕국의 도래가 역사적으로 임박했다는 사실을 강조한다. 특히 성경을 문자적으로 해석하며 성령에 나타나는 상징들이 역사적으로 어떻게 나타났는지를 강조함으로써 예수 재림의 임박함을 드러낸다.

88 법학을 공부했다가 아일랜드 교회의 성직자가 된 존 넬슨 다비(John Nelson Darby, 1800년 ~ 1882년)를 중심으로 영국 성공회의 지나친 교파주의와 형식적인 교인들의 생활에 환멸을 느낀 사람들이 모여 형제단이라는 이름으로 교회 모임을 결성하였고, 이후 영국 플리머스에 본부를 두게 되면서 플리머스 형제단이라는 이름을 갖게 되었다. 형제애, 성찬식, 계시의 영, 예수의 재림과 청교도적 삶을 강조했다.

89 Harry A. Rodes, 최재건 역,『미국북장로교 한국 선교회사』(서울:연세대학교 출판부, 2010), p.110.

90 『연동교회 100년사』, p.204.

91 『경기충청노회록』제5회 노회록, 1913년 12월 2일 연동교회, 10. 당시 신학교 입학을 허락받은 사람은 리명혁, 리여한, 리셕진, 김홍식, 김영환, 김명현, 김셩구, 차상진, 차직명, 함열, 함틱영, 최영틱, 쟝붕, 졍윤슈, 려운형, 빅진셩, 신홍균 등이었다.

거쳐 입학을 허락받는다.[92] 함태영은 1915년 3월이 되어서야 입학시험을 거쳐 '조선예수교장로회신학교'(이하, 평양신학교)에 입학했다. 이때 함께 입학한 동기생이 오산학교 교장이며 '105인 사건'으로 고초를 겪었던 남강 이승훈이었다.

평양신학교에 입학하기 전 함태영이 가지고 있었던 신앙의 구조는 초월적인 하나님을 강조하며 개인구령적 요소와 함께 사회와 국가의 문제를 외면하지 않는 역사참여적 유형을 동시에 견지하고 있었다. 평양신학교는 한국장로교회의 유일한 신학교였다. 1907년 평양을 중심으로 한 부흥운동의 여파로 평양이 한국교회의 중심지로 떠오르고 있었다. 첫 번째 졸업생이 배출되었을 때도 평양선교부를 주도하고 있었던 마펫(Samuel A. Moffett, 1864~1939)[93]의 영향력이 클 수밖에 없었다. 한국장로교의 통합조직으로 출범한 독노회와 총회의 조직을 구성하는데도 마펫의 역할이 컸다. 마펫이 주도한 평양신학교의 성향도 초기에는 주로 평양선교부가 추천한 학생들이 주를 이루었고 개인구령과 복음전도를 중시하는 전형적인 복음주의 목회자를 양성하는 것이 주된 목표였다. 서울지역의 기독교인들이 가지고 있었던 근대문명적인 인식이나 입신양명을 꿈꾸며 입학한 사람들은 거의 없었다.[94]

---

92 『경기충청노회록』 제7회 노회록, 1914년 12월 1일 승동교회, p.16.

93 한국명 마포삼열(馬布三悅). 인디애나주(州) 매디슨 출생. 1884년 하노빌대학을 졸업하고, 1889년 매코믹 신학교를 졸업하였다. 한국 선교를 자원하여 1890년 내한한 후 1893년까지 서울에서 활동하고, 1893년 이후에는 평양에서 선교활동에 종사하였다. 1901년 평양 장로회신학교를 설립하고, 초대 교장에 취임, 초기한국장로교회의 신학교육과 기독교 교육에 힘을 쏟았다. 또 1918~1928년은 숭실중학교와 숭실전문학교의 교장을 역임하고, 평안도에 많은 학교와 교회를 설립하였다. 1912년 '105인 사건'으로 한국의 애국지사들이 투옥되자, 매큔[한국명 尹山溫] · 에비슨 선교사 등과 함께 이 사건이 사실무근의 날조사건이며 고문 등 비인도적 방법이 자행되고 있다 하여 당시의 조선 총독 데라우치 마사타케[寺內正毅]에게 항의하고 미국의 장로회 본부에 일제의 만행을 보고하여 국제여론을 환기시키는 데 힘썼다. 1936년 다시 돌아올 것을 기약하고 일단 귀국하였는데, 1939년 본국에서 사망하였다.

94 김명구, 『복음, 성령, 교회』, p.251.

평양신학교는 4개의 장로교 선교부가 연합하여 세운 신학교로 1907년 첫 번째 졸업생을 배출할 때까지만 해도 인원이 많지 않았다. 1908년에는 졸업생이 없었다. 총회가 출범한 1912년을 기점으로 신학교에 입학하는 학생 수가 급격하게 늘어나기 시작했다. 1914년에는 등록생이 196명에 이르렀다.[95] 총회의 결성으로 전국적인 조직이 갖추어지면서 장로교회가 본격적으로 목회자 양성에 나선 결과였다. 그리고 학생들의 출신 교회가 평양 중심의 서북지역으로만 한정되지 않고 서울을 비롯한 전국으로 확대되기 시작했다.

총회가 결성된 이후 평양신학교는 다양한 신앙유형의 학생들을 아우를 수 있는 신학적 변화가 필요했다. 교수진도 확충을 해야 했고 교과과정도 이전과 다른 모습으로 변화가 필요했다. 1915년 당시까지 평양신학교는 5년 과정이었으며 연중 3개월 정도 수업을 들었다. 평양신학교의 교수와 교과과목은 다음과 같았다.

〈표 2〉 교수와 교과과목(1916년까지)[96]

교수 명	과목 명
어도만(문사, 북장로회)	구약해의(舊約解義)
배유지(철학박사, 남장로회)	신도 신약해의
마로덕(문사, 남장로회)	신구약해의
라부열(문사, 북장로회)	신구약해의
업아력(학사, 캐나다장로회)	교회사기, 신약해의
구보철(교사, 일본교회)	각 반 국어(숭실전문 교수 겸임)
언더우드(신학, 법학박사, 북장로회)	신도(神道) 심리학

95 『대한예수교장로회신학교 요람』, 1923, p.10.
96 김인수, 『장로회신학대학교 100년사』(서울:장로회신학대학교 출판부, 2002), p.115.

〈표 3〉 1916년 이후[97]

마포삼열(교장)	신학, 교회정치, 성례와 선교
소안론	기독교윤리와 구약 및 신약 주경학
곽안련	설교학
이길함	목회학

평양신학교의 교수진은 초기에는 각 선교회에서 파송된 구성을 보였지만 1916년 이후부터는 정교수를 임명하고 신학교육에 집중하도록 했다. 과목은 성경을 해석하는 능력을 집중적으로 가르쳤다. 1916년의 교과과정이 변한 이후에는 교회사와 실천신학 분야(목회학, 설교학, 교회정치, 교회헌법 등)의 과목이 강화되었다. 함태영이 평양신학교 5년 동안 배운 교과과정은 다음과 같았다.[98]

〈표 4〉 함태영이 배운 교과과목

학 년	과 목
1학년	신약석의-복음서 대조, 소요리문답, 구약성서 역사와 성서지리학, 예배성서주석 구약석의- 창세기, 신학-적절한 기독교와 신학의 증거들, 설교학, 구약성서의 역사
2학년	구약석의-출애굽기, 신학적 인간학, 설교학, 심리학, 신약성서 지리학, 신약석의-사도행전, 구약, 신약강독, 역사-325년까지, 윤리학, 신앙고백 강독 세미나
3학년	고린도인서, 에베소인서, 이사야서, 성례, 신도요론, 교회사기(중세대), 교회정치, 강도법, 음악, 국어
4학년	요한복음, 로마인서, 시편, 예레미야서, 교회사기, 복사지법, 말세학, 권징조례, 예배모범, 신도(神道), 국어, 음악
5학년	히브리서, 묵시록, 이미기(利未記), 다니엘서, 교회사기, 전도회사기, 성신지사, 목사지법, 교수법, 음악, 국어

97 위의 책, p.116.

98 Harry. A. Rhodes, "Presbyterian Theological Seminary", *The Korea Mission Field vol. Ⅶ*(June 1910), p.150 : 『조선예수교장로회신학교 요람』(1916), p.21. 1학년과 2학년 과목은 1916년이전에 만들어진 교과목이고, 3~5학년은 1916년 이후 교과과정이 개편되었다.

신학교육은 1년에 3개월씩 이루어졌으며 중간에 독서 과제가 주어졌다. 국어는 일본어를 의미했다. 평양신학교의 교육은 학술적인 것보다는 목회적이고 영적인 것을 가르치는데 집중하고 있었다. 하지만 이 과목들만으로도 당시 신학생들은 기독교 신학의 기초를 다지는데 어려움이 없었다. 자신들의 신앙을 신학적으로 정립하면서 지금까지 그들이 이해하지 못했던 부분들을 명료하게 깨달을 수 있었다. 함태영과 1,2학년을 함께 수학했던 남강 이승훈은 구약과목을 통해서 하나님의 의(義)를 터득하고 있었다. 창조의 하나님과 출애굽의 사건을 통해 그가 배운 것은 세상의 모든 것이 하나님의 의에 의해 이끌리는 것이었다. 하나님으로부터 나오는 것이 곧 의이며 그 의를 실천하는 것이 하나님의 뜻을 따라 사는 것이라는 사실을 배웠다.[99] 함태영도 신학교를 통해서 한국장로교회가 가지는 복음주의 신학의 특징과 함께 관심의 대상이었던 인간에 대한 이해를 '신학적 인간학(Theological Anthropology)'과 '윤리학'을 통해서 정립할 수 있었다.

함태영이 평양신학교에서 가장 영향을 많이 받은 교수가 곽안련(郭安蓮, C. A. Clark, 1878~1961)이었다. 승동교회의 담임을 맡고 있었던 곽안련(C.A. Clark 1878-1961)은 안식년을 맞아 1911년 맥칼레스터 대학에서 명예신학박사(D.D) 학위를 받고 돌아왔다. 1908년부터 평양신학교에서 교수로 가르치기 시작했으며 1916년부터는 정교수가 되었다. 설교학과 목회학, 교회정치, 교회헌법과 같은 실천신학 분야와 기독교교육을 전담하고 있었다.[100]

---

99 이만열, 『한국기독교와 민족의식』(서울:지식산업사, 1991), p.317.
100 김승태, 박혜진 엮음, 『내한선교사 총람 1884~1984』(서울:한국기독교역사연구소, 1994), p.207.

곽안련은 함태영과 신학교에 입학하기 전부터 친분을 맺고 있었다. 교회적으로도 가까웠고 경기충청노회 활동을 통해 상호 간의 이해와 신뢰를 가질 수 있었다. 평양신학교에 입학하는 과정에서도 곽안련은 노회에서 신학생을 선발하는 신학생강위원을 맡아 함태영의 시취문답을 진행했었다.[101]

신학교에 입학한 함태영은 자신의 신앙을 신학적으로 이해하고 정립하는데 열심을 내고 있었다. 곽안련은 그에게 신학적 욕구를 충족시켜 주기에 충분한 신학적 권위와 학문적 태도를 가지고 있었다. 특히 총회에서 활동을 본격화하고 있었던 함태영에게 곽안련이 가르치는 과목들은 행동지침과 같은 것들이었다. 이 시기 함태영은 곽안련의 비서로서 활동하며 공부를 할 정도로 그를 따르고 있었다. 곽안련도 비록 자신보다 연배가 높았지만 함태영을 영적인 아들처럼 여기고 있었다. 그것은 인간적인 친분을 넘어서 함태영의 신학적 태도와 학습능력에 대한 신뢰를 의미하는 것이었다. 곽안련은 자신이 회고록을 쓸 무렵 한국의 부통령이 된 함태영을 자랑스럽게 여겼다.[102]

함태영은 1919년 곽안련이 지은 『교회정치문답조례』의 교열(校閱)인으로 참여하여 편집을 맡았다. 또한 곽안련이 자문했던 「조선예수교장로회사기」의 편집위원으로도 참여했다.[103] 함태영은 이후 사기가 편찬되는 전 과정을 주도하면서 「조선예수교장로회사기」의 실질적인 집필자 역할

---

101 「경기충청노회 제7회 회록」, 1914년 12월 1일 승동예배당, p.16.

102 C.A.Clark, *Memories of Sixty Years* ; 곽안련, 박용규 역, "곽안련 선교사 60년 회고록", 「신학지남」 60권 4호, 1993년 12월, p.224. 곽안련은 한국인 제자들을 자신이 한국에서 낳은 자녀들이라고 언급했다. 그가 언급한 대표적인 세명의 제자가 남궁혁, 함태영 등이었다. (한명은 성명미상)

103 『조선예수교장로회 제5회 회록』, 1916년 9월 2일, 평양신학교, p.42.

을 한다.[104] 이 또한 교회사를 가르치고 주일학교역사와 선교사기를 집필했던 곽안련으로부터 영향을 받은 것이었다. 뿐만 아니라 한국장로교회 헌법을 기초했던 곽안련 옆에서 조언 하고 도왔던 인물이 함태영이었다. 함태영의 신학은 사실상 곽안련의 신학을 그대로 이어받은 것이었다. 곽안련은 신학교에서 목회후보생들에게 신학을 가르치는 것에 그치지 않았다. 한국장로교회가 설립되고 그 정체성을 세워가는데 있어서 가장 중요한 목회의 전반적인 과정과 정치와 헌법의 기초와 제정을 주도했다. 함태영이 정치적인 위치뿐만 아니라 신학적, 역사적, 교회정치와 헌법에 있어서 학문적 권위를 확보한다.

4.2 한국장로교회의 복음주의 신학

4.2.1. 구원의 확장 – 개인에서 국가로

> 나는 그때 설교학에 관한 책 한 권을 출판하기 위해 이미 준비를 갖추어 놓고 있었는데, 교수진은 이 소식을 듣고 대단히 기뻐하였다. 설교학을 가르치고 싶어하는 이가 아무도 없었다. 그 해에 나는 대타로 들어가 36년간을 신학교에 머물렀다.
> 다음 해에 교수진은 나의 담당 과목에 목회 신학을 추가하였다. 그후에 나는 교회법 과정을 모두 떠맡았다. 철학 박사학위를 받은 후에는 종교교육과를 설치하고 내가 시카고 대학에서 얻은 자료들(신학에 대해서는 철저하게 점검한 것들)을 활용하였다. 우리는 종교 교육과에 1년에 6주

104 함태영 외 2명, 『조선예수교장로회사기(하)』(서울:한국기독교사연구소, 2017), p.28. 이 책은 상권과 하권으로 나뉘는데 함태영이 하권의 집필자로만 되어 있지만 하권의 발문을 쓴 백낙준은 사실상 함태영이 이 두권의 실질적인 집필자라고 언급하고 있다.

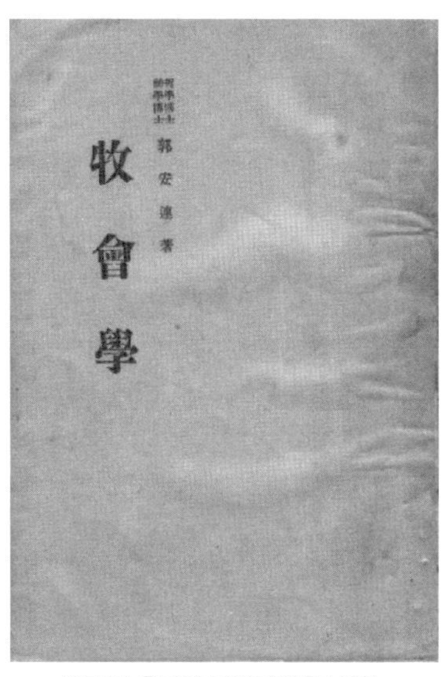

1919년 발행된 곽안련의『목사지법』　　1955년 출간된 곽안련의『목회학』

> 씩 3년간 공부하는 석사 과정을 설치하였는데, 여기에는 각 노회별로 1명 밖에 입학이 허용되지 않았다. 이 과정에서는 20시간짜리 과목 15개를 가르쳤다. 이 과정의 졸업자들은 한국 전역에 걸쳐 대부분의 주일학교 강습회와 성경 학교에서 교사가 되었다.
>
> ....
>
> 나의 생도들을 "실천적으로" 만들기 위해 나는 각 사람에게 매주 최소한 90분씩 시간을 내어 신학교 주변에서 영혼 구원 사역을 실시하라고 요구하였다. 또 매 학기 마다 학생들에게 다섯 종류의 복음전도 사역을 체험하도록 요구하였다.... 내가 신학교에서 가르치는 동안 1,600명의 사람이 신학교의 전 과정 혹은 일부 과정을 거쳐갔다.[105]

곽안련은 1912년 한국장로교회가 총회를 출범한 이후에 평양신학교의 신학을 주도했던 인물이었다. 특히 성서에 대한 해석과 함께 학생들

105　곽안련, 박용규 역, "곽안련 선교사 60년 회고록", pp. 205~207.

에게 가장 영향을 많이 끼쳤던 실천신학의 모든 분야를 도맡다시피 할 정도로 그의 신학적 영향력은 상당했다. 곽안련이 맡았던 과목들은 대부분 실천적이고 실제적인 목회를 위한 방법론이었다. 곽안련의 신학은 신학생들이 실제 목회 속에서 그대로 실천할 수 있는 것이었다.

한국에 왔던 선교사들은 대부분 복음주의자들이었다. 헐버트나 에비슨 등을 제외하고[106] 기독교 선교사들은 교육과 의료선교를 개인 구령의 도구요 "복음 전도의 시녀"로 보았다. 이들은 각자의 신앙체험을 통해 소명을 깨달았으며 이 세대가 끝나기 전에 인류의 복음화를 이루겠다는 선교적 열망을 가지고 조선에 왔다.[107] 그들은 회심을 통해 구원에 확신에 이르고 자발적 전도로 이어지는 것을 선교로 이해하고 있었다. 곽안련은 신학생들을 실천적 목회자로 양성하기 위해 반드시 전도의 과제를 주었다. 목회자로 부름받은 자의 가장 우선하는 것이 바로 이 선교적 사명이라고 보았기 때문이었다.

곽안련은 학생들에게 『설교학』을 가르치면서 설교의 최종목적이 '영혼구원'에 있어야 한다고 강조했다. 설교는 얼마나 훌륭한 웅변가인가를 보여주는 것이 아니고, 오락적인 연극도 아니다. 진정한 설교는 구원대가 파선한 배에 탄 자들의 생명을 구하려는 때의 그 열심과 같은 인생의 영혼을 구원하려는 열성이 있는 것이어야 했다.[108] 그의 설교학에서 특이한 점은 무(無)본문 설교를 강조했다는 점이었다. 이는 성경의 본문 구절이 없어도 설교가 그 목적을 달성할 수 있다고 본 것이었다.

---

106 헐버트는 복음주의사역에 참여한 적이 없었다. 오히려 그가 가지고 있었던 교육과 사상을 통한 사역에 집중했다. 에비슨은 의료선교를 복음전도의 도구로서 인식하기 보다는 교회와 같은 위치에 놓았다. 병원 그 자체가 복음이라는 인식을 가지고 있었다.

107 김명구, 『한국기독교사 1 ~1945』, 135.

108 곽안련, 『설교학』(서울:대한기독교서회, 2008), p.45.

이는 설교자와 청중의 소통을 위한 설교전략의 하나였다. 성서 본문을 무시하는 것이 아니라 성서에 근거하지만 설교가 사람을 구원할 목적으로 하나님 말씀에 기초한 것이면 본문 구절이 없더라도 설교가 된다고 본 것이다.[109] 곽안련의 설교방법은 복음 선교의 특징을 그대로 드러내고 있었다. 그가 제시했던 설교와 예배의 모범은 한국장로교회의 전통처럼 여겨졌다.[110]

한국 복음주의 운동이 가지고 있는 특징은 부흥회를 통한 경건을 중요시 여긴다는 것이다. 1907년의 출발점이 부흥회로부터 시작되었을 뿐만 아니라 성령의 강력한 임재를 통한 회심을 경험했던 한국교회였다. 부흥회는 성령의 임재를 경험할 수 있는 가장 효과적인 방법이었다. 곽안련 또한 목회에 있어서 부흥회를 중요시 여겨야 한다고 강조했다. 부흥회는 '하나님의 자녀가 성령의 인도로 마음을 합하여 특별한 은혜 받기를 기대하는 일'이었다. 특히 개인전도를 통해 교회로 나온 새로운 신자가 죄를 떠나기로 결심하고 새 삶을 지원하게 되는 기회로서 부흥회는 중요한 경건의 수단이었다.[111]

그는 부흥회의 목적과 방법론, 인도자의 태도, 기간, 시기, 위험성까지 상세하게 학생들에게 가르쳤다. 실제로 그는 승동교회를 담임하고 있던 1907년 평양대부흥운동의 주역이었던 길선주 목사를 부흥회 강사로 초청하여 집회를 열었다.

"인도와 평양에서 통성기도가 연이어졌듯이 이 집회에 참여한 300~

---

109 김병석, "초기 한국장로교회 설교학 원리 연구", 「신학과 실천」, 제51호, 2016년 9월호, p.122.

110 김병석, "곽안련(Charles Allen Clark)설교학의 헤릭 존슨(Herrick Johnson)과의 상관성 연구" (서울장신대학교 박사학위 논문, 2014), p.213.

111 곽안련, 『목회학』 (서울:대한기독교서회, 2017), pp.197~198.

500여명의 교인들도 일시에 통성기도를 하였다. 큰소리로 기도하였으나 전혀 무질서하지 않았다. 옆에 있는 다른 형제들의 참회기도에 그 누구도 귀기울이지 않았다. 전능하신 하나님께 그 자신들의 간구를 간청하는 일에만 전념하였다."[112]

곽안련은 이 집회 이후에 승동교회가 두배 이상 성장해 신도 수가 400여명에 이르렀고 사역의 모든 부분들이 놀랍게 성장했다고 고백했다.[113] 승동교회에서의 집회 이후 서울에 있는 선교사들과 목회자들이 앞다투어 길선주의 집회를 요청했다. 길선주의 집회마다 놀라운 성령의 역사가 나타났다.[114] 곽안련이 부흥회의 성과가 어떤 것인지를 직접 경험하고 있었던 것이다. 그에게 부흥회는 영적구원을 위한 가장 실제적인 방법이었다. 그의 복음주의 신앙과 더불어 실제적인 경험이 그의 목회학 수업을 통해서 그대로 전달되고 있었다. 한국장로교회가 부흥회를 필수적이면서도 조직적으로 개최하는 전통이 곽안련에 의해서 만들어졌던 것이다.

함태영이 목회를 시작했을 때 그가 가장 우선했던 것도 부흥회를 여는 것이었다. 목사안수를 받고 처음 사역을 했던 청주읍교회에서도 그는 당시 최고의 부흥사였던 김익두를 불러 부흥회를 개최했다.[115] 연동교회에 부임했을 때도 그는 가장 먼저 부흥회를 개최할 것을 당회에 요

112 C. A. Clark, "How the Holy Spirit Came to Seoul", 1 Match 1907, *PCMOFFEFF* : 이호우, 『초기 내한선교사 곽안련의 신학과 사상』(서울:생명의 말씀사, 2005), p.183에서 재인용.
113 C. A. Clark, "Seoung Dong Church of Seoul", *The Korea Mission Field*, Vol.3 (August 1907), p.121.
114 "Recent Work of The Holy Spirit in Seoul", *The Korea Mission Field*, Vol.3 (March 1907), p.41.
115 전순동, 『충북기독교 100년사』(청주:충북기독교선교100주년 기념사업회 역사편찬위원회,2002), p.243.

청했는데 그 첫 강사가 길선주였다.[116] 그의 목회에서 부흥회는 필수적인 것이었다. 부흥회를 중시했던 것은 그의 신학이 영혼 구원을 최우선으로했던 곽안련의 신학을 그대로 따르고 있었음을 의미하는 것이었다.

> 교회가 영적사업을 주요시 할 것은 물론이지만 도덕적 사건에 있어서도 지도자가 되어야 할 것은 당연한 의무이다. 교회가 오늘날 이 사실을 처음으로 인식하게 되었든지 혹은 중간에 태만하였던 것을 다시 발견하였든지 그것은 논할 것 없이 음주와 흡연, 공창제도 등에 대응하지 않으면 안되며 만일 이 도덕적 해악과 싸우지 않는다면 진실한 신자인지가 의문시되는 것이다. 어린이나 부녀자가 장시간의 노동으로 인하여 육체적 도덕적 또는 영적인 나쁜 영향을 받고 있다면 역시 신자의 책임이다. 우리가 비록 빈곤한 사회에서 생활할지라도 돌보아 줄 사람이 없고 의지할 곳이 없는 이와 같은 가련한 사람들을 도와주어야 하며 목사는 교회의 사회 봉사에 대한 지도자가 되어야 한다.[117]

곽안련의 신학은 단순히 영혼구원의 차원에서만 머물지 않았다. 그는 사변적이고 교리적인 신학을 추구하지 않았다. 맥코믹에서 신학을 배울 때 보수적이고 엄격한 복음주의 신학을 배웠지만 선교지인 한국에서 주어진 과제는 신학의 실천적인 분야들이었다.

곽안련에게 신학은 이론이 아니라 실천을 의미했다. 실천되지 않는 신학은 의미가 없었다. 그것은 자신의 복음주의 신학을 예배와 설교, 정치, 건축, 교육과 같은 분야를 통해 교회에 구조화시키고 형태화시키는 것을 의미했다. 그러한 노력은 목회후보생들에게 가르쳤던 「목회학」, 「설교학」, 「교회정치」 와 같은 교회를 위한 과목들 속에서 그대로 나타

116 『연동교회 당회록』, 1929년 9월, p.19.
117 곽안련, 『목회학』, p.18.

났다.

한편 곽안련의 복음주의 신학은 한가지 독특성이 있었다. 목사의 역할과 책임에서 영적인 것과 함께 사회적 책임을 강조한 것이다. 그는 목회자가 이웃을 올바르게 지도하기 위해서 사회사업을 중요하게 생각해야 한다고 강조했다.

> 사회사업은 형무소 전도, 고아원, 양로원, 광인원(狂人院), 모자원(母子院)등이 포함되는데 이러한 기관을 설치하든지 혹은 그러한 기관과 관계를 맺고 일반 대중의 도덕 향상과 종교적 생활을 위하여 쉬지 말고 노력해야 한다. 그 구역 안에 공장이 있으면 직공들의 생활 형편과 봉급의 대소 또는 질병, 직공들의 부양 대책, 위생시설 등 또는 그들의 도덕 경향, 빈민들의 생활 상태를 자세히 조사하여 술집, 아편 장사, 카페 등을 살피고 그곳에 출입하는 사람들을 돌이켜 바른 길로 오도록 인도해야 한다.
> 목사는 종교와 사회에 대한 자기의 책임을 교인들에게 공개해야 한다. 악마는 옛날부터 오늘날까지 사회의 부정직과 도덕적 과오를 널리 만연시켜서 일반대중을 올바르게 지도하는 운동을 매우 싫어하고 미워한다. 그러므로 사회개량 과제를 목사가 빈번히 말하면 교인 중에서도 그런 말은 그만하고 순수한 복음만을 전하라고 요구해 올 것이다. 마태복음 25장 42~46절까지의 말씀에 "내가 주릴 때에 너희가 먹을 것을 주지 않았고... 옥에 갇혔을 때에 돌아보지 아니하였다."고 예수님께서 말씀하신 것은 분명히 사회봉사사업을 의미한 것이다. 그러한 활동이 그리스도의 복음의 중심적인 것이라면 목사된 사람은 그러한 일에 대하여 무관심할 수가 없는 것이다. 그리스도의 교훈과 사회 문제를 혼합하여 동일시하는 것을 신성하지 못하다고 생각하는 것은 큰 오해이다.[118]

118 위의 책, pp.84~85.

곽안련은 복음이 개인과 교회뿐만 아니라 사회에도 동일하게 영향력을 갖는다고 보았다. 목회자는 이점을 간과해서는 안된다고 주장했다. 1907년을 주도했던 대부분의 선교사들은 교회가 정치문제와 사회문제에 참여하는 것에 대한 거부의식을 가지고 있었다. 그리고 교회를 비정치화하여 신앙의 본질에 집중하도록 하는 것을 그들의 목표로 삼고 있었다. 그것은 대부흥운동 이후에도 그것은 한국교회 주류의 교회들이 가지고 있었던 인식이기도 했다. 더군다나 그 중심에는 평양을 대표하는 마펫이 자리하고 있었다. 마펫의 선교관 자체가 시대와 상황에 따른 변화와 포용성을 거부하고 있었다.[119] 교회가 정치문제를 언급하는 것은 금기시되었다. 105인 사건이 일어나고 한국교회를 향한 핍박이 노골화 되었음에도 한국장로교회는 총회와 노회 그 어느 곳도 정기회의에서 이 문제를 다루지 않았다. 3·1운동이 일어났을 때도 교회차원의 공식적인 참여나 이 사건에 대한 언급을 하지 않았다.

그러나 곽안련은 교회와 사회를 구분하지 않았다. 오히려 사회문제에 목회자가 그리스도의 교훈을 말함으로써 교인들이 알도록 해야 한다고 강조했다. 복음이 사회 속에서 선포되어야 한다는 것이었다. 그는 교회가 연합운동을 통해 사회의 문제에 공동으로 대처해야 한다고 주장했다. 연합부흥회, 재난의 구제사업, 금주, 금연운동 등을 지도해야 하며 YMCA와 같은 기관들을 돕는 일에도 적극적으로 나서야 한다고 보았다.[120] 그에게 교회와 사회는 무엇을 우선하는 개념이 아니었다. 동시적이고, 동등한 것이었다.

사회적 책임을 강조한 곽안련의 신학은 민족과 국가의 문제를 외면할

---

119 김명구, 『복음, 성령, 교회』, p.260.
120 곽안련, 『목회학』, p.85.

수 없었던 당시의 한국 신학생들에게는 소명과 같은 것이었다. 3·1운동에 참여했던 목사들의 대부분이 총회 구성 이후에 신학교에 진학했던 인물이었다는 점에서 그의 신학적 영향력은 상당히 컸다. 목사가 목회와 사회의 일을 동시에 돌보는 것이 문제가 되지 않은 것이었다. 해방 이후 건국의 과정에서 한국장로교회의 목회자들이 사회적 책임을 다하기 위해 정치에 참여한 것도 이러한 신학적 이유가 있었기에 가능한 것이었다.

함태영은 이미 연동교회를 처음 출석할 때부터 기독교 사회기관이었던 YMCA와 연결되어 있었다. 사회의 문제에 적극적이었을 뿐만 아니라 복음이 사회를 향해야 한다는 인식구조를 가지고 있었던 그에게 곽안련의 신학은 고무적으로 다가왔다. 가장 가까운 곳에서 곽안련의 신학을 이해했던 함태영이었다. 그가 사역하는 곳마다 연합부흥회의 개최를 주도하고, 주일학교의 활성화와 일반학교의 설립과 운영, YMCA 활동의 적극적인 참여가 예배와 전도, 부흥회와 같은 영적인 사역과 함께 목회에서 중요한 위치를 차지했다.

곽안련은 사회사업이라고 이야기했지만 함태영에게 사회는 일본의 체제 아래에서 용인되는 사회가 아니었다. 그것은 일본으로부터 독립된 새로운 국가였다. 그에게는 복음이 개인구원의 영역에서 국가구원의 영역으로까지 확장되어야 하는 문제였고, 이를 나누어서 생각할 수 없는 것이었다. 그가 3·1운동에 참여할 수 있었던 신학적 근거가 여기에 있었다.

한편 개인에서 국가로의 구원의 확장 개념은 당시 한국교회 내부에 자리하고 있었던 다른 신앙의 유형들 즉 개인구령적 신앙유형과 역사

참여적 신앙유형을 하나로 통합하는 유형적 구조를 제시하고 있었다. 당시 한국장로교회의 유일한 신학교였던 평양신학교 교수로 실천신학을 담당하며 실질적인 영향력을 주고 있었던 곽안련이었다. 그의 신학이 한국장로교회의 역사, 정치, 헌법, 교육 등의 모든 분야에 담겨 있었다. 이것이 초기 한국장로교회의 복음주의 신학이 가지는 독특성이었다. 뿐만 아니라 교파를 떠나 한국교회가 복음주의라는 신학적 틀 안에서 하나의 한국교회를 추구할 수 있는 가능성을 제시해 주는 것이었다.

4.2.2. 단일 복음주의 한국교회

혹자가 질문ᄒᆞ기를 죠션장로회 신경이 미국교회신경과 부동(不同)ᄒᆞ거슨 문명의 등급을 인ᄒᆞ야 죠션교회를 하ᄃᆡᄒᆞᄂᆞᆫ거시 아니냐 ᄒᆞ나 실노 그러치 아니ᄒᆞ도다 죠션신경이 간단ᄒᆞ나 유치ᄒᆞᆫ 신경이 아니오 완전ᄒᆞᆫ 신경이며 이보다 우승ᄒᆞᆫ 신경이 세상에 업고 녯날 신경중에 우리 신경보다 부ᄒᆞᆫ 거시 ᄆᆞᆫ흐며 웨슷민스터신경이라도 이 신경보다 우승ᄒᆞ다고 ᄒᆞ기 어려오니라 이 신경은 현시ᄃᆡ 형편에도 젹당ᄒᆞ고 셩경에도 뎍합ᄒᆞ니 귀ᄒᆞᆫ 보물이로다 회원된 우리는 맛당히 이 신경에 ᄃᆡᄒᆞ야 깃븜이 생(生)ᄒᆞ고 강구ᄒᆞ기를 게을치 아니ᄒᆞᆯ거시니 하ᄂᆞ님씌셔 새빗을 주샤 이 신경의 실착과 부족ᄒᆞᆫ거슬 발현ᄒᆞ시면 개정ᄒᆞ려니와 그 외에는 ᄀᆡ정ᄒᆞᆯ 리유가 업ᄂᆞ니라 ᄯᅩ 쟝로 감리 두교회연합문제를 인ᄒᆞ야 회집ᄒᆞ엿슬 때에 년로ᄒᆞᆫ 감리교파선교ᄉᆞ의 말이 양교회가 연합ᄒᆞ게되면 우리 감리파가 웨슷민스터신경은 ᄎᆡ용ᄒᆞ기가 극난(克難)ᄒᆞ니 이 인도국에서 출래(出來)ᄒᆞᆫ 신경을 ᄎᆡ용ᄒᆞ기가 어렵지아니ᄒᆞ다 ᄒᆞ엿스니 감리파의 다른 교역자는 엇더케 생각ᄒᆞᆯ넌지 알지못ᄒᆞ거니와 가히 알만ᄒᆞᆫ 일이니라[121]

---

121 곽안련, “조선예수교장로회신경론”, 「신학지남」 2권 1호, 1919년 4월호, pp..81~82.

한국장로교회의 헌법제정을 주도했던 곽안련은 웨스트민스터 신경이 아닌 인도장로교회 신경인 12신조를 채택했던 가장 중요한 이유를 감리교와의 통합을 염두에 두었기 때문이라고 설명했다. 1643년에 제정된 웨스크민스터 헌법은 스코틀랜드, 영국, 미국 등 영미 계통의 장로교회 교리와 교회정치의 표준이었다.[122] 반면 인도장로교회 신경은 인도장로교회가 영국의 식민지 상황에서 인도에 들어와 있던 장로교회를 하나로 연합하기 위해서 제정한 신조였다. 12신조는 1904년 12개의 상이한 장로교 및 개혁파 교회들이 연합체인 인도장로교회(the Presbyterian Church in India)를 구성하면서 제기된 신조의 문제를 해결하는 과정에서 나온 결과물이었다.[123] 12신조는 북인도의 여러 장로교회들 뿐만 아니라 장로교회와 다른 교파 교회와의 연합에도 활용할 수 있었던 복음주의 신조였다. 한국장로교회가 이 신조를 채택한 것은 교파교회로 머물러 있기보다는 단일한 복음주의 한국교회를 설립하겠다는 것을 구체화 한 것이었다.

1905년 재한서울장로회일치위원회(The Seoul Presbyterian Committee on Union)는 대한예수교회(The Church of Christ in Korea)를 설립할 때가 무르익었다고 보았다. 그리고 그해 9월에 장로교회와 감리교회의 여섯 선교부의 선교사 125명이 벙커의 집에 모였을 때 교회의 창립을 추진하기로 만장일치로 가결을 했다. '재한복음주의선교회연합공의회(General Council Evangelical Missions in Korea)'를 출범시킨 것이었다.[124] 공의회의 회장을 맡은 언더우드가 선

122 김명구, 『한국기독교사 1 ~1945』, p.304.
123 김석수, "1930년 이전 한국장로교회 복음주의신학연구 – 미국 북장로교 한국선교를 중심으로" (서울장신대학교 박사학위논문, 2015), p.92.
124 김명구, 『한국기독교사 1 ~1945』, p.305.

두에 섰고 곽안련을 비롯한 선교사들이 이에 적극적으로 나서고 있었다. 컨스(Carl E. Kearns, 1876~1953, 계인서), 번하이젤(Charles F. Bernheisel, 1874~1958, 편하설), 스왈른(William L. Swallen, 1865-1954. 소안론), 베어드(W.M. Baird, 1862~1931, 배위량)는 뉴욕 북장로교선교부 총무 아서 브라운(Arthur J. Brown)에게 편지를 보내 선교부가 재한 북감리교선교회와의 협력을 허락해줄 것을 청원했고, 1907년 공의회 의장이 된 스왈른은 "한국에서는 장로교와 감리교의 교리를 조화시키는데 아무런 문제가 없다"라고 까지 주장하였다.[125]

공의회는 "본 연합공의회의 목적은 선교 사역에서의 협력에 있으며 결국에는 단 하나의 현지 복음주의 교회를 조직하는데 있다"는 것을 목적으로 하고 있었다. 1907년 단일한 교회를 위한 신조의 제정을 추진하고 1909년에는 교계예양이 장로교와 감리교 전체가 합의하였다. 교계예양이 연합운동의 중요한 산물이었던 것이다. 뿐만 아니라 이때 단일교회의 정치형태의 구성 계획까지 분과위원회의 보고서로 제출되어 있었다. 그러나 각 교파의 미국 선교당국이 이를 찬성하지 않음으로써 이에 대한 추진에 난항을 겪었다.[126] 한국장로교회 내부에서도 감리교와의 교세 차이가 커지면서 통합에 대한 반대의견이 커져갔다. 장로교와 감리교의 독자조직이 구성을 완료할 때쯤에는 단일교회운동은 사실상 무산되었다.

그러나 곽안련을 비롯한 선교사들 중에는 여전히 한국교회가 복음주의라는 신학적 공통점을 지닌 하나의 교회라는 의식을 가지고 있었다.

---

125 이재근, "매코믹신학교 출신 선교사와 한국복음주의 장로교회의 형성 1888~1939", 「한국기독교와 역사」 제35호, 2011년 9월호, p.33.

126 곽안련, 박용규 · 김춘섭역,『한국교회와 네비우스 선교정책』(서울:대한기독교서회, 1994), pp.176~177.

그런 의지의 표현으로 나타난 것이 한국장로교회의 '12신조'의 채택이었다. 그리고 1907년 대한예수교장로회 독노회에서 채택한 규칙은 한국장로교회의 정치제도의 기초를 놓은 것인데 여기에는 다른 장로교회와는 다른 독특성이 있었다. 그 특징을 살펴보면 다음과 같았다.

첫째는 수직적 구조를 강화시키고 있었다는 점이었다. 당회, 노회, 총회의 구조를 매우 엄격한 수직적 구조로 두었고, 미국장로교회에는 없었던 시찰위원회 제도를 실시하였다. 둘째는 당시 실제 교회에서 활동하는 교회의 직원에 대한 규정을 목사, 장로, 집사, 강도인으로만 한정했다. 영수, 조사, 전도부인, 전도사, 권서 등에 대해서는 규정하지 않고 현장에서는 통용되도록 했다. 셋째는 별도의 예배 의식을 마련하지 않고 간결한 주일예배 형식을 기도, 찬송, 성경봉독, 설교, 연보, 안수기도, 세례 및 성찬으로만 규정해 놓았다. 마지막으로 제5조 규칙에서 다른 예수교회와 연합하기 위해서 신경과 규칙을 개정할 수 있다고 명시했다는 특징을 가지고 있었다. 복음주의 연합교회인 대한예수교회의 설립을 염두에 두고 제정되었던 것이다.[127]

개인에서 사회로까지 구원이 확장되어야 한다는 신학적 구조는 개인구령이나 역사참여를 중요시하는 모든 유형의 교회들을 하나로 통합하는 구조를 가지고 있었다. 또한 총회형성과정에서 확정된 교리와 제도들은 단순히 장로교의 통합이 아닌 감리교를 비롯한 복음주의 교회를 통합할 수 있는 신조와 교리, 정치와 헌법의 구조를 염두에 두고 있었다. 단일한 복음주의 한국교회를 위한 신학적 구조를 만든 것이다.

한국예수교회에 대한 희망은 1920년대 말까지 계속 이어졌다. 1925

127 김일환, "한국장로교회 헌법의 변천과 제도적 변화연구 – 해방이후부터 1970년대까지 예장통합을 중심으로" (서울장신대학교 박사학위논문, 2018), pp.34~36.

년에는 "캐나다연합교회"가 출범하면서 기대감을 고조시키기도 했다. 그러나 1929년 개신교 기관지인 「기독교신문」이 당시 교회지도자들에게 설문한 결과는 대부분이 찬성을 보였지만 선천의 양전백이나 임택권 등은 교리와 정치가 다르다는 이유로 반대 의견을 피력했다.[128] 시간이 흐를수록 단일교회를 이루는 것에 반대하는 지도자들이 늘어나고 있었다. 1934년까지도 장로교와 감리교 모두 단일교회를 위한 움직임이 있었던 것은 사실이지만 더 이상의 진전이 없었다. 그러나 선교사들의 단일교회에 대한 여망은 한국교회의 목회자들에게는 민족교회의 실현이라는 이상을 심어주기에 충분했다. 1930년대 사회복음주의 신학을 토대로 교파를 초월하여 일어났던 '적극신앙단'운동이나 YMCA와 「기독신보」 등이 그런 흐름을 보여주었다.[129]

곽안련을 도와서 1919년 출판된 『교회정치문답조례』의 교열인으로 참여했던 함태영은 한국장로교회의 헌법과 정치제도에 담겨 있는 신학적인 의미를 누구보다도 잘 알고 있었다. 특히 복음주의 단일교회를 지향했다는 것도 파악하고 있었다. 함태영은 사실 기독교에 입교하고 연동교회에 출석할 때부터 교파의식이 없었다. 여기에는 연동교회를 담임하고 있었던 게일의 영향도 있었고 YMCA운동에 참여한 것도 영향을 주었다.[130]

감리교회가 같은 복음주의 교회라는 인식을 가졌던 함태영에게 3·1운동에 장로교와 감리교가 함께 하는 것은 당연했다. 서울에서 그가 기독교 측의 내부 의견을 조율하고 일치시키는 가교 역할을 담당했던 것도 장로교와 감리교가 가지고 있었던 신학적 공유점을 이해하고 있었

128 김명구, 『소죽 강신명 목사』(경기:서울장신대학교 출판부, 2009), p.65.
129 민경배, 『한국기독교회사』, p.460.
130 민경배, 『서울YMCA운동100년사 1903~2003』(서울:서울YMCA, 2004), p.102.

기 때문에 가능한 일이었다.

함태영은 신학을 공부하면서 정치구조나 법적체계에 대한 것보다 본질적인 것에 주목하고 있었다. 인간에 대한 신학적 해석과 이해, 그리고 구원과 선과 악의 개념, 기독교인이 추구해야 하는 의(義)로움과 정의(正義)의 실천이 무엇인지에 대한 것이었다. 그것은 법관으로서 활동하면서도 그가 끊임없이 해답을 얻고자 했던 질문이기도 했다.

4.2.3. 신학적 인간학

함태영은 평양신학교에서 성서해석과 교리, 교회사, 교회 정치, 교회 헌법 등을 5년에 걸쳐서 배웠다. 그중에서도 2학년때 배웠던 과목들은 다음과 같았다.

〈표 5〉 평양신학교 2년차 교육과정[131]

1학기	시간	교수	2학기	시간	교수
구약석의-출애굽기	4주	불	신약석의-사도행전	4주	
신학적 인간학	6주	매커첸	구약강독-민수기, 신명기, 여호수아, 사사기. 신약의 갈라디아서에서 데살로니가서까지 개관	2주	
설교학	4주	곽안련	역사-325년까지 사도적 Ante-Nicean	6주	소안론
심리학	2주	사우업	윤리학	4주	왕길지
신약성서 지리학	2주	불	신앙고백 강독세미나	2주	소안론

평양신학교에서 신학적 인간학을 가르쳤던 인물은 미국 남장로교회

131 김인수, 『장로회신학대학교 100년사』, p.113.

선교사였던 매커첸(Luther O. McCutchen, 마로덕, 1976~1960)[132]이었다. 그는 전북지역을 중심으로 선교하던 인물이었다. 그는 미국 사우스캐롤라이나 출신으로 남장로교회 신학교였던 버지니아 유니온(Union Theological Seminary in Virginia)[133]에서 신학을 공부했다. 1902년에 선교사로 한국에 입국해서 한국어를 공부한 후에 1903년 임지인 목포로 향했다가 1904년 전주로 옮겨 본격적인 선교활동을 시작했다.[134] 미국 남장로교의 본산이었던 버지니아의 유니온신학교는 신학적으로는 웨스트민스터의 교리적 전통을 엄격하게 유지하고 있었다.[135] 그의 신학적 인간학은 개신교 본래의 신학적 전통을 그대로 따르고 있었다.

기독교 신학에서 인간은 단독적으로 이해되지 않는다. 철저하게 하나님과의 관계 속에서 다루어진다. 신부적(神賦的) 인간론을 기본으로 했다. 신부적 인간론은 하나님의 형상으로 창조된 인간을 전제로 한다. 피조된 인간은 피조 된 인격체를 의미한다. 따라서 하나님의 의해 피조 된 인격체가 피조 된 또 다른 인격체를 함부로 대할 수 없다. 하나님의 형상으로 창조된 인간의 존엄성은 인간 자체에 의한 것이 아니라 하나님으로부터 부여된 것이다.[136] 신부적 인간론에서 인간이 된다는 것은

---

132 1902년 한국에 온 그는 서울에서 어학교육을 받은 뒤 1903년 전주에 도착하여 교회와 학교를 세우며 사역했다.

133 유니온 신학교는 뉴욕과 버지니아 두 곳에 위치해 있었다. 뉴욕의 유니온 신학교는 사회적 윤리를 보다 강조한 반면에 버지니아의 유니온은 보다 장로교의 본래성과 교리적인 입장을 추구하고 있었다

134 이진구, "미국 남장로회 선교사 루터 맥커첸(Luther Oliver McCutchen)의 한국선교", 「한국기독교와 역사」, 37호, 2012년 9월호, p.71.

135 류대영, "윌리엄 레이놀즈의 남장로교 배경과 성경번역 사상", 「한국기독교와 역사」, 33호, 2010년 9월호, p.13.

136 Anthony A. Hoekema, *Created in God's Image* (Michigan: Wm. B. Erdmans Publishing Company, 1994), pp.13~14.

인간이 하나님께로 향해 있다는 것과 이웃을 향해 올바른 방향으로 서 있는 것을 의미한다.

인간이 하나님께로 향해 있다는 것은 인간을 하나님의 피조물로 여길 뿐만 아니라 창조주 하나님과의 관계 속에서 인식함을 의미한다. 따라서 인간이 인간을 억압하고 차별하는 것을 거부한다. 또한 하나님의 형상인 인간이 죄로 인해 타락해서 하나님의 형상을 잃었다고 보기 때문에 죄악과 죄의 근원이 되는 어떤 것도 거부한다. 인간이 가지고 있는 자유가 무한한 것이 아니라 하나님의 통치 아래에서 유한한 자유이다. 자유로운 존재이지만 하나님의 질서 안에서 그 자유는 제한적이다.

인간이 이웃을 향해 올바르게 서 있어야 한다는 것은 예수 그리스도가 그랬던 것처럼 자신의 삶을 희생해서라도 이웃을 사랑하는 것이다. 그들을 위한 기도와 함께 그들의 안녕과 복리를 위해 노력하는 것이다. 그러한 인간은 사회정의, 인권, 가난한 자와 궁핍한 자들의 필요를 채워주는 데에 관심을 갖는다. 하나님의 형상이 회복된다는 것은 궁극적으로 다른 사람을 위해 살 수 있게 되었다는 것을 의미한다.[137] 상호부조(相互扶助)의 정신이 신부적 인간론에서 핵심적으로 작용하고 있는 것이다. 함태영은 신학적 인간학을 통해서 인간의 존재가치와 죄, 타락, 구원의 문제를 분명하게 이해할 수 있었다.

한편 2학기에 4주 동안 진행된 윤리학을 배웠다. 윤리학을 가르쳤던 왕길지(王吉志, Gelson Engel, 1864~1939)는 독일 출신의 호주 선교사였다. 독일에서 엄격한 경건주의 집안에서 태어난 그는 스위스 바젤대학과 영국 에든버러 대학에서 신학을 공부했던 인물이었다. 독일 경

137 위의 책, pp.153~154.

건주의 신앙과 스코틀랜드 상식 철학이 강조했던 도덕이 상식으로 자리하고 있었던 인물이었다.[138] 기독교 윤리학에서 죄의 타파는 선을 행함으로써 타파될 수 있었다. 선을 행하는 것이 남을 정죄하고 무너뜨리는 것으로 나타나지 않는다. 선을 행함의 목적이 존재의 변화 즉, 상실된 하나님의 형상을 회복하는데 있었다. 또한 선을 행하는 방법에 있어서도 사랑의 실현이라는 것을 통해서 이루어져만 그 행위가 의로운 것이었다.

기독교 윤리는 철저하게 인간의 변화를 추구했다. 어떤 상황 속에서도 선을 행함으로 악한 인간을 변화시키는데 그 윤리의 목적이 있었다. 기독교 윤리란 "구원을 받고 의롭다 여김을 받은 사람이라면 즉 새사람이 되었다면 외적인 강제 없이도 자유롭게 그리고 자연적으로 선한 열매를 맺을 수밖에 없다는" 것으로부터 출발한다.[139] 그러한 윤리의 근거는 성서를 근거로 했으며 예수 그리스도의 삶을 모형으로 받아들였다.[140] 선을 행하는 것은 사랑과 나눔의 실천, 헌신과 섬김의 실천을 의미했다.

예수 그리스도의 삶을 토대로 한 기독교의 윤리는 함태영이 배웠던 성리학적 윤리와는 다른 것이었다. 성리학에서 윤리는 철저하게 예법과 충(忠), 효(孝)의 개념 속에서 이해되었다. 그러나 기독교 윤리는 사랑과 나눔이 전제되어 있었다. 악을 악으로 갚는 것이 아니라 악을 선으로 대하는 것이 사랑의 실천이고 선을 행하는 것이었다. 힘으로써 지배하고 억압하는 것은 선한 것이 될 수 없었다. 월남 이상재가 이해했던 것처럼 기독교의 도덕력이라는 것은 힘있는 자가 힘없는 자를 억압하는

---

138 한국기독교역사연구소 엮음, 『내한선교사총람 1884~1984』, p.243.
139 박봉배, "그리스도인과 윤리", 고범서 외, 『기독교 윤리학 개론』(서울: 대한기독교출판사, 1987), p.21.
140 스탠리 그렌츠, 신원하 역, 『기독교 윤리학의 토대와 흐름』(서울:IVP, 2017), p.117.

것이 아니라 일으켜 세워주고 힘을 나누어 주어야 하는 것이다.[141]

신부적 세계관을 통해서 역사의 주관자가 하나님이시라는 인식을 분명히 하고 있었던 함태영에게 신학적 인간학, 즉 신부적(神賦的) 인간론은 기독교인으로서 선을 행한다는 것이 어떤 의미인지를 분명하게 각인시켜 주었다. 이미 곽안련으로부터 구원의 확장성과 신학의 실천성을 배웠던 그에게 행동지침과 같은 것이었다.

함태영에게 인간은 하나님과 관계되어야 참된 인간다움의 존재를 갖는다. 따라서 하나님의 형상을 회복하는 인간의 구원이 변화의 시작이었다. 이러한 변화는 지적인 것이나 도덕적인 것에 의해 이루어지는 것이 아니라 성령의 역사와 회심을 통해 이루어지는 것이었다. 부흥회를 중요시한 이유도, 영적인 것을 우선시 했던 이유도 여기에 있었다.

일본의 식민지 체제를 실체로 보고 받아들일 수밖에 없다고 생각했던 함태영이었다. 그럼에도 105인 사건을 통해 일본의 불의함을 바라보며 분노하며 법관의 직을 버렸던 그가 일본에 저항할 수 있는 신학적 근거를 여기에서 찾은 것이었다. 그것은 일본을 무너뜨리는 것이 아니라 일본에게 선을 행함으로 일본을 변화시키는 것이었다. 악한 자에게 악을 행하는 것은 성서에서 강조하는 사랑이 아니었다. 악에게 지지말고 선으로 악을 이기는 것이 기독교의 사랑이었고 윤리였다.[142]

함태영에게 3·1운동은 신부적 인간론의 새로운 윤리관을 실천하는 외연(外延)의 자리였다. 여기에는 그리스도가 십자가를 통해 고난받으며 인류 구원을 향해 걸었던 것과 같은 사랑의 희생과 고난의 감수라는 결단이 함께 있었다. 함태영에게 고난은 두려운 것이 아니라 견디는 것이었

141 김정회, 『한국기독교의 민주주의 이행연구』, p.60.
142 로마서 12장 21절.

고, 그 고난의 과정을 통해 구원의 영광이 나타나는 것이었다.

평양신학교에 입학했던 1915년 9월 조선예수교 장로회 제4회 총회에서 함태영은 서기로 피선되었고 5회 총회까지 서기의 일을 담당했다. 제5회 총회장으로 선출된 이가 3·1운동에 민족대표 33인의 한사람으로 이름을 올렸던 양전백(梁甸伯, 1869~1933)[143]이었다. 당시 서기는 지금의 부총회장과 같은 역할이었다. 장로교회 전체의 사무를 담당하는 역할을 하고 있었기 때문에 2회에 걸쳐서 서기를 맡았다는 것은 그가 그만큼 한국장로교회 내부에서 권위를 확보해가고 있었음을 의미했다. 이 회기에서 총회의 서기로 뽑힌 함태영은 총독부의 포교규칙(布教規則)시행에 대한 총회 교섭위원으로 뽑혀 총독부와 교섭하는 일을 담당했다.[144]뿐만 아니라 제3회 총회에서는 장감교회연합공의회의 규칙을 제정할 5인의 협의위원 가운데 한명으로도 선임되었다.[145] 그리고 조선예수교장로회 사기 편찬위원의 한사람으로 공천되었다.[146] 곽안련을 도와 한국장로교회의 틀을 잡아가는데 주력했던 함태영은 신학적으로, 정치적으로 한국장로교회를 대표하는 인물로 자리매김하고 있었다.

1918년 평양신학교 4학년에 재학 중이었던 함태영은 서울의 남문밖교

143 민족대표 33인의 한 사람이다. 호는 격헌(格軒). 평안북도 선천 출신. 26세에 기독교에 입교하여 1897년 예수교장로회 전도사가 되었고, 1907년 평양신학교를 졸업하여, 선천 북교회를 담임했다. 또한 신성중학교와 보성여학교를 설립하였고, 1911년에는 105인사건에 연루되어 2년간 복역하였다. 1919년 2월에는 김병조(金秉祚) 등과 3 · 1독립만세운동에 대한 계획을 듣고 이에 적극 호응하여 이명룡(李明龍)과 함께 3월 1일 오후 2시경 인사동의 태화관에 손병희 등과 함께 민족대표로서 참석하여 독립선언서를 회람하고 만세삼창을 외친 뒤, 출동한 일본경찰에 붙잡혀 2년간의 옥고를 치렀다.

144 『조선예수교총회록』, 1915년 제4회 회록, p.15. 1916년 제5회 회록, 5.

145 『조선예수교총회록』, 1916년 제5회 회록, p.44. 5인의 협의위원은 양전백, 함태영, 박례현, 배유지, 방위량이었다.

146 위의 회록, p.42. 조선예수교장로회 사기 편집위원의 명단은 마포삼열, 길선주, 리눌서, 김인전, 공위량, 림택권, 업아력, 박창영, 왕길지, 정재순, 곽안련, 함태영, 함가륜, 정기정 등이었다.

회(이하, 남대문교회)로부터 조사로 와 줄 것을 제안받았다.[147] 함태영이 2년간의 총회 서기 임기를 마무리하고 총회 사기(史記)의 편찬과 『정치 조례문답』의 교열, 헌법의 제정에 심혈을 기울이고 있었고 신학교에서의 수업으로 만만치 않은 한해를 보내고 있었던 때였다.[148]

남대문교회는 교회 내부의 문제로 심한 내홍을 겪고 있었다. 당시 유행하던 의남매 풍조가 교회 내로 들어오면서 신도들 사이에 미혼 여성과 기혼 남성 간에 의남매를 맺고 호적에 올리고 재혼하는 등의 문제로 가정이 파괴되는 일까지 일어나고 있었다. 이 문제로 목회적 어려움을 겪고 있었던 박정찬 목사가 당회와의 관계에서도 어려움을 겪으면서 당회의 사임 청원으로 1917년 12월 사임하고 말았다. 교인수도 350명에서 4~50명까지 줄어들 정도로 심각한 위기의 상황을 맞이하고 있었다.[149] 남대문교회는 당시에 세브란스 의전 안에 예배당이 있었다. 신앙적 윤리와 내부적 갈등의 문제를 해결해야 할 인물이 필요했다. 남대문교회는 아직 신학생의 신분이었지만 장로교회를 대표하는 위치에 올라가 있었고, 경기충청노회에서 신임을 얻고 있었던 함태영을 적임자로 보았다. 정치와 헌법, 신앙과 신학적인 면에서 그만한 인물이 없었던 것이다. 특히 원칙과 함께 공정성을 중시했던 그의 성향이 위기에 봉착한 남대문교회의 현실과 잘 맞았다. 그것은 단순히 교회의 요청만이 아니었다. 노회의 지도자들이 한결같이 함태영을 적임자로 추천한 결과였

147 당시 조사는 지금의 전도사와 같은 위치였지만 공식 직분에는 빠져 있었다. 다만 강도사 제도가 시행을 앞두고 있었는데 강도사는 신학교 3학년 이상이면 노회의 허락을 받아 시무할 수 있었다. 강도사는 당회장을 맡거나 축도를 할 수는 없었지만 설교와 성경공부를 가르치고 심방하는 등의 목회를 담당했다.

148 김일환, "한국장로교회 헌법의 변천과 제도적 변화연구 - 해방 이후부터 1970년대까지", p.37.

149 남대문교회, 『남대문교회사 1885~2008』 (서울:남대문교회, 2008), p.140.

다.[150] 그러나 그가 남대문교회에 조사로 부임한 지 얼마되지 않아 그는 3·1운동을 맞이해야 했다.

4.3. 3·1운동의 참여와 역할

4.3.1. 3·1운동의 원인과 기획

> 주권에 관한 모든 사항을 결정하는 경우, 해당 민족의 이익이 향후에 권한을 부여받게 될 정부의 정당한 요구와 마찬가지로 똑같이 중요하다는 원칙을 엄격하게 준수하면서, 모든 식민지의 요구 사항에 대한 조정 과정이 자유롭고도 허심탄회하고도 절대로 편견 없이 진행되어야 한다.[151]

1918년 1월 미국 대통령 우드로 윌슨(Thomas Woodrow Wilson, 1856~1924)은 미국 의회에서 진행된 연설에서 '14개조'의 제1차 세계대전 종전 이후의 방안을 발표했다. 14개조항 가운데 5번째 조항은 '민족자결주의(Self-determination)'라 불렸다. 이 조항은 사실 패전국들의 식민지와 관련한 내용을 담은 것이지만 당시의 모든 식민지국가들에게는 새로운 희망을 품게 하는 선언이었다.

윌슨은 세계 모든 사람들에게는 자신이 살고자 하는 주권을 선택할 권리가 있으며, 이는 무수히 많은 작은 국가들 역시 마찬가지라고 주장했다. 그는 강대국들이 이러한 약소국들의 권리를 묵살해 제1차 세계대전이 발발했다고 판단했다. 따라서 누구나 할 것 없이 자신이 원하는

150 위의 책, p.142.
151 송지예, "우드로 윌슨의 민족자결과 2.8 독립운동", 「한국동양정치사상사학회 학술대회 발표논문집」, 2011년 11월, p.17.

정부를 선택할 권리를 갖고 있고, 힘의 차이와 상관없이 모두가 동등하게 권리를 누려야 한다고 호소했다.[152] 더 나아가 식민지 문제의 해결에 있어서도 주민의 이해와 바램이 공평하게 고려될 필요가 있다고 주장했다. 본래는 자결을 의미하는 것이기보다는 공평한 조율에 초점이 맞추어져 있는 내용이었지만 이를 받아들였던 식민지 국가들에게는 독립의 희망을 가져다 주기에 충분했다. 그럼에도 윤치호와 같이 당시 국제정세의 흐름을 알고 있었던 지식인들은 대부분 '민족자결주의'가 조선에는 해당되지 않을 것이란 사실을 알고 있었다.[153]

그러나 함태영, 최린(崔麟, 1878~?)[154]을 비롯한 삼일운동에 주도적으로 참여한 인물들은 이 민족자결에 대해서 상당한 기대감을 가지고 있었다. 그들은 윌슨의 민족자결의 원리가 사회진화론적인 힘을 중시하는 사조에서 정의와 인도를 중시하는 사조로의 변화가 나타나고 있는 것으로 받아들였다.[155]그것은 삼일운동에 참여한 지도자들이 자신들의 종교나 세계관을 떠나서 그들이 추구하고자 했던 사상적 지향점에서 공통적인 인식을 가지고 있음을 드러내 주는 것이었다.

함태영은 제1차 세계대전의 참상을 통해 변화된 세계인의 인식 변화

---

152 "An Address to a Joint Session of Congress"(1918.2.11.); Woodrow Wilson, *The Papers of Woodrow Wilson 46*, Princeton, N.J.: Princeton University Press, 1966, pp.318-324.

153 윤치호, 『윤치호 일기』, 1919년 1월 29일. 윤치호는 민족자결주의를 신봉하는 최남선을 비롯한 인사들의 의견을 바보 같은 인간들이라고 비난했다. 그 이유를 세가지로 적고 있는데 첫째는 조선의 상황을 다른 열강들이 모른다는 것과 승전국 일본이 조선의 독립을 용납하지 않을 것이라는 사실, 그리고 마지막으로 조선인들의 정치적 독립의 쟁취에 대한 열망이 부족하고 강해지는 법을 모르기 때문이라고 했다.

154 1878년 1월 25일 함경도 함흥에서 출생했다. 본관은 해주(海州), 호는 고우(古友), 도호(道號)는 여암(如庵)이고, 아명은 바우[金岩]였다. 아버지는 중추원의관(中樞院議官) 최덕언(崔德彦)이다. 일제강점기에 3·1독립선언 민족대표 33인에 포함되었으며, 보성학교 교장, 천도교 도령, 중추원 참의, 매일신보사 사장 등을 지냈다. 1950년 한국전쟁 중 납북되어 1958년 12월 평안북도 선천에서 사망한 것으로 전해진다.

155 송지예, "우드로 윌슨의 민족자결과 2.8 독립운동", p.18.

를 보여준 것이 윌슨의 선언이었고, 국제연맹의 조직이 이러한 인식의 발현이라고 생각했다.[156] 자신들의 주장과 정당함을 드러내는 것이 새로운 변화의 세계에서 받아들여질 것이라는 기대를 가지고 있었다. 그들이 독립선언보다 독립청원에 초점을 맞추었던 이유도 여기에 있었다. 파리강화회의를 통해서 논의될 식민지 처리의 문제에서 한국민들의 의사를 보다 분명하게 표시함으로써 힘이 아닌 정의와 인도주의에 따라 한국의 문제가 다루어지길 바랐던 것이다.

국내에서 파리강화회의에 대한 기대를 고조시켜주었던 또 하나의 요소가 바로 동경유학생들을 중심으로 했던 '2·8 독립선언서'의 선포였다. 이 독립선언은 국내에서 진행되지 못하고 있던 거사를 수면 위로 끌어올리는 역할을 했다.

> 그런데 서기 1919년 즉 기미년 1월경에 이르러서 각국 사절은 불란서 파리에 참집하여 대독 강화조약을 심리하려고 하였다...... 이러한 소식은 우리 조선내에도 파급되어 민심은 고도로 흥분되었으나 일본 경찰의 가혹한 감시로 말미암아 표면은 침묵한 듯 하지마는 폭풍우 전야와 같은 감이 없지도 아니하였다.....
> .... 이 때에 마침 재 동경 우리 유학생 중에서 와세다대학 대학생을 중심으로 독립운동을 일으켜보자는 의견이 일치되어 그들의 동지 중 한 사람이 송계백군을 파견하였다....재 동경 유학생들의 시국에 대한 동향과 그 결의사항을 보고한 뒤 자기 모자 내면을 뜯고 명주헌겁을 끄집어내어 나를 주기에 받아본 즉 독립선언문이었다. 나는 그 글을 읽는 순간에 청년들의 불타는 애국심에 감격하여 눈물을 금치 못하였다.[157]

---

156 삼일정신선양회, 『3 · 1 운동사』(삼일정신선양회 경상북도본부, 1955), p.11. 이 책은 함태영의 증언을 토대로 3 · 1운동의 기획과 전개 과정을 기록한 책으로 함태영을 이 책의 표지에 "일월병휘(日月並輝)"라는 휘호를 써주었다.

157 최린, "자서전", 여암선생문집편찬위원회, 『여암문집下』(서울:여암선생문집편찬위원회,

최린은 송계백과의 만남 이후에 본격적으로 독립운동을 기획하기 시작했다. 2·8독립선언이 결정적인 계기를 만들어준 것이었다. 2·8 독립선언은 단순한 독립선언의 가치만을 가지고 있는 것이 아니라 국내에서의 3·1독립선언서의 사상적 모티브를 제공하고 있었다.

2·8 독립선언은 윌슨의 14개 조항과 민족자결의 원칙을 근거로 재미교포사회가 이승만과 정한경을 파리강화회의에 대표로 파견하기로 했다는 소식을 접하면서 촉발되었다. 동경의 유학생들을 중심으로 민족자결의 원칙에 대한 토론과 웅변대회를 통해서 독립운동에 대한 정당성을 확인했으며 이를 근거로 독립선언서를 작성했던 것이다.[158]

춘원 이광수에 의해서 작성된 '조선청년독립단'의 독립선언서는 조선민족의 독립이 가지는 정당성을 정의와 자유에 의거한 것임과 정의와 자유민주주의의 새로운 국가건설을 천명했다. 그리고 결의문에서 그들은 독립의 주장과 함께 조선 민족 대회의 소집을 요구하고 민족자결의 원리에 따라 독립문제를 처리해 줄 것, 이에 응하지 않을 경우 일본에 대한 영원한 혈전을 벌일 것이라고 선언했다.[159] 이 선언은 일본의 침략을 힘이 없는 백성의 당연한 순리로 받아들여야 한다는 사회진화론적 인식을 정면으로 거부한 것이었다. 이는 3·1독립선언서에서 그대로 이어지고 있다는 점에서 동일한 지향점을 가지고 있었음을 알 수 있다. 최린이 동경의 소식을 전해들었을 때 흥분하고 감격했던 이유였다.

한편 그 시기에 국내에서는 고종의 갑작스러운 붕어(崩御)로 일본당국을 긴장시키고 있었다. 특히 고종의 죽음에 대한 여러 소문들이 퍼져

1971) pp.182~183.

158 송지예, "우드로 윌슨의 '민족자결'과 2.8 독립선언", p.16.

159 국사편찬위원회, 『한국사—일제의 무단통치와 3·1운동』(서울:국사편찬위원회, 2013), pp.316~317.

나가면서 심상치 않은 분위기가 감지되고 있었다.

> 광무태황제가 이 왕세자와 나시모토 공주의 결혼식 나흘 전에 승함으로써 스스로 목숨을 끊었다는 소문을 불러일으켰다. 말도 안되는 소리다! 이미 큰 굴욕을 감수한 터에 작은 일 때문에 목숨을 끊었을 리 없다. .... 모든 사람들이 광무태황제가 만약 병합되기 전에 승하했더라면, 아무도 슬퍼하지 않은 상태에서 이 세상을 하직했을 것이라는 점에 동의한다. 그리고 조선인들은 지금 바로 자신들의 설움 때문에 눈물을 흘리고 있고, 광무태황제를 위해 폭동을 일으키려고 하는 것이다![160]

윤치호는 1919년 1월 26일 고종의 갑작스러운 붕어가 조선인들의 울분을 자극하고 있고, 폭동의 조짐까지 보일 정도로 상황이 악화되고 있음을 일기에 기록했다. 또 다른 소문에 고종의 죽음이 일제의 독약에 의한 것이라는 독살설이 퍼지면서 일본에 대한 불만과 울분을 촉발시키고 있었다. 이러한 정국의 흐름은 거사를 계획하고 있던 이들에게 거사를 실행할 수 있는 절호의 기회로 인식하기에 충분했다. 고종의 장례식을 위해 모여들 군중들에게 독립의 당위성과 참여를 이끌어 내기에 용이했기 때문이었다.[161]

민족자결의 원칙과 파리강화회의 개최에 대한 소식이 국내로 전해지기 시작한 것은 1919년 1월이었다. 1918년 11월 상해에서 여운형, 장덕수, 조동호, 김철, 선우혁 등이 중심이 되어 '신한청년당'이 조직되었다. 그런데 그달 27일에 윌슨 대통령의 비공식 특사였던 찰스 크레인(Charles Crane)이 상해를 방문했다. 그리고 신한청년당의 실질적 지

160 윤치호, 『윤치호 일기』, 1919년 1월 26일.
161 국사편찬위원회, 『한국사-일제의 무단통치와 3 · 1운동』, pp.318~319.

도자였던 여운형을 만나 민족자결의 원칙에 대한 설명과 파리강화회의에 한국 대표를 파견해 독립을 청원할 것을 권유했다. 자신이 그 일을 적극적으로 도울 수 있다는 취지로 말함으로써 여운형을 고무시켰다. 여운형은 장덕수를 통해 크레인에게 청원서를 작성하여 보냈다.[162] 한편으로는 김규식을 파리강화회의에 파견하기로 결정했다. 그러나 여기에는 반드시 포함되어야 할 것이 있었다. 그것은 국내외의 조선인이 일본에 복종하지 않는 모습이 필요하다는 크레인의 조언에 따라 독립의 의지가 시위형태로라도 표출되어야 한다는 것이었다.[163] 상해에서의 움직임이 국내에 알려진 것은 2월 중순이 되어서였다. 이미 3·1운동의 거사 천도교와 기독교 지도자들에 의해서 준비가 진행되고 있던 시점이었다. 국내에서도 민족자결과 파리강화회의에 대한 소식을 접하고 해외의 움직임을 파악하고 있었던 것이다.

1월 하순 경 동경유학생으로 조선독립청년단의 일원으로 국내에 들어와 동경유학생들의 거사 준비 계획을 알리고 한글활자와 독립자금을 모금하려 했던 송계백이 국내로 비밀리에 들어왔다. 송계백으로부터 동경유학생들의 독립운동 동향을 전해들은 최린은 보성중앙학교 교장인 송진우(宋鎭禹), 교사인 현상윤(玄相允), 최남선(崔南善) 등과 함께 이 운동의 방향에 대해서 모의하기 시작했다.[164]

그 첫 번째 방안으로 추진된 것이 이 운동을 이끌어 줄 지도자를 섭외하는 것이었고, 그 대상은 윤용구(尹用求), 한규설(韓圭卨), 박영효(朴泳孝), 윤치호(尹致昊)등 이었다. 최린이 한규설을, 최남선이 윤용구,

162 박찬승, 『1919: 대한민국의 첫 번째 봄』(서울:다산북스, 2019), p.58.
163 위의 책, p.63.
164 송지예, "우드로 윌슨의 '민족자결'과 2.8 독립선언", p.7.

윤치호를, 송진우가 박영효를 맡아 설득했지만 한규설만 신중히 생각한다고 말할 뿐 나머지 인사들은 응하지 않았다.[165] 그때 최남선이 제안했던 것이 기독교 측의 움직임에 대한 소문이 있으니 기독교 측과 이야기하자는 것이었다. 최남선의 제안에 따라 기독교 측을 대표할 수 있는 인물로 이승훈을 떠올리고 그에게 연락을 시도하였다. 2월 8일 현상윤이 김도태를 통해 이승훈과 연락이 닿았다. 이후 2월 11일 이승훈이 서울에 도착하여 최린 등과 회동하고 이승훈이 기독교 인사들의 참여를 설득하기로 함으로써 천도교와 기독교의 연합으로써 3·1운동의 거사가 본격적으로 추진되었다.[166]

4.3.2. 3·1운동의 준비과정

〈표 6〉 3·1운동 계보도[302]

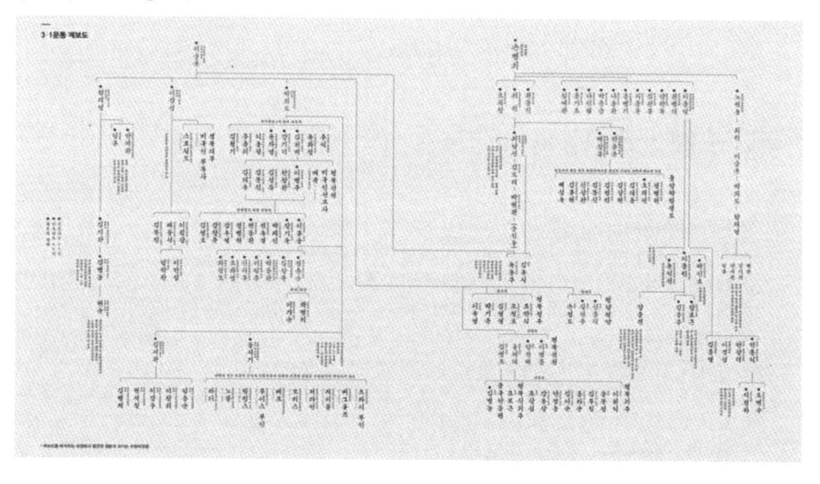

---

165 최린, "자서전", p.185. 윤치호는 1919년 1월 28일 자신의 일기에서 최남선이 찾아왔던 일을 기술하고 있다. 그리고 최남선의 말에 침묵했다고 전한다. 29일 일기에서 거사에 반대하는 뜻을 분명하게 피력한다.

166 위의 책, p.186.

167 http://news.kbs.co.kr/news/view.do?ncd=4154193.

일제가 3·1운동이 한참 전개되어가던 시점에 작성한 이 운동의 계보도에 따르면 기독교를 대표하는 인물은 함태영, 이승훈(李昇薰, 1864~1930)[168], 박희도(朴熙道, 1889~1951)[169]였다. 그리고 천도교에서는 손병희를 정점으로 오세창과 최린 등이 주도적인 인물이었다. 이것은 그들이 작성한 신문조서 등을 통해 종합적으로 작성한 결과를 토대로 만들어 놓은 것이었다. 기독교를 대표했던 함태영과 이승훈은 서북지역과 서울의 기독교 대표들을 규합하는 역할을 담당했고, 박희도는 YMCA 학생들을 담당하는 역할이었다. 이 계보도에 따르면 기독교계에서는 남강 이승훈이 대표자로 나왔지만 실질적인 실무를 대표했던 인물은 대외적인 실무와 기획을 담당했던 함태영이었다.

2월 11일 최린과의 만남을 통해 거사의 계획을 전해들은 기독교계의 이승훈은 선천으로 돌아가기 전 남대문교회에서 함태영과 이갑성을 만나 천도교와 논의했던 계획을 알렸다.

본년 일(一)월 이십삼(二十三)일경 삼(三)·사(四)년래 친하게 지내는 정주

168 본관은 여주(驪州). 아명은 승일(昇日), 본명은 인환(寅煥). 호는 남강(南岡). 평안북도 정주 출신. 평양에서 사업을 통해 큰 부호가 되었으나 1904년 러일전쟁으로 사업에 실패하고 고향으로 낙향하였다. 1907년 7월 평양에서 안창호(安昌浩)의 「교육진흥론」 강연을 들은 후 비밀결사 신민회에 가담하였다. 11월 24일 중등교육기관으로 민족운동의 요람인 오산학교(五山學校)를 개교해 교장이 되었다. 교육사업에 헌신하면서 민족운동에 가담하던 중 1911년 2월 안악사건(安岳事件)에 연루되어 제주도에서 유배생활을 하였다. 이 해 가을에 105인사건이 일어나 주모자로 인정되어 제주도에서 서울로 압송되었다. 1912년 10월 윤치호 등과 함께 징역 10년을 선고받고 1915년 가출옥하였다. 오산학교로 돌아와 학교와 교회일에 정성을 다하였다. 출옥 즉시 세례를 받고 장로가 되었다가 신학을 공부하기 위해 평양신학교에 입학하였다.

169 15세 무렵 기독교인이 되었고, 일찍이 해주군 교회의 전도사로 활동하였다. 1916년 6월 조선중앙기독교청년회(오늘의 대한기독교청년회연맹, 약칭 YMCA)의 회원 확대 운동에 가담하여 크게 활약하였고, 함흥 소재 기독교계 보통학교인 영신학교(永信學校)의 교감으로 재직하였다. 1916년 10월 장낙도 · 유양호 등 중앙교회 목사와 함께 중류이하 자제를 대상으로 하여 기독교적 민족교육을 표방한 중앙유치원을 설립하였다. 1918년 6월 감리교 창의문밖교회 전도사가 되었고, 9월 조선기독교청년회 회원부 간사로 취임하였다.

(定州)의 이승훈(李昇薰)이가 찾아와서 경성에는 아무 일도 없느냐고 물으므로 나는 이태왕전하의 흥거 때문에 혼란하지 다른 일은 없다고 대답하였다. 동인은 자기가 묻는 것은 그런 일이 아니라 목하 강화회의에서 미국대통령이 민족자결을 제창하고 있는 때인 만큼 우리 조선 사람이 조선 독립운동을 할 좋은 기회가 아니냐고 하면서 해외에 있는 동포는 이 일에 대하여 비상한 관심을 가지고 있는데 국내에 있는 자들이 아무것도 안하고 침묵을 지키고 있을 수가 있겠는가. 경성(京城)에서는 이 일을 어떻게 생각하고 아무것도 아니하느냐고 하므로 나는 경성에서는 누구든지 그런 생각을 가지고 있는 것 같지 않다고 하였다. 동인은 그런 것은 불가하다고 말하면서 실은 자기는 어떤 동포로부터 통지가 있어 왔는데 경성에도 조선 독립운동을 계획하고 있는 사람이 있으며 그런 것을 그대가 알지 못하는 것은 통지하는 사람이 없기 때문이라고 하였다. 나는 동인에 대하여 누구의 통지를 받고 왔느냐고 물으니 최남선(崔南善)의 통지에 의하여 왔다고 하였다. 동인은 아침을 같이한 후 문안에 갔다가 오후 칠(七)시경에 다시 와서 오늘밤 열차로 정주(定州)로 돌아간다고 하였다. 발차시간이 여유가 있어 열차시간을 기다리고 있을 때 나는 동인에 최남선(崔南善)과 말한 것을 물었더니 공인은 최(崔)는 만나지 못하였으나 조선 독립운동을 할 사람이 있는 것을 알았으므로 자기는 일단 시골로 돌아갔다가 다시 상경하겠노라는 대답을 하므로 나는 그가 누구이냐고 다시 물었다. 동인은 확실한 대답으로 이곳 천도교의 손병희 등과 합동하여 독립운동할 것을 서로 의논하였다고 하였다.[170]

이승훈과 생각이 크게 다르지 않았던 함태영과 이갑성은 이 운동에 동참하기로 했다. 이갑성은 세브란스의전의 학생YMCA를 중심으로 학생들을 규합해 나갔고, 함태영은 장로교와 감리교의 합동을 주도하는 일을 맡았다.[171]

170 「함태영 경찰신문조서」, 1919년 5월 22일. 함태영은 1월 23일이라고 말하지만 정확히는 2월 11일에 이승훈과 함태영이 만났다.

171 장규식, "3 · 1운동과 세브란스", 「연세의사학」 제12권 제1호, 2009년 6월호, p.34.

그러나 이후에 열흘 동안 거사와 관련한 천도교와 기독교 간의 논의가 더 이상 진척되지 못했다. 그것은 기독교 내부적으로 이 운동에 참여를 설득해야 할 시간이 필요했다. 당시 한국교회가 민족운동에 참여하기 위해서는 두 가지의 어려움을 극복해야 했다. 첫 번째는 장로교와 감리교가 연합해야만 기독교 전체가 참여하는 것으로 볼 수 있었다는 점이다. 한국교회는 장로교와 감리교의 두 교파가 양분하고 있었다. 특히 교계예양(敎界禮讓)을 통해 선교지를 분할하고 있었기 때문에 장로교와 감리교의 각각 관할 지역에는 상호 간에 간섭하지 않고 독립적으로 활동하도록 했다.[172] 따라서 장로교회와 감리교회가 뜻을 같이해야만 전국의 교회들을 동참시킬 수 있었다.

다른 한편으로는 1907년 이후 한국교회가 비정치화를 지향하고 있었다는 점이다. 한국교회는 선교사들로부터 영미식의 복음주의 신앙으로부터 강하게 영향을 받았다.[173]하지만 초창기 한국교회 주류를 이루었던 교인들은 선교사들의 기대와는 다르게 기독교를 통해 문명개화와 부국강병을 이룰 수 있다고 믿었던 개화파 지식인 그룹들이 교회로 들어오면서 교회의 정치사회 문제의 참여는 당연한 것으로 받아들여졌다. 그들에게 민족의 문제는 곧 신앙의 문제로 해석되었다. 선교사들의 눈에 정치문제에 참여하게 될 경우 한국교회는 신앙의 본래성을 갖추

---

172 장로교는 4개의 교파가 있었는데 미국 북장로회, 미국 남장로회, 호주장로회, 캐나다장로회, 감리교는 미국 북감리회와 남감리회로 구분되어 있었다. 한국에 왔던 선교사들은 네비우스의 선교방법에 따라 각 교파별로 지역을 나누고 담당시킴으로써 선교적 효율성을 극대화하려 했는데 그것을 교계예양(敎界禮讓)이라고 부른다. 미국 북장로회는 평안도와 경기도, 충북, 경북, 미국 남장로회는 전라도, 호주장로회는 경남과 부산, 캐나다장로회는 함경도 지방을 관할했다. 감리교는 강원도, 인천, 충남 등을 관할했다. 서울과 평양은 장로교외 감리교 공통지역이었다.

173 특히 19세기 미국의 복음주의 신앙으로부터 영향을 받았는데 복음주의는 성서와 체험을 중요시하며 성경적 삶의 변화와 행동을 중요하게 여겼다. 경건에 있어서도 부흥회적인 경건을 추구하는 특징을 가지고 있었다.

지 못하고 정치문제에 따라 부침을 겪고 바르게 세워지지 못할 것이라는 우려를 낳았고 이는 1907년의 대부흥운동을 통해 한국교회 주류교회와 대부분의 교인들이 갖는 인식이었다. 신앙과 한국를 하나로 보는 그룹은 지역적으로 서울을 중심으로 한 기호지역에 가깝고 신앙과 정치를 분리하는 그룹은 평양을 중심으로 한 서북지역에 가까웠다.

주류의 한국교회가 이 운동에 참여했다는 것은 앞에서 언급한 문제들이 극복되었음을 의미하는 것이었다. 각 교파와 지역, 그리고 사회에 대한 서로 다른 인식을 하나로 묶어주는 사상을 제공하고 설득하는 역할을 했던 인물이 남대문교회 조사였지만 한국장로교회를 대표하는 위치에 있었던 함태영이었다.

함태영과 이승훈은 1915년부터 2년간 평양신학교에서 함께 공부했던 막역한 사이였다. 그들은 평양신학교에서 함께 구약을 배웠고 하나님의 의(義)와 정의(正義)의 개념을 공유했다.[174] 신학적 인간학을 통해 인간의 존엄적 가치가 기독교 신앙으로부터 왔으며 죄와 구원, 성화에 대해서 배웠다.[175] 그들의 신학적 지향은 개인의 구원에만 머물지 않았다. 민족과 국가 차원의 구원으로까지 이해하고 있었다. 그러한 공통적인 인식이 있었기에 두 사람이 적극적으로 이 운동에 참여할 수 있었던 것이다.

함태영, 이갑성(李甲成, 1889~1981)[176]과 회동했던 이승훈은 선천으로 돌아가 동지들을 규합했다. 그가 만났던 인사들은 장로교의 직전 총

---

174 이만열, "남강 이승훈의 신앙", 『한국기독교와 민족의식』(서울: 지식산업사, 1991), p.317.
175 김인수, 『장로회신학대학교 100년사』, p.113.
176 호는 연당(研堂). 1915년 세브란스 의학 전문학교를 졸업하고 1919년 최연소로 3.1운동 민족대표 33인의 한 사람으로 민족독립선언서에 서명했다. 1931년 신간회 사건 때 상해로 망명 독립운동을 계속했다. 광복을 맞아 독립촉성국민회를 결성했고 1950년 제2대 민의원 1953년 자유당 최고위원이 되었다. 1965년 광복회장에 취임해 독립유공자들의 복지를 위해 노력했다.

회장을 지냈던 양전백, 이명용, 유여대, 김병조 목사 등이었다. 그리고 이들로부터 참여 승낙을 받은 뒤에 14일에 평양 기홀병원에서 평양의 길선주(吉善宙, 1869~1935)[177]와 감리교의 신홍식(申洪植, 1872~1937)을 만나 이들의 참여도 승낙을 받았다. 한편 서울의 함태영은 16일 상해에서 여운형이 보낸 자신의 동생 여운홍을 만나 민족자결의 원칙과 파리강화회의의 파견 계획, 청원서를 보낸 사실들에 대한 이야기를 들을 수 있었다.[178]

이승훈은 17일 다시 서울로 와서 천도교 측 인사들과 접촉했지만 더 이상의 진전을 보지 못했다. 이승훈은 이에 20일 나름대로 기독교측 인사들을 규합하기 위해 박희도와 감리교측 인사들, 오화영, 정춘수, 오기선, 신홍식 등과 만나 의견을 교환하고 서울과 각 지방의 동지를 구할 것과 일본에 독립청원서를 제출하기로 결정했다.[179]

20일 밤에 함태영은 이승훈의 방문을 받았고 감리교 인사들과의 결정사항들을 들었다. 이 자리에 함께 했던 이갑성, 안세항[180], 장로교 조사 오상근, 감리교 목사 현순 등과 함께 협의를 진행했지만 별다른 진전을 이루지 못했다. 서로 간에 생각하는 바 의견이 나뉘고 있었다. 그러나 다음날인 21일 오후에 이승훈이 최남선과 천도교의 최린을 만나서 천도교와 기독교가 합동으로 진행할 수 있도록 천도교측에서 5천원을 지원하기로 합의하면서 이승훈은 다시금 기독교측 인사들의 뜻을 전하기로 함으로써 진전이 이루어졌다.[181]

177 1907년 평양대부흥운동의 주역으로 일제강점기를 대표하는 부흥사였다. 당시 평양과 한국 장로교회를 대표하는 인물이었다.
178 여운홍, 『몽양 여운형』(서울:청경각, 1967), p. 33~34.
179 삼일정신선양회, 『3 · 1 운동사』, p. 18.
180 당시 평양기독교서원총무.
181 「3 · 1운동 예심결정서」, 『동아일보』, 1920년 4월 6일자.

그러나 3·1운동의 거사에 대한 구체적인 계획은 생각보다 더디게 준비되고 있었다. 기독교측에서 참여를 진전시키고 있을 무렵은 거사를 계획하고 있던 날로부터 불과 1주일도 남지 않은 시점이었다. 기독교 내부에서 논의가 늦어진 데는 몇 가지 해결해야 할 문제들이 있었기 때문이었다. 함태영은 기독교 내부의 견해를 하나로 모으고 설득하는데 중요한 역할을 담당하고 있었다. 그가 가지고 있었던 한국교회 내에서의 위상과 신학적 구조, 그리고 사회적 위치와 권위가 있었기 때문에 가능한 일이었다.

4.3.3. 기독교 내부의 논쟁과 함태영의 역할

4.3.3.1. 독립운동 방식의 문제 – 비폭력 무저항 운동

3·1운동의 가장 큰 특징 중의 하나는 천도교와 기독교, 불교의 종교적 연합이 이루어졌다는 점이었다. 천도교는 동학을 뿌리로 하는 민족종교의 성격을 가지고 있었고, 불교는 민간에서 가장 폭넓게 받아들이고 있었던 고유의 종교였다. 반면에 기독교는 서양에서 들어온지 40년이 채 되지 않은 종교였다. 기독교를 외세의 종교라면서 타도해야 한다고 주장했던 동학교도들의 주장을 생각하면 이들의 합동은 그 자체로 놀라운 일이었다. 그러나 천도교와 기독교가 합동하는 과정이 순탄했던 것은 아니었다. 천도교가 기독교를 참여시켰던 가장 큰 이유 중의 하나는 기독교가 교세는 천도교에 비해 크지 않았지만 전국적인 조직을 갖추고 있었고, 교회뿐만 아니라 대부분의 사립학교가 기독교 계동의 학교였기 때문에 학생들을 참여시키는데 용이했기 때문이었다.[182] 민

182 이만열, "기독교와 삼일운동(1)", 「현상과 인식」3권 1호, 1979년 4월, p.63.

족대표 가운데 박희도와 이갑성이 참여한 것도 기독교 학교들을 대표하는 것이었으며 학교는 종교적인 의미로써가 아니라 당시의 젊은이들과 지식계층을 참여시키는 가장 중요한 과제였다. 천도교 입장에서 기독교의 참여는 이 운동을 성공적으로 이끄는데 상당히 중요한 의미를 갖는 것이었다.

21일 이갑성의 집에서 기독교의 장로교와 감리교 인사들이 처음으로 한자리에 모였다. 이 자리에 참석한 인사들은 장로교 측에서 이승훈, 함태영, 이갑성, 안세환, 김세환, 김필수, 오상근, 감리회 측에서 박희도, 오화영, 신홍식, 오기선, 현순 등이 모였다. 이 자리에서 두 가지를 결의하였는데 첫 번째는 천도교의 독립운동 방법을 분명하게 확인한 후에 참가여부를 결정할 것이라는 것과 기독교 측을 대표하여 이승훈과 함태영에게 전권을 일임한다는 것이었다. 아울러서 이갑성을 경상남도에 김세환을 충청남도에 파송하도록 했으며, 현순으로 하여금 상해로 건너가 파리강화회의의 상황을 파악하고 구주(歐洲)지역에 서면을 발송할 여부를 계획하게 했다.[183]

이날 가장 논란이 되었던 문제는 천도교의 독립운동 방법을 받아들일 수 있는지에 관한 것이었다. 이것은 그동안 천도교가 보여 왔던 독립운동 방식에 대한 의구심에서 비롯된 것이었다. 천도교는 최제우가 구한말에 창시했던 동학을 기반으로 발전한 종교였다. 동학은 기본적으로 봉기와 투쟁을 상징하는 구한말의 대표적인 민중봉기의 성격을 가지고 있었다. 그러다가 일제강점기로 넘어오면서 친일단체였던 일진회와 관련성 때문에 교세가 급격히 줄었다가 손병희에 의해서 천도교로 재건되면

183 『동아일보』, 1920년 4월 7일.

서 교세의 확장을 이루고 있었던 상황이었다. 천도교에 대한 인상은 동학과 연결되어 있었기 때문에 무장투쟁에 대한 우려를 가지고 있었던 것이다.[184] 이러한 우려는 3·1운동 준비 내내 기독교 내에서 가장 큰 이슈였으며 이 우려가 제거되지 않으면 천도교와 기독교의 합동은 사실상 좌절될 위험성을 가지고 있었다.

기독교 측 인사들은 천도교에서 만주로부터 무기를 들여와 무장봉기를 준비하고 있다는 소문의 진위여부를 확인하고자 했다. 기독교는 기본적으로 무장투쟁 방식 자체에 대한 거부의식을 가지고 있었다. 그것은 무장투쟁이 지니는 성격 자체를 정치투쟁으로 보기 때문이었다. 이 소문의 진위는 23일 이승훈과 함태영이 최린과 만나 확인함으로써 근거없는 것으로 결론이 났다.[185]

이 논쟁이 중요했던 이유는 이 운동에 참여하는 기독교인들이 이 운동의 저항방식이 철저하게 비폭력 무저항의 방식이어야 한다는 점을 분명히 하고 있었기 때문이었다.

한국교회 내부는 저항의 방식에 따라 크게 세 그룹으로 나누어져 있었다. 첫 번째 그룹은 일본에 저항하기 위해서는 무력투쟁도 불사해야 한다고 주장하는 그룹이 있었다. 1905년 을사늑약이 있었을 때 이에 분노한 기독교인들 중에는 도끼를 메고 궁궐로 달려가 상소를 올리거나 을사 5적에 대한 암살을 모의하기도 했었다.[186] 경기도 양주의 홍대순

---

184 이동초, 『천도교 민족운동의 새로운 이해』(서울:도서출판 모시는 사람들, 2010), p.137. 당시 천도교의 민족대표에 선정된 인물들 가운데는 손병희에 의해서 천도교에 입교한 인물들과 동학농민운동에 참가했던 인물들, 그리고 평안도 지역의 도사들로 이루어져 있었다.

185 최린, "자서전", p.189. 천도교에서도 이미 교주인 손병희가 2대 교주인 최시형의 명에 따라 비폭력을 이 운동의 핵심적인 방향 중에 하나로 설정하고 있었다.

186 한국기독교역사연구회, 『한국기독교의 역사 Ⅰ』(서울: 기독교문사, 1992), p.295. 이때 참여했던 인사들은 전덕기, 김구, 이동녕, 옥관빈, 조성환, 이지간 등은 상동교회에 모여 구국기도회를 마치고 도끼를 메고 궁궐로 나가 상소문을 올렸으며 정순만 등 평안도 장사 수십

목사는 대한문 앞에서 자결했고 기독교 교육가였던 정재홍은 이토 히로부미 암살을 기도하다가 실패하자 스스로 목숨을 끊기도 했다.[187] 이들에게 교회는 독립운동과 무장투쟁의 근거지처럼 인식되었다. 그러나 그들에게는 개인구원의 의식은 없었다. 국가의 독립을 이루는 것만이 절대과제였고 무력투쟁이 그들의 저항 방식이었다.

두 번째 그룹은 윤치호와 안창호와 같은 인물들이 주도했던 '실력양성운동'의 방법을 내세웠다. 이것은 사회진화론적 접근의 방법으로 일본을 극복하기 위해서는 힘(실력)을 길러서 일본에 대항해야 한다는 논리를 가지고 있었다. 그러나 이들에게는 일본의 식민지 지배를 인정해야 한다는 한계를 가지고 있었다. 무력과 실력으로 일본에 저항하려고 했던 그룹은 한국교회의 주류가 아니었다. 대부분의 한국교회는 1907년 대부흥운동의 영향과 신학 아래에 있었다.

세 번째 그룹은 3·1운동에 참여했던 주류의 한국교회들이었다. 1907년 이후 한국교회는 백만인구령운동을 거치면서 신학적인 특징을 형성하고 있었다. 그것은 개인구원을 중심으로 하고 있었으며, 교회중심, 비정치화를 중심에 두고 있었다. 이들에게는 역사의 주관자는 하나님이라는 인식이 뚜렷했다. 역사를 이끌어 가는 것이 어떤 힘이나 무력이 아니었다. 구원받은 기독교인들은 하나님의 의를 실천해야 했으며 그래야만 하나님의 역사를 볼 수 있었다. 그것은 개인뿐만 아니라 국가차원의 문제에서도 마찬가지였다.

기독교인들에게 중요한 것은 언제나 개인의 영혼을 구원하는 것이었고, 그들을 구원하는 것이 기독교의 사명이었다. 누군가를 죽이거나

명은 을사5적을 암살하려고 모의했다.

187 김명구, 『한국기독교사 1 – 1945년까지』, p.246.

해를 가함으로써 얻어지는 것은 그 자체가 불의한 것으로 간주했다. 개인 구원의 의식은 국가의 문제에서도 그대로 적용되었다. 우리가 일본으로부터 억압을 받고 착취를 당하는 것은 불의한 일이었고, 부당한 일이었다. 일본으로부터 나라를 잃었다는 것이 개인과 무관한 것이 아니었다.

그것을 회복하기 위해서는 일본을 인정하거나 일본을 무력으로 무찔러서 되는 것이 아니었다. 일본에 대한 가장 강력한 저항은 일본 스스로가 자신들의 불의함을 깨닫고 돌아서게 하는 것이었다. 정의를 위해 무력이나 폭력을 사용하는 것은 그 자체로 정치적인 것이었으며 불의한 것이었다. 민족에 대한 사랑을 당연한 것으로 여기고 있었고 국권회복을 위해 기도했던 한국교회였다. 비폭력 무저항은 기독교인들이 이 운동에 적극적으로 참여했던 가장 중요한 요인이었다.[188]

비폭력 무저항의 방법은 투쟁적이거나 혁명적인 방법을 의미하지 않는다. 그것은 도덕적인 저항방법일 뿐만 아니라 합법적인 투쟁을 의미하는 것이었다. 공약삼장은 다음과 같이 세 가지 행동강령을 명시해 놓았다.

> 하나, 오늘 우리들의 거사는 정의·인도·생존·번영을 찾는 겨레의 요구이니, 오직 자유정신을 발휘할 것이고, 결코 배타적 감정으로 치닫지 말라.
> 하나, 최후의 일인까지, 최후의 일각까지 민족의 올바른 의사를 당당하게 발표하라.

188 함태영, “기미년의 기독교도”, 「신천지」 1946년 3월(통권 2호, 제1권 제2호), p.56.

> 하나, 모든 행동은 먼저 질서를 존중하여 우리들의 주장과 태도를 어디까지나 공명정대하게 하라.[189]

일본이 가장 문제시 삼았던 것이 2항이었다. "최후의 일인까지, 최후의 일각까지 민족의 올바른 의사를 당당하게 발표하라"는 것이었다. 여기에는 끝까지 정의를 고수하고 도덕적 정당성을 포기하지 않을 것이라는 강한 의지를 보여주고 있었다. 이는 일본의 입장에서 선동으로 느껴질 정도로 강력한 의미를 가지고 있었다.

기독교 측의 대표로 전권을 위임받았던 함태영은 단순히 이 운동을 민족주의 이데올로기적인 감정에 사로잡혀 참여하거나 진행시킨 것이 아니었다. 뚜렷한 신념과 사상을 법학과 신학으로부터 공급받았고 이를 민족 속에서 투영시키려고 했다. 함태영은 기독교인들과 천도교인들의 인식차이를 해소하는데 주력했다. 그 핵심적인 내용이 바로 비폭력 무저항이었다.

이러한 비폭력 무저항의 정신은 이후 기독교 사회운동과 정치참여에 있어서 중요한 이정표를 제시해 주는 것이었을 뿐만 아니라 한국사회에서 저항의 방법론에서 중요한 의미를 갖는 것이었다. 천도교에서도 기독교의 이러한 태도와 의구심을 이해하고 있었고, 그러한 방식을 명확하게 할 필요가 있음을 인정하고 있었다.[190]

189 「기미독립선언서」, 현대어 번역본.

190 최린, "자서전", p.189. 최린이 이승훈과 함태영으로부터 기독교계의 의구심을 전해들었을 때 헛소문으로 가볍게 넘긴 것은 최린이 손병희로부터 이 운동에 대한 교지를 받았을 때 가장 중요한 목표 중의 하나가 비폭력 운동이어야 한다는 점이었다. 이는 2대 교주였던 최시형이 손병희에게 전했던 유훈으로 당시 천도교의 중요한 활동지침으로 받아들여지고 있었다.

4.3.3.2. 독립선언과 독립청원의 문제

기독교 내부에서 일어났던 또 하나의 논쟁은 이 운동이 독립선언을 하기 위한 운동인지 청원을 하기 위한 운동인지에 대한 것이었다. 독립선언과 독립청원은 일견 같은 것처럼 보이지만 사실 독립선언이 훨씬 더 강력한 독립의 의지를 표명하는 것이었고 일본에 대한 저항적 성격이 훨씬 더 강했다. 하지만 선언은 자칫 정치운동으로서 비쳐지기에 충분했다. 따라서 기독교 내부에서는 대부분 이 운동이 독립청원의 성격으로 진행되어야 함을 주장하고 있었다.[191] 함태영 또한 그들의 생각과 다르지 않았다. 그 또한 독립청원이어야 한다고 생각했다. 이는 3·1운동 후 체포되어 신문 과정에서 명확히 드러난다.

문: 그대들이 생각하고 있었던 청원서의 취지와 이 통고문과는 같은 것이었는가.

답: 단순히 청원서라고 하는 것과 통고문이라고 하는 제목이 다를 뿐으로 내용은 같을 것으로 생각한다.

문: 선언서를 발표한 취지는 무엇인가.

답: 우리들은 이에 독립을 선언한다. 조선민족인 이상 우리들과 같은 의사를 가지고 같은 의사를 발표하라는 것을 널리 민족에게 알리기 위하여 발표하기로 되었던 것이다.

(중략)

문: 피고는 조금 전에 진술한 것과 같은 운동 방법을 실행하면 어떤 이유로 조선의 독립을 얻을 수 있다고 생각했는가.

---

191 "양전백 신문조서", 이병헌, 『3 · 1운동 비사』, p.263. 양전백은 함태영이 독립선언서를 가져왔을 때 청원은 찬성했지만 선언서의 내용은 불찬성이었다고 말했다.

답: 그런 식으로 하면 현명한 일본정부는 곧 조선의 독립을 승인해 주리라고 생각했다. 일본은 이쪽에서 청원하지 않더라도 독립시켜 줄 것이지마는 그것보다는 역시 이쪽에서 청원하는 것이 좋을 것이라고 하여 청원하게 된 것이다.

문: 그것은 막연한 진술인데 평화회의에 의존한다는 것인가. 일본 정부에 의존한다는 것인가. 어느 것인가.

답: 일본정부의 의향에 의하여 독립을 얻으려고 생각했으므로 서양의 힘을 빌려서 독립을 하려고 한 것은 아니다.

문: 그러면 파리의 평화회의나 미국 대통령에게 서면을 낸 것은 무슨 까닭인가.

답: 그것은 민족자결 등의 일이 강화회의에서 비로소 나왔으므로 우리들도 그 민족자결에 의하여 이번에 독립을 희망했다는 것을 알리기 위한 것이었다.

문: 그러한 취지라면 일본정부에 서면을 내는 것으로 충분한 것인데, 그것을 평화회의나 미국 대통령 쪽에 서면을 낸 것으로 보아 강화회의나 미국 대통령의 힘을 빌어서 일본을 움직이 게 하려고 한 것으로 보이는데 어떤가.

답: 그런 생각은 없다. 만약 그렇다면 처음부터 일본에 서면을 제출할 필요가 없었을 것이다.

문: 그리고 그 자결이란 것이 자기들이 자결해서 독립했다는 것을 알릴 생각이었는가.

답: 독립선언과 동시에 독립했다는 의미는 아니다.

문: 그러나 통고문을 보낸 것으로 보아 벌써 자기들이 독립했다고 정해 놓고, 그것을 알리는 것처럼 되어 있으니 선언서도 역시 독립했다는 것

이 아닌가.

답: 그렇지 않고 역시 독립하고 싶다는 청원이다.[192]

22일 기독교인들의 회동을 통해서 전권을 위임받은 함태영이 해야 할 일은 크게 두 가지였다. 천도교와의 합동을 성사시키는 것과 기독교 내부를 결속시키는 일이었다. 서울에서 기독교 측을 대표해서 실무를 담당했던 인사는 함태영이었다. 그리고 기독교 인사들의 주요 거점이 되었던 곳도 세브란스 병원 내에 있었던 함태영의 사택이었다. 함태영은 최린과의 회의를 통해서 거사의 날짜를 정하고 독립선언서와 청원서의 초안 작성 및 출판 배포 등과 관련한 제반 실무를 관장했다.[193] 기독교의 함태영과 천도교의 최린이 실제적인 실무 책임자였던 것이다. 두 사람은 특히 모두 법학을 공부한 사람들로 법적인 처리 과정에 밝은 사람들이었다. 독립선언이냐 독립청원이냐 하는 문제가 대두되었을 때 최린과 함태영 모두 독립선언이 조선 민족을 대변하는 것으로서 효력이 있음에 동의함으로써 독립선언으로 일단락을 지었다. 그것이 독립청원을 견인하기 위한 가장 강력한 수단으로 인식할 수 있기 때문이었다. 3·1운동의 운동 방향이 이 두 사람에 의해서 결정된 것이다.[194]

함태영은 사실 독립선언과 청원에 대한 논쟁이 기독교 인사들 가운데 있을 때마다 독립선언이 되어야 함을 설득했다.

---

192 "함태영의 신문조서" 내용 중.

193 장규식, "3 · 1운동과 세브란스", p.35.

194 최린, "자서전", p.190. 이 자리에는 이승훈이 함께 있었다. 하지만 독립선언서의 내용과 이에 대한 법적인 절차를 진행한 것은 함태영이었다. 함태영이 더 주도적인 위치에서 이 독립선언서의 방식을 채택했을 가능성이 높다.

『이조(李朝)의 사국봉쇠정책에 억눌렷든 우리민족의 진취성(進就性)이 하나님을 섬기는 우리 고유신앙과 영합(迎合)되는 기독교를 마저드려 허다한 순교(殉敎)수난을 통하여 신리상(新理想)에서 새 세상을 동경하는 우리 민족에게 널리 세계풍조를 수입하여 교화하야 민족을 개명케 한 기독교와 신라고도 경주에서 탄생한 최수운 선생께서 신라 화랑도를 거처 엄연히 흘러내려오는 민족사상을 계승하여 모든 사대사상을 지양(止揚)하고 보국안민(輔國安民) 포덕천하(布德天下)의 강령을 갖인 천도교와 합동하여 성스러운 이 민족운동을 완전하게 일원화시켜 독립을 선언하여야 합니다.』[195]

함태영의 이 주장 속에는 이 독립선언이 독립청원에서 비롯되었다는 것을 강하게 내포하고 있었다. 그 말은 강력한 독립의 선언이 일본 당국과 총독부, 그리고 미국과 파리강화회의에 강력한 독립을 청원하는 것임을 분명하게 해 준다는 것이었다. 독립선언이 일본에 대한 불복종을 의미하는 것이기 때문에 독립을 청원할 수 있는 명분을 갖는다는 것이었다.[196]

비록 일본의 식민지하에서 일본의 법적 테두리 안에 있고 이를 인정하기 어렵더라도 이 운동이 정의로워지기 위해서는 합법적이어야 했고, 일본에 대한 무력이나 무장 폭동으로 이어져서는 안 되는 것이었다. 힘으로써가 아니라 오로지 정의와 인도, 자유의 의지로서 진행되어야만 이 운동이 정당한 운동으로 평가받을 수 있는 것이었다. 그것은 사회진화론자들이 가지고 있었던 의식을 부정하는 것이었고, 일본의 세계관을 정면으로 부정하는 것임과 동시에 저항하는 것이 되었다. 법에서 말하는 정의 관념의 한 흐름 속에는 절차적 정당성이 확보되지 않으면 그

195 삼일정신선양회, 『3 · 1독립운동사』, p.22.
196 함태영, “기미년의 기독교도”, p.55. “먼저 독립선언은 독립청원에서 전개된 것이며....”.

것은 정의롭지 못한 것이 된다. 함태영이 법관양성소에서 배웠던 것 중의 하나가 바로 그러한 절차의 중요성에 관한 것이었다.

따라서 함태영에게 이 독립선언은 청원을 위한 강력한 수단을 의미했다. 일본에 대한 대립과 대결의식 속에서 나오는 것이 되어서는 안 되었다. 그가 선언서에 대표자들의 인감도장을 날인하게 한 것도 이 선언서가 가지는 청원서로서의 법적인 효력을 위해서였다. 함태영에게는 이 모든 절차가 비록 식민지 치하임에도 당시의 합법적이고 정상적인 절차로 진행되어야 했다.

그러한 이유로 최초의 계획을 수정해야 했다. 당초 계획에는 민족대표 33인이 3월 1일 오후 12시에 파고다 공원[197]에서 선언서를 낭독하고 배포하는 것으로 되어 있었지만 28일 회의에서 공원에서 떨어진 명월관에 따로 모여 대표들이 선언서를 낭독하고 총독부에 이 사실을 알리도록 하자는 것이었다. 그리고 파고다 공원에서의 선언은 오후 2시로 시간을 미뤘다. 이는 연희전문 교수이자 선교사였던 베커(Arthur L. Becker, 1879~1978, 백아덕(白雅悳))[198]의 조언에 따른 것이었다. 그것은 대표자들이 선언서를 군중들 앞에서 낭독할 경우 군중들의 감정을 고조시켜 일본을 자극시켜 군중들의 희생이 클 것이라는 것이었다.[199]

또한 이 운동의 성격이 청원의 성격을 가지기 위해서는 군중들의 만세시위로서만 전달되는 것이 아니라 정상적이고 정당하게 일본에 대표들의 인감이 날인된 청원서를 제출할 때 효력이 있었다. 독립선언서가

197 지금의 탑골 공원.

198 정운형, "Arthur L. 베커 선교사와 근대 과학 교육", 「인문과학」, 제111집, 2017년 12월, p.88.), 1903년 4월에 내한했으며 언더우드가 연희전문을 창립할 때 중요한 역할을 담당했다.

199 "박희도 취조서", 이병헌, 『3 · 1운동 비사』(서울:시사시보사출판국, 1959), p.431.

선언과 청원의 동시적인 성격을 가지고 있었음을 의미하는 것이었다. 이에 대표들은 명월관에서 한용운이 독립선언서를 낭독하고 종로 경찰서에 독립을 선언했음을 통지하였다. 그리고 학생단들은 파고다 공원에서 별도로 만세시위를 진행시켰다. 함태영은 서명한 대표자들이 법적으로 내란죄로 처벌받을 수도 있다는 사실을 알렸고 대표들은 자신들이 사형에 처할 수도 있다는 사실을 알고 있었다.[200]

함태영은 '독립선언'이 선언으로서의 의미를 통해 강력한 독립의 의지를 표명할 수 있다고 보았다. 그리고 이는 또한 독립청원을 위해 반드시 필요하다고 본 것이었다. 그것은 독립청원이 결국은 민족 구성원들의 자유의지가 반영되지 않으면 의미가 없었기 때문이었고, 일부의 주장이 되어서는 안 되었기 때문이었다. 누구보다 법적인 효력과 의미를 잘 알고 있는 그였다. 그러나 함태영은 독립선언을 정치적 의미로 해석하는 기독교 인사들을 설득하고 이끌어 내야 하는 과제를 안고 있었다.[201] 정치운동에 대한 강한 거부감을 가지고 있었던 주류의 한국교회들에게 이 운동을 신앙적이고 영적인 차원에서 바라보아야 함을 설득하는 일이었다.

4.3.3.3. 신앙적이고 영적인 운동

기독교인들이 이 운동의 성격을 어떻게 받아들이는가 하는 문제는 상당히 중요한 문제였다. 대부분의 기독교인들은 신앙과 정치를 엄격히 분리시키고 있었다. 특히 목회자가 정치운동에 참여하는 것에 대한 상당한 거부의식을 가지고 있었다. 이 운동이 정치운동으로 비쳐지면 기

200 송건호, "3 · 1운동과 기독교", 「기독교사상」, 23권 3호, 1979년 3월, p.66.
201 "최린의 자서전 중", 이병헌, 『3 · 1운동 비사』, p.54.

독교인들의 참여를 이끌어내기가 상당히 어려웠다. 이러한 상황을 가장 잘 보여주는 인물이 감리교를 대표했던 신석구(申錫九, 1875~1950)였다. 신석구는 인감도장을 함태영에게 맡겼음에도 마지막까지 이 운동에 참여할지를 고민했다. 이유는 이 운동이 정치적인 성격을 띠고 있었고 이에 참여하는 것은 비신앙적인 것으로 받아들였기 때문이었다. 민족운동을 정치운동으로 인식하고 있었던 당시의 기독교인들이었기에 신석구에 있어서도 이 문제는 상당히 중요한 문제였다. 신석구는 이 문제를 놓고 새벽마다 기도하며 신앙적인 답을 구했다. 그리고 2월 27일 새벽에서야 하나님의 음성을 들었다.

> "4천 년 전하여 나려 오던 강토를 네 대에 와서 잃어버린 것이 죄인데 찾을 기회에 찾아보려고 힘쓰지 아니하면 더욱 죄가 아니냐" 이 즉각에 뜻을 결정하였다. 그러나 곧 독립이 되리라고는 믿지 아니하였다. 예수 말씀하시기를 밀 알 하나가 따에 떨어져 죽지 아니하면 그냥 한 알대로 있고 죽으면 열매가 많이 맺힐 터이라 하셨으니 만일 내가 국가 독립을 위하여 죽으면 나의 친구들 수천, 혹 수백의 마음속에 민족정신을 심을 것이다.[202]

신석구는 하나님의 음성을 듣고서야 이 운동에 참여를 결단했다. 그리고 민족대표 33인의 명단에 자신의 이름을 올린 것이 국가의 독립과 민족정신을 심기 위해 죽는 밀알이라고 받아들였다. 국가와 민족을 신앙적으로 승화시키고 있었던 것이다. 한국의 복음주의자들에게 3·1운동은 정치운동이 아니었다. 이것은 국가의 독립을 향한 민족정신을 고양시키기 위한 하나님의 뜻과 사명을 실천하는 것으로 받아들였다.

202 신석구, 『자서전』(서울: 한국감리교사학회, 1990), pp.83~84.

이러한 이해는 평양대부흥운동의 기폭제가 되었던 길선주에게서도 동일하게 드러난다. 길선주는 당시 교파와 상관없이 한국교회를 대표하는 부흥사였다. 사실 3·1운동의 기독교 대표로 길선주가 나섰다는 것은 주류의 한국교회가 참여한다는 것을 의미할 정도로 커다란 의미가 있었다. 이승훈이 선천에 들렀다가 바로 평양으로 가서 길선주를 만났던 것도 길선주의 상징적 위치를 알고 있었기 때문이었다. 3월 1일 황해도 재령 지방에서 부흥회를 인도하고 서울로 향했던 길선주는 오후 늦게 서울에 도착했다. 그리고 경찰에 자진 출두하여 자신이 이 운동에 대표자로 참가한 사실을 알리고 수감되었다.

> "금번 우리가 요구하는 것은 비유컨대 동생이 형에게 대하여 여차히 교육을 성취했으니 나는 형주와 분리해서 독립 자영을 하겠다고 요구함이요, 결코 하등의 반항심으로 요구함이 아닌즉 결코 중대한 죄라 말할 수 없는 것이요……우리가 남의 것이 되었는데 어찌 분한 사상이 없으리오마는 나는 본래 하나님을 믿는 사람인 고로 성경으로써 내 맘을 위안했다."[203]

한국교회 복음주의 신앙의 상징과도 같았던 길선주였다. 그가 신석구와 마찬가지로 이 운동을 신앙적 차원에 승화시키고 있었다. 개인의 영혼구원에 몰두하고 있었던 그들이 국가의 독립을 말하는 이 운동을 신앙적 차원에서 이해하고 받아들이고 있었던 것이다. 개인의 구원과 국가의 구원이라는 이상이 이들에게서 함께 나타나고 있는 것이다. 기독교에서 구원은 죄와 사망으로부터의 해방을 의미한다. 또한 죄로 인해 상실되었던 하나님의 형상으로서의 인간을 회복하는 것을 의미했다. 죄

---

203 이병헌, 『3·1운동 비사』, pp.114~115.

는 하나님과의 관계가 깨진 것인데 하나님의 것을 잃어버린 것 또한 죄였으며 불의한 것을 바로잡지 못하는 것 또한 죄로 간주했다. 신석구의 경우처럼 하나님께서 이 민족에게 은혜를 주셔서 이 땅을 주셨는데 그것을 불의한 일본에게 빼앗긴 것은 죄라고 여긴 것이다. 길선주 역시 자신에게 주어진 권리는 정당하게 요구하는 것이 죄가 될 수 없었다. 즉 이 운동에 동참하는 것이 비신앙적인 것이 아닐 뿐 아니라 오히려 기독교적으로 정당하고 정의로운 것이었다. 이 운동의 참여를 신앙적이고 영적인 차원에서 바라본 것이었다.

함태영이 참여를 결정하지 못하고 있던 기독교 지도자들을 설득했던 논리 또한 그와 같은 것이었다. 그에게서 기독교의 의를 실천하는 것은 개인에게만 국한해서는 안되는 것이었다. 국가, 민족의 문제에서도 의를 실천하는 것은 당연한 것이었다.

천도교와 기독교가 이 운동을 통해 연합할 수 있었던 가장 결정적인 요인은 비폭력 무저항이라는 운동의 방식이었다. 또한 독립청원의 성격을 가진 선언서의 채택이었다. 그러나 무엇보다도 이 운동이 신앙적이고 영적인 운동이라는 인식이 기독교인들에게 각인되었기 때문에 가능한 일이었다. 여기에 가장 적극적으로 기독교를 대표하여 기독교적 이상이 심겨지도록 노력했던 이가 함태영이었다. 그것은 그의 행동이 확고한 한국장로교회의 복음주의 신학과 사상을 통해서 실천되었기 때문이었다. 기독교 인사들을 신앙적으로 설득할 수 있었던 것도 같은 이유였다.

4.3.4. 거사의 시작과 투옥

거사는 더디게 진행되고 있었다. 2월이 불과 일주일도 채 남지 않은

1920년 7월 12일자 동아일보에 실린 사진
(판사시절의 사진으로 추정)

상황에서 날짜도, 장소도, 시간도 정해지지 않고 있었다. 함태영은 이승훈과 함께 기독교계를 대표하여 2월 23일 최린의 집에서 천도교측 인사들과 함께 회동했다. 이날 회동에서는 뭔가가 결정되어야 했다. 다행이 이날 양측은 자신들의 의견을 내놓고 조정한 끝에 구체적인 날짜와 운동의 방법과 독립선언서의 인쇄와 배포계획, 그리고 천도교와 기독교의 역할분담 등을 결정할 수 있었다. 그리고 각기 대표자를 선정하여 참여시키기로 함으로써 구체적인 계획을 완성시켰다.

26일 최남선에 의해 작성된 독립선언서 초안과 일본 정부와 총독부, 미국의 윌슨 대통령에게 보낼 독립의견서가 최린에게 제출되었고 천도교측의 회람을 거쳐 27일에는 함태영이 이 독립선언서를 이필주의 집에서 있었던 기독교 인사들의 회동에서 회람시켰다. 특히 이날에는 기독교 대표자를 선정하였는데 여기에서 이 운동의 실제적인 총무 역할을 담당하고 있었던 함태영은 33명의 명단에서 빠지기로 하였다. 이유는 대표에 참가하는 기독교 인사들이 투옥될 경우 그들과 그들의 가족을 돌봐야 할 인사가 필요했는데 그 일을 함태영이 맡기로 한 것이었다.

이는 천도교의 파트너였던 최린이 33인에 들어갔던 것과는 차이가 있었다. 최린은 이에 대해서 함태영이 갖는 교회적 위치를 높게 평가했다.[204] 함태영은 자신이 명단에서 빠진 또 하나의 이유가 박용희(朴容羲, 1884~1954)[205]와 더불어 제2차 독립선언자를 비밀편성할 사명이 있었다고 증언했다.[206] 자칫 거사가 실패했을 때 다시 거사를 기획할 필요가 있었다. 그리고 이 독립에 대한 여망이 일회적인 것으로 끝나지 않고 지속될 수 있도록 하기 위해서는 이를 주도할 지도자가 필요했다. 함태영이 뽑힌 것이었다.

함태영은 33인의 대표자로 참가하는 인사들에게 인감도장을 받도록 했다. 이는 독립선언서가 청원서로서 갖는 법적인 효력 때문이었다. 그는 대한제국기에 검사로 활동했을 뿐만 아니라 통감부와 총독부가 들어서던 시기까지 법관으로 활동했기 때문에 누구보다도 법적인 절차와 실무를 잘 알고 있었다. 독립선언서에 인감을 날인하여 서명하는 것은 27일에 최린의 집에서 이루어졌다. 함태영은 이때 이승훈, 이필주와 함께 기독교 대표들의 인감을 모아서 대신 날인하는 역할을 담당했다.[207]

함태영은 28일 민족대표로 참여한 기독교와 천도교, 불교의 대표들이 손병희의 집에서 최종 회합하는 데에도 대표로 참여하였다. 그리고 이 자리에서 독립선언서를 교부받아 평양으로 전달하는 역할을 담당했다. 3월 1일 거사 당일 그는 이승훈과 함께 온 김지환에게 미국 대통령에게 보낼 청원서를 현순에게 보내게 함으로써 자신의 역할을 마무리했다. 3월 2일 함태영은 자신의 자택에서 체포되었다.[208] 함태영은 대표자

---

204 최린, "자서전", p.196. 최린은 함태영이 기독교를 대표하는 인물로 당연히 서명자 명단에 들어가야 했다고 말했다. 다만 기독교지도자들의 가족들을 책임져야 할 것과 사후 기독교를 대표하여 모든 처리를 담당해야 했기 때문에 서명자 명단에서 빠졌다고 말하고 있다.

205 함태영의 부친이 영수로 있었던 묘동교회의 전도사로 시무하기도 했으며 이후 한국장로교회에서 함태영과 함께 한국기독교장로회를 설립하는데 중요한 역할을 담당했다.

206 함태영, "기미년의 기독교도", p.57.

207 「함태영 신문조서」, "3 · 1독립선언 관련자 심문조서(고등법원)".

208 이병헌, 『3 · 1운동 비사』, p.648.

1919년 3 · 1운동 관련 투옥당시의 함태영

로 이름을 올리지 않았음에도 최고형인 3년 형을 언도 받고 복역해야 했다.

그가 취조를 받으며 했던 마지막 질문은 앞으로도 독립운동을 하겠는가 하는 것이었다. 이에 대한 그의 답변은 다음과 같았다

> 나는 항상 종교를 신앙하므로 정치에는 관여하려고 하지 않으나 금번 민족자결에 의하여 조선이 독립이 될 줄로 생각하였다. 금후는 그때의 일이니까 말할 필요가 없다.[209]

그에게 독립의 문제는 정치의 문제가 아닌 신앙의 문제였고 영적인 것이었다. 언제든 하나님의 의를 실천하는 것이라면 이러한 운동에 참여할 것임을 표명한 것이었다. 함태영의 신앙과 독립의 의지는 그에게만 머무는 것이 아니었다. 함태영이 체포되고 4일 뒤인 3월 6일 새벽 경성의학전문학교 2학년에 재학 중이었던 함태영의 둘째 아들 병승이 자택

209 위의 책, p.650.

에서 헌병 경찰에 체포되었다. 함태영은 이 거사의 계획을 아들에게도 알리지 않았으나 병승은 스스로 이 운동의 취지에 공감하고 있었다. 그의 생각도 자신의 부친과 크게 다르지 않았다.

문: 독립운동의 계획이 있다는 것을 들었을 때에 피고는 어찌 생각하였는가.

답: 나로서는 찬성을 하였으므로 독립선언에 가담하고, 또 선언을 한 이상은 일정한 방침에 따라 계획대로 실행하는 것이므로 주동이 되어 일하고 있는 사람과 함께 그 계획을 실행할생각으로 있었다.

문: 파고다공원에 갔을 때는 몇 사람 정도 있던가.

답: 수만명 정도 된다고 생각되었다.

문: 그로부터 어찌하였는가.

답: 공원에 가서 나는 공원의 구석쪽에 있었는데, 그러는 중에 차츰 사람들이 모였다. 그러자 오후 2시가 지났을 즈음에 공원의 중앙에서 어떤 사람이 선언서를 낭독하였는데 내가 있는 곳과는 거리가 멀어서 그 소리는 들리지 않았다. 또 어떤 사람은 선언서를 산포하고 있었으므로 나는 그것을 1매 주워서 보았다. 그러는 동안에 군중이 박수를 치고 또는 만세를 불렀으므로 나도 그에 가담하여 만세를 불렀다. 그리고 나는 군중과 함께 종로로 나와서 南大門驛에 이르고, 西大門, 貞洞을 거쳐서 미국 영사관 앞에 이르고, 그곳으로부터 大漢門·光化門에 이르고, 다시 西大門에 이르렀고, 그로부터 西大門 밖의 프랑스 영사관 앞에 갔고, 그곳으로부터 長谷川町을 지나서 本町의 중국 영사관의 입구 있는 곳까지 갔다가 경찰관이 제지하여서 군중은 해산하고 나는 그곳에서 귀가하였다. 그리고 나는 군중과 함께 길을 가면서 만세를 부르고 다녔다.

문: 어찌하여 만세를 부르며 떠들고 다녔는가.

답: 나는 평소부터 조선의 독립을 희망하고 있었으므로, 드디어 독립선언이 이루어졌으므로 그 선언을 대외적으로 발표하기 위하여 시내를 만세를 부르면서 떠들고 다닌 것이다.

문: 그와 같이 떠들고 다니면 독립이 된다고 생각하였는가.

답: 국제연맹에 의한 민족자결주의에 따라 조선사람이 독립의 희망을 발표한다면 성공한다고 생각하였다.[210]

함태영은 이 운동을 선과 악의 영적인 대결로 인식하고 있었다. 폭력과 잔인함으로 진압하는 일본의 악함에 예수와 같이 오히려 고난을 견딜 때 하나님의 역사가 일본인들에게 나타날 것이라 믿었다. 그것은 비단 함태영만의 생각이 아니었다. 이 거사에 참여한 대부분의 기독교인들이 가지고 있었던 공통된 인식이었다. 1919년 3월 3일 아침 거리에 나붙은 '독립단통고문(獨立團通告文)'은 3·1운동에 참여하는 기독교 신도들에게 주는 행동강령과 같은 것이었다. 여기에는 이 운동의 참여 근거가 성경에 있다는 점을 분명히 했다.

아! 가경(可敬) 가귀(可貴)한 독립단 제군이여 무슨 일이던지 일인(日人)을 모욕하지 말고 돌을 던지지 말며 주먹으로 치지 말라 이는 야만인의 하는 바니 독립의 주의를 손해할 뿐인즉 행(幸)각기 주의할지며, 신도는 매일 3시 기도하되 일요일은 금식하며 매일 성경을 읽되 월요는 이사야 10장, 화요는 예레미야 12장, 수요는 신명기 28장, 목요는 야가서 5장, 금요는 이사야 59장, 토요는 로마 8장으로 순환 읽을 것이라[211]

210 「함병승 신문조서」, 1919년 4월 28일 경성지방법원.
211 김병조, 『한국독립운동사략 상』(상해, 1922, 서울:아세아문화사, 1976), p.34.

기독교인들에게 3·1운동이 정치운동이 아니라 신앙운동이라는 사실을 주지시키고 있는 것이었다. 고종의 인산일이었던 이날 모든 기독교인들의 참여를 독려했던 이 통고문은 향후 이 운동의 전개과정에서 기독교인들이 어떤 마음가짐과 인식을 가지고 참여하고 있는 것인지를 분명하게 알려주고 있었다.

1919년 3월 1일 오후 2시 서울의 파고다 공원을 시작으로 한달여 동안 전국 대부분의 지역에서 들불처럼 일어났던 3·1운동은 전 민족적인 운동으로 전개되었다. 국내는 물론 해외의 동포들까지 이 운동에 동참했을 정도로 그 반향과 영향은 지역이나 계층을 초월하여 나타났다. 박은식은 이 운동에 2백여만명 이상이 참여했고, 211개의 부(府), 군(郡)에서 1,542회의 집회가 있었다, 사망자 수는 7,509명, 부상자수 15,961명, 투옥자수 46,948명, 소실 교회수 47개, 소실 학교수 2곳, 소실 민가수 715채였다고 기록하면서 이 통계도 누락된 수를 다 싣지 못했음을 토로했다.[212] 1919년 10월에 개최되었던 한국장로교 총회는 이 운동에 참여한 교회와 교인들의 피해상황을 보고했다. 체포 3,804명, 체포된 목사와 장로 134명, 기독교 관계 지도자로서 수감 202명, 사상 41명, 수감 중인 자 1,642명, 매 맞고 죽은 자 6명, 훼손된 교회당 12개소였다.[213]

이 운동에 주도적으로 참여했던 한국교회와 기독교인들이 겪어야 했던 핍박과 고통은 참혹한 것이었다. '105인 사건'에서 고초를 겪었던 선교사들은 이 사건에 직접적으로 개입하거나 간접적으로도 관여하지 않

212 박은식, 남은성 역, 『한국독립운동지혈사(상)』 (서울:서문문고, 1999), p.204. 총독부의 통계도 박은식의 기록과 비교해 큰 차이가 없다.

213 민경배, 『한국기독교회사』, p.373.

으려고 했다. 그러나 일본의 잔인함을 목격하면서 이 사건을 그냥 두고 볼 수 없었다. 일본 헌병경찰들의 살인, 방화, 고문, 선교 활동에 대한 압력, 노골적인 한국교회 핍박에 대해 미국 사회와 선교본부에 보고서를 보내지 않을 수 없었다. 보고서에는 각종 피해 통계와 구금, 투옥, 벌금형, 태형, 고문, 강간 등 한국 기독교인들의 피해 사례, 교회에 대한 일본 경찰의 사찰, 예배 중 난입한 일본 경찰의 난동, 감옥의 비참한 현실 등의 내용들이 담겨 있었다.[214]

함태영은 대한제국의 법관으로 활동하면서 고문과 연좌제의 실질적인 폐지를 위해 싸웠다. '105인 사건'에서 고문의 만행을 드러낸 일본을 본질적으로 거부했고 이제는 그 비인간적이고 잔인함에 맞서 저항해야 했다. 수형번호 '8077', 죄명은 '출판법 위반'이었다. 33인의 대표에 포함되지 않았음에도 당시 3·1운동 관련자들 중에서 최고형이었던 '3년형'을 언도받았다. 일본이 그가 이 거사에서 얼마만큼 중요한 역할을 했는지를 파악하고 있었던 것이다.

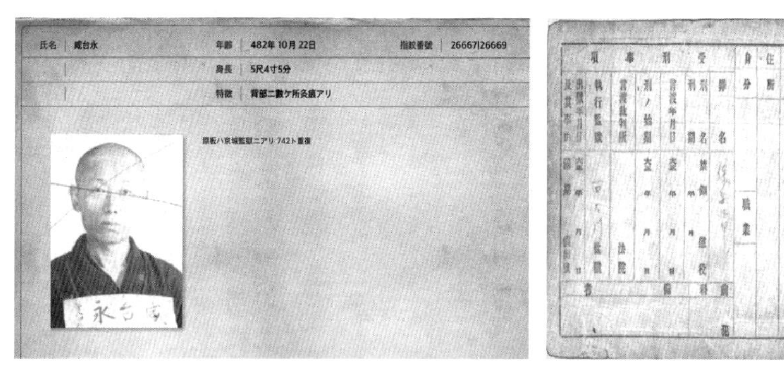

서대문 형무소 투옥 당시의 수형표

---

214 Presbyterian Historical Society. Philadelphia, A, J, Brown Secretaries. 김명구, 『한국 기독교사 ~1945』, p.368.

서대문 형무소에 들어간 함태영은 뼈를 깎는 고통 속에 감옥에서의 폭력적인 취조와 고문을 견뎌내야 했다.[215] 함태영과 같이 총독부에 의해 48인 대표에 지목된 고하 송진우(宋鎭禹, 1890~1945)가 겪은 고문은 상상하기 어려운 잔인한 것이었다.

> 미와는 대꾸가 떨어지기 무섭게 고하를 고문실로 끌고 갔다. 그의 입에서, 고문자가 결국에는 도달하고 마는 인격파탄자만이 쏟아낼 수 있는 온갖 욕설과 조롱이 쏟아졌다. 다음에는 고하의 옷을 모두 벗겨 발기발기 찢고 발가벗겨서 세웠다. 그리고는 깍지를 끼게 하고 고문실 밖으로 끌고 나가서는 아무것도 분간할 수 없는 캄캄한 어둠 속에 밀어던졌다. 그 순간 고하의 몸 위로 뭇개들이 짖으며 몰려들었다. 사지와 몸뚱이를 가리지 않고 물어뜯고 또 발톱으로 할켰다. 고문을 예상하기는 했으나 이렇게까지 처참하게 당하리라고는 미처 생각하지를 못했다.[216]

당시 송진우는 중앙학교 교장을 맡고 있었다. 사회적으로 지도층에 들어가는 신분이었음에도 고문은 무자비하게 자행되었다. 당시 투옥된 대부분의 민족대표들과 학생들은 구타와 각종 고문에 시달렸다. 특히 부녀자들은 차마 입에 담기 어려울 정도로 수치스럽고 잔인하게 고문과 폭행을 당했다.[217] 함태영은 당시 47세였다. 고문을 견디는 것은 고통스러운 것이었다. 그럼에도 함태영은 경성지방법원 예심판사의 질문에 자

---

215 김호일, "3 · 1운동과 학생운동", 김호일 외 3명, 『3 · 1운동기 서대문형무소와 학생운동』(서울:서대문형무소역사관, 2007), p.37.

216 김학준, 『고하 송진우 평전』(서울:동아일보사, 1990), p.132.

217 박은식, 남은성 역, 『한국독립운동지혈사(하)』(서울:서문문고, 1999), pp.39~40. 박은식은 석방된 사람들의 증언을 토대로 당시 감옥에서 행해졌던 고문의 예를 25가지 정도로 기록했다. 부녀자들에 대한 고문 내용이 절반이상을 차지했을 정도로 부녀자들에 대한 고문은 잔인하고 가혹한 것이었다.

가석방되는 함태영(오른쪽에서 두 번째) – 1921년 12월 23일 동아일보

신이 경성복심법원의 휴직 판사라는 사실을 분명히 했다.[218] 자신이 가지고 있는 법적 지식과 법학의 권위가 그 자리에 있는 어떤 법관보다도 뒤지지 않는다는 사실을 말한 것이었다. 자신이 운동에 참여한 명분과 대의, 그리고 법적 문제에 있어서 부끄럽지 않고 당당했기에 나올 수 있는 모습이었다.

그러나 고된 형무소 생활은 그의 몸이 견디기에는 쉽지 않은 일이었다. 여기에 경성의전에 다니고 있던 자신의 둘째 아들 병승까지 만세운동에 참여하다가 체포되어 같은 형무소에 수용되어 있었다. 두 부자 모두를 감옥에 보내야 했던 함태영의 부인(고숙원)은 60일이 지나서야 겨우 주고받을 수 있는 서신을 통해서 두 사람의 몸이 쇠약해서 더 이상 감옥에서의 고초를 견디기 어렵다는 사실을 알았다.[219] 고숙원은 우선

218 「함태영 신문조서」, 1919년 5월 22일 경성지방법원 예심계. 함태영은 경찰과 검사의 취조와 신문에서는 자신이 휴직판사라는 사실을 언급하지 않았다. 그러나 법원에서 신문을 받을 때는 경성복심법원 판사로 휴직 중에 있음을 분명하게 언급했다.

219 양성숙, "3 · 1운동기 서대문형무소의 투옥실태", 서대문형무소역사관, 『3 · 1운동기 서대문형무소와 학생운동』(서울:서대문구도시관리공단, 2007), p.73. "옥중에서 가족에게(선언서 복역자의 편지) – 판장 한 겹이 이 세상과 저 세상을 굿게 막아 부모형제의 지정간에 그

함태영에 대한 보석을 신청해야 했다. 당시 분위기로 지도적인 위치에 있던 함태영이 보석을 풀려나는 것은 쉽지 않았다. 이어서 병승에 대한 보석원이 신청되었다. 병승의 보석원은 일본인 교수의 이름으로 신청되었다. 먼저 보석원을 냈던 함태영의 보석신청은 기각되었다. 하지만 병승의 보석원은 허락이 되어 석방될 수 있었다.[220]

함태영은 미결감(未決監)으로 서대문형무소에 있다가 징역 언도를 받고는 마포형무소로 이감되었다. 형무소 안에서는 때로는 그물을 뜨고 봉투를 붙이는 등의 고역을 해야 했다.[221] 1921년 12월 22일 함태영은 성탄절을 며칠 앞두고 3년의 징역형이 아직 끝나지 않았지만 가출옥되어 마포형무소를 나섰다. 3·1운동을 함께 주도했던 천도교의 최린을 비롯해 오세창, 권동진, 이종일, 김창준이 함께 했다. 바로 이어서 불교의 한용운이 가출옥했다. 그들의 모습을 옥문 앞에서 맞이한 가족들은 눈물을 흘릴 수밖에 없었다.

> 함태영씨 감상
> 전 판사로 령명이 놉픈 함태영(咸台永)씨는 말하되 "우리가 가출옥되기를 바라지는 안튼 터이지마는 이렇케 되얏스닛가 되는대로 나온 것이며 감옥에서 배혼 것이 만흐니 내가 일죽이 사법관으로 감옥에 대한 택임을 맛흔 때까지 잇섯는대 도모지 감옥의 내용을 모르다가 오늘날 내가

리운 때에 서로 만나보지도 못하고 육십일 동안에 간신히 한번씩 감옥으로부터 친족에게 나오는 재감인의 편지는 실로 그 가족에게 당해야 하는 안타까운 보배이오 알뜰한 눈물의 재료이다..."

220 "함태영의 보석원", 대정8년(1919) 7월 17일, 함태영의 신체가 허약하여 보석을 신청했으며 신청인은 고숙원이었다. "함병승의 보석원", 대정8년(1919) 8월 2일, 함태영의 차남인 함병승 역시도 몸이 허약하여 옥중 생활이 힘들어 보석원을 제출했다. 인수인은 일본인 교수의 이름(福受審五郎)이 적혀있었다.

221 함태영, "공의(公儀)를 위한 열혈(熱血)의 분류(奔流)-3 · 1운동 당시의 회고록", 「희망(希望)」, 1955년 3월호, p.29.

당하야 보닛가 감옥이 이와가튼 것인대 내가 책임질 때에도 그 개량을 생각지 안은 것을 보면 도로혀 내가 그러한 죄가 잇기 때문에 오늘날 이러한 고초를 밧는다하고 고초를 달게 밧은 일이 만타"고 말하더라[222]

가석방되어 출소한 함태영은 자신의 고난이 사법관으로서 해야 할 일을 제대로 못한 죄로 인해 고난받는 것이라고 이해하고 있었다. 자신의 모든 삶의 모습을 영적인 것으로 이해하고 받아들이고 있었던 것이다. 기독교 신앙은 고난이 누군가의 죄 때문이라고 인식하지 않는다. 자신의 죄로 바라보고 그 죄를 회개하며 죄로부터 오는 고난을 기쁨으로 감당한다. 함태영이 모진 고초 속에서도 의연하고 당당할 수 있는 이유였다. 또한 의를 행하다가 당하는 고난은 결코 부끄럽거나 수치스러운 일이 아니었다.

고난을 많이 받았으나 낙심하지 않고 곧 한결같이 전진만 하는 것이 하나님의 마음에 합한 사람이라고 생각한다. 다윗이 무슨 고생을 그다지 많이 받았느냐고 묻는다면 그는 과연 고난을 많이 받았다고 대답할 수 있다 어릴 때부터 자기 아버지의 양을 먹일 때에 사자와 이리의 침입을 종종 받은 일이 있었으나 어린 마음과 연약한 체구를 가지고도 참고 견디어 성공을 보게 된 것이 하나님의 마음에 합한 것이라고 할 수가 있다. 그뿐이랴 사울에게 기기함을 받아 무수한 고난을 받고 견딤과 자녀의 비행으로 말미암아 받은 고난도 이루 다 말할 수 없었다. 그는 이 모든 고난 중에서 참고 견디어 큰 성공을 보게됨이 하나님의 마음에 합한 사람이 되었다.[223]

222 "독립선언한 칠(七)씨 가출옥", 『동아일보』, 1921년 12월 23일자.
223 함태영, "하나님 마음에 합한 사람", 대한예수교장로회 총회 종교교육부, 『선교70주년 기념 설교집 (중) 역대총회장설교』(서울:대한예수교장로회 종교교육부, 1955), p.77.

1923년 조선예수교장로회 12회 총회는 이제 막 목사 안수를 받았던 함태영을 총회장으로 선출했다. 이 자리에서 함태영은 다윗의 신앙과 태도를 통해 하나님 마음에 합한 사람이 어떤 사람인지를 설파했다. 고난을 견디고 낙심치 않고 전진하는 신앙의 모습을 갖는 것이었다. 그 외에도 하나님에 대한 전적인 신뢰, 회개할 수 있는 용기, 하나님을 기쁘시게 하기 위해 성전 지을 준비를 하는 태도, 사랑과 용서의 마음을 가진 다윗의 신앙을 닮아가야 한다고 전한 것이었다. 자신이 겪었던 모진 고난의 흔적을 신학적이고 영적인 관점에서 보고자 했던 것이다.

그에게 있어서 고난의 문제는 단순한 문제가 아니었다. 감옥에서 그가 할 수 있는 일이라고는 봉투에 풀칠하는 것과 그물을 손질하는 일이 고작이었다. 법관으로 죄인들을 다루었던 그가 감옥에서 3년을 살아야 했다는 것은 그가 겪어야 했던 그 어떤 것과도 비교할 수 없는 커다란 충격이었다. 그런데 함태영은 이 고난을 견디고 이기는 것을 하나님 마음에 합한 사람이 되는 첫 번째 조건이라고 말하고 있었다. 그 속에는 세상의 역사를 주관하는 하나님께서 우리가 하나님 마음에 합한 모습으로 살아갈 때 섭리하실 것이라는 믿음이 전제되어 있었다.

함태영은 역사의 주관자는 하나님이라는 인식이 확고했다. 다만 역사에 하나님의 주관과 섭리만이 존재하는 것이 아니었다. 인간의 모습과 역할이 하나님 마음에 합한 모습일 때 비로소 역사 속에서 하나님의 섭리가 발현되는 것이었다. 여기에는 초월적 존재인 하나님의 역할과 함께 내재적 인간의 역할이 함께 어우러져야 했다. 그에게 있어 인간의 역할은 불의와 싸우다 겪는 고난을 견디는 것이었다. 정의를 실현하다가 당하는 고난을 견디다 보면 하나님께서 불의를 물리치시고 이기게 하신다는 초월적 신앙이 그의 신학에서 핵심을 이루고 있었다. 함태영이 3·1운동에 참여했던 신학적 명분도 바로 여기에 있었다. 하나님의 공의가 이 땅 가운데서 실현되기 위해서는 인간에 의해서 공의가 실천되어야 한다. 함태영은 그런 차원에서 3·1운동을 '공의를 위한 열혈의 분류(奔流)'로 이해했다.[224]

함태영은 자신이 배운 신학을 단순히 이론적이거나 사상적으로만 받아들이지 않았다. 그의 스승이었던 곽안련이 그랬던 것처럼 실천되지 않는 신학은 무의한 것이었다. 함태영에게 있어 3·1운동은 함태영 안에 내연(內燃)되어 있던 신학적 이상과 열망이 외연(外延)되어 나타났던 결과였다. 함태영은 한국장로교회의 총회 서기로 2년간 활동했고 한국장로교회의 복음주의 신학을 누구보다 명료하게 이해하고 있었다. 그리고 한국장로교회를 대표하는 인물로 정치적, 신학적 위치를 확보하고 있었다. 3·1운동에서 그가 기독교를 대표하는 주도적인 역할을 담당할 수 있었던 이유도 그러한 정치적, 신학적 권위를 가지고 있었기 때문이었다.

나라의 독립을 선언하고 청원하는 이 문제는 자칫 정치적인 문제로 비쳐질 수 있었다. 그리고 기독교만의 운동이 아니라 천도교를 비롯한 많은 이질적인 종교가 연합해야 하는 과제도 있었다. 더욱이 일본 총독부의 법적인 문제들이 복잡하게 얽혀 있었기 때문에 이 운동 자체가 준비단계에서 좌절될 위험도 내포하고 있었다. 신앙적이고 통합적이어야 했다. 그리고 추후에 일어날 수 있는 법적인 문제를 최소화해야 했다. 함태영이 최린과 더불어 이 운동에서 주도적인 역할을 할 수 있었던 이유였다.

224 함태영, "공의(公儀)를 위한 열혈(熱血)의 분류(奔流)-3 · 1운동 당시의 회고록", p.29.

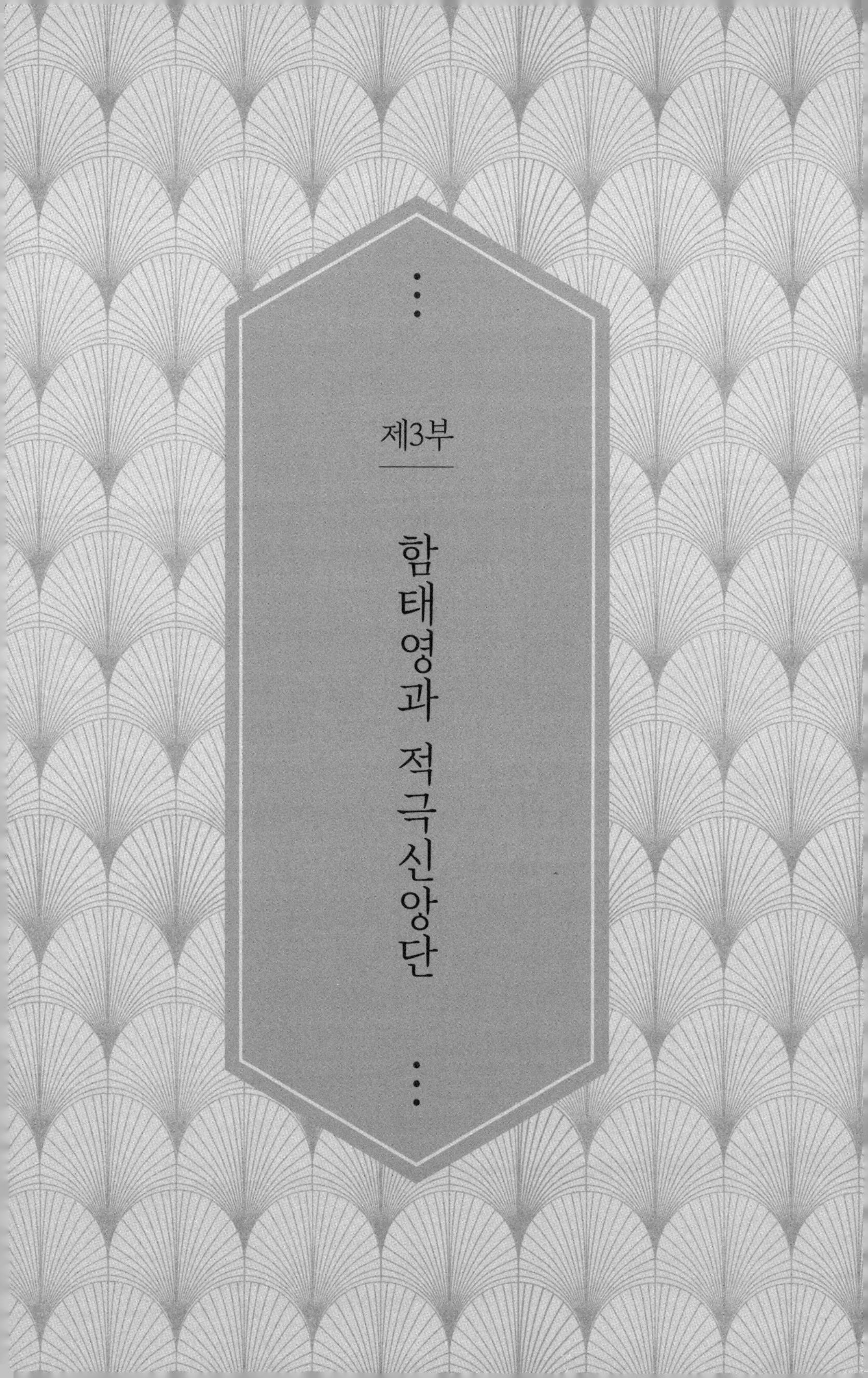

제3부

함태영과 적극신앙단

5장 목회자 함태영

5.1. 새로운 상황과 과제

5.1.1. 3·1운동 이후 국내의 상황

함태영은 1921년 12월 23일 3년여의 수감생활을 마치고 가석방으로 마포형무소를 나왔다. 그러나 그의 말에 놓여인 상황은 만만치 않았다. 우선은 1919년과 전혀 다른 상황을 마주하고 있었다. 시대적인 흐름과 사조, 교회 내부의 상황 모두가 빠르게 변화를 맞이하고 있었다. 국내적으로는 일본의 한국지배 통치 방식이 무단에서 문화정치로 변모하면서 강압적인 분위기를 완화시켰다. 또한 한국인의 신문과 다양한 잡지의 발행이 허용하였다. 이는 서구사상의 유입을 가능케하는 통로가 되었다. 그러나 문제는 산미증식계획에 따른 미곡의 일본으로의 공출이 늘면서 국내의 농촌경제가 심각한 위기를 맞이하고 있었다는 것이었다. 더군다나 한국교회는 3·1운동의 수습과 다양한 갈등에 직면하고 있었다.

1919년 9월 3일 2대 하세가와 총독이 물러가고 마코토 마사코 총독이 경성에 도착했다. 그리고 시정방침을 발표했다. 이 발표는 3·1운동의 충격을 겪은 일본이 식민통치에 반발하는 한국인들에 대한 유화책으로 제시한 것이었다.

- 관리는 일심동체를 뜻으로 삼아 상하·사방이 협동, 협력해서 공명정대한 정치를 할 것.
- 형식적 정치의 폐단을 타파하고 법령은 가극적 간략히 해, 성의를 다해 국민을 이끌고 철저히 그 정신을 도모할 것.
- 행정 처분은 사태와 민심을 고려해 적절한 조치를 취하고, 처분을 받는 자에게 충분한 양해를 얻을 것.
- 사무 정리 간소를 위해 힘쓰고, 민중의 편익을 도모하여 관청의 위신을 지킬 것.
- 언론·집회·출판 등에 대해서는 질서와 공안 유지를 해치지 않는 한 상당한 고려 위에 민의의 창달을 꾀할 것.
- 교육·산업·교통·경찰·위생·사회구제, 기타 제반 행정을 쇄신하여 국민생활의 안정을 도모하고 일반의 복리 증진에 새로운 방면을 개척할 것.
- 지방 민풍(民風)을 함양하고 민력(民力)을 작흥시키기 위해 장래에 시기를 보아 지방 자치제도를 시행할 목적으로 속히 그 조사·연구에 착수할 것.
- 위와 같은 개선·쇄신은 새로움을 추구하기보다는 가능한 한 조선의 문화와 구습을 존중해 그 장점을 키우고 폐단을 없애 시세의 진운에 순응하게 할 것.[1]

사이토 총독의 부임은 일본의 한국정책의 기조가 수정되었음을 의미했다. 이전까지 일본 총독부는 헌병경찰제를 통한 무단(武斷) 통치와 철저한 언론과 집회, 출판에 대한 통제를 가함으로써 한반도를 외부

1 오다 쇼고, 박찬승 외 3명 역, 『국역 조선총독부 30년사 上』(서울:민속원, 2019), pp.305~306.

와 단절시켰다. 그러나 3·1운동은 당장 한국인들의 불만과 소요를 잠재우기 위한 대책이 필요했고 이는 무단과 통제의 기조를 바꿀 필요가 있음을 인정해야 했다. 신임 총독이 한국인들에게 들고 온 시정 개선책의 핵심은 문화정책을 표방하고 지방자치를 준비하겠다는 것이었다. 하지만 이러한 대책이 한국인들에 대한 근본적인 통치정책을 바꾼 것은 아니었다. 단지 한국인들의 소요에 대한 무마책일 뿐이었다.[2] 이러한 정책들이 한국인의 일본화를 즉, 내선일체(內鮮一體)를 공고히 하기 위한 일종의 유인책과 같은 것이었다. 일본의 국법을 따르지 않는 것에 대한 엄격한 처벌이 전제되어 있었기 때문이었다. 문화정치는 표면적으로는 조선인들에 대한 유화책이었지만 실제는 일본에 순응하는 세력을 길러내 친일적인 세력을 확보하여 한국 지배를 공고히 하려는 구상이었다. 사실상 민족을 친일과 반일로 구분하고 분열시키고자 의도했던 것이다.[3] 또한 내선융화(內鮮融和)를 내세웠지만 한국인들은 일본인들의 위치까지 올라갈 수 없었다.

문화정치는 일본의 의도대로 흘러가고 있었다. 총독부는 이러한 정책이 민심의 안정을 가져다 주고 있으며 불령자들은 겁이 나서 숨어버렸고 한국인들 스스로가 일본인들과의 융화와 국기에 대한 예를 다하고 수준을 높이고 있다고 진단하고 있었다.[4]

총독부는 교육제도에 있어서도 수정을 가했다. 1922년 2월 4일 신'조선교육령'이 공포되었다. 한국인의 교육제도를 하나의 교육령으로 통합설정하고 일본 내지와 완전히 동일한 교육주의와 제도를 채용했다. 또

2 위의 책, p.303.
3 전상숙, 『조선총독정치연구』, p.131.
4 오다 쇼고, 박찬승 외 3명 역, 『국역 조선총독부 30년사 上』, p.316.

한 전문학교 과정까지만 인정하던 것을 대학교육까지 인정하고 사범교육을 인정했다. 그리고 원칙적으로 공학(共學)주의를 천명함으로써 일본어 사용유무에 따라 학교와 계통을 구분하도록 했다. 일본어를 사용하는 자는 소학교, 중학교, 고등학교에서 교육하고 일본어를 사용하지 않는 자는 보통학교, 고등 또는 여자고등보통학교에서 교육하는 것이었다.[5] 관에 의해서 통제되는 공학주의는 사립학교의 위상을 약화시켰을 뿐만 아니라 불이익이 돌아가도록 구조를 만들었다. 당시 대부분의 사립학교들이 기독교 계통의 학교들이었다는 점을 감안하면 3·1운동에 주도적인 역할을 했던 기독교 학교들의 영향력을 약화시키는데 주력하고 있었던 것이다.[6]

한편 3·1운동 이후 한국교회가 일본에 대한 가장 강력한 저항세력으로 각인되어 있는 상황에서 총독부 또한 한국기독교를 약화시키기 위한 정책에 골몰하고 있었다. 불교를 비롯한 토착종교의 진흥을 지원했고, 미국교회와 한국교회 간의 연계성을 단절하려 했다. 새로운 사조들의 유입을 막지 않으면서 한국교회 내부를 분열시키려는 의도를 드러내고 있었다. 특히 새로운 사조의 유입은 선교사들과 기독교에 대한 신뢰를 약화시켰다. 3·1운동의 여파가 사그라들면서 한국교회 내부에서는 이에 대한 수습책으로 비정치화를 더욱 강화하는 모습이 나타나기 시작했다. 이는 기독교 민족주의 그룹과 교회 간의 연계를 약화시키고 기독교 민족주의자들 내부갈등을 증폭시키는 역할을 했다. 재한선교사들과 한국교회 지도자들 간의 갈등도 수면 위로 올라와 심화되고 있었다. 한국장로교회가 내세웠던 복음주의 '대한예수교회'에 대한 요구는 현저

5　위의 책, pp.450~451.
6　김명구, 『한국기독교사 ~1945』, p.391.

히 줄어들었다. 한국교회 내부의 갈등과 외부로부터의 압박이 심화되어 가고 있었다.[7]

문화정치는 경제분야에도 영향을 미쳤다. 1차 세계대전이 종전 된 이후 경제 호황을 맞이하고 있었던 일본은 농업이 침체되면서 쌀 부족현상이 나타나면서 불만이 표출되고 있었다. 식민지 조선의 식량개발을 서둘러야만 했다. 여기에 문화정치를 통해 지배체제를 안정시키기 위해서는 일본에 협력하는 지주, 자본가, 상인, 지식인 계층을 육성해야 했다. 농업과 공업을 적극적으로 개발할 필요가 있었던 것이다. 산미증식계획의 수립은 그러한 총독부의 의도가 반영된 것이었다.

본래 산미증식계획은 30년간의 장기 계획이었다. 80만 정보의 토지개량과 농사개량을 목적으로 했다. 수리시설과 관개를 개선하고 개간과 간척 사업으로 논 면적을 늘리고자 했다. 여기에 농사개량을 통해 우량품종 보급, 시비량 증가, 경종법(耕種法)의 개선을 통해 전반기 15년 동안 900만 석의 쌀을 증산해서 일본에 절반이 넘는 460만 석을 이출하겠다는 것이 계획의 골자였다.[8]

이 계획에 따라 쌀의 양은 일본이 목표한 만큼은 아니지만 증산은 큰 폭으로 이루어졌다. 그러나 일본으로 넘어가는 쌀의 양이 더 많았다. 일본의 쌀 파동문제는 해소가 되었지만 정작 한국은 심각한 문제를 낳고 있었다. 자작농은 몰락해 갔고, 소작농의 급증과 농가 부채를 기하급수적으로 증가시켰다. 자작농들은 토지를 동양척식주식회사에 헐값에 넘겼고, 일본인 지주들이 대부분의 토지를 양도받았다. 한국의 농촌은 상

7 위의 책, p.392.
8 이영훈, 『한국경제사 Ⅱ』(서울:일조각, 2017), pp.135~136.

상할 수 없는 궁핍과 좌절로 무너지고 있었다.[9]

그럼에도 문화정치는 식민지 한국에 상당한 변화를 가져다 주었다. 무엇보다도 한국인들의 신문 발행이 가능해졌고, 출판도 자유로워져 다양한 잡지의 출판이 가능해졌다는 점이었다.[10] 철저하게 총독부의 통제 아래에 있는 것이었지만 신문과 잡지의 발행은 외부세계에 대한 소식과 사상을 접할 수 있는 통로가 되어 주었다. 그중에서도 1917년 볼셰비키 혁명 이후 세계적으로 급속히 확산되기 시작했던 공산주의의 유입은 총독부 뿐만 아니라 한국사회와 교회 안에도 커다란 이슈가 되기 시작했다.

5.1.2. 한국교회의 상황

3·1운동 이후 한국교회는 교회 내부를 추스르는데 집중하고 있었다. 구속된 교인들의 석방과 소실 된 교회의 재건에 힘을 모아야 했다. 1919년 10월 4일 평양신학교에서 개최된 조선예수교장로회 총회는 독립운동에 참여했다가 감옥에 수감 된 총회장 김선두 목사의 서간 낭독으로부터 시작해야 했다.

> 회쟝 김션두시가 본년 3월 1일에 죠션독립운동ᄉᆞ건으로 경셩셔대문 감옥에 슈금되야 본 총회로 보ᄂᆡᆫ 편지에 문안ᄒᆞᆷ과 츅복ᄒᆞᆷ과 회쟝직무를 부화쟝 마포삼열시의게 위임ᄒᆞᆫ 말솜을 셔긔가 랑독ᄒᆞᄆᆡ 회즁이 슯흔 ᄆᆞ음으로 밧고 부화쟝이 회쟝을 이ᄒᆞ야 간졀히 긔도ᄒᆞ다.[11]

한국교회가 가지고 있었던 독립운동에 열망이 어떤 것인지를 보여주

9 김명구, 『한국기독교사 ~1945』, pp.394~395.
10 「동아일보」, 「조선일보」가 창간했고, 「개벽」, 「신생활」, 「조선지광」 등의 잡지들이 발행되었다.
11 『조선예수교회 장로회 제8회 회록』, 1919년 10월 4일 평양부서문밧신학교, p.1.

었음에도 뚜렷한 성과없이 끝난 3·1운동은 오히려 한국교회의 민족운동과 사회운동 참여를 위축시키고 있었다. 오히려 교회는 교회 내부의 문제에 몰두하기 시작했고, 간접적으로 기독교 교육운동에 매진하고 있었다. 사회적 참여나 사회적 책무를 다하는 것은 두 가지 점에서 문제를 야기했다. 일본의 비도덕성과 양심의 무감각을 질타하며 거사에 참여했던 한국교회였다. 한국교회가 일본의 사회적 체계 아래에서 그 책무를 감당한다는 것은 모순에 빠지는 것이었다. 또한 한국교회가 가지고 있었던 신앙적 힘이 소진되었다는 점이었다. 1907년부터 이어져 왔던 영적대각성의 영적인 힘은 한국교회가 민족을 이끌어 갈 수 있는 동력을 제공해 주었다. 그것이 3·1운동을 통해 드러났을 뿐만 아니라 한국기독교의 지도자를 민족의 지도자, 사회의 지도자로 받아들이는 결과를 가져다 주었다. 그러나 그것은 그만큼의 사회적 책무를 요구하는 것이기도 했다.

3·1운동 이후 1907년의 주역들이 대거 수감되면서 일시적으로 침체를 겪어야 했던 한국교회는 김익두를 비롯한 부흥사들이 등장하면서 다시금 1907년의 부흥을 기대하기 시작했다. 김익두(金益斗, 1874~1950)가 주도한 부흥회는 이전의 부흥회와는 다른 특징을 가지고 있었다. 신유부흥회라는 이름이 붙을 정도로 그가 인도하는 부흥집회는 신유의 기적들이 나타났다.

> 황해도 신천군 읍내교회 김익두 씨는 지난 오월 십칠일에 도착하야 부산진 교회에서 부흥회를 일주일간 모혔는대 그동안 크게 자미잇고 성황으로 지낸 중에 특별히 놀랠만한 일이 잇다. 김목사는 안수긔도로써 안즌방이를 것게 하얏는대 그 병곳침을 밧은자는 부산진 좌천동 사백 사십번디 김락은 의 아들 두수(8)인대 나흔지 팔개월만에 우연이 안즌방

이가 되야 팔년동안 서지 못하고 이 세사을 슯흐게 지나왓더니 맛참 김목사가 부산에 온 후 우연히 기어서 례배당을 차저 왓다가 김목사겻헤 안젓슴으로 김목사는 그 아해가 병으로 고생하는 것을 불상히 녁여 안수긔도를 한 후 그 아해는 즉시 니러나서 것게 되얏슴으로 그 깃버함은 오히려 말로다 할 수가 업고 오날도 여전히 거러다니는 것을 본 사람마다 목사의게 칭송이 자자하며 신도가 더욱 만어젓스며 김목사는 이번 남방으로 와서 이적과 긔사를 만히 행한 중 밀양군 교회에서는 십팔세된 녀자 벙어리를 곳쳣고 각 디방에서 병곳친 수효가 이십이명은 전부낫게 하얏고 십팔명은 반이나 낫게 하얏다는 풍설이 잇다더라[12]

1922년 부흥사로 명성을 떨치던 김익두는 함태영이 조사로 시무했던 남대문교회의 담임목사로 부임했다. 기독교 지도자들에게 3·1운동의 거점 역할을 했을 정도로 사회와 민족문제에 관심이 많았던 남대문교회였다. 교회의 일과 나라의 일을 분리하지 않고 당연하게 여겼던 교회였기 때문에 김익두의 부임은 안팎으로 의견이 갈리고 있었다.[13] 특히 남대문교회가 속해 있었던 경기충청노회에서도 그의 부임에 대해 거부하는 움직임이 있었다. 위임목사로 부임하지 못하고 1년간 임시목사를 거쳐 4년이 지나서야 위임을 받을 수 있었다. 그러나 김익두 목사의 부임과 함께 남대문교회의 교세는 놀라운 성장을 보여주고 있었다.[14] 비단 남대문교회만이 교세가 늘어난 것이 아니었다. 김익두의 신유 부흥회를 중심으로 했던 영적인 운동은 3·1운동 이후 좌절과 절망에 빠졌던 한국교회가 다시 교세를 확장하는데 크게 영향을 주었다.

장로교의 경우는 1916년 1,885개 교회와 124,170명의 교인이 1925년

12 "김목사의 이적 벙어리가 말을 하고 안즌방이가 거러가", 『동아일보』, 1920년

13 남대문교회, 『남대문교회사 1885~2008』, p.145.

14 위의 책, p.178. 1923년 성찬참례인 수가 138명이었는데 1926년『기독신보』5월 12일의 기사는 교인수가 연동교회 650명, 남대문교회 300명으로 승동교회와 교인수가 같았다고 보도했다.

에는 교회가 2,165개, 교인이 182,650명으로 증가했고, 감리교는 1916년 811개 교회와 48,969명의 교인이 1925년 1,036개, 교인 57,434명으로 증가했다. 기독교 미션스쿨도 1918년에 790개 학교에 29,772명의 학생에서 1921년엔 1,187개 학교에 53,824명으로 2배 가까이 증가했다.[15] 그러나 한국교회 내부는 이제까지 드러나지 않고 있었던 여러 갈등들이 드러나며 점차 심화되고 있었다.

그때까지 한국교회를 주도하고 있었던 선교사들과 한국교회 간에 사이가 벌어지고 있었고, 독립의 문제를 바라보는 관점이 나뉘기 시작했다. 개인구원과 국가구원의 문제를 하나로 인식했던 한국교회는 영적인 사명과 민족적인 사명을 분리해서 인식하기 시작했다. 영적인 것에 주력하며 민족적인 문제는 역사의 주관자에 맡기자는 의식이 힘을 얻었다. 사회적인 책무를 강조한 그룹에서는 기독교 민족주의자들이 나오기 시작했고, 기독교 이데올로기를 통해 민족의식을 개조하겠다는 운동을 전개했다. 그 중심에 YMCA와 같은 기독교 사회기관들이 있었다.[16] 한국교회의 상황이 사실상 1912년 이전의 모습으로 돌아간 것이었다.

5.2. 함태영의 목회 – 신학적 실천의 장

5.2.1. 영적인 거점으로서의 교회 – 신부적 인간의 구현

1921년 마포형무소에서 가석방 되어 출소한 함태영은 이듬해인 3월

15 김명구, 『한국기독교사 ~1945』, p.413.
16 위의 책, p.414.

평양신학교 졸업앨범(1922) – 두번째 줄 왼쪽에서 다섯번째가 함태영

평양신학교에 다시 복학했다. 1년 3개월 5년 과정이었던 교과과정이 1년 2학기 3년 과정으로 바뀌어 있었다.[17] 1학기를 마친 함태영은 목회자가 사임하여 공석으로 있었던 청주읍교회의 조사로 부임했다.[18] 그리고 1922년 12월 26일 승동교회에서 개최된 제23회 경기충청노회는 평양신학교를 졸업한 함태영의 목사장립을 허락하고 안수식을 거행했다. 청주읍교회가 조사였던 함태영을 위임목사로 청빙 청원을 한 것을 허락했다.[19] 평양신학교에 입학한지 8년 만에 목사안수를 받은 것이었다. 이는 보통 신학교 5년 과정을 마친 이들보다 3년이 늦은 것이었다.

청주읍교회는 부흥사로 명성을 떨치던 김익두를 초청하여 부흥회를

17 김인수, 『장로신학대학교 100년사』, p.170. 당시 평양 신학교는 5년 과정이었다. 1년에 1학기(3개월동안)씩 5년 동안 공부하도록 했다. 그러다가 1년에 2학기씩 3년 동안 다니는 것으로 바뀐 것이다.
18 『경기충청노회 제23회 회록』, 1922년 6월 22일 연동교회, p.18.
19 『경기충청노회 제23회 회록』, 1922년 12월 26일 승동교회, p.26.

개최하면서 목회자의 사임으로 어수선한 교회의 분위기를 다잡고 교회 부흥을 위한 도약을 기대하고 있었다. 그런 기대를 충족시켜 줄 적임자로 함태영을 청빙한 것이었다. 함태영은 1923년 1월 7일 오후 2시에 청주읍교회 목사 위임예식을 가졌다.

이 예식에 약 300명이 참석했는데 경기충청노회에서 예식을 주관하도록 지명된 소열도(Theodore Stanley Soltau 1890~1970)가 사회를 보았고 연동교회의 이명혁 목사가 설교했다. 사회자가 함 목사와 교인들에게 문답하였으며, 그 후에 안대선(Wallis Anderson) 목사는 함태영에게, 소열도 목사는 교인들에게 각각 권면의 말씀을 하였다. 이후 함태영의 축도로 마쳤다. 이 예식은 법관이었던 함태영이 목사로서의 생애를 알리는 서막이었다. 당시 함태영은 충청지역에서 유일한 한국인 목사였다. 사실상 이 지역을 대표하는 인물이었다. 이미 한국장로교회 총회의 서기를 2년간 맡았기 때문에 목사 안수를 받고 위임이 되면 총회장으로서의 역할을 담당할 수 있었다. 청주읍교회는 1923년 총회에 함태영으로 총회장으로 추천했다. 총회장을 역임한 뒤인 1924년엔 경기충청노회로부터 분립된 충청노회의 초대 노회장을 맡았다.

청주읍교회에서 목사로서 목회를 시작한 함태영은 한국장로교회의 모범을 구현하고 싶어했다. 그는 스승이었던 곽안련을 도와 『교회정치문답조례』를 편찬했었다. 여기에는 장로교회의 모든 정치적인 문제와 함께 교회조직의 규범들을 담고 있었다. 교회의 본질과 원칙이 무엇인지를 누구보다 잘 알고 있었다. 신학교 졸업을 앞두고 시작한 사역지였다. 한국장로교회의 복음주의적 특성과 정치적, 역사적 의미를 알고 있었던 그로서는 이를 구현하고 실천하는 것이 당연했다. 청주읍교회의

제8대 조선예수교장로회 총회장

조선예수교장로회 총회장 명단

목회사역은 그의 목회적 원칙과 철학이 무엇인지를 보여주는 모범이었다. 이후의 교회에서도 상황에 따른 적용에 있어 차이는 있었지만 철학은 변하지 않았다.

그가 추구했던 목회의 원칙은 우선 교회가 영적 거점이 되어야 한다는 것이었다. 복음주의 신학에서 가장 중요한 것은 개인의 영혼을 구원하는 일이었다. 개인 구원의 방법론에 있어서 한국의 복음주의는 지적인 것이나 물질적인 것을 추구하지 않았다. 영적집회를 통한 회심의 체험이 있어야 비로소 구원의 확신을 얻을 수 있다고 믿었다.[20] 부흥회가 강조된 이유도 그와 같았다. 부흥회는 한국교회 교인들에게 가장 중요한 경건의 수단이었다. 부흥회는 불신자들이 신비로운 영적인 체험을 통해 구원 받는 것을 목표로 한다. 하지만 목사와 기존의 교인들에게는 나태해진 기도생활과 자신을 낮추고 하나님을 높이는 교육과 양성의 목적을 갖는다. 부흥회는 위축되어 있고 무기력해져 있을 때 다시 신앙적

---

20 최재건, "1907년 한국교회의 회개 영성 부흥", 「신학논단」, 제47집, 2007년 2월호, p.138.

인 힘을 제공하는 역할을 한다. 이를 통해 교인들은 다시 예배의 활력을 얻고 새로운 변화를 추구해 나갈 수 있다는 의미를 가지고 있었다.[21] 인간을 영적인 존재로 보는 기독교에서 영성의 회복은 곧 인간성의 회복을 의미했다.

1922년 청주읍교회에 조사로 부임했을 때 함태영은 당대의 부흥사였던 김익두를 초빙해 부흥회를 개최했다. 그리고 1924년에는 신홍식을 강사로 부흥회를 열었다. 신홍식은 감리교 목사로 3·1운동 당시 평양 남산현교회를 담임하고 있었으며 민족대표 33인에 이름을 올린 인물이었다. 강사선정에 교파나 지역, 출신 등은 중요한 문제가 아니었다. 영적인 은혜를 끼칠 수 있는 인물이면 족했다.[22] 그가 1927년 12월 박승명 목사 문제로 심각한 내홍을 겪고 있었던 문창교회에 부임했을 때도 우선적으로 개최했던 것이 부흥회였다. 박승명 목사 사건은 교인들 중의 일부가 담임목사였던 박승명을 배척하면서 불거진 사건이었다. 박승명이 사임한 뒤에도 계속해서 노회에 분란이 일어난 사건으로 문창교회는 깊은 내홍에 휩싸였다. 이때 총회 특별위원으로 방문한 인물이 함태영이었는데 함태영이 이 사건 해결을 주도하면서 문창교회가 함태영의 공천을 받으면서 전임자인 박승명이 교인들 일부를 데리고 나가 독립교회를 창설하는 사태가 벌어졌다. 이 사건은 결국 박승명이 경남노회에서 목사면직처분을 당하면서 일단락 되었다.[23]

1929년 12월 연동교회에 부임했을 때도 담임목사로 첫번째 행사를 길선주의 부흥회로 열었다. 그때도 연동교회가 이명혁 목사가 은퇴를

21 곽안련, 『목회학』, p.206.
22 전순동, 『충북기독교백년사』, p.243.
23 문창교회 100년사 편찬위원회, 『문창교회100년사』(서울:한국장로교출판사, 2001), p.112.

앞두고 후임 목사를 결정하는 과정에서 전필순 조사의 목사 청빙 문제로 내홍을 겪고 있었다. 게일과 이명혁 모두가 의견이 갈리면서 내홍은 쉽게 잦아들지 않았다. 결국 전필순은 목사 안수 후에 묘동교회로 부임했고, 연동교회는 교회 갈등의 중심에 있었던 게일과 이명혁 모두 소천하면서 이를 수습할 목회자로 함태영을 청빙했다.[24] 함태영이 교회를 수습하기 위해 내놓은 처방이 부흥회의 개최였다. 영적인 힘으로만 이 문제를 해결할 수 있다는 자신의 신념 때문이었다.

이후에도 그는 1931년에 성결교회의 이명직을 초청하여 부흥회를 열었고,[25] 그리고 얼마 뒤에 김익두 목사를 초빙해 특별 기도회를 개최했다. 매년마다 부흥회와 특별 강설회를 주기적으로 개최함으로써 영적인 열기가 식지 않도록 했다.[26] 1934년에는 교회창립 40주년을 기념해서도 부흥회를 개최했는데 부흥강사는 자신의 후임으로 문창교회에 부임한 주기철 목사였다.[27] 적극신앙단 문제로 함태영과 교회, 노회, 총회 모두 분란으로 어려움에 처해 있었던 시기였던 1935년에는 성결교회의 이건 목사를 초빙했고, 1936년에는 전주의 고득순 목사를 초빙해 부흥회를 개최했다. 그리고 1937년에는 전주 서문교회를 담임했던 배은희 목사를 초청해 특별 대부흥회를 개최했다.[28]

함태영은 모든 개인과 교회의 문제를 영적인 것으로 보았다. 그리고 이 영적인 문제를 해결하는 것은 오직 강력한 성령의 역사를 통해서만 가능하다고 믿었다. 교회가 해야 할 가장 중요한 사명을 바로 이 영적인

---

24 연동교회 100년사 편찬위원회, 『연동교회100년사』, p.243~264. 5
25 『연동교회 당회록』,1931년 3월 29일 제18회 회록, p.3. 부흥사경회는 4월 8일부터 일주일간 개최되었다.
26 연동교회 100년사 편찬위원회, 『연동교회100년사』, p.272.
27 위의 책, p.296.
28 위의 책, p.273.

것에 두고 있었던 것이다.

부흥회를 통해 영적인 감격을 경험한 이들은 밖으로 나가 복음을 전하는 일을 당연하게 여겼다. 복음전도의 동력을 부흥회를 통해서 얻고 있었다. 또한 교회는 영적 체험을 중요시 여기면서도 영적인 것이 광신적인 것으로 나아가지 않도록 노력했다. 영적 회심을 경험한 신자들은 성서적 삶을 실천해야 했다. 영적인 전환을 통해 기독교 윤리적인 삶을 지향하게 되었으며 그것의 바탕이 성서였다. 성서의 강조는 필연적으로 교회 내에서의 교육을 진작시켰다. 주일학교를 강조했고, 나아가서는 기독교 복음의 정신과 가치를 기독교 학교의 설립을 통해서 확산시켜 나가는데 중점을 두었다. 복음 전도와 교육은 기독교적 인간성의 훈련과 성화를 이루어가는 중요한 수단이고 통로였다.

함태영도 자신이 목회했던 곳에서 부흥회와 함께 조직했던 것이 전도대였다. 청주읍교회에서는 목사위임을 마친 이후에 가장 먼저 조직한 것이 부인전도단이었다. 그리고 시무장로였던 이호재를 조사로 세워 전도하는 일에 전념토록 했다.[29] 부흥회를 통한 경건성의 확보는 전도를 통한 활동으로 이어져야 했다. 그것이 교회가 가지고 있는 영적인 힘의 원천이라고 본 것이다. 전도대의 활약은 청주읍교회에 활력을 불어넣어 주었다. 교회 내부의 문제들에 더 이상 매이지 않고 영적인 일에 매진하기 시작한 것이었다. 청주읍교회와 교인들은 이 시기에 미원면 교회와 사주면 외덕교회를 설립하고 분립하는데 진력했고, 교회들마다 교인들의 수가 점증했다.[30] 전도하는 교회의 구현은 문창교회에서도 이어져

29 http://www.chjeil.com/, 청주제일교회 인터넷홈페이지 연혁, "1904~1930 - 1922년 함태영 목사의 취임…".

30 함태영 외 2명, 『조선예수교장로회 사기 하』(서울:한국기독교사연구소, 2017), pp.147~148.

전도구역을 나누고 전도부서를 조직하여 교인들이 전도에 열심을 낼 수 있도록 했다.[31]

교회는 영적인 거점이었다. 기독교 복음의 능력과 가치를 일깨워 주는 곳이고 존재의 본질을 탐구함으로써 새로운 사명과 소망을 부여하는 곳이었다. 부흥회는 영적인 체험의 기회를 제공해 주었고, 전도는 그러한 영적인 힘을 깨닫게 해주었다. 그리고 그러한 영적인 것이 교육으로 실천되어야만 신부적 인간화가 가능해지는 것이었다.

5.2.2. 개인구원과 국가구원의 병립(竝立)

복음주의 신앙운동은 단순히 신앙을 감정적인 것에서 머물지 않는다. 성서가 삶의 중심이 되어야 했다. 처음 주일학교는 전도의 수단으로 시작했지만 이 운동을 확산시켰던 로버트 레이크스(Robert Raikes, 1736-1811)는 주일학교를 노동자 계층의 아이들에게 신앙을 가르치고 기독교화 시키는데 주력했다. 주일학교의 주된 목적은 성서를 읽고 배우도록 하는 것이었다.[32] 그런데 주일학교는 단순히 성서를 가르치는 곳으로만 끝나지 않았다. 주일학교의 근본원리는 아이가 성서를 읽도록 지도하고 기독교 신앙의 근본을 가르치며, 경건과 덕의 습관을 습득하도록 가르치는 것이었다. 주일학교 사역은 아이의 거룩한 삶을 통해 부모가 회심에 이를 수 있다고 보았다. 이것은 가족을 사회의 도덕적이고 법을 준수하는 구성원으로 변화시켜 궁극적으로는 나라 전체에 이익을 주게 된다는 목표를 가지고 있었다.[33] 기독교의 교육이 단순히 교회 내

---

31 문창교회 100년사 편찬위원회, 『문창교회100년사』, p.112.

32 존 울프, 이재근 역, 『복음주의의 확장』(서울:기독교문서선교회, 2010), p.208.

33 위의 책, p.210.

부에서 머무르는 것이 아니라 가정과 사회, 국가까지도 변화시킬 수 있다는 것이었다. 이는 교육이 그리스도인의 삶을 성서적 삶으로 이끌어 줄 뿐만 아니라 기독교 이데올로기를 사회와 국가 속에 확산시키는 것을 의미했다. 신부적 인간화의 실현이 기독교의 교육을 통해서 구체화되는 것이다.

함태영도 교육의 진작을 통해 영적인 힘을 지속적으로 삶에 노정(路程)시키고자 했다. 신앙의 출발점이었던 연동교회는 한국의 장로교회 중에서는 처음으로 감리교회에서 운영하던 주일학교를 도입한 교회였다.[34] 함태영의 신앙초기부터 주일학교의 중요성을 누구보다 잘 알고 있었다. 스승이었던 곽안련은 신학생들에게 교회를 교육기관이라고 가르쳤다. 교회가 교육을 등한히 하면 교회가 영원히 부흥할 수 없다. 그에 따르면 교육을 통하여 복음 진리의 전도를 용인하게 되며 복음의 진리를 깨달은 후에 다시 교육을 통하여 신앙을 굳게 서는 것이었다. 곽안련에게는 부흥회와 교육이 동일시 되었다. 부흥회 때에 하나님의 능력으로 회개시켜 헌신할 것을 결심하게 하고 그 후에 교육을 통하여 작정한 것을 영원히 지키게 되는 것이었다.[35]

1920년대 들어서 청주를 비롯한 충북지역에도 주일학교 운동이 본격화하고 있었다. 1921년 개최된 주일학교대회가 개최되면서 농촌지역의 주일학교 교사양성에 대한 보다 조직적인 교육과 훈련이 시도된 것이었다. 함태영은 청주읍교회에 부임한 후에 교사강습을 위주로 진행되는 주일학교대회를 1924년에 다시 청주읍교회에서 개최하면서 주일학교 운동의 활성화와 조직화, 전문화를 시도했다. 주일학교 교재도 미국

34 연동교회 역사위원회, 『연동교회 주일학교 100년사』(서울:연동교회, 2008), p.73.
35 곽안련, 『목회학』, p.237.

에서 발행하고 '조선주일학교 연합회' 만국공과를 사용하도록 했다. 장로교와 감리교가 연합하여 조직한 '조선주일학교 연합회'의 공과를 교육현장에서 사용함으로써 복음주의 신학적 지향을 드러냈다.[36]

함태영은 교회 내에서뿐만 아니라 1924년 경기충청노회에서 분립된 충청노회 전체를 대표하는 인물이었다. 충청노회 소속 교회의 교사들은 교육을 위해 필요한 정보를 공유할 수 있도록 '조선주일학교 연합회'에서 발행했던 「주일학교신보」, 「아희생활」과 같은 잡지를 구독했는데 함태영이 직접 지국장을 맡아 이 잡지들의 보급에 주력했다. 특히 「아희생활」은 동화, 동시, 소설, 역사 이야기, 성서 이야기, 위인전기, 세계 명작 등의 교양적인 내용이 포함되어 있었다. 함태영은 이 잡지를 통해 교사들이 아동심리를 알고 이를 교육현장에 적용하여 증진시켜 나가기를 원했다.[37] 이는 그가 곽안련이 기술한 『종교교육 심리학』, 『주일학교교수법』, 『주일학교조직법』 등의 내용을 신학교에서 배웠기 때문에 그 중요성을 알고 있었다.[38]

함태영은 주일학교를 중심에 두고 목회를 할 정도로 정성을 쏟았다. 그에게 주일학교의 운영과 원리에 대해서 많은 것을 제공해 주었던 연동교회에서도 그는 주일학교 진흥주일을 제정하여 온 교회가 주일학교를 위한 예배와 운동회를 열도록 함으로써 주일학교의 중요성을 교인들에게 각인시켰다. 함태영의 부임 이후에 연동교회 주일학교는 외부적인 상황 속에서도 성장을 거듭했다.[39]

여기에는 그의 부인이었던 고숙원의 역할도 있었다. 고숙원은 연동교

36 전순동, 『충북기독교백년사』, pp. 254~256.
37 위의 책, p.257.
38 곽안련, 『목회학』, p.247.
39 연동교회 역사위원회, 『연동교회 주일학교 100년사』, p.115.

회가 설립한 정신여소학교와 경신남소학교의 교사였다.[40] 연동교회에서 함태영이 장로로 장립되던 해에 신마리아와 함께 최초의 여자 집사로 임명된 인물이었다.[41] 고숙원은 함태영이 문창교회에서 사역할 때 영아부를 조직하는 역할을 맡았고 연동교회에 와서는 장년부 부장을 맡아 여성장년교육을 담당할 정도로 교회 안팎에서 교육가로서 신망을 얻고 있었다.[42] 교육에 대한 중요성을 누구보다 잘 알고 있었고, 실무적으로도 경험을 가지고 있었기에 가능한 일이었다.

> 주일학교는 당시 위정 당국자들에게 혐오으 대상 및 공포의 존재였다. 그것은 어린시절부터 자유와 독립사상을 불어넣어 주는 때문이라고 하였다. 물론 주일학교에서 어떤 목표, 즉 배일과 반일을 목적하고 교육을 실시하는 것은 아니었다. 오직 자유는 천품(天稟)의 은사인 것과 독립은 생활의 목표로서 신자로서 자연발생의 길이므로 진리를 알리며 훈육하여 종생토록 진정한 신자로서 세상을 걸어가도록 하는 것이었다. 이것이 직접·간접으로 일본의 불의를 적발하는 것이 되고 비진리, 즉 하나님의 뜻을 어기는 것이 된다는 것을 알게 되니 불의에 복종할 수 없고 비진리를 따를 수 없다는 것 뿐이었다.
> 그러나 그들은 이 주일학교의 교육은 곧 배일 및 반일사상을 착근케 하는 것이니 이것을 금지시켜야 한다고 역설하였다. 그들 자유의 말로 "우리가 한 주일동안 교육한 것이 저 기독교 예배당에서 회합하는 주일학교의 한 시간으로 인해 뿌리채 뽑힌다."고 하였다. 그리고 "기독교는 배일 및 반일자들의 소굴이며 주일학교 선생들은 모두가 배일, 반일자들의 선봉이다."고 하였다. 무슨 핑계를 잡던지 주일학교를 없애려는 것이

40 위의 책, p.55.
41 연동교회, 『연동교회100년사』, p.818.
42 『연동교회 당회록』, 1930년 12월 4일, p.93. 연동교회 당회는 신년 주일학교 교장과 부교장, 각 부서의 부장에 대한 인사를 가결했다. 교장:(이명 후에 선정하기로 함), 부교장: 이대위, 유치, 초등부장: 김건 최정옥, 소년, 중등부장: 정재호, 오혜우, 고등, 청년부장: 리시웅, 허마리아, 장년부장: 김교영, 고숙원, 교사양성반장: 손진주

어서 기어히 그런 발동을 취한 것이었다.[43]

함태영의 후임으로 연동교회의 담임목사가 되었던 전필순(全弼淳, 1897~1977)은 연동교회 주일학교를 그렇게 말하고 있었다. 순수한 기독교 신앙과 가치를 양육하는 곳이었지만 주일학교에서 가르치는 자유와 진리에 대한 가르침, 의로움에 대한 가르침은 일본의 불의함을 알게 하고 배일(排日)과 반일(反日)사상을 길러주었다. 1938년 일본이 파악한 조선의 기독교인 수는 약 50여 만명이었고, 교회는 3,436개소였다.[44]공교육을 거의 장악하고 있었던 일본으로서는 유일하게 한국어 성서를 가르치고 역사를 가르치는 기독교의 주일학교 교육이 잠재적 위협요소일 수밖에 없었다. 전필순은 이를 여호와의 신과 일본 신의 대결이라고 회고했다.[45] 일본의 핍박을 영적인 것으로 본 것 이었다.

1938년 10월 연동교회의 집사이며 주일학교 교사였던 최만길이 자신이 근무하던 용산철도국 벽에 "이번 전쟁에서 일본이 반드시 패망한다"는 낙서를 한 것이 문제가 되었다. 일본 당국은 함태영을 비롯한 연동교회 당회원과 제직회원, 주일학교 교사들을 모두 심문 조사했다. 혐의점을 찾지는 못했지만 주일학교 폐교명령을 내렸다. 함태영이 원로목사로 퇴임하던 1941년까지 주일학교 교육은 금지되었다.[46]

함태영에게 교육은 기독교인의 정체성을 만들어주는 것을 의미했다. 복음의 핵심가치인 자유와 정의, 사랑과 나눔을 가르치고 훈련시키는 것이었다. 기독교의 신앙은 개인의 가치를 변화시킬뿐만 아니라 세계관

43 전필순, 『목회여운』, p.112.
44 오다쇼고, 박찬승 외 3명 역, 『조선총독부 30년사 下』(서울:민속원, 2019), p.1319.
45 전필순, 『목회여운』, p.106.
46 연동교회 역사위원회, 『연동교회 주일학교 100년사』, p.125.

을 바꾸어 놓기 때문에 기독교인으로 양육된다는 것은 그 자체로 자유에 대한 갈망, 불의에 대한 저항, 그리고 새로운 사회에 대한 변혁을 꿈꾸게 한다. 기독교 교육을 중요시하는 것은 그 자체로 복음의 영역을 사회로까지 확장시키는 것을 의미했다.

함태영이 청주읍교회에 부임할 무렵 청주읍교회는 청주의 민족문화유산으로 중요한 가치를 지니고 있었던 망선루(望仙樓)의 이전과 복원 문제로 청년회를 비롯한 신도들이 고군분투하고 있었다.[47] 1922년 일제가 이 건물을 헐어버렸는데 청주읍교회의 신도들이 이를 복원하기 위해서 철거한 목재와 기와들을 모아 인수했지만 이전과 복원을 위한 비용을 마련하지 못하고 있었다. 함태영은 부임과 동시에 이 문제를 해결해야 했다. 망선루는 이전 복원 뒤에 청남학교의 교사로 쓰일 계획이었다. 1924년 1월 24일 함태영이 찾은 곳은 서울 YMCA 회관이었다. 이곳에서 그는 강연회를 통해 청남학교 신축자금 마련과 망선루 이전복원의 당위성을 설명했다. 이때 초청된 강사가 대구여자학원 교사 이선애와 YMCA 총무 신흥우였다. 그리고 380원의 성금이 모금되었다. 이때 모금한 인사들은 다음과 같았다.

> 함병석 100원.
> 서승원, 서병조, 김병찬, 김인규, 송진우, 유성준, 김필수
> 신흥우, 신필호, 정규환, 김일선, 박계양, 유병수, 각각 10원.
> 정종화 7원.
> 최인성, 장 준, 김태화, 유명근, 박규병, 김교준, 이명원, 이선애 각 5원[48]

47 망선루(望仙樓)는 고려 공민왕 때에 지어진 2층 누각으로 세조 때에 한명회가 본래 '취경루'였던 이름을 '망선루(望仙樓)'로 고쳤다.

48 "청남학교 주최 신년강연 성황", 『동아일보』, 1924년 1월 5일자.

100원을 헌금한 함병석은 함태영의 장남이었다. 함태영이 YMCA에서 강연회를 열 수 있었던 것은 신흥우를 비롯한 YMCA 인사들과의 친분, 그리고 장로교 총회장으로서의 위상이 있었기 때문에 가능한 일이었다. 이 모금을 바탕으로 망선루의 이전 복원이 가능해졌다.[49]

망선루는 청주에 남아 있었던 대표적인 민족 문화 유산이었다. 청주읍교회가 이 문제에 적극적으로 나선 것은 민족의 문제를 외면하는 것은 신앙인의 참된 길이 아니라는 민족애와 청남학교를 통해 교육을 진흥시켜야 한다는 교육적 목적이 함께 있었기 때문이었다. 1924년 망선루는 청주읍교회 안에 복원되었다. 그리고 이 건물은 청남학교의 교사로 활용되었을 뿐만 아니라 뒤에는 청주 YMCA 건물로도 활용되었다.[50]

함태영은 복음이 교회 안에만 머물러 있는 것으로 인식하지 않았다. 사회 속으로 들어가 영향력을 가져야 한다고 생각하고 있었다. 한국장로교회의 복음주의 신학이 가지고 있었던 특징이기도 했다. 복음

49 「청주제일교회」 인터넷 홈페이지,http://www.chjeil.com/교회연혁

1926년 복원된 망선루의 모습

1954년 청주제일교회를 방문한 부통령 함태영

50 전순동,『충북기독교 100년사』, p.307.

의 개념들, 특히 구원과 죄, 선함, 정의의 문제들은 단순히 개인으로만 국한되는 개념이 아니었다. 사회사업을 위한 주요한 기관으로 학교와 YMCA를 언급하는 이유도 그러한 기관들이 개인에 대한 목적보다는 사회적 목적을 더 중요하게 여기기 때문이었다.

함태영은 YMCA에 직접적으로 참여하지 않았지만 그의 신앙적 출발점부터 YMCA와 상당히 깊은 연관을 가지고 있었다. 연동교회가 YMCA 운동을 주도하는 유력한 교회였고, 담임목사 게일과 월남 이상재와 같은 인물이 YMCA를 이끌어가는 지도자였다. 함태영도 3·1운동 당시 세브란스 의전 YMCA를 지도하는 역할을 담당하고 있었다. 그러나 목회를 시작한 함태영은 사회적 문제에 간접적이거나 소극적일 수밖에 없었다. 교회교육과 교회가 세운 학교를 통해 기독교 정신과 가치를 사회적으로 확산시키는데 주력할 뿐이었다. 그러나 청주와 마산 같은 지방에서 목회를 하는 동안 그가 목격한 사회의 현실은 단순한 문제가 아니었다. 농촌의 심각한 빈곤의 문제와 이로 인해 나타난 사회적 문제는 교회에 직접적인 영향을 주고 있었다.

> 한국은 다른 나라들과 다를 바 없이 어려워진 경제여건으로 인해 고통을 받고 있으며, 그로 인해 교회생활이 심각한 영향을 받아 교회들의 활동이 감소되고 있다. 한국에서는 다음과 같은 몇 가지 이유에서 사람들이 경제적인 곤궁에 처하고 있다. 한국인 지주의 감소, 터무니없이 높은 이자율과 소작료, 너무나 빈약한 공업, 농산물과 기타 생산품들의 미약한 유통능력, 외국상품 구매, 음주와 흡연 습관으로 인한 낭비 등등이다. 한국은 항상 실업자가 넘쳐나는 나라로 여겨지고 있다. 상업과 공업의 이익이 일본인들에게 돌아가는 것은 놀랄 일이 아니다. 그들을 이 나라를 지배하고 있고, 내부 유통망을 장악하고 있고, 자금시장을

조종할 수 있고, 보다 많은 자본을 갖고 있고, 이 나라의 자연자원을 선점할 수 있는 등등의 조건을 지니고 있다.[51]

경제적 빈곤은 음주와 청소년들의 흡연, 마약과 몰핀 중독, 사회악을 가져왔고, 결핵과 성병이 전국에 만연했다. 유아사망률의 증가, 어린이 노동을 보편화하고, 소작인들이 빚에 쪼들리는 현상이 끝없이 이어지고 있었다. 그러나 교회들이 이러한 사회문제들에 대처할 수 있었던 방법들은 정규예배, 주일학교, 사경회, 초등학교, 야학교, 하계일일성경학교, 선교기관, 청년회의 활동등이 전부였다.[52] 농촌문제의 심각성을 인식하면서도 이에 대한 실천적인 해법을 갖는데 한계를 드러내고 있었다. 그나마 YMCA가 농촌문제를 해결하기 위해 본격적으로 농촌계몽운동을 전개하면서 농촌문제 해결에 나서고 있었다.

함태영의 신학은 개인의 영혼구원만이 목표가 아니었다. 개인구원을 통해 사회와 국가를 구원하는데까지 복음이 확장되어야 했다. 그것은 복음주의 신앙이 본래 가지고 있었던 사회변혁으로의 확장성을 의미하는 것이었다. 3·1운동이후 한국교회는 김익두의 신유부흥회 등을 통해 다시금 영적인 힘을 회복하고 있었다. 그러나 1907년 영적대부흥운동 이후에 나타났던 모습과는 차이가 있었다. 1907년의 영적인 에너지는 복음을 국가 구원, 즉 독립에 대한 열망으로 확장되었지만 3·1운동 이후의 영적인 에너지는 교회 밖으로 향하지 않고 오히려 교회 내부에서 교권으로 향하고 있었다. 또한 영적인 영역과 민족적 사명을 분리하고 있었다. 3·1운동에 참여했던 이들 가운데도 이 둘을 분리하고 복음을

51 해리 로즈, 최재건 역, 『미국 북장로교 한국 선교회사』, p.504.
52 위의 책, p.502.

독립운동의 이데올로기로부터 분리시켰다.[53] 감리교의 이용도와 장로교의 김인서, 정동감리교회의 이필주 등이 대표적인 인물이었다.

> 감옥에서 나는 하나님의 역사하심을 배우고 기도와 명상으로 많은 시간을 보냈다. 감옥에 갇힌 지 얼마 되지 않던 어느 날 눈을 감고 무릎을 꿇고 기도를 드렸다. 누군가가 내 귀를 두드리는 것 같았고 큰 목소리가 들여왔다. '하나님을 구하라' 나는 깜짝 놀랐다. 머리를 들어 사방을 돌아보았다. 감방 구역에 있는 변기통 외에 마룻바닥이나 벽에 아무것도 보이지 않았다. 감방은 3평 정도밖에 되지 않았다. 나는 다시 기도하기를 시작했다. 그러나 그때마다 다시 아까와 똑같은 음성이 들렸다. 나는 성경을 펴서 마태복음 1장 1절부터 읽어나가기 시작했다. 요한복음 7장 29절에 이르러 눈이 멈추었다. '나를 보내신 분은 진정한 영이시다' 컴컴한 방안에 환한 전깃불이 켜지는 것 같았다. 내 영혼을 사로잡았던 두려움이 사라졌다. 나는 우리 민족을 위해 내가 할 수 있는 최선의 일이 무엇인지 알고자 했다. 그들을 위한 것이라면 열 번 아니 백 번이라도 그들을 위해 기꺼이 죽고 싶었다.[54]

이필주는 옥고를 치르면서 복음의 영적인 영역이 우선이었고, 목표가 되었다. 국가구원의 문제는 역사의 주관자이신 하나님께 맡겨야 한다고 보았다. 그는 이후에 영적인 영역에만 집중했다. 더 이상 민족운동에 참여하지 않았다.[55] 한국에 왔던 선교사들이 지향했던 비정치화의 신앙이 더욱 굳어진 것이었다. 김인서 역시도 한국교회가 전향해야 한다고 역설하고 있었다.

---

53 김명구, 『한국기독교사 ~1945』, p.516.
54 정동제일교회, 『정동제일교회 125년사 - 통사편』 (서울:정동제일교회, 2011), p.282.
55 김명구, 『한국기독교사 ~1945』, p.417.

> 여배(余輩)의 4, 5년간의 경고와 싸워 온 것은 현대교회의 방향이 차오(差誤)되었다는 것이었다. 하나님을 향하여야 할 예수의 교회가 세상에 경향(傾向)하였다 함이다. 신앙의 종교가 사업의 종교로 복음의 종교가 수양의 종교로 사랑의 종교가 이기의 종교로 소금 맛을 잃었다. 뜨거워야 할 교회가 냉각하였고 살아야 할 교회가 의식의 사각화(死殼化)하였다 함이었다.[56]

교회가 세상을 향하는 것이 결국은 교회의 본질을 잃은 것이라고 역설하고 있었다. 교회는 단지 영적인 영역에서만 영향력을 끼쳐야 한다고 본 것이다. 그들에게 더 중요한 것은 이땅에 대한 것이 아니었다. 초월적인 영적인 것을 우선시하며 저 너머에 있는 하나님의 나라를 고대하는 것이 교회의 본질이고 사명이라고 생각했다. 3·1운동을 통해 그러한 인식은 더욱 강화되었다. 일본의 식민통치의 문제를 비롯한 세상의 문제를 해결하는 것은 교회가 아닌 초월자인 하나님의 영역이었다.

그러나 함태영은 감옥에서 역사의 주관자이신 하나님을 의지하면서도 그 하나님의 역사는 인간의 역할, 즉 인간이 의를 행할 때 비로소 역사 속에서 드러난다는 사실을 더욱 절실하게 깨닫고 있었다. 하나님의 역사하실 것을 믿는다고 하면서 의를 행하지 않는 것은 오히려 하나님의 역사를 방해하는 것이다. 인간은 끊임없이 하나님의 의를 향해 나아가야 한다. 그것이 교회만이 아니라 국가를 향해야 한다고 믿었다.

1928년 마산문창교회에 부임해 교회 내의 갈등을 해결하고 경남노회의 노회장까지 역임하며 성공적인 사역을 하던 함태영은 부임한 지 2년이 되지 않았을 때 연동교회로부터의 담임목사 청빙을 받았다. 성공적

---

56 김인서, "교회의 전향과 동진(動進)의 실력", 「신앙생활」, 1935년 6월호, 『김인서 저작전집 2』(서울:신망애, 1974), p.182.

인 목회를 이어가고 있었던 함태영이었기 때문에 그가 떠나는 것에 대해 문창교회와 경남노회는 반대하고 나섰다. 그럼에도 함태영은 연동교회의 청빙을 받아들였다.

연동교회는 1929년 5월 10일 당회에서 처음으로 공석인 담임목사에 함태영을 공천하고 제직회와 공동의회를 잇따라 열어 함태영 목사의 청빙을 결의했다. 6월에 노회의 허락을 받아 문창교회와 경남노회에 함태영 목사의 위임청빙서를 보내 이명을 허락해 줄 것을 요청했다. 10월 별다른 위임예식 없이 함태영은 연동교회의 2대 위임목사로 부임했다.[57] 그러나 함태영이 연동교회로 떠나기로 결정한 것은 보다 좋은 조건의 목회지를 찾아 떠난 것이 아니었다. 함태영은 한국장로교회가 출범할 당시의 신학적 본질을 회복하기를 원했다. 지방에서의 사역은 그의 활동 범위를 지역으로 국한시킬 수밖에 없었다. 그는 한국장로교회 안에서 총회장을 역임했고, 한국장로교회를 대표하는 인물로 자리매김하고 있었다. 연동교회에서의 청빙요구는 사역을 막 시작한지 얼마되지 않았던 문창교회에게는 아쉬운 일이었지만 함태영은 선택을 망설이지 않았다. 연동교회는 자신의 모교회였다. 신앙의 출발점이었고, 영적인 본향이었다. 교회 내부의 문제를 해결하는 것이 우선하는 일이었지만 한국교회가 직면해 있었던 문제들에 대한 보다 신학적인 고찰을 할 수 있는 곳이기도 했다.

5.2.3. 단일 복음주의 교회의 이상

연동교회에 부임한 함태영은 부흥회와 복음전도, 교회교육에 주력하

57 연동교회 100년사 편찬위원회, 『연동교회100년사』, pp.268~269.

며 교회 내부의 문제를 영적인 회복을 통해 치유해 나갔다. 그에게 영적인 것은 모든 것을 할 수 있는 힘의 원천이었다. 교회가 안정을 찾아가면서 함태영은 이전 목회에서는 잘 드러나지 않았던 외부적인 활동을 시작했다. 그것은 한국교회가 신학적으로 고착화되고, 교파별로 분화되어 가고 있었다. 다음은 마펫 선교사의 증언이다.

> 나는 조선에 와서 복음 전도하기 시작하기 전에 황주에서 하나님 앞에 기도하고 결심한 바 있었다. 이 결심은 내가 이 나라에 십자가의 도 외에는 전하지 않기로, 오직 하나님의 그 뜻대로, 죽든지 살든지 구원의 복음을 전하기로 굳세게 결심하였다. 그 다음 해에 평양에 왔는데, 평양에는 그 때에 신자는 한 명도 없었다.
> …
> 그 후에 점점 한석진 씨와 나는 바울과 같은 결심으로 조선 13도에 전도하기로 결심하였다. 그 후에 평양에 돌아와서 교회를 설립하였는데, 맨 처음에 한씨와 나는 하나님의 말씀 전하면 교회가 반드시 설립될 줄을 알고 전도하여 교회를 설립하였고, 그 후에 기일목사와 동행하여 선천에 내왕하며 전도하여 처음 믿는 자를 얻었으니 그는 김청삼씨이다.
> 우리의 처음 결심은 바울의 결심과 똑같은 결심을 하였다. 바울이 다른 복음을 전하지 않고 만일 다른 복음을 전하면 저주를 받으리라고 결심하였다. 나도 그리스도의 십자가 복음 외에는 다른 것을 전하지 아니하기로 결심하였다. 다른 것은 참 복음이 아니다.
> 근래에 와서 교회에서도 종종 이런 말이 들린다. 교회를 좀 변경하여야 한다. 혁신하여야 한다. 그전같이 전하면 듣는 자가 좋아하지 않는다. 새 시대에 옛적 복음이 적당치 않다. 새 세계에는 새로운 복음을 전하자고 한다마는 이런 사람들은 바울의 두뇌와 비교하면 적은 자이다. 바울은 그 당시에 다른 복음을 전할만 하였으나, 결단코 아니했다. 그는 철학과 재간이 있고 학식이 있고 로마국에 권세가 있었으나 다른 복음

을 전하면 저주를 받으리라 하였다. 바울이 기록한 서신을 보든지 디모데에게 부탁한 것을 보든지 바울은 그리스도 외에는 다른 것을 전하지 아니하기로 힘썼다. 그렇게 50년간 로마에서 전파하여 그는 큰 결과를 얻은 것이다.

금일에 말하기를 마목사는 너무 수구적이요, 구습을 그치지 않는다고 한다. 옛복음에는 구원이 있긴 있으나 새 복음에는 구원이 없는데는 답답하다. 그 옛복음 바울이 전한 복음을 전할 때에는 교회가 왕성하였지만, 새 복음에는 대단히 조심하시요. 우리는 옛복음 그대로 금일까지 전하지만 죄는 복음으로써만 사한다. 복음을 변경하려면 바울의 자격이 제일 합당하였지만 그는 아니했다.

근대에 있어 흔히 새 신학, 새 복음을 전하려는 자는 누구며 그 결과는 무엇일까.조심하자. 조선 모든 선교사여! 조선 교회 형제여! 40년 전에 전한 그 복음 그대로 전파하자. 나와 한 석진 목사와 13도에 전한 그것이, 길선주 목사가 평양에 전한 그 복음, 양 전백씨가 선천에 전한 그 복음은 자기들의 지혜로 전한 것이 아니요, 그들이 성신의 감동을 받아 전한 복음을변경치 말고 그대로 전파하라.

바울이 청년 목사 디모데에게 부탁함과 같이 나도 조선에 있는 원로 선교사와 노인 목사를 대표하여 조선 청년 교역자에게 말한다. 원로선교사와 원로목사의 전한 그대로 전하라. 이 복음은 우리가 내것이 아니요, 옛적부터 전한 복음이다. 이렇게 함으로 신성하고 권능 있는 교회를 세우고, 모든 백성에게 십자가의 도로 구원의 복음을 전파하기 바란다. 형제여! 원로 선교사 원로 목사들이 40년 동안 힘쓴 것인데 우리의 지혜가 아니요 바울에게 받았고, 하나님의 말씀을 전한 것인 데는 다른 복음 전하면 저주를 받을 것이오. 말할 기회 많지 않은 데는 딴 복음을 전하지 말기를 간절히 바란다.[58]

1934년 한국교회의 희년을 맞이해 선천 삼노회 연합회 기념식에서 행

58 사뮤엘 마펫, "한국교회에 기함". 정통화는 신학을 고정화시키는 것을 의미했다. 특히 성경의 문자적 영감설을 기반으로 문자적 오류 가능성을 부정했다.

한 설교에서 마펫은 선교사들이 전한 복음을 그대로 전할 것을 역설하고 있었다. 1930년대 들어서 새롭게 들어오는 신학의 사조에 대한 우려였다. 이는 복음주의 신학이 가지고 있었던 포용성을 거부하고 장로교회의 신학을 정통화해야 한다는 선언과도 같은 것이었다.[59] 마펫의 말을 이어받아 한국장로교회를 신학적으로 정통화하는데 앞장선 인물은 마펫의 제자였던 박형룡(朴亨龍, 1897~1978)이었다. 이들은 장로교 신학교와 교권의 중심지였던 평양을 기반으로 했다. 이들은 새로운 신학이 유입되는 것은 한국장로교의 복음적 정통성을 훼손하는 것으로 이해했다. 또한 신앙과 정치를 엄격히 분리하는 것이 한국교회의 정통이라고 인식했다. 개인의 영적 구원만이 복음의 목표였을 뿐이었다.

이러한 신학적 입장이 교권화 되어가면서 한국장로교회 내부에서 이전까지는 등장하지 않았던 신학적 갈등이 본격적으로 나타나기 시작했다. 지역적으로는 지적인 것을 중요시 여기고 국가구원의 문제, 즉 민족의 독립과 사회적 문제에 적극적인 관심을 가지고 있었던 서울을 비롯한 기청지역의 관점과 다른 것이었다. 이는 두 지역간에 교권의 갈등과 함께 신학적 분리가 본격화되었음을 의미하는 것이기도 했다. 이러한 분리는 한국장로교회 내부에서만 그치는 것이 아니었다.

1930년 한국감리교회는 '자치선언'을 통해 한국감리교회로 독립했다. 감리교회는 이 자치선언을 통해서 신학을 '사회복음주의'로 이향(異鄕)하며 이를 공식화했다. 이어서 마펫의 선언이 나온 것이었다. 이는 한국의 장로교회와 감리교회가 신학적으로 다르다는 것을 의미했다. 또한 단일 복음주의 교회의 이상을 꿈꾸며 장로교회의 역사와 정치, 헌법을

59 마펫은 선교사들이 처음 조선에 들어올 때 가지고 왔던 복음주의 신앙의 전통이 그대로 이어지기를 원했던 것이다. 그

기초했던 인사들의 노력이 허사가 된 것이었다.

함태영은 한국장로교회의 변화를 무겁게 받아들이고 있었다. 한국장로교의 토대를 만드는데 헌신했던 그였다. 이러한 변화는 그가 알고 있던 한국장로교회의 이상과는 사뭇 다른 것이었다. 그에게 단일 복음주의 교회를 형성하는 것은 비록 선교사들의 이상이었지만 단일 복음주의 교회로서 '대한예수교회'의 추구는 한국교회의 자립을 의미하는 것이었다. 여기에는 미국이나 기타 국가들의 교파성을 극복한 복음주의 기독교의 실현을 의미했다. 자주성과 독자성이 함께 어우러져 있었던 것이다. 특히 선교사들로부터 복음을 전달받은 한국교회가 신학적으로도 자립했음을 의미한다는 점에서 큰 의미가 있었다.

재한 선교사들이 단일 복음주의 교회를 설립하겠다는 목표로 했던 대표적인 활동이 '재한복음주의선교사연합공의회'와 대한성서공회를 통한 단일번역본 성서의 발행, 찬송가공회의 단일찬송가 발행, 그리고 전조선주일학교대회의 개최, 그리고 '기독신보'의 발행 등이었다.

단일 복음주의 교회에 대한 함태영의 열망은 이미 청주읍교회에서 목회할 때 전조선주일학교대회에 적극적으로 참여했고, 조선주일학교연합회가 발간했던 잡지와 공과의 지국장을 맡아 보급하는데 힘썼던 것에서 드러나 있었다. 또한 1934년 조선예수교연합공의회의 회장으로 총회의 인준을 받음으로써 전면에 나설 수 있었다.[60]하지만 이 연합공의회는 1934년을 마지막으로 더 이상 열리지 않았다. 마펫이 장로교의 보수정통화를 선언하고 박형룡이 신학적 단죄를 본격화하기 시작한 시

60 『조선예수교장로회 총회 제23회 회록』, 1934년 9월 7일 서문밖교회, p.47. 총회가 인준한 연합공의회 임원과 실행위원은 다음과 같다. 임원 – 회장 함태영, 부회장 장병익, 서기 리동욱, 영문서기 변영서, 회계 차재명, 부회계 김영섭, 실행위원 – 함태영, 남궁혁, 백낙준, 차재명, 유각경, 박용희, 김종우, 신흥우, 김인영, 정춘수, 홍에스더, 도마련 등이다.

점이었다. 한국장로교회의 기초를 세우는데 일조했던 함태영에게 이것은 한국장로교회의 본래성을 훼손하는 일이기 때문에 받아들일 수 없었다.

함태영은 이후에 평양을 중심으로 하는 교권과 치열하게 대립했다. 그것은 단순한 교권의 문제나 정치적인 문제가 아니었다. 신학적 본래성의 회복과 사회문제에 교회가 무관심하고 무기력한 것에 대한 비판이었다. 그는 이미 3·1운동의 참여를 통해 한국장로교회의 복음주의 신학이 가지고 있는 신학적 가치와 권위를 확인하고 있었다. 그런데 이러한 가치와 권위가 축소되고 훼손된다고 판단한 것이었다.

함태영이 조선예수교연합공의회 회장에 선출되었을 때 「기독신보」는 연합공의회가 발행을 주도하고 있었다. 또한 YMCA 총무로 농촌계몽운동을 이끌었던 감리교의 신흥우와 연결되면서 "적극신앙단"에 장로교를 대표하는 인물로 참여했다. 「기독신보」와 "적극신앙단" 모두 교회 밖에 위치해 있었지만 함태영은 이를 통해 단일 복음주의 교회의 이상을 실현하고자 했다.[61]

1930년대 함태영은 한국장로교회의 신학논쟁과 교권투쟁의 중심에 있었다. 그러나 그것은 함태영에게 자신의 신학과 교권을 관철하고 쟁취하기 위한 투쟁이 아니었다. 복음주의 교회 본래의 모습을 회복해야 한다는 사명감, 그리고 일제의 강도높은 압박과 농촌경제의 악화, 공산주의 대두로 인한 사회적 혼란 속에서 교회의 역할이 무엇을 지향해야 하는지에 대한 고뇌에서 비롯된 것이었다.

61 민경배, 『한국기독교회사』, p.460.

6장 적극신앙단과 사회복음주의

6.1 한국교회와 공산주의 갈등의 시작

> 사회주의의 도덕적 이상
> 도덕방면으로붓터 사회주의를 고찰하건대 그 주의의 엇더함을 명백히 알 수가 잇다. 그 주의의 일반적 해설이 전체가 개인을 위하는 동시에 개인이 전체를 위하는 것이며 또 개인의 극단적 목적이 전체에 대하야 사회의 의의가 다 지극히 약한 자를 위하는 것이다. 그리하야 기교와 잔인의 성질을 부인하고 공의를 위하야 호소하는 것이니 이(此)가 곳 사회주의의 근본 도덕적 행동이다. 그리하고 보면 이것이 어나것이나 다 기독교 범위 내에셔 실행코져 하는 주장으로 더브러 부합지 않는 것이 아닌가?[62]

1923년 「청년」 5월호에는 YMCA의 학생부 간사를 맡고 있던 이대위가 당시 청년들을 매료시키고 있었던 사회주의 사상을 기독교와 비교하는 글을 게재했다. 그는 이글에서 사회주의의 도덕적 목표가 궁극적으로는 기독교의 이상과 크게 다르지 않다고 평가하고 있었다.

기독교인이었던 이동휘(李東輝)와 김규식(金奎植) 등은 사회주의 정

62 이대위, "사회주의와 기독교사상", 「청년」, 1923년 5월호, p.11.

당을 주도적으로 창당하며 사회주의에 대한 그들의 관심을 조직화 했다.[63] 그것은 그들이 기독교를 독립의 이데올로기로 바라보며 유토피아를 기대했기 때문이었다. 그들에게는 역사의 주관자에 대한 절대적인 의지가 보이지 않았다. 영적인 구원과 초월자의 은총에 대한 기독교적 인식이 희박했다. 역사 주관자가 하나님이라는 신부적 세계관은 더더욱 보이지 않았다. 오직 독립을 이루는 것이 중요했다. 사회주의자들이 주장하는 이상향이 그들의 생각과 다르지 않다고 판단한 것이었다.[64] 그러나 그들은 사회주의의 실체를 알지 못했다. 한국사회에 들어온 것은 엄밀히 영국에서 태동되었던 사회개조와 변혁을 추구했던 사회주의가 아니었다. 오히려 1917년 러시아의 볼셰비키 혁명을 통해 부상한 마르크스와 레닌의 공산주의를 의미하는 것이었다.

국내에서 공산주의 사상은 3·1운동 이후 전개된 일제의 문화정치의 영향으로 급격히 한국 사회에 확산되기 시작했다. 공산주의는 마르크스의 공산당선언에서 그들의 지향점으로 프롤레타리아 혁명을 분명히 했다. 그들은 민족을 계급적으로 이해했다. 진정한 민족은 프롤레타리아 혁명을 완수하는 민중을 의미하는 것이었다. 더군다나 1925년 조선공산당이 창건되면서 한국내의 자생적인 사회주의 세력은 조선공산당으로 사실상 통합되었다. 그들은 강령에서 자신들의 목표를 일본 제국주의에 대한 저항과 함께 또 다른 제국주의 세력을 박멸하는 것이라고 명시하고 있었다. 또한 민족운동에의 참여가 자신들의 독자적인 판단보다는 코민테른의 직접적인 지도하에 이루어져야 함을 명시하고

63 민경배, 『한국기독교회사』, p.377. 이동휘는 고려공산당을 주도적으로 창당했고 김규식도 여기에 가입하여 한동안 활동했다.
64 김명구, 『한국기독교사 1 ~1945』, p.400.

있었다.[65]

공산주의 세력이 목표로 하고 있었던 또 다른 제국주의 세력은 기독교인들이었다. 기독교인들을 미국 제국주의의 앞잡이로 보고 타도의 대상으로 삼았던 것이다. 공산주의는 기본적으로 평등이라는 개념 위에서 모든 정치사상이 전개된다. 그러나 그러한 평등의 실현은 사회활동이나 교육을 통해서 이루어지는 개념이 아니었다. 그것은 오로지 계급혁명이 일어나 자본가와 부르주아 계급의 숙청을 통해서 이루어진다. 그들이 가지고 있는 유물론적 사고 안에서 평등은 재산의 분배, 사유재산의 철폐를 의미했다. 공산주의에서 민족은 계급혁명의 완수를 위한 도구에 불과했다. 그 혁명에 동원되는 방법에는 폭력성과 파괴성이 내재되어 있었다. 철저한 숙청이 이루어져야 했다. 국내의 공산주의 세력에게 가장 우선적으로 제거해야 하는 세력이 일본 당국과 혁명주도세력이 되어야 할 민초들을 이끌고 있었던 기독교였다. 조선공산당은 혁명의 1차적인 목표로 반기독교운동을 전개시켰다. 그러나 반기독교운동에서 공산주의자들이 보여주었던 폭력성은 공산주의에 우호적이었던 기독교인들이 돌아서게 되는 결정적인 요인이었다.[66]

1925년 10월 23일 서울에서 열렸던 조선주일학교대회를 계기로 공산주의자들의 반기독교운동이 본격화되기 시작했다. 기독교인들의 공산주의자들에 대한 태도는 적대적인 모습으로 바뀌기 시작했다. 공산주의자들은 코민테른의 테제를 따라 자본주의의 상징이었던 기독교에 대한 강한 거부감과 함께 적극적인 반기독교 운동을 전개했다.[67]

---

65 전명혁, 『1920년대 한국 사회주의 운동연구』 (서울: 도서출판 선인, 2006), pp.136~137.
66 김정회, 『한국기독교의 민주주의 이행연구-해위 윤보선을 중심으로』, p.70.
67 민경배, 『한국 기독교회사』, p.408.

조선주일학교연합회 활동에 적극적으로 참여하고 있었던 함태영이었다. 그가 총회장으로 회의를 주재한 1924년 조선예수교장로회 제14회 총회는 이제 막 프린스톤대학에서 문사학위를 받고 귀국한 정인과를 조선주일학교 부총무로 시무케하고 조선주일학교연합회의 총대 3명을 공천했다. 또한 주일학교 연합회가 발행한 주일학교 공과를 공식 소개했다.[68] 당시 함태영은 충청지역의 교회교육을 총괄하는 위치를 담당하고 있었다.[69] 조선주일학교연합회가 1925년 10월 21일부터 28일까지 서울에서 주최한 전조선주일학교대회는 교회교육을 목회의 중심에 놓았던 그에게도 중요한 대회였다. 그런데 이 기간 중에 한양청년동맹이 '반기독데이'로 지정하고 반기독교강연을 감행했다.[70] 공산주의자들을 우호적으로 대했던 한국교회는 물론 함태영도 그들이 기독교를 비판하며 맹렬히 대적하는 것에 충격을 받을 수밖에 없었다.[71]

그리고 이를 시작으로 그들의 폭력성이 노골적으로 드러나기 시작했다. 특히 함태영의 뒤를 이어 남대문교회를 담임했고, 1920년대 한국교회의 부흥을 이끌었던 김익두에 대한 노골적인 비판과 공격이 집요하게 이어지고 있었다. 김익두가 부흥회를 여는 곳에는 여지없이 공산주의자들의 테러와 난동이 있었다. 함태영이 충청지역 교회를 이끌고 있었던 1926년에도 5월 6일부터 12일까지 김익두의 부흥회가 제천읍교회에서 열렸다. 이것은 단순히 한 교회의 사경회가 아니라 충청북도 지역 전체가 모이는 부흥회였다.[72] 함태영은 이때 제천청년회가 김익두에게 경고

68 『조선예수교장로회 총회 제13회 회록』, 1924년 9월 13일, 함흥 신창리 교회, p.32~33.
69 위의 회록, p.53.
70 "반기독운동", 『동아일보』, 1925년 10월 25일.
71 "반기독교운동을 보고", 『기독신보』, 1925년 11월 11일.
72 전순동, 『충북기독교백년사』, p.243.

문을 발송하고 충청기자대회가 김익두를 사기꾼으로 몰아가는 결의를 한 것을 목격했다.[73]

더군다나 1930년대에 들어서면서 기독교인들에 대한 잔인한 박해 소식이 지속적으로 알려지기 시작했다. 특히 일제의 탄압으로 국내에서 활동이 활발하지 못했던 공산주의자들은 만주와 노령 일대에서 활동하며 기독교인들에 대한 박해를 가하고 있었다. 1932년 10월에는 간도에서 동아기독교(침례교)의 김영국 목사와 김영진 장로 형제가 공산당원 30여 명에게 잔인하게 순교를 당했는데 탈피하여 죽이는 잔인함을 보여주었다.[74] 『동아일보』도 공산주의자들의 기독교인 박해 소식을 지속적으로 전하고 있었다. 1935년 2월 7일자에 장로교에서 파송된 한경희 목사가 길림성에서 마적 떼에게 피살되었다는 소식을 전하고 있었다.[75] 신문은 마적 떼에게 피살되었다고 전하고 있지만 이 사건을 조사했던 장로교총회의 보고서는 이 사건이 공산주의자들에 일어난 사건임을 확인해주었다.[76]

공산주의자의 출현과 한국교회에 대한 공격은 일본이 한국교회를 핍박하는 것과는 전혀 다른 것이었다. 그것은 민족이나 국가의 개념 속에서의 공격이 아니었다. 신부적 인간관과 유물론적 인간관의 대립이었다. 이것은 인간의 진정한 구원이 영적인 것인지 물질적인 것인지에 대한 대립을 의미했다.

그러나 공산주의는 한국교회 뿐만 아니라 일본까지 긴장하게 만들 정도로 그 세를 확산하고 있었다. 총독부는 공산주의 운동이 민중을

73 김명구, 『한국기독교사 1 ~1945』, p.447.
74 『기독신보』, 1932년 11월 9일.
75 『동아일보』, 1935년 2월 7일.
76 『조선예수교장로회 총회 제24회 회록』, 1935년, p.121.

현혹하고 폭력을 선동하는 단체로 지목했다. 특히 1927년 조선공산당의 조직이 하나로 통합되고 공산주의세력이 노동자들과 학생소동, 민족옹호운동 등을 주도적으로 이끌기 시작했다. 총독부는 공산당 수뇌부를 검거하고 이를 소탕하는데 골몰해야 했다.[77]

공산주의가 이상적인 평등사회를 제시하며 경제적 궁핍에 빠져 있는 농민들과 노동자들을 매료시키고 있었을 뿐만 아니라 일본에 대한 공격성과 이념적 지향은 엘리트 지식인들도 매료시키고 있었다. 그러나 한국교회가 제시해 줄 수 있었던 것은 저 너머에 있는 하나님의 나라였다. 한국교회는 현실의 문제를 교회의 영역 밖으로 밀어내고 있었다. 이 땅에서 이루어지는 하나님의 나라에 대한 소망이나 기대가 없었다. 일본의 존재와 농촌의 현실, 공산주의의 확산 모두 한국교회가 상대할 수 없는 실체적 힘으로서만 다가왔다. 하나님의 나라에 대한 새로운 신학적 소망이 필요했다. 또한 그것이 단지 저 너머에만 있는 것이 아니라 이 땅에서도 이루어지는 것이어야 했다.

함태영은 그것을 YMCA와 적극신앙단의 신학적 기반이었던 사회복음주의로부터 찾고 있었다. 그러나 그것은 신학적 전환을 의미하는 것이 아니었다. 한국장로교 본래의 복음주의가 가지고 있었던 복음의 영역을 세상 속에서 확장하여 구체화시키는 신학적 발견을 의미하는 것이었다. 개인의 구원이 국가의 구원으로까지 이어져야 했고 사회복음주의 속에 그러한 국가구원의 이상이 담겨 있다고 판단한 것이었다.

77 오다 쇼고, 박찬승 외 3인 역, 『국역 조선총독부 30년사 상』, pp.328~329.

6.2 적극신앙단의 참여와 저항

6.2.1. 적극신앙단의 참여

사회복음주의 신학이 한국에 들어오기 시작한 것은 1920년대 외국에서 유학을 했던 목회자들과 신학자들이 들어오면서부터였다. 특히 1920년대 초 공산주의가 소개되기 시작했을 때 주류의 한국 교회가 비정치화를 내세우면서 사회와 민족의 문제를 외면한다고 생각했던 교회의 청년지식층들이 공산주의로 넘어가면서 이에 대응해야 할 필요를 느끼고 있었다. 사회복음주의가 그에 대한 대안으로 등장했던 것이다. 사회복음주의 운동은 1920년대 YMCA의 총무였던 신흥우가 주도했던 농촌계몽운동과 1930년대 장로교 안에서 배민수가 중심이 되었던 농촌운동, 그리고 1930년에 감리교가 미국감리교회로부터 독립하며 채택했던 교리적 선언에서 사회복음주의를 표방하는 등 한국 교회 전반에 영향을 끼치고 있었다.

그러나 사회복음주의운동은 한국 교회 내부에서는 사실상 배척을 당했다. 감리교의 교리적 선언이 사회복음주의를 선언했지만 실제적인 움직임이나 운동은 일어나지 않았다. 장로교에서도 배민수의 농촌운동이 좌절되면서 그러한 신학적 이상은 모습을 감추었다. 하지만 YMCA의 총무였던 신흥우(申興雨, 1883~1959)[78]는 이 신학운동을 사회운동

78 호는 금하(錦霞)이다. 충청북도 청원군에서 출생했다. 배재학당(培材學堂)을 졸업한 후 1896년 서재필(徐載弼) 등과 협성회(協成會) 조직에 참가하였다. 그 후 미국에 건너가 남캐롤라이나대학을 졸업하고 1911년 배재학당 교장에 취임하였다. 1920년 조선체육회 발기에 참여하였으며 제7대 조선체육회 회장에 취임, 한국의 체육발전에 진력하였다. 1927년 이상재(李商在) 등과 신간회(新幹會) 조직에 참여했고, 1932년 YMCA 총무를 역임하고 농촌운동을 주도하였다. 미국에 있는 이승만을 대리하는 역할을 할 정도로 해방 전까지 이승만의 최측근에 속했던 인물이었다. 8 · 15광복 후 특명전권대사(特命全權大使) 겸 주일대표부(駐日代

에 접목하고 있었다. 그가 영향력을 발휘하고 있었던 YMCA가 그러한 운동의 진원지였다. 적극신앙단에 참여한 인사들의 대부분이 YMCA와 연관된 인물이었다. 이들 중에서 감리교 인사들은 대부분 흥업구락부의 명단에도 이름을 올리고 있었다.[79] 특히 신흥우와 함께 적극신앙단에 참여했던 구자옥(具滋玉)은 신흥우의 뒤를 이어서 YMCA의 총무를 맡았으며 흥업구락부의 임원으로 활동했다. 구자옥은 특히 해방 후 한민당의 창당의 주역 중의 한 사람이었다. 신흥우도 한민당에 참여하지는 않았지만 1957년 조병옥이 이끌고 있던 민주당 최고위원회의 고문이 되어 활동했다. 앞서도 언급했지만 조병옥도 자신의 회고록에서 자신이 사회복음주자임을 분명히 밝히고 있었다.[80]

함태영이 사회복음주의를 접한 것은 YMCA와 조선주일학교연합회 등을 통해서 교류하고 있었던 신흥우와 기독신보, 조선예수교연합공회 활동을 통해서였다. 특히 신흥우가 적극신앙단을 결성했을때 장로교회를 대표하는 인사로 참여하면서 사회복음주의를 적극적으로 수용했다.

1926년 신흥우는 기독교연구회를 만들면서 자신의 신학사상을 한국기독교 안에서 전개하려 했다. 그는 여기서 "기독교를 민중적 표준, 실제 생활의 간이화, 산업기관의 시설, 조선적 교회"를 목표로 설정했다.[81] 그러던 중에 1928년 예루살렘 국제대회에 다녀오면서 보다 적극적인 신

表部) 대사로 활약하다가 1952년 대통령후보로 나서기도 하였다.

79 김상태, "1920-1930년대 동우회 · 흥업구락부 연구", 「한국사론」, pp.231-232. 흥업구락부는 1925년 3월 YMCA의 신흥우가 이상재(李商在), 윤치호(尹致昊), 유억겸(俞億兼), 안재홍(安在鴻) 등과 논의해 조직했다. 참가자들은 주로 YMCA와 인연을 맺은 서울과 경기도 출신의 기독교인들과 서구식 교육을 받은 지식인 및 자산가 계층이었다. 흥업구락부는 이승만이 미국에 구축해놓은 항일독립운동 기반을 공고히 하기 위해 동지회에 자금을 지원하는 한편, 기독교 기반의 애국계몽운동과 실력양성운동을 전개하기로 목표를 가지고 있었다.

80 김정회, 『한국기독교의 민주주의 이행연구-해위 윤보선을 중심으로』, p.123.

81 "基督教研究會", 『基督申報』, 1926년 3월 3일자. 기독교연구회는 2월 18일에 조직되어 3월 3일자 기독신보에 소개되었다.

앙단체의 필요성을 절감하게 되었다.[82]

이러한 배경이 1932년에 적극 신앙단(積極信仰團)을 발족하게 되는 동기였다. 적극 신앙단은 장로교인과 감리교인이 두루 참여하고 있었다. 장로교에서는 함태영, 전필순, 최거덕, 최석주, 권영식, 홍병식 등과 감리교에서는 신흥우, 정춘수, 유억겸, 신공숙, 김인영, 박연서, 엄재희, 이건춘, 구자옥, 정성채, 김종금, 김영섭 등 20여명이 창설단원으로 참여했다.[83]

적극신앙단의 구성원들은 기존의 교회가 위기의식을 느낄 수 있을 정도의 영향력을 가지고 있었다. 우선 신흥우가 YMCA의 총무로서 사실상 기독교의 사회운동을 총괄하고 있는 위치에 있었고, 함태영은 장로교의 총회장을 지낸 장로교를 대표하는 인물이었다. 장로교 목사였던 전필순이 한국인으로는 처음으로 장, 감의 연합 기독교신문으로 교계와 사회에 큰 호응을 얻고 있었던『기독신보』의 사장에 취임했다. 이는 그들의 운동을 기존의 기독교인뿐 아니라 일반 대중들에게도 파급시켜 나갈 수 있는 영향력 있는 언론매체를 소유하게 되었음을 의미하는 것이었다.[84] 이러한 그들의 행보는 정치적으로 해석되기에 충분했다. 특히 적극신앙단의 결성을 주도한 신흥우의 정치적 위상과 야망은 이미 YMCA 내에서도 상당한 우려를 가지고 있었다. 윤치호는 1935년 자신의 일기에서 적극신앙단(積極信仰團)의 목적이 장로교와 감리교의 기관들을 장악하려는 신흥우의 야심이라고 맹렬하게 비판하고 있었다.

---

82 육홍산, "積極信仰團을 싸고도는 朝鮮基督敎會의 暗流",『사해공론』, 1936년 8월호. p.200.
83 민경배,『한국기독교회사』, p.421-422.
84 한국기독교역사연구회,『한국기독교의 역사Ⅱ』(서울:기독교문사 1992), p.167-168. 전필순의 사장 취임 시기는 1933년 7월이었다.

> 서울 집. 홍병선이 어제 내게 신흥우가 중앙YMCA 총무로서 마지막으로 아침기도회를 주관한 후, 직원들에게 자신의 은퇴를 실패로 생각하지 않는다고 말했다고 전해주었다. 그는 총무로 재직하는 동안 나와 그레그(Gregg)씨가 사직하여 떠날 때 있던 예치기금의 마지막 푼돈까지 다 써버렸다. 그는 그 기관을 음모의 소굴로 변화시켰고 조선인 사회에 조소의 대상으로 만들었다. 그는 15년 전 그가 사무실을 맡았을 때의 직원 수를 4분의 1로 축소시켰다. 그는 평양 등 지역 YMCA의 신뢰와 호의를 파괴시켰다.
> 오후 2시에 애비슨박사를 방문하여 신흥우와 대구, 함흥, 선천, 그리고 광주 이사회의 회원들사이의 논쟁의 개요라고 내가 생각하는 것들을 제공하였다. 신흥우는 최종적으로 그리고 고의적으로 서울 YMCA를 적극신앙단의 본부로 변경시켰다. 적극신앙단의 목적은 신흥우를 두목 혹은 히틀러로 만들기 위해 기독교-감리교나 장로교-에 있는 모든 기관들을 장악하는 것이다. 만약 그것이 실패가 아니라면 그것은 무엇이란 말인가?[85]

이는 신흥우가 신학적 이상을 실현하기 위한 것으로 적극신앙단을 만들었다고 하지만 실제로는 정치적 목적이 있다고 본 것이었다.

윤치호의 비판은 신흥우가 가지고 있었던 내면의 야심과 정치적 욕망에 대한 우려에서 나온 것이었다. 분명히 신흥우의 행보 속에는 정치적 욕망의 실현이라고 의심할 만한 일들이 다분했다. 특히 장로교와 감리교 내부의 문제에 거침없이 관여하고 있는 것이 그랬다. 이는 기존의 질서를 무너뜨리는 일로 받아들여졌다.

장로교 내부에서도 적극신앙단에 대한 인식은 우선적으로 교권에 대한 도전으로 보고 있었다. 이 단체에 참여한 인사들 대부분이 서울지역

---

85 『윤치호일기』, 1935년 1월 22일.

에 근거하고 있었다. 더군다나 당시 한국장로교 내부의 상황은 사회적 문제나 공산주의에 대한 대처보다는 외부로부터 들어오고 있는 새로운 신학적 흐름들에 적극적으로 대응하는데 힘을 쏟고 있었다.

1934년 김춘배(金春培, 1907-?)[86]의 '여권문제사건'[87]과 김영주(金英珠, 1896~1950)의 '모세저작 부인사건'[88], 그리고 '아빙돈 성경주석사건'[89]등이 연이어 일어나면서 한국교회에 충격을 주고 있었다. 이런 와중에 적극적인 사회참여와 사회구원을 표방하는 사회복음주의 신학은 사회참여에 대하여 소극적이었던 당시의 한국장로교의 신학을 주도했던 그룹에게는 받아들이기 힘든 것이었다. 또한 신학적으로도 인간의 죄를 하나님과 사람과의 관계에서 이해하고 있었고, 하나님의 나라를 현세가 아닌 내세의 미래적인 일로만 이해하고 있던 한국교회가 이들의 신학에 선뜻 동의하기는 어려운 구조를 가지고 있었다.

신흥우가 정치적 목적으로 적극신앙단을 활용했다면 함태영은 신학적 입장에서 이 운동에 적극적으로 참여했다. 신흥우가 내세운 적극신앙단의 신학적 모토는 사회복음주의였다.

---

86 1929년 4월 일본에 유학하여 칸사이(關西)학원 신학부에 입학했다. 1933년 11월에 경기노회에서 목사 안수를 받고 12월에 함북 성진의 중앙교회에 부임했다. 김춘배는 이후에 함태영의 가장 최측근 인물 중의 한 사람으로 활동했다.

87 함경북도 성진(城津)의 성진중앙교회 김춘배 목사는 『기독신보』 제977호에 기고한 '장로교총회에 올리는 말씀'이란 제목의 글 가운데 '여권문제(女權問題)'라는 항에서 "'여자는 조용하라. 여자는 가르치지 말라'고 하는 것은 2000년 전의 일개 지방교회의 교훈과 풍습이지 만고불변의 진리는 아니다"라고 주장했다.

88 일본 관서신학교 출신으로 서울 남대문교회 목사였던 김영주(金英珠)는 "창세기는 모세의 저작으로 볼 수 없다"고 의문을 제기했다.

89 '아빙돈 단권성경주석(The Abingdon bible Commentary)'사건은 1935년 조선예수교장로회 총회가 문제를 제기하면서 일어났다. 장로교와 감리교의 젊은 신학도들은 미국교회의 한국선교 50주년을 기념, 1934년 아빙돈 단권성경주석을 번역 출간했는데 이 주석이 보수적 입장과 다른 신학을 반영하고 있다는 점에서 문제시 된 것이다. 이 번역에 참여한 이들은 감리교의 유형기 양주삼 변홍규, 장로교의 김관식 김재준 송창근 조희염 채필근 한경직 등이었다. 감리교회에서는 문제시 되지 않았으나 장로교회에서는 총회적 사건으로 비화되었다.

1. 나는 자연(自然)과 역사(歷史)와 예수와 경험(經驗) 속에 계시(啓示)되는 하나님을 믿는다.

2. 나는 하나님과 하나가 되고, 악(惡)과 더불어 싸워 이기는 것을 인생(人生) 생활(生活)의 제1 원칙으로 삼는다.

3. 나는 남녀(男女)의 차별(差別)없이 인간(人間)의 권리(權利), 의무(義務), 행위(行爲)에 있어서 완전한 동등권(同等權)이 보장되어야 하며, 타인의 권리(權利)를 침해(侵害)하지 않는 완전한 자유(自由)가 있어야 된다고 믿는다.

4. 나는 신사회(新社會)의 건설(建設)을 위해서 개인의 취득욕(取得慾)이 인간적 공헌욕(貢獻慾)으로 대치(代置)되어야 한다는 것을 믿는다.

5. 나는 사회가 많은 사람에게 경제적(經濟的) 문화적(文化的) 종교적(宗教的) 생활에 있어서 승등적(昇登的) 균형(均衡)과 안전(安全)이 보장되어야 한다는 것을 믿는다.

그들의 신학사상인 사회복음주의는 내세가 아닌 현세에 이루어질 하나님의 나라를 소망하고 있었다. 사회복음주의는 죄를 이기심에서 찾았다. 자신의 욕심을 채우고자 남의 것을 취득하는 것을 죄라고 인식했다. 더불어서 타인의 권리를 침해하지 않는 것을 완전한 자유라고 이해했다. 특히 사회복음주의는 개인의 악(惡)뿐만 아니라 사회의 악(惡)과 싸워 이겨야 한다고 주장했다. 개인의 구원뿐만 아니라 사회구원과 사회개혁을 강조하고 있었다.[90] 하나님이 창조한 이 세계가 단순히 영적인 부분만이 아니라 가난한 사람들의 생명이 보호받는 하나님의 정의와 자비가 세워지는 세계라고 보았다. 인간의 삶의 자리를 성서가 말하는

90 W. Rauschenbusch, *A Theology For the Social Gospel* (New York: Abingdon Press, 1945), p.47.

이상으로 이루어지는 신사회(新社會)를 건설하는 것을 꿈꾸었다.

6.2.2. 사회복음주의 – 신부적(神賦的)[91] 국가관

함태영이 적극신앙단 운동을 통해 접했던 사회복음주의는 복음의 영역을 사회적 차원으로 확장하는 것으로 받아들였다. 그는 한국 장로교의 신학을 기초하는데 일익을 담당했던 인물이었다. 또한 그의 신학은 개인의 구원에만 관심이 있는 것이 아니었다. 3·1운동의 대의에 참여하면서 그는 신부적 국가의 실현이라는 국가적 문제, 국가구원의 문제에도 관심을 기울이고 있었다. 사회복음주의는 사회적 정의가 무엇인지에 대한 신학적 규정을 분명하게 해주고 있었다. 그는 이미 법관으로서 정의에 대한 기본 이해를 가지고 있었던 인물이었다. 그러나 그가 이해하고 있었던 정의는 공평과 공정한 개념으로서의 정의를 의미했다. 정의를 죄의 문제나 사회악이라는 개념 위에서 바라보지 않았던 것이다.

사회복음주의는 개인의 이익을 추구하고 나누지 않는 것을 죄로 보며 억압하고 착취하는 것을 사회악으로 해석했다. 함태영은 이 신학을 수용하면서 비로소 사회를 바라보는 신학적 근거를 발견했다. 이는 해방후에 그가 정치에 참여하는 신학적 근거이기도 했다.

함태영은 사회복음주의를 철저히 복음주의의 틀 안에서 받아들였다. 1929년 연동교회의 담임목사로 부임한 함태영이 당회장으로 처음 결의한 내용이 길선주 목사를 강사로 일주일간 부흥회를 여는 것이었다.[92]

---

91 신부적(神賦的)이란 말의 영어표기는 'theocentrial'이다. 기독교신학에서는 'Theocentrism'(신본주의)이라는 용어에서 비롯된 개념이다. 여기서는 천부적(天賦的,natural)의 상대적인 개념으로 사용했다.

92 『연동교회 당회록』, 1929년 10월 25일 제9회.

뿐만 아니라 연동교회 40주년이 되는 1934년 9월 24일부터 1주일간 마산의 문창교회 담임으로 있던 주기철 목사를 강사로 불러 부흥사경회를 개최했다. 그리고 대대적인 전도사업을 벌여서 신설리(지금의 동대문구 숭인동, 신설동 일대) 지역까지 교회 구역을 확대했다.[93] 개인구령을 위한 교회의 본질을 잊지 않고 있었던 것이다.

그의 신학은 한국장로교의 복음주의가 가지고 있었던 하나님의 초월성과 개인구원 의식을 기반으로 복음의 가치가 사회로 확장되어야 한다는 차원에서 정의와 기독교적 사회질서를 추구했던 사회복음주의를 수용했다. 또한 개인의 죄와 구원의 문제뿐만 아니라 사회와 국가차원에서의 죄와 구원의 문제를 인식하기 시작했다. 그러한 신학적 이해가 있었기에 해방이후에 정치에 참여하며 심계원장과 부통령의 직을 수행할 수 있었던 것이다.

신흥우의 신학과 차이가 여기에 있었다. 신흥우의 신학이 정치적 야망과 사회구원의 목표만을 지향하는 것이었다면 함태영에게는 개인구원의 기반 위에 사회가 있어야 했다. 그리고 사회정의, 국가정의의 실현은 언제나 개인의 복음화가 전제되어야 하는 것이었다. 그것은 사회정의의 기초가 개인의 정의에 대한 상식과 자유로운 선택을 통해서 나타나야 하기 때문이었다. 개인이 배제된 사회정의는 독재와 같은 전체주의와 국가주의, 공산주의식 혁명의 방법론처럼 힘에 의해 실현되는 것으로 받아들여질 수 있다.

이상재는 공산주의는 억지로 남의 것을 빼앗아 나누어 가지지만 기독

---

93 연동교회 100년사 편찬위원회, 『연동교회100년사』, p.295~296. 이때 주기철 목사는 그해에 부친과 아내를 모두 잃는 슬픔 중에도 부흥회를 인도했다. 그것은 문창교회의 직전 당회장이었던 함태영의 부탁이었기에 가능한 일이었다.

교는 가난한 사람들에게 먹을 것을 나누어 주는 것이라고 그 차이를 설명했다. 자신의 것을 하나님의 소유로 인식하기 때문에 나눔을 실천하는 것이 하나님의 뜻을 성취하는 것이라고 주장했다.[94] 기독교의 정의는 철저하게 개인 스스로의 사랑의 실천과 나눔을 전제로 했다. 기독교가 공산주의를 용납할 수 없는 것도 이와 같은 개인의 존재와 자유를 약화시키기 때문이었다.

> 만약 죄가 이기심이라면 구원은 사람을 자기 자신으로부터 하나님과 인류에게로 마음을 돌리게 하는 변화가 있어야 한다. 그의 죄성은 그 자신이 세상의 중심이고, 하나님과 모든 그의 이웃을 자신의 즐거움을 위해 봉사하고, 자신의 부를 늘리며, 자신의 이기주의를 유발하는 수단으로 삼는 이기적 태도에 있다. 그러므로 완전한 구원은 하나님의 영의 사랑의 이끄심에 순종하여 자발적으로 자신의 삶을 이웃의 삶과 조화시켜 서로 봉사하는 신적 유기체 참여하는 사랑의 태동 있을 것이다.[95]

사회복음주의는 죄, 이기심의 극복을 개인의 구원으로 보고 이 구원은 회심을 통해 이루어진다. 전통적인 중생의 개념을 하나님의 나라와 연결하여 이해함으로써 사회복음과 구원의 신학적 정당성을 부여한다.[96] 개인과 교회의 역할이 전제되어야만 사회구원이 가능한 구조가 나타난다. 복음이 개인에서 사회로 확장되어야 한다는 신학적 인식을 가지고 있었던 함태영에게 사회복음주의는 진보적 신학보다는 복음주의로 해석하기에 충분했다. 더군다나 사회복음주의는 보다 구체적으로

---

94 이상재, "여(余)의 경험과 견지로브터 신임선교사제군의게 고홈", 「신학세계」, 제8권 6호, p.29.; 김명구, 『월남 이상재의 기독교 사회운동과 사상』, p.258.

95 W. Rauschenbusch, *A Theology For the Social Gospel* , pp.97~98. ; 월터 라우센부시, 남병훈 역, 『사회복음을 위한 신학』(서울:명동출판사, 2012), p.126.

96 위의 책, p.129.

사회와 국가의 모습을 신학적으로 설정해 주고 있었다.

목회자의 사회적 책무를 중요시 여겼던 함태영은 사회복음주의를 통해 독립국가의 건설이 어떻게 이루어져야 하는지에 대한 신학적 이유를 발견하고 있었다. 3·1운동이 신부적 인간론의 바탕 위에서 민족적 독립의 당위성을 찾았다. 하지만 3·1운동 이후 일본 총독부의 통치방식의 변화, 그리고 한국교회의 사회적 참여에 대한 인식의 변화가 두드러지면서 독립에 대한 인식은 물론 새로운 국가건설에 대한 기대는 약화되고 있었다. 사회복음주의는 독립에 대한 의지, 새로운 국가 건설에 대한 신학적 당위성을 부여하고 있었다.

사회복음주의는 이 땅에 하나님의 나라를 건설하는 것을 지향했다. 그리고 정치제도적으로 민주주의를 지지했다. 그리고 진정한 정치적 민주주의를 추구해야 한다고 주장했다. 진정한 민주주의 사회에서는 도시 빈민촌, 부기력하고 술 취한 소농 계급, 다수의 이주민들이 나타나서는 안되는 사회적 현상이었다. 그것은 계급적 정부의 결과로 이해했다.[97]

> 듸모크레시의 기초(基礎)는 민지(民智)요, 민지(民智)의 근원(根源)은 교육(敎育)이라 전국국민(全國國民)의 남녀(男女)를 물론하고 교육(敎育)이 보급(普及)되야셔 무삼 정체(政體)안에셔던지 민(民)이 방(邦)에 본(本)됨을 자각(自覺)하게 되면.....교육(敎育)이라 언(言)함은 다만 지능(知能)을 계발(啓發)케 함만 아니라 종교(宗敎) 윤리(倫理)로써 자아(自我)이외에 대한 덕성(德性)을 완전케 하여야 함은 누구를 뭇지 아니하고 다쌔다를바라, 금일에 구라파(歐羅巴)나 아미리가(亞米利加)의 열강(列强)의 사회(社會)가 혼돈(混沌)케 됨은 그 민중(民衆)의 과학적(科學的) 지식(智識)이 부족함도 아니요, 다만 각계급(各階級)이 이기주의(利己主

97 W. Rauschenbusch, *A Theology For the Social Gospel*, p.75.

義)로 호상간안(互相間眼)을 폐(蔽)하고, 이(耳)를 한(寒)하야 노동(勞動)과 농업사회(農業社會)는 자본(資本)과 공업사회(工業社會)를 질시(疾視)하고 구(仇) 갓치역이며, 전체(全體)의 정권(政權)을 국부적(局部的) 자기(自己)의 단체(團體)만 위(爲)하야, 농락(弄絡)코져하니 그 외(其外)의 사회(社會)는 이(此)를 저항(抵抗)하랴하야, 풍파(風波)가 하시(何時)에 평정(平靜)될지 예단(預度)키 어렵도다.[98]

신흥우도 민주주의의 개념을 사회복음주의적 시각에서 이해하고 있었다. 빈부의 격차와 빈민의 문제가 가진 자들의 이기심에서 비롯된 문제로 본 것이었다. 민주주의는 이 문제들을 해결할 수 있어야 했다. 해방공간에서 기독교 민족주의자들이 민주주의와 함께 사회정의와 복지를 주장했던 이유도 그들이 이해한 민주주의가 자유방임적 민주주의와 달랐기 때문이었다.

사회복음주의는 한국교회에서 신학적으로 실현되기 보다는 오히려 선언에 그치거나 교권투쟁의 도구, 진보적인 신학으로 인식되었다. 그러나 사회복음주의는 YMCA의 기독교사회운동의 신학적 기반이 되었다. 신흥우가 주도한 농촌계몽운동이 대표적이었다. 또한 미국에서 유학을 마치고 돌아와 YMCA에서 이사로 활동을 하고 연희전문에서 가르쳤던 조병옥(趙炳玉, 1894~1960)도 기독교혁신운동으로서 사회복음주의를 주장하고 있었다.

즉 나는 YMCA의 이사로 있으면서 일요일이면 청년회 일요강좌에서 나가 젊은 학도, 또는 청년들을 위하여 설교도 하였고, 그들과 같이 즐겨하면서 간담도 한적이 있었던 것이다. 그리하여 교회에서나 청년회 일요

98 신흥우, "듸모크레시의 意義", 『청년』, 1921년 3월호, p.3.

> 강좌에서의 나의 설교요지는 이렇게 부르짖었던 것이다.
> 즉 사회복음을 주자하였던 것이다. 기독교사회는 아직까지의 인정된 관념을 버려야 하며, 그 이유로서는 하나님을 믿는 소수의 기독교신자만이 승강기를 탄것 모양으로 천당에 올라간다고 생각 해서는 안된다고 하였던 것이다.
> 즉 "주예수께서는 이러하게 말씀하시었다. 내가 온 것은 아버지의 말씀을 이루려 온 것이라고, 그리하여 주예수는 하나님의 언약을 이 땅위에 이루었던 것이다"고 전제하고, ...
> 우리의 신자들이 모범이 되어 앞장을 서서 우리 조선사회를 지상낙원으로 건설하지 않으면 안되는 것이다고 부르짖었던 것이다. 즉 하나님의 땅에도 지상천국을 만들어 보자는 것이 나의 설교요점이요, 나의 주장이었던 것이다.
> 그러기 위하여서는 우리 신자들은 하나님께 인간의 원죄의식을 매일까지 되풀이 하여 기도로서 속죄나 용서를 빌고 호소하기 보다앞서, 우리 인간사회의 죄악인 질병, 무식, 궁핍 등의 3대 죄악의 근원을 해결하는 방법을 강구하지 않고서는 하나님의 뜻을 이땅에 이룰수 없다고 나는 주장하였던 것이다.[99]

자유방임적 자본주의를 근간으로 하는 민주주의 국가건설이 그들의 목표가 아니었다. 오히려 그들이 꿈꾸는 민주주의 국가의 기초는 사회복음주의가 내세우고 있었던 사회정의였다. 그러한 기반 위에서 자본주의가 작동해야만 올바른 국가 건설이 가능하다고 보았다. 농촌진흥과, 사회복지의 실현, 토지의 개혁 등을 주장했다. 조병옥, 장덕수를 비롯한 YMCA와 한국민주당의 주요 인사들에게는 기독교 윤리와 정의가 바탕이 되는 '경제적 민주주의'가 개념화 되어 나타나고 있었다.[100]

---

99 조병옥, 『나의 회고록』(서울:민교사, 1959), pp.90~91.
100 김명구, 『한국기독교사 1 ~1945』, pp.466~469.

함태영도 사회복음주의를 받아들이면서 공산주의와 전체주의, 국가주의와 같은 정치체제를 사상적으로 거부하고 있었다. 공산주의자들의 반기독교운동을 가까이에서 지켜보기도 했지만 사상적으로도 공산주의가 가지고 있는 기독교와의 모순점과 차이점을 너무나 분명히 알고 있었다. 독립 후에 어떤 국가를 건설해야 하는지가 분명하게 각인되어 있었던 것이다.

함태영이 참여하고 있었던 조선예수교연합공회는 1932년 9월에 다음과 같은 내용의 사회신조를 수립했다.

> 우리는 하나님을 아버지로 인류를 형제애로 믿는다. 예수를 통해 계시된 하나님의 사랑과 정의와 평화가 사회의 기초적 이상으로 생각하는 동시에 일절의 유물 교육, 유물사상, 계급적 투쟁, 혁명 수단에 의한 사회 개조와 반동적 탄압에 반대한다. 계속해서 기독교 전도와 교육과 사회사업을 확장해서 예수 속죄의 은혜와 용서함을 받고 갱생된 인격자가 되고 사회의 중견이 되어 사회조직체 중에 기독교 정신이 활약하도록 한다. 또 모든 재산은 하나님께 받은 수탁물로 여겨 하나님과 사람을 위해 공헌할 것을 믿는다.[101]

인간의 평등, 남녀의 평등, 여성의 지위개선, 혼인정조의 신성성, 아동의 인격존중, 공사창 폐지, 노동자 문제, 최저임금법, 소작법, 사회보상법의 제정 등 모두 12개항의 구체적 내용이 들어 있었다.[102] 기독교가 추구해야 할 이상적인 사회의 모습을 제시하고 있었다. 비록 이 신조가 일제하라는 상황과 조선예수교연합공의회가 해체되면서 선언적으로 끝났지

101 김명구, 『한국기독교사 1 ~1945』, p.464.
102 위의 책, p.465.

만 이 신조가 제시한 국가의 모습은 함태영에게 강렬하게 남아 있었다.

함태영은 사회복음주의를 통해 기독교의 '정의' 개념을 배웠다. 법관으로서 법치주의에서 배웠던 정의는 공평과 공정의 실현이 전부였다. 그러나 그 개념이 사회적 변화나 구체적인 국가적 이상으로까지 확대되지는 않았다. 그러나 사회복음주의는 그에게 이기심과 사회악을 타파하고 기독교의 사랑과 나눔을 실천하는 것으로 정의의 개념을 확장시켜 주고 있었다. 신부적 국가관의 핵심이 여기에 있었다. 기독교 정신과 가치, 정의의 개념이 지배하는 민주주의 국가의 건설이 그의 목표였던 것이다.

이것은 함태영에게 신학적 전환을 의미하는 것이 아니었다. 한국장로교회가 본래 가지고 있었던 복음주의 신학 속에 내포되어 있었던 사회적 책임과 변혁의 개념을 보다 명료하고 분명하게 한 것이었다.

6.2.3. 복음주의 신학의 보수(保守)와 저항(抵抗)

> 모든 교회에 성경하시고 의로우신 예수께서 계시냐 전국교회를 살펴볼 때 참으로 한심하다. 서로 시기하고 모함하고 자기를 위하야 남을 죽이는 것을 예사로 한다. 교회 안에 참사랑이 없다.
> 누가 이것을 바로잡을 수 잇슬까 우리가 먼저 하여야 하겟다. 바울이 말하기를 「너희가 장부가 되려면 사랑으로 하라」 하엿다. 예수께서 세상을 이기신 무기도 오직 사랑 뿐이엇다.
> 구세주 예수 그리스도를 바라보자 십자가의 수치와 고난도 개의치 아니하시고 사랑을 실천하엿다.
> 우리가 사랑을 입으로 말만하고 행하지 아니하면 신앙운동은 와해가 되고 말 것이다.
> 우리의 소원이 무엇이냐 치가 흘러도 그리스도의 뜻이면 행하려는 것이다. 아모리 어려운 일이라도 주의 뜻이면 당하여야 한다. 부귀영화라도

> 하나님 뜻에 위반된 것이면 피하고 다만 그리스도의 사랑을 이루기 위하야 몸을 바치어야 한다. 악을 멸하고 죄인을 구하기 위하야 주님과 같이 피를 흘리는데까지 나아가야 하겟다.[103]

함태영은 사회복음주의가 가지고 있는 신학적 이상이 복음주의의 본래 모습을 훼손하는 것이 아니라 강화시켜준다고 이해하고 있었다. 그는 사회복음주의에서 한국장로교의 복음주의가 추구하던 복음의 실천적 구조를 발견하고 있었다. 복음이 개인과 교회에서 사회로 확장될 때 어떻게 실천되어야 하는지가 신학적으로 분명하게 제시되었다고 본 것이었다.

함태영은 청주와 마산에서 목회를 하면서 농촌과 지방의 비참한 현실을 직접 목격했다. 누구보다 농촌 문제에 대한 관심과 문제 해결에 대한 고민이 있었다. 그가 YMCA의 농촌운동을 주도한 신흥우와 연결될 수 있었던 것도 그러한 문제의식에서 비롯된 것이었다. 그것은 단순한 교권의 문제가 아니었다. 그에게는 신학의 문제였고, 실천의 문제였다. 교회가 이 문제를 외면하는 것은 한국교회의 올바른 모습이 아니었다. 정치적인 대립을 감수하면서도 그는 교권주의자들[104]의 신학에 강력하게 저항했다.

함태영은 이미 3·1운동을 거치며 의를 위해 고난받는 것이 신앙인의 당연한 실천의 요소로 인식하고 있었다. 한국교회를 사랑한다면 한국교회를 바로 세우는 일에 나서는 것이 의를 행하는 것이며 그것이 신앙의 용사요, 당연히 해야 할 일이라고 보았다. 그가 연동교회로 부임하기

103 함태영, "강대-신앙의 용사", 『기독신보』, 1936년 1월 29일.
104 1930년대 한국교회는 지역적, 신학적 입장에 따라 갈등이 나타나기 시작하면서 교회의 주도권(교권) 다툼이 심화되었다.

로 결심했던 이유 중에는 한국교회의 본래 모습을 회복해야 한다는 사명감이 있었다. 그에게 이 문제는 1912년 한국장로교회가 출범할 때 가지고 있었던 신학의 보수(保守)를 의미하는 것이었다. 평양을 중심으로 한 교권주의자들이 진보적인 신학을 정죄하고 있었지만 정작 그들의 신학이 본래적인 모습을 잃고 있다고 하는 인식을 가지고 있었다. '적극신앙단'의 참여는 그 자체로 교권에 대한 저항 뿐만 아니라 신학적 도전을 의미했다.

함태영은 이 적극신앙단 문제로 교단 내에서 극심한 고통을 당해야 했다. 총회에서는 치리의 대상이 되었고, 노회에서는 노회원의 권한이 정지되었다. 1936년에는 연동교회의 당회장도 면직조치가 되었다. 장로교 총회에서는 이 문제를 치리하면서 적극신앙단이라는 명칭 대신 함태영씨 일파라는 명칭을 사용했다.[105] 함태영이 적극신앙단의 중심에 있다고 본 것이었다.

1924년 충청노회의 초대 노회장이었고 연동교회에 부임하기 전에는 경남노회장을 역임했던 함태영은 1929년 연동교회에 부임한지 1년이 채 되지 않아 경기노회의 노회장으로 선임되었다.[106] 그리고 1932년 경기노회에서 경성노회가 분립될 때에도 초대 노회장으로 역할을 담당했다.

경성노회의 분립은 원활하지 못했다. 분립에 반대하는 4개의 교회들(안동교회, 하교교회, 왕십리교회, 용산교회)이 총회에 경기노회에 남을 것을 청원하면서 경성노회 분립문제는 내홍을 겪기 시작했다. 노회장인 함태영은 반대하는 교회들을 최대한 설득해 노회를 운영해야 하는 책임이 있었다. 하지만 함태영이 뜻하는 데로 이 문제가 흘러가지 않았다.

---

105 『조선예수교장로회 총회 26회 회록』, 1937년 9월, p.82~83.
106 서울노회사편찬위원회, 『서울노회의 역사』(서울:서울노회, 2001), p.173.

특히 개인적 관계와 정치적인 관계가 얽히기 시작하면서 경성노회의 문제는 총회가 나서서 수습해야 할 정도로 악화되고 있었다. 함태영이 노회장으로 회의를 주재한 1933년 제2회 경성노회 정기회 계속회에서는 특별위원회에서 청원한 다음과 같은 결의문을 채택했다.

> 1. 기간 노회 안에 여러가지 화합지 못하게 된 책임은 본 노회에 잇는 것임을 인정함
>
> 2. 경성노회 안에 잇는 각 교회가 조선예수교 전체의 발전을 위하야 속히 화합진행함이 가한줄로 생각함
>
> 3. 특별위원 6인으로 노회를 대표하야 각 교회가 통일되도록 성심교섭하게 하고 우리노회는 화합통일되기 까지 기도하는 중에 기다리기로 함[107]

그러나 사태가 악화되면서 본래 4개 교회였던 불참교회가 새문안교회와 신당리교회로 확대되고 문제 해결은 결국 총회로 넘어갔다. 총회는 6교회에 경성노회에 속할 것을 결정했지만 함태영과 함께 경성노회 분립을 주도했던 이재형과 박용희에 대해 승동교회 익명서 사건을 문제삼아 시무정지를 결정했다.[108] 이 결정은 경성노회 분립을 주도했던 그룹에게는 일종의 견제로 받아들여졌다. 1933년 남대문교회에서 열린 경성노회 제3회 정기노회는 총회에 '항의서'를 제출했다. 그것은 총회의 전권위원회가 절차와 규칙을 제대로 적용하지 않고 결의했다는

107 『경성노회 제2회 정기회 계속회 회록』, 1933년 9월 1일 묘동교회, pp.25~26.

108 승동교회 익명서 사건은 동사목사였던 이재형 목사가 새로 담임목사로 청빙된 박용희 목사의 목사자격을 문제삼아 투서한 사건으로 함태영은 당시 승동교회의 임시당회장으로 이 분쟁의 전반에 대한 조사와 해결을 모색하고 있었다.

것이었다.[109]

1934년 9월 1일부터 모인 제23회 총회에서는 이 항의서와 김정현, 함태영, 이강원, 전필순, 최석주, 권영식, 심원용, 김용수, 홍병덕의 이름으로 전권위원을 상대로 낸 소원이 헌의부에서 반려되어 총회에 상정조차 되지 않았다. 이유는 항의서와 소원을 제출한 인사들에게 권한이 없다는 것이었다. 총회 마지막 날이 되어서야 정치부 보고를 통해 경성노회가 헌의한 전권위원 취소 건은 기각되고 전권위원회의 보고는 받았다. 이재형과 박용희의 징계는 희년임을 감안해 해제하고 경성노회로의 복직이 결정되었다. 사실상 경성노회에서 내놓은 항의와 소원이 모두 받아들여지지 않은 것이었다. 총대로 참석한 함태영은 승동교회 장로인 홍병덕과 함께 이런 결정에 항의하며 총회장에서 퇴장했다. 그리고 제24회 총회에서는 경성노회가 총회장 퇴장과 총회비 납부를 거부한 것을 불법으로 규정하고 치리를 결정했다는 사실을 보고했다.[110]

그런데 이 보고에서 경성노회가 심각하게 문제삼고 있는 것이 있었다. 경성노회 분립을 주도했던 그룹이 대부분 참여하고 있었던 적극신앙단의 문제였다. 경성노회는 적극신앙단이 이단의 비밀단체이며 단호하게 처리해야 함을 역설했다. 그리고 박용희, 함태영, 권영식, 전필순, 최석주 등 5인을 기소하고 이들의 재판을 총회에 위탁하고 있었다.[111] 제24회 총회는 김춘배의 '여권문제', 김영주의 '창세기 모세저작 부인'사건 등이 모두 정죄되었다. 적극신앙단 역시도 정치적인 이유뿐만 아니라 신학적으로도 이단으로 치부하고 여기에 참여한 이들에게 반성하고 탈퇴할

109 『경성노회 제3회 정기노회 회록』, 1933년 11월 10일 남대문교회, p.24.
110 안동교회 역사편찬위원회, 『안동교회 90년사』(서울:안동교회, 2001), p.147.
111 『조선예수교장로회 제24회 총회 회록』, 1935년 9월 6일 서문밖교회, pp.93~94.

것을 권면하는 결정을 내렸다.[112]

총회의 결정을 따라 경성노회는 1935년 11월 18일 안동교회에서 열린 제7회 정기노회에서 핵심인물로 지목된 함태영, 권영식, 전필순의 회원권을 정지시켰다. 함태영은 반발했다. 지금까지 노회와 총회에서 그가 했던 활동과 진정성, 그리고 신학적 정당성 모두가 부정되었다. 그것만이 아니었다. 한국장로교회의 신학적 본래성을 회복해야 한다는 명분도 모두 거절당한 것이었다.

> 금일의 경성노회는 그리스도의 정신에서 떠나고 본 장노회 헌법을 위반하야 교회의 분규를 조장하고 있음으로 우리 교회들은 장노회 헌법에 의하야 별로히 노회조직을 기하고자 성명함[113]

함태영은 권영식, 전필순, 최거덕, 이석진 등의 목사와 김교영, 심원용, 김용수, 이선창, 이상문, 이원시 등의 장로와 함께 이 선언서를 발표하고 회의장에서 퇴장해 버렸다. 경성노회는 여기에 참여한 이들의 모든 직위를 박탈했다. 1936년 5월 19일 새문안교회에서 열린 경성노회 제8회 정기노회에서는 전필순, 권영식, 박용희, 함태영, 최석주를 목사 면직시켰다.[114]

함태영은 자신이 주도해서 분립한 경성노회의 결정에 순응하지 않았다. 오히려 적극신앙단과 기독신보를 통해 뜻을 같이하고 있었던 11개 교회와 함께 경중노회를 출범시켰다. 경중노회는 20여개 교회와 경기도 광주지역의 15개교회가 가입하면서 세를 늘려나갔다. 경중노회 의

112 서울노회사편찬위원회, 『서울노회의 역사』, p.201.
113 "경성 노회내 11 교회 따로 경중노회를 조직 준비", 『기독신보』, 1935년 11월 20일.
114 『경성노회 제8회 정기노회 회록』, 1936년 5월 19일 새문안교회, p.30.

중심에는 함태영이 있었다. 함태영은 지금까지 갈등의 중재자로서 한국 교회에 이름을 알리고 있었던 인물이었다. 그럼에도 이러한 갈등을 유발하면서까지 그가 저항하고 있었던 것은 자신의 신학적 이상이 이단으로 받아들여지고 불법단체 활동으로 여겨지는 것에 대한 반발이었다. 경중노회의 분규는 2년여간 계속되었다.

연동교회 내부에서도 목회에 어려움을 겪어야 했다. 특히 YMCA에서 활동하던 이대위(李大爲, 1878~1928)가 연동교회 장로로 장립되면서 함태영에 대한 비판이 심화되고 있었다. 이대위는 정치적으로 서북계에 속하는 인물로 기호계를 이끌고 있었던 신흥우와는 대립적인 관계에 있었다. 여기에 연동교회의 원로였던 김정식이 적극신앙단의 이단성을 지적하며 강하게 대립하고 있었다.[115] 이러한 대립이 연동교회 내부에서도 나타나고 있었다.

경성노회는 연동교회의 신임 당회장으로 강병주를 임명했다. 그러나 1936년 1월 12일 연동교회 당회는 경성노회를 탈퇴했기 때문에 경성노회의 결정은 교회와 아무런 상관이 없다는 사실을 분명히 했다.[116] 연동교회의 당회장은 여전히 함태영이었다. 교회 내의 분쟁은 1936년 4월 12일 부활주일 예배 때에 절정을 치달았다. 이대위가 경성노회로부터 당회장으로 임명되었던 강병주(姜炳周, 1882~1955)[117]와 시찰장 오건영 등 몇 사람을 교회로 불러 당회장 권환을 행사하려고 한 것이었다. 이

---

115 민경배, 『서울YMCA운동 100년사』, p.304. 김정식은 '재경기독교유지대회'를 주도하며 장로교 총회와 감리교 연회에 적극신앙단을 이단성을 들어 제소하는 등 적극적으로 반대하는 입장을 가지고 있었다.

116 『연동교회 당회록』, 1936년 1월 12일.

117 조선어학회의 유일한 목사회원이었으며 선천 북교회와 새문안교회를 담임했던 강신명의 부친이다.

들은 예배를 방해하는 난동을 부렸다.[118] 당회는 이대위에 대해서 권징 조례 제6장 41조를 적용해 장로 면직과 수찬정지의 권징을 단행했다.[119] 이대위는 이후에도 홀로 경성노회에 연동교회 총대로 참여해 활동할 정도로 교회와 대립했다.

교회 내에서의 이러한 갈등은 함태영이 연동교회에서의 사역을 오래 지속하지 못하게 하는 요인이 되기도 했다.[120]

1937년 9월 10일 제26회 총회에 특별위원은 경성노회 분규에 다음과 같은 해결방안을 내놓았다.

> 본위원 등이 작년부터 경성노회와 분립파간의 화해를 위하여 진력공작한 바 아직 완전한 화해는 시키지 못하였으나 조기 조건하에서 타협할 소망이 있음을 좌에 보고하나이다.
>
> 1. 함태영씨 일파는 적극신앙단이 이단임을 인정할 것.
> 2. 함태영씨 일파는 적극신앙단에 가입하지 아니했으나 신흥우씨 댁에 회집하여 적극신앙단 개조 토의석에 일차 참석한 것이 잘못된 일임을 알 것.
> 3. 함태영씨 일파가 적극신앙단에 가입하지 아니했으나 가입한 것처럼 된 책임을 질 것.
> 4. 함태영씨 일파가 경성노회를 탈퇴하고 경중노회를 조직한 것이 잘못됨을 알 것.
> 5. 전필순, 권영식 양시는 이상 1,2,3,4조 외에 〈기독신보〉를 가지고 나간 것이 잘못됨을 알 것.

---

118 연동교회 100년사 편찬위원회, 『연동교회100년사』, p.290.

119 『연동교회 당회록』, 1936년 4월 12일.

120 『연동교회 당회록』, 1938년 8월 5일, 함태영은 당회 석상에서 청주읍교회로부터 온 담임목사 청빙 청원에 응하겠다는 뜻을 표명하기도 했다. 청주읍교회는 그의 목회 출발지였던 곳으로 7년동안 담임했던 곳이었다. 그런데 당시 청주읍교회는 전임목사가 신사참배에 반대하면서 만주로 망명하면서 담임목사가 공석이었다. 이에 함태영에게 다시 담임목사직을 맡아 줄 것을 요청했던 것이다.

6. 최석주씨는 1,2,3,4조 외에 노회 허락없이 (동경) 무소속 교회로 간 것이 잘못됨을 알 것.
   함태영씨 일파가 이상 제조건을 경성노회 앞에서 시인 사과하는 동시에 경성노회는 함태영씨 일파에 대한 치리 일정을 해제하도록 할 것이오며.
7. 본 총회는 특별위원 5인을 파송하여 경성노회 임시회를 소집하고 이 문제를 실현하도록 함이 가한 줄로 아나이다. (위원은 나부열, 고한규, 방홍범, 장규명, 이승길 제씨로 선정하다)[121]

사실 함태영은 경성노회에서 경중노회를 분립해 나갈 때 총회가 승인하지 않더라도 노회의 설립을 강행하려고 했다. 한국장로교회가 본래 추구하려고 했던 교회와 신학의 모습이 그들에게 있다고 믿었기 때문이었다. 자신들을 이단으로까지 규정하는 것에 대한 저항이었다.[122] 그러나 총회가 화해를 권고하고 일체의 치리를 해제토록 함으로써 더 이상의 갈등은 한국교회를 또 다른 위기로 몰아넣을 수 있다는 위기 의식이 있었다. 신사참배의 문제가 본격적으로 제기되고 있었던 당시의 상황에서 한국장로교회의 분열은 대처를 더욱 어렵게 만들 수 있었다.[123]

함태영은 더 이상 총회와 각을 세우는 것이 도움이 되지 않는다는 것을 알았다. 9월 24일 열린 경중노회에서는 총회의 특별위원들의 입회하에 총회의 입장을 청취하고 경성노회와의 화목을 결의했다.[124] 1937년 10월 29일 경성노회 임시회에서는 함태영이 언권 허락을 받아 대표로 제반의 일들에 대해 인정하고 사과함으로써 함태영에게 내려졌던 모든

121 『조선예수교장로회 제26회 총회 회록』, pp.82~83.
122 민경배, "경성노회 약사", 『서울노회 회의록』(서울:서울노회, 1975), p.225. 김인서는 제26회 총회에 참석하면서 경중노회파가 총회를 떠나는 것에 대해서 우려하고 있었다.
123 위의 책, p.228.
124 『연동교회 당회록』, 1937년 10월 28일.

치리가 해소되었다.[125]

1938년 9월 9일 조선예수교장로회 제27회 총회는 총대를 비롯한 모든 직위에서 제척되었던 함태영을 공천부장으로 복귀시켰다. 그러나 제27회 총회는 공천부 부장인 함태영의 보고가 끝난 후 일본 헌병들의 강압적인 분위기 속에서 신사참배를 종교의식이 아닌 국가의식으로 인정하고 신사참배를 가결했다.[126] 함태영이 다시 한국장로교회의 중심으로 돌아왔을 때 한국교회는 또 다시 신사참배의 소용돌이 속으로 빠져들고 있었다.

6.3. 함태영과 조선신학교

6.3.1. 신사참배의 소용돌이

성명서

아등은 신사는 종교가 아니오 기독교의 교리에 위반하지 않는 본의를 이해하고 신사 참배가 애국적 국가의식임을 자각하며 또 이에 신사참배를 솔선 여행(勵行)하고 충(追)히 국민정신총동원에 참가하여 비상시국하에서 총후(銃後) 황국신민으로써 적성(赤誠)을 다하기로 기함

소화 13년 9월 10일

조선예수교장로회 총회장 홍택기

부회장과(임원대표) 각노회장으로(회원대표) 본 총회를 대표하여 즉시 신사 참배를 실행하기로 가결하다.[127]

---

125 『경성노회 제11회 임시노회록』, 1937년 10월 29일.

126 『조선예수교장로회 제27회 총회 회록』, 1938년 9월 10일, 장대현 교회, p.9.

127 위의 총회록.

1938년 9월 10일 조선예수교장로회 제27회 총회에서 함태영이 총회에서 공식적으로 복권되어 공천부 부장으로 보고를 마친 후 총회는 전격적으로 신사참배를 결의하는 성명서를 채택했다. 97명의 일본 경관이 회의장을 둘러싸고 있었다. 강경하게 신사참배를 반대하던 총대들은 이미 검속으로 구속한 상태였다. 결의문 채택을 반대하던 선교사 블레어(William Newton Blair, 방위량(邦緯良), 1876–1970)는 경관에 의해 강제로 퇴장을 당해야 했다.[128]

총회가 신사참배를 결의했지만 선교사들은 신사참배를 거부하면서 평양의 숭실전문학교를 폐쇄했다. 그리고 5월부터 무기한 휴학에 들어갔던 평양신학교는 언제 다시 개교할 수 있을지 기약할 수 없었다. 평양신학교의 교수진들도 대부분 한국을 떠나고 있었다. 선교사들은 고국으로 돌아갔고, 박형룡(朴亨龍, 1897~1978)과 남궁혁(南宮爀, 1881~?)은 외국으로 망명을 했다. 문제는 교회가 여전히 존재하는데 교역자 양성의 길이 막혀 버렸다는 것이었다.

일제가 신사참배의 문제를 한국인에게 요구하기 시작한 것은 1925년 조선신궁의 설립과 함께 학교 아동들에게 참배케 하면서부터였다. 공립학교와 달리 대부분의 기독교계 학교들은 이를 거부했다.[129]이에 특별한 반응을 보이지 않았던 총독부였다. 그러나 1935년 숭실학교의 교장이었던 맥큔(G. S. McCune, 1873~1941, 한국명:윤산온)을 비롯한 평양의 기독교계 학교 교장들이 신사참배를 거부하자 총독부는 이들에 대한 파면과 강제 폐교를 시사하며 강경한 입장을 천명했다.[130]1936년 결

---

128 민경배, 『한국기독교회사』, p.513.

129 히우라 사토코, 이언숙 역, 『신사, 학교, 식민지』(서울:고려대학교 출판문화원, 2013), p. 44.

130 김명구, 『한국기독교사 1』, p.524.

국 윤산온이 숭실학교 교장직에서 파면을 당하고 미국으로 강제 퇴거를 당했다.

총독부는 신사참배가 종교의식이 아닌 국가의식으로서 황국신민으로서 당연히 해야 하는 애국활동이라는 점을 강조하고 있었다. 여기에 제일 먼저 호응하고 나선 것은 천주교였다. 1936년 5월 25일 교황청에서 "신사참배는 종교적 행사가 아니고 애국적 행사이므로 그 참배를 허용한다"는 교황의 훈령을 발표하자 신사참배를 수용하는 동시에 그동안 조상숭배라며 금지해 왔던 제사도 수용했다.[131] 1937년 6월 17일 "조선감리교회"도 일제의 계속된 압박에 신사참배가 국가의례라는 것에 동의해야 했다. 이어서 성결교회와 침례교회도 예외는 아니었다.

끝까지 신사참배를 거부하고 있었던 장로교회에 대한 회유와 압박이 거세게 불어 닥쳤다. 1937년 전국적으로 신사참배 반대운동이 거세게 일어났다. 그러나 일제의 태도는 전에 볼 수 없었던 강압적이고 폭압적이었다. 순교를 각오하는 이들이 있는가 하면, 일제에 순응하고자 했던 이들도 있었다.[132] 결국 1937년 8월 1일 승동교회에서 '시국 설교 및 기도회'가 개최었을 때 신사참배와 일본을 위한 애국을 다짐하는 결의를 해야 했다. 1938년 2월 선천 남교회에서 열린 평북노회는 30개 노회 중 처음으로 신사참배를 수용하고 나섰다. 그리고 총회에 신사참배 결의안을 상정시켰다. 결의안은 일제의 강압과 폭압 속에서 통과되었다.[133]

신사참배의 문제를 우상숭배요, 배교로 인식했던 한국교회였다. 총회의 공식적인 결의 이후 각 교회와 개인이 이를 수용하는 것은 쉬운 일

131 박용규, 『한국기독교회사 2』(서울:생명의 말씀사, 2005), p.704.
132 안광국, 『한국교회 선교백년 비화』(서울: 대한예수교장로회 총회교육부, 1978), p.229.
133 김명구, 『한국기독교사 1』, p.530.

이 아니었다. 개인적 신앙의 순결함과 절개를 지켜야만 한국교회가 영적으로 이기는 것이라고 판단한 이들이 있었다. 그들은 순교를 각오하고 끝내 신사참배를 거부했다. 주기철, 이필주, 신석구 등은 끝내 순교의 길을 걸었다. 그렇게 결단하며 신앙의 정결함을 지킨 이들은 소수에 불과했다.[134]

일부는 일본의 압제로 인해 신사참배를 피할 수 없다고 생각했다. 그것을 피할 방법은 국외로의 도피였다. 평양신학교가 문을 닫았을 때 평양신학교의 교수였고, 평양 교권의 핵심에 있었던 박형룡은 만주로 떠났다. 장로교의 농촌운동을 주도했던 배민수도 미국으로 떠났다.

다수의 한국교회는 신사참배 반대의 당위성을 알면서도 신사에 참배해야 했다. 이 문제를 어떻게 이해하고 받아들일 것인지에 대한 고뇌가 있었다. 공식적으로는 국가의식에 대한 참배라고 했지만 영적인 굴욕과 수치라는 사실은 변함이 없었다. 그러나 그들에게 개인적인 수치와 굴욕은 문제가 아니었다. 한국교회가 일본교회에 넘어갈 수 있다는 위기감과 두려움이었다.

사실 한국교회를 더 위협하고 있었던 문제는 신사참배의 문제가 아니었다. 총독부는 신사참배문제를 계기로 한국기독교를 일본 기독교에 편입시키고자 했다. 총독부는 한국인들에게 강요하고자 했던 황국신민화 정책과 내선일체 운동을 "국민정신총동원운동"이라는 이름으로 강요하기 시작했다. 신사참배 강요는 이 운동을 위한 사전정지 작업과 다름이 없었다. 신사참배를 국가의식으로 각인시키고 이후에 애국심 고취라는 명목으로 각종 국가행사와 전시행정에 한국교회를 동원하겠다는 것이

134 위의 책, p.536.

그들의 계획이었다.[135]

105인 사건과 3·1운동이후 한국교회는 민족교회로서의 입지를 다지고 있었다. 기독교 신앙을 지킨다는 것만으로도 일본의 천황제 이데올로기를 극복하는 것으로 인식되었고, 한글 성경은 민족적 자긍심을 주기에 충분했다. 교육과 의료, 사회운동의 모든 분야에서 한국교회는 민족을 이끄는 역할을 하고 있었다. 일본교회로 편입되는 것은 민족교회로서의 역할이 끝나는 것을 의미했다. 신사참배를 강제당했던 한국교회였지만 일본교회로의 편입만큼은 막고자 했다. 그것은 배교라는 굴욕뿐만 아니라 친일이라는 오명을 쓰는 것이기 때문이었다.

함태영은 신사참배 문제 때문에 감옥에 간 일이 있었다. 신사참배에 대한 강력하게 반대했던 대표적인 선교사인 헌트(Bruce F. Hunt, 한부선)와 결탁해 신사참배 거부를 위한 조직을 만들려고 했다는 것이었다. 함태영은 이때 종로경찰서에 59일 동안 구속되어 있었다.[136] 그러나 신사참배 결의가 총회에서 이루어진 후에 함태영은 개인적인 신앙의 굴욕보다는 강압과 굴욕, 모욕과 핍박이 난무하는 시대 속에서 복음을 담지하는 영적 거점인 교회를 보수하는 것을 선택했다. 전 세계를 향해 전쟁을 선포하며 광분하고 있는 일본의 악행은 반드시 하나님의 징계를 받을 것이었다.

---

135 오다 쇼고, 박찬승 외 3인 역, 『조선통독부 30년사』 下(서울: 민속원, 2019), p.1297. "조선에서 국민정신총동원운동은 내지의 거국일치 · 견인지구(堅忍持久) · 진충보국이라는 세 가지 목표는 말할 것도 없고, 그 중심은 일시동인의 성지에 기초한 내선일체를 기조로 한 통치 방침의 철저 및 반도 동포의 황국신민화를 도모한 것을 주안점으로 한다. 따라서 이 운동은 '지나사변' 대처를 위한 응급적이고 일시적인 운동이 아니라, 조선통치 방침의 항구적 실천이라고 말할 수 있다.'"

136 전필순, 『목회여운』, p.97.

> 일제 말기 조선신학원 역시 신사참배 문제가 컸습니다. 신사참배 안하면 무조건 학교 취소였습니다. 이사장 함태영 목사께 의논했지요, 그랬더니 '나도 올라가지....' 해서 남산 신궁에 함 목사님과 함께 올라갔습니다. '함 목사님 뭐라고 기도했습니까...', '난 이렇게 기도했네 어서 속히 이 남산에서 이 일본놈의 귀신을 쫓아버리고 여기에 예배당이 서게 해 주시오, 그리고 어서 속히 독립되게 하소서....', '그럼 나도 그렇게 기도하지요.' 그렇게 신사참배 기도(?)하면서 신학교를 밀고 갔습니다.[137]

신사참배는 그에게 신앙적 굴욕이었고 수치였다. 그러나 그것이 일본에 대한 굴복이거나 우상에 대한 굴복을 의미하는 것은 아니었다. 일제의 강압과 폭력으로 참혹한 현실을 이겨내야 하는 것은 영적인 차원에서만 가능한 것이었다. 단순히 함태영 개인의 차원에서 이 문제를 바라보는 것은 자신에게 주어진 십자가를 외면하는 것이었다. 그에게는 연동교회와 한국교회, 그리고 자유를 빼앗기고 고통 속에 신음하는 한국 백성들이 있었다. 신사의 자리가 그에게는 영적 전쟁터였다. 비록 강제적으로 머리를 조아려야 했지만 그의 정신은 역사의 주관자이신 하나님을 향하고 있었다. 그 자리가 예배당이 되게 해달라는 역설적인 기도와 속히 독립이 이루어지길 간구한 것이다.

한국교회는 신사참배의 질고와 멍에 앞에서 절망하고 있었다. 함태영은 그런 와중에서도 연동교회의 목회를 정상적으로 이끌기 위해 애쓰고 있었다. 1939년 1월 장로 청원을 통해 당회를 보강하려고 했다. 그리고 김응조(金應祚, 1896~1991) 목사를 강사로 초청하여 4월 23일부터 일주일간 진행하기로 했다.[138] 부흥회의 목적은 교회건축을 위한 연보였

---

137 한국기독교사연구회, "장공 김재준 박사의 회고", 「한국기독교사 연구」, 1985. 9. 20, 제5호, p.6.

138 당초 연동교회 당회는 김응조와 함께 박제원, 김인서를 추천하고 그중의 한명을 당회장이

지만 영적인 견고함을 세우는 것이 우선적인 목표였다.[139]

모든 것이 무기력해진 시기였다. 교회를 정비하고 신앙부흥에 전력하는 것이 무기력하고 무의미한 것처럼 보일 수 있었다. 그러나 함태영은 다른 차원에서 바라보고 있었다. 기독교 신앙에서 다가오는 고난과 악으로부터의 핍박은 강력한 영적인 체험과 강화를 통해서 견딜 수 있는 것이다. 그러기 위해서는 교회가 건물뿐만 아니라 영적인 토대 위에서 견고하게 서 있어야 했다.

함태영은 교회를 유지하는 것이 단순한 개별 교회 차원의 문제가 아니라고 인식하고 있었다. 기독교 역사에서 교회의 유지는 곧 기독교 신앙과 복음, 사상의 보수를 의미한다. 비록 일본에 의해서 성서를 가르치는 것이나 신앙에 제약을 받는다 하더라도 성서와 복음이 유지되는 한 그것은 언젠가 극복할 수 있는 일이었다. 성서와 기독교의 복음을 지키는 것만으로도 일본 천황제의 근간인 신도(神道)에 대한 저항을 의미하는 것이었다.

그에게 기독교의 복음은 인간 구원의 유일한 길이었다. 따라서 자유와 정의, 사랑을 실현하는 기독교적 인간화를 구현할 수 있는 곳이 교회였다. 인간화의 실현 없이는 참된 사회, 국가의 실현은 불가능하다. 교회의 존속만으로도 독립이 되었을 때 신부적 국가의 이상을 실현할 수 있다고 본 것이었다.

함태영이 지켜내야 하는 것이 또 하나가 있었다. 그것은 일본교회로

교섭하기로 했었다. 김응조는 성결교회 목사로 이명직과 함께 부흥사로 명성을 떨치던 인물이었다. 특히 종말론 강해를 통해 부흥회를 인도하는 특징을 가지고 있었다. 박제원은 연동교회 출신의 성결교 목사였다. 경주와 부산에서 복음전도에 열심을 냈던 인물이었다. 김인서는「신앙생활」이란 잡지를 통해서 활발하게 활동하고 있던 장로교의 목사였다.

139 『연동교회 당회록』, 1939년 3월 10일. p.39.

의 존속을 막아내는 것이었다. 함태영이 연동교회의 담임목사에서 은퇴한 뒤에 그러한 일이 본격화되기 시작했다. 일제가 기독신보의 사장을 역임했고, 적극신앙단에 참여했던 전필순을 앞세워 혁신교단 운동을 일으킨 것이었다. 이 운동은 사실 총독부에 의해 주도된 모든 교파를 통합한 '조선기독교단'을 뒷받침하기 위한 것이었다.[140] 연동교회의 담임목사였던 전필순이 이 일에 동원된 것이었다. 이는 일본의 교회를 '일본기독교단'으로 통합한 것과 같은 맥락으로 정부의 통제강화를 위한 목적이 강했다.[141]

일선에서 물러난 함태영이지만 그가 해야할 일이 있었다. 한국교회의 신학과 신앙을 유지하는 일은 현재의 목회자와 교회로만 이루어지는 것이 아니었다. 신학교를 통해 목회자를 양성하는 일이 중요했다. 그들을 통해서 한국교회의 신학과 신앙의 전통이 계승될 것이기 때문이었다. 그가 조선신학교 설립에 참여한 이유였다.[142]

6.3.2. 조선신학교의 설립과 참여

절망과 비운의 시기 한국교회는 비록 신사참배의 굴욕을 당해야 했지만 교회는 포기할 수 없었고 이를 위해서는 교역자 양성이 계속 이루어져야 했다. 선교사들이 떠난 상황에서 한국인들이 주도하는 새로운 신학교에 대한 논의가 나타나기 시작했다. 장로교회에서 주로 서울지역

140 민경배, 『한국기독교회사』, p.540. 조선혁신교단은 1943년 4월에 조직되었고 전필순이 통리를 맡았다. 성서 중에 유태 민족에 관계된 부분, 곧 출애굽기와 다니엘서를 비롯한 대부분의 구약 성서와 신양의 요한계시록 및 찬송가의 개편을 지시했다. 뒤에는 구약성서를 전부 폐하고 신약성서도 4복음서 외에는 보지 못하게 했다. 이 교단의 주요구성원들은 대부분 적극신앙단에 참여했던 인사들이었다.

141 김재준, 『범용기』, p.168.

142 위의 책, p.171.

을 대표하는 13명이 모여 1939년 3월 서울에서 '조선신학교'설립위원회가 조직되었고, 송창근(宋昌根, 1898~1950)을 중심으로 하는 새로운 학교를 서울에 세우기로 합의했다.[143]

1939년 제28회 총회는 조선신학원의 설립을 인준하고 설립기성회 13인으로 이사회를 구성하게 했다. 경기지사의 인가를 받아 조선신학원의 설립이 허락되었다.[144]그러나 총독부로부터 학교인가를 받지 못하고 1940년 3월 경기지사가 강습소 인가를 내줌으로써 4월에서야 승동교회에서 개원할 수 있었다.

함태영은 조선신학교의 이사장을 맡았다. 실질적인 학교의 업무는 김재준(金在俊, 1901~1987)이 주도하고 있었지만 그래도 조선신학교를 대표하는 인물은 총회장을 역임했고, 서울지역을 대표하는 인물이었던 함태영이 적임자였다. 사실 조선신학교는 송창근의 부탁으로 조선신학교 설립에 뛰어든 김재준은 교육이념으로부터 학제의 구성까지 모든 것을 주도하고 있었다. 그가 제시했던 조선신학교의 교육이념은 다음과 같은 것이었다.

1. 우리는 조선신학교로 하여금 복음 선포의 실력에 있어서 세계적일뿐만 아니라 학적, 사상적으로도 세계적 수준에 도달하도록 할 것.
2. 조선신학교는 경건하면서도 자유로운 연구를 통하여 자율적으로 가장 복음적인 신앙에 도달하도록 할 것.
3. 교수는 학생의 사상을 억압하는 일이 없이 동정과 이해를 가지고 신학의 제 학설을 소개하고 다시 그들이 자율적인 결론으로 칼빈 신학의 정당성을 재확인함에 이르도록 할 것.

143 김인수, 『장로회신학대학교 100년사』, p.244.
144 『조선예수교장로회 제28회 총회 회록』, 1939년 9월 13일, 신의주 제2교회, p.66.

4. 성경 연구에 있어서는 현대비판학을 소개하며, 그것은 성예비적 지식으로 이를 채택함이요 신학 수립과는 별개의 것이어야 할 것.
5. 어디까지나 교회의 건설적인 실제면을 고려해 넣은 신학이어야 하며 신앙과 덕의 활력을 주는 신학이어야 한다. 신학을 위한 분쟁과 증오, 모략과 교권의 이용 등은 조선 교회의 파멸을 일으키는 악덕이므로 삼가 그러한 논쟁을 하지 말 것.[145]

김재준은 조선신학교를 통해 한국장로교회가 정통주의적인 신학에서 벗어나서 보다 진보적이고 다양한 신학을 추구해야 한다고 생각했다. 그러나 함태영은 조선신학교의 출범을 한국장로교회가 본래 추구하려던 신학을 회복하는 것으로 이해하고 있었다. 함태영에게 조선신학교는 중요한 의미로 다가왔다. 신학교의 존재는 교회의 유지와 회복을 담보하는 것이었다. 비록 지금 교회가 무너진다 해도 목회후보자의 지속적인 배출은 한국교회 회복에 대한 기대를 가질 수 있도록 했다. 그러나 총독부로부터 신학교 인가를 받을 때는 학교의 임원들과 교수들은 신사참배를 받아들이는 것을 전제하고 있었다. 함태영도 그 멍에를 짊어질 수밖에 없었다.

그렇게 존속할 수 있었던 조선신학교는 신학교육의 연속성을 그나마 유지할 수 있었다. 그리고 무엇보다 해방 후 남아 있었던 유일한 한국장로교회의 신학교로서 혼란스러웠던 한국교회를 다시 재건하는데 중요한 역할을 담당할 수 있었다.

함태영은 해방 이후에도 그가 정치에 참여하지만 조선신학교(현, 한신대학교)의 일을 놓지 않았다. 그것은 교회의 신학적 기반이 신학교를 통

145 장공김재준목사기념사업회, 『장공 김재준의 삶과 신학』(서울:한신대학교출판부, 2014), pp.91~92.

해서 이루어진다는 사실을 누구보다도 잘 알기 때문이었다. 그에게 국가의 기반은 교회였다. 그리고 그 교회를 바른 신학적 바탕 위에 놓기 위해서는 신학교육이 절대적으로 중요했다. 복음과 교회가 신학의 중심이었고, 그 토대 위에서 개인구원과 국가구원의 이상을 실현하는 것이 그가 추구해온 신학의 지향이었다. 신학적으로 청빈과 개인 구원에 대한 갈망, 국가 구원에 대한 소망을 추구했던 송창근, 김재준, 한경직 등이 함께 참여한 조선신학교는 함태영에게 신뢰를 주기에 충분했다.

6.3.3. 목회적 은둔과 소망

1941년 4월 13일 연동교회에서 함태영의 원로목사 추대와 후임 전필순의 위임식이 거행되었다.[146] 68세의 나이였다. 아직 목회자로 은퇴하기에는 아직 이른 나이였다. 전필순은 함태영이 66세 되었을 때 주변으로부터 은퇴에 대한 권고를 받았고, 교회 내에서도 연로한 함태영의 나이를 우려하는 목소리들이 나오기 시작했다고 증언한다.[147] 그러나 연동교회에서 함태영이 가지고 있는 위상으로 볼 때 교회의 요청에 의한 것보다는 스스로 연동교회의 담임목사직을 사퇴한 것으로 보아야 할 것이다. 그가 가지고 있는 연동교회 당회장으로서의 자부심과 한국장로교회의 총회장을 지낸 대표적인 한국교계를 대표하고 있던 인물이었던 점에서 1938년 총회 이후 전개되고 있었던 한국교회의 참상은 받아들이기 어려운 것이었다. 더구나 그 중심에 머물러 있어야 하는 자신의 위치는 스스로도 받아들이기가 쉽지 않았다. 자괴감과 수치감, 모욕감 속에

146 연동교회, 『연동교회 100년사』, p.298.
147 전필순, 『목회여운』, p.101.

서도 교회를 지켜야 한다는 사명감만으로는 버티기가 쉽지 않았다.

1938년 9월 조선예수교 장로회 총회가 끝난 뒤인 10월 16일 경성노회는 경기노회와 함께 교역자, 신도, 학생 등 2,970명이 참석한 가운데 '내선인'을 하나로 뭉치게 하기 위한 시국대응 신도대회를 개최했다. 대회에 앞서 총독부 광장에서 총독의 고사(告辭)를 듣고 황국신민의 서사를 제창한 후에 시가행진을 하며 조선신궁을 참배했다. 이어진 신도대회에서는 황성요배와 국가합창을 하고 내선일체와 종교보국에 매진하겠다는 선언을 했다. 함태영은 경성노회를 대표하는 인물로 선정되어 시가행진의 선두에 서야 했다.[148]

1939년 11월 10일에는 남대문교회에서 '조선야소교장로회총회 국민정신 총동원 경성노회지맹' 결성식을 가졌다. 함태영은 이사로 등재되어 있었다. 연맹 임원을 맡은 것이었다.[149]교회 내에는 국민정신 총동원 연동교회 연맹을 결성해야 했다.[150] 더욱 더 비참한 일은 1940년 서울지역의 목사들은 이유도 모른채 40일간 구금되었다가 나온 뒤에 강제로 우이동으로 끌려가서 신도수련이라는 명목으로 강제로 끌려가 알몸에 얼음냉수를 붓고 동방요배를 시켰다. 이는 성직자로서는 차마 감당하기 어려운 수치심과 굴욕을 가져다 주었다.[151]

조선신학교의 이사장을 맡아 신학교를 운영해야 했던 그로서는 학교 유지를 위해 신사참배에 나서야만 했다. 김재준과 송창근 또한 다르지 않았다.[152] 신의주의 한경직도 신사에 참배한 이후에 견디지 못하고 목

148 "장로교도 수(遂)참배의 실천에로", 『동아일보』, 1939년 10월 16일.
149 서울노회사 편찬위원회, 『서울노회의 역사』, p.222.
150 『연동교회 당회록』, 1939년 11월 25일, p.67.
151 김재준, 『범용기』, p.166.
152 송우혜, 『벽도 밀면 문이 된다』(고양:생각나눔, 2008), p.363.

회를 멈추어야 했다.

더 이상 연동교회를 담임하는 것은 함태영에게 견디기 어려운 일이었다. 신사참배 그 자체만으로도 죄책감에 시달려야 했던 그였다. 그것은 당시에 교회를 지켜야 한다는 생각에 신앙적 굴복과 좌절을 감당해야 했던 대부분의 목회자들이 가지고 있었던 심정이었다.[153]

함태영은 이제 목회자로서의 은퇴가 얼마 남지 않은 시기였다. 정년을 채워 명예롭게 이름을 남기고 은퇴할 수도 있었다. 연동교회는 그의 영적인 고향이었고, 그의 목회가 완성된 곳이었다. 힘겨운 고난과 핍박의 시기를 견뎌내야 하는 고통을 짊어져야 하는 것도 알고 있었다. 그럼에도 교회 안팎의 은퇴에 대한 요구가 나왔을 때 스스로의 결정을 내려야 했다.

하나님 마음에 합한 사람으로 하나님이 주신 사명을 감당하는 것을 일생의 목표로 삼고 살았던 그였다. 계속되는 일제의 수치와 모욕 앞에서 아무것도 할 수 없는 무기력감은 날로 더해졌고, 서울의 중심적인 위치에 있는 연동교회를 담임하는 목회자로서 드는 자괴감도 견디기 어려웠다. 그는 더 이상 연동교회를 이끌고 가는 것이 어렵다고 판단했고 결국 연동교회의 담임목사직을 사퇴했다. 서울지역에서 연동교회의 담임목회자가 갖는 상징성은 상당했다. 새문안교회가 첫 교회로서의 위상이 있었다면 연동교회는 교세와 목회적인 관점에서 서울지역의 교회들의 선두에 서 있는 교회였다. 함태영의 후임으로 담임을 맡은 전필순은

153 안동교회 역사편찬위원회, 『안동교회 90년사』, p.183. 안동교회의 최거덕은 해방이 되었을 때 자신의 허물을 회개하며 40일간 자숙하고 교회에 사표를 제출했다. 신의주의 한경직은 신사참배 이후에 목회를 그만두고 고아원에 들어가 아이들을 돌보며 은둔했다. ; 김명구, 『소죽 강신명의 생애와 사상』(경기 광주: 서울장신대학교 출판부, 2009), p.119. 선천의 강신명도 신사참배와 시국강연에 대한 자책 때문에 해방이 되었을 때 교회에 사표를 제출했다.

일제의 강압적인 동원에 무기력해질 수밖에 없었다. 총독부의 한국교회 통제수단으로 제안된 혁신교단의 설립에 전필순은 오히려 장로교와 감리교를 통합하는 단일교회를 세울 수 있다는 것에 집중하며 통리직을 맡았다.[154]

원로목사로 추대된 함태영이었지만 정작 기거할 집도 마련할 수 없었다. 당시 교회의 형편들이 쉽지 않았던 것을 미루어 볼 때 연동교회가 이를 감당하는 것도 쉬운 일이 아니었다. 안동교회를 담임하고 있던 최거덕이 경기노회 차원에서 이 문제를 해결하고자 했다. 안동교회 장로이자 윤보선의 부친이었던 윤치소가 거금을 내놓는 것을 시작으로 모금이 시작되었고 연동교회도 여기에 동참했다. 혜화동에 17간짜리 한옥을 마련할 수 있었다.[155]

원로목사로 현직 목회에서 물러났지만 함태영은 이사장직임을 맡고 있던 조선신학원 일에만 관여하고 있었다. 교회는 이미 영적인 힘을 회복하기 힘들 정도로 기반이 무너져 있었다. 그나마 조선신학원만이 목회후보자들을 양성하며 광풍이 지난 뒤에 찾아올 소망의 때를 기대할 수 있을 뿐이었다.

그러던 그에게 1943년 비보가 찾아왔다. 그가 기독교에 입교한 후에 연동교회에서 만나 결혼했던 부인 고숙원이 위암으로 세상을 떠난 것이었다. 고숙원과의 사이에서는 이제 막 15살과 11살 밖에 안되는 두 아들 병소와 병춘이 있었다. 아직 학교에 다니던 두 아들을 홀로 뒷바라지해야 하는 그의 나이가 이제 막 70줄에 접어 들었을 때였다. 명륜동의 셋방에서 힘겹게 아이들을 뒷바라지 해야 했던 그에게 다시 목회에

154 김재준, 『범용기』, p.168.
155 최거덕, 『나의 인생행로』(서울:덕수교회, 1986), p.118.

대한 요청이 들어왔다.[156] 그가 연동교회 당회장으로 있으면서 임시 당회장으로 교회를 돌본 적이 있었던 경기도 광주의 둔전교회였다.[157]

1944년 1월 둔전교회에 부임한 함태영은 서울과 광주를 오가는데 어려움을 겪어야 했다. 나룻배로 두 번 강을 건너고 하루 종일 걸어야 하는 거리였다. 사례비는 쌀로 대신해서 받았다. 교회에서 주는 쌀로 끼니를 해결해야 했다. 또한 어린 아들들의 학교문제가 있어 서울과 광주를 오가는 고된 여정이 이어져야 했다. 둔전교회는 교회 옆의 단칸방에 함태영과 두 아들이 지낼 수 있도록 했다.[158] 막내 함병춘이 경기중학교에 입학했을 때는 가회동의 부잣집에 맡겨 학업을 이어가도록 해야 했다.[159] 창씨개명을 거부한 그가 어린 아들들을 학교에 보내 계속 교육을 시킬 수 있는 방법은 그길 밖에 없었다.

그는 일생 동안 자신이 누릴 수 있는 명예와 부를 가져본 적이 없었다. 법관으로서 고위직을 역임했고, 목회자로서 당시로서는 가장 영향력 있는 교회의 담임자요, 한국장로교회의 대표자였음에도 그는 어떤 명예나 부를 쌓는 것에 관심이 없었다. 일본에 대한 그의 태도 또한 명확했다. 비록 신사참배에 동원되어야 했지만 그는 일본을 영적 실체로 보고 이 싸움을 영적인 싸움으로 이해하고 있었다. 신사에 참배하는 행동 자체가 문제가 아니었다. 그는 개인적인 차원에서 이 문제를 본 것이 아니라 교회적인 차원에서 이 문제를 바라봤다. 일제가 노리는 것이 개인의 신앙이 아니라 교회 자체로 본 것이었다. 함병춘은 아버지 함태영으로부터 가훈처럼 듣던 말이 있었다. "보다 더 큰 것을 위해 자기 개

156 이경자, "인간 함병춘 그는 누구였나", 「2000年」, 현대사회연구소, 1983년 11월호, p.20.
157 둔전교회는 행정구역 변경으로 현재 경기도 성남시 분당구에 위치하고 있다.
158 둔전교회, 『둔전교회 100년사』(성남:둔전교회, 2005), p.139.
159 이경자, "인간 함병춘 그는 누구였나", p.20.

인의 힘을 쓰라"는 것이었다.[160] 그것은 함태영이 어려서부터 듣고 자랐던 가문의 정신이었다. 누구보다 일본을 극복하고 싶었던 그였다. 자신의 굴욕과 수치심 속에서도 교회와 신학교를 지키려 한 것은 그것이 새로운 국가의 기초가 될 것이라 믿었기 때문이었다.

> 죄악으로 더렵혀진 전쟁의 옛 세계는 물러가고, 사랑과 긍휼로 이루어진 화평의 새로운 세계를 ㅇ하겠다 하였으나, 시대가 나의 축원을 듣지 않는 것인지, 나의 축원이 시대에 합당하지 않은 것인지, 축원과 시대는 서로 배치되어, 사상과 정신과 지식과 산업이 개선되고 새로워지기는 고사하고, 갈수록 더욱 악화되어 죄악에 죄악을 더하고 옛날의 더러움을 더하고 있으니, 이 세계는 전쟁굴을 만들어 이와 같이 앞으로 나아가기만 하면 틀림없이 전지구상의 17조 인류의 생명은 각종 살상무기로 인하여 멸망당하고 말 것이다. ...(중략)...심오하여 쉽게 짐작할 수 없는 화옹(조물주)께서 어긋남이 없게 하셔서 차가운 눈과 두꺼운 얼음과 매서운 추위가 일어나 인생의 소원이 이루어지지 않을 뿐 아니라, 지구상의 모든 동물과 식물이 거의 얼어죽어 없어지고 말 듯하나, 또 다시 우레가 일어나 얼어부터 궁핍함이 극에 달한즉, 한 줄기 햇볕이 어디서부터 나타나서 막을 수 없어 화창한 봄과 같은 큰 기운과 천지의 기가 한 데 합한 것과 같은 인온한 화기가 병든 자를 소생하게 하여 죽은 자를 살아나게 하는 듯하다[161]

월남 이상재는 죄악을 행하는 국가의 미래를 하나님께서 그대로 두지 않을 것이라고 믿고 있었다. 함태영도 마찬가지였다. 이상재의 세계관을 동경했던 그는 의를 행하면 역사를 주관하시는 하나님이 결국에는 악

160 이경자, "인간 함병춘, 그는 누구였나", p.23.

161 이상재, "祝新年", 월남이상재선생동상건립위원회, 『월남이상재연구』 (서울:로출판, 1986), pp.266~267.; 김명구, 『월남 이상재의 기독교 사회운동과 사상』, pp.265~266.

을 이기고 새로운 세계를 열어가실 것을 믿었다. 그것이 그의 신부적 세계관이었다. 다만 그는 한발 더 나아가서 이 죄악의 시기를 견뎌내고 하나님이 주신 기회에 이 땅에 신부적 국가를 만드는 것을 그의 사명으로 인식했다. 사회복음주의가 가져다 주었던 신부적 국가관의 이상을 그대로 자신의 것으로 꿈꾸고 있었던 것이다.

조선신학교에 참여했던 한경직은 신의주에 있는 고아원인 보린원에서 은둔하며 험난한 세월을 견디던 때의 심정을 다음과 같이 이야기했다.

> 악의 세력은 극도로 팽창하여 모든 선의 세력을 압도하는데, 이대로 간다면 우리 민족은 어떻게 될 것이며, 또 세계는 어떻게 될 것인가, 근심하지 않을 수 없었다. 이유없이 눈물을 쏟았고 그러다 쓰러지곤 했다. 그러던 어느 날 환상을 보았다.
> 백두산에서 한라산까지 삼천리강산이 내 앞에 펼쳐졌다. 삼천리강산이 얼마나 아름다운지 형용할 수가 없고, 높고 낮은 푸른 산세에 아름다운 부락들이 많이 있는데 그 부락마다 흰돌로 지은 예배당이 보였다. 그리고 사방에서 종소리가 들렸다.
> 그때 나는 눈에 보이는 세상이 전부가 아니라는 사실을 깨달았다. 현실은 점점 더 많은 교회들이 쓰러져 가고 국토가 유린당하고 있지만, 환상 중에 보인 교회도, 삼천리강산도 찬란하게 아름다웠다. 지금은 악의 세력이 기승을 부리지만 언젠가 패배하여 도망가고 조국이 독립하여 방방곡곡에 흰 돌로 지은 예배당에서 하나님을 찬양하게 될 것이다. 암담한 현실에 주저앉아 낙심할 필요가 없었다. 나는 너무 오래 기다리시지 말고 이러한 새로운 세기를 속히 허락해 달라고 간절히 기도했다.[162]

둔전교회에서의 사역은 함태영의 목회적 은둔과 같은 것이었다. 배를 타고 강을 두 번 건너야만 반나절을 지나야 도착할 수 있는 곳이었다.

162 한경직, 『나의 감사』(서울:두란노서원, 2010), pp.293~294.

지금은 분당신도시에 수용되어 도시적인 면모를 갖추었지만 당시에는 농촌의 시골마을에 붙어있는 자그마한 교회일 뿐이었다. 주일예배 때면 어김없이 찾아와 궁성요배와 황국신민서사를 압박했던 경찰들도 감시를 소홀히 할 만큼 영향력이 미미한 곳이었다. 함태영이 그곳에서 제일 먼저 했던 일은 궁성요배와 황국신민서사를 철폐하는 일이었다.[163]

3·1운동의 주역이었고, 적극신앙단을 주도했던 이력은 그를 요시찰 인물로 늘 감시의 대상이 되어야 했다. 서울로부터 멀리 떨어진 시골에 있던 둔전교회는 그 고난의 시기를 견디게 해준 곳이었다. 그 고난의 예배 속에서 역사의 주관자이신 하나님께서 이 민족의 소망을 이루어 주실 것을 간구했다. 해방이 되고 정치일선에 나가며 교회를 떠났던 함태영은 둔전교회의 특별한 예배 때마다 교회를 찾아 함께 예배를 드렸다. 부통령이 되어 제일 먼저 찾은 곳도 둔전교회였다.

163 둔전교회, 『둔전교회 100년사』, p.139.

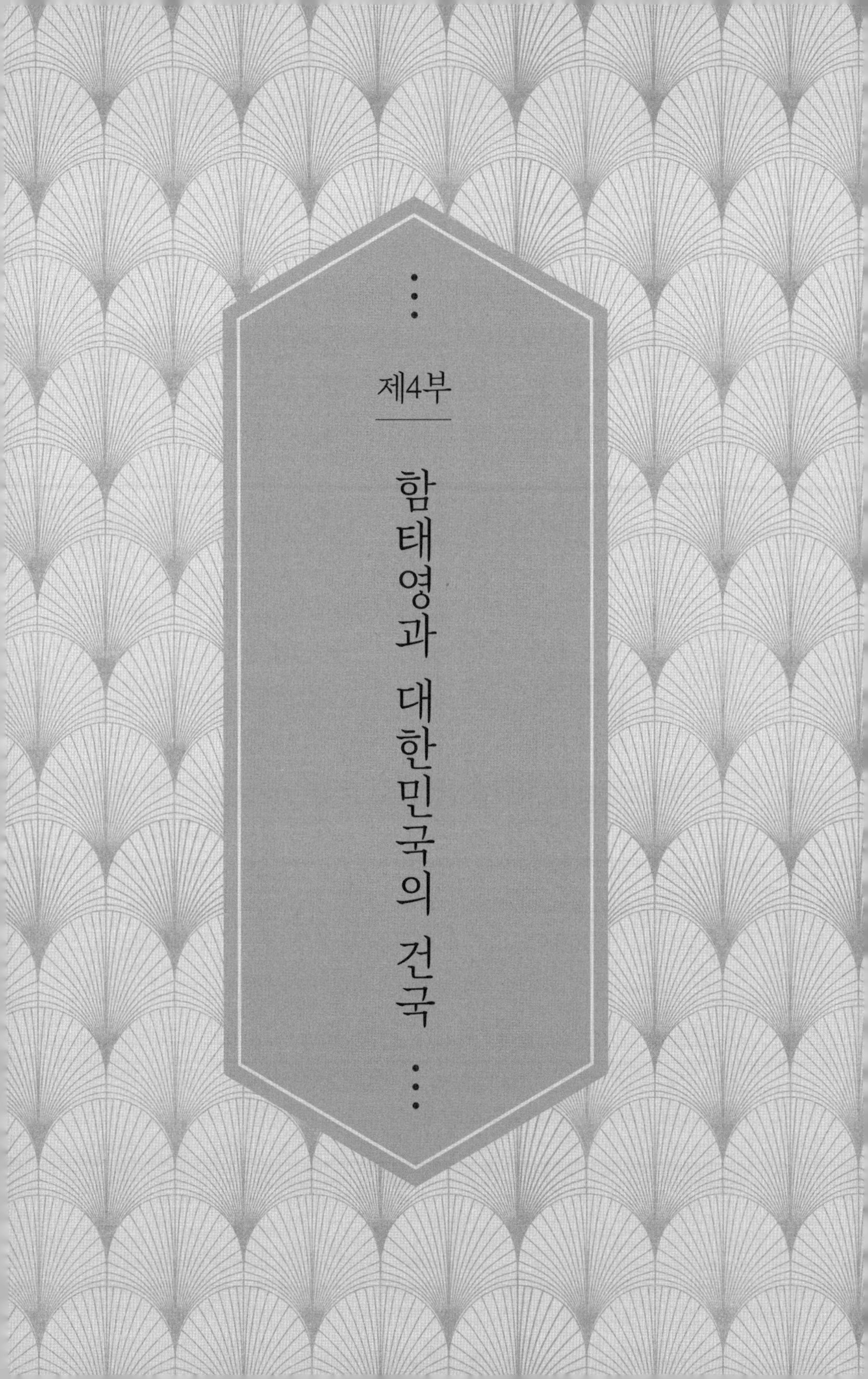

제4부

함태영과 대한민국의 건국

7장 해방과 재건

7.1. 건교(建教)가 곧 건국(建國)의 기초

1 [솔로몬의 시 곧 성전에 올라가는 노래] 여호와께서 집을 세우지 아니하시면 세우는 자의 수고가 헛되며 여호와께서 성을 지키지 아니하시면 파수꾼의 경성함이 허사로다
2 너희가 일찍이 일어나고 늦게 누우며 수고의 떡을 먹음이 헛되도다 그러므로 여호와께서 그 사랑하시는 자에게는 잠을 주시는도다
3 자식은 여호와의 주신 기업이요 태의 열매는 그의 상급이로다
4 젊은 자의 자식은 장사의 수중의 화살 같으니
5 이것이 그 전통에 가득한 자는 복되도다 저희가 성문에서 그 원수와 말할 때에 수치를 당치 아니하리로다.[1]

1945년 8월 15일 정오, 일본 천황 히로히토가 항복을 선언하는 라디오 방송을 시작했다. 함태영은 둔전교회에서 교인들과 함께 라디오를 듣고 있었다. 이 선언은 2차 세계대전이 종전(終戰)됨과 동시에 일제의 한반도 지배권이 사라졌음을 의미하는 것이었다. 마침내 해방이 온 것이었다. 수난과 핍박, 굴욕, 수치심으로 채워져야 했던 암흑의 시기가 물러갔

1 시편 127편 1~5절.

1954년 3월 14일 장로임직식에 참석한 함태영

다. 함태영은 교인들과 '대한독립만세'를 목놓아 외쳤다. 그리고 감추어 두었던 태극기를 꺼내 교인들에게 그리게 했다. 그리고 다음날 둔전마을과 대왕면 일대의 사람들에게 나누어 주었다. 함태영에게 해방은 원자폭탄의 결과가 아니었다. 고난을 견딘 하나님의 사람들에게 주어진 하나님의 은혜였다. 함태영은 둔전교회 교인들을 교회로 모이게 해서 예배를 드렸다. 동방요배도 필요 없었고, 신민서사를 낭독하지 않아도 되었다. 온전하고 자유로운 모습으로 예배를 드렸다. 기도하는 내내 울먹이던 함태영은 감격의 설교를 했다. 그리고는 교인들과 손을 맞잡고 울기 시작했다.[2]

해방은 갑작스럽게 주어졌다. 아무도 예상하지 못했다. 그러나 함태영은 반드시 해방이 올 것이라고 믿고 있었다. 악을 행하며 끊임없이 하나님께 도전하는 일본을 하나님이 그대로 두지 않을 것이라고 믿었기 때문이다. 그에게 역사의 주관자는 힘 있는 사람이나 국가가 아니라 기독

2 둔전교회, 『둔전교회 100년사』, p.144.

교의 하나님이었다.

하지만 해방의 감격은 그렇게 오래가지 못했다. 아무런 준비없이 도래한 건국의 기회는 여러 방면과 분야에서 혼란을 가져다 주고 있었다. 지하로 들어갔던 공산주의자들이 해방과 분단의 상황 속에서 사회 전면에 등장하며 커다란 세력을 형성하고 있었다. 민족주의 진영도 내부에서는 건국의 방향에 있어 차이를 드러내고 있었다.

> 시내는 환호의 인간 해일이 인간 격랑으로 뒤집혀 '만세'의 산울림이 인간들 귀에 폭풍을 몰아 넣었다. 일인들은 토굴 속의 두더쥐가 되어 떨고 있었다. 우리의 환희 속에 갈라진 고국이란 상상의 변두리 어느 한 구석에도 있을 수 없었다.
> 그런데 우리로서는 꿈에도 생각지 못한 38선이 미국과 소련이란 두 강대국에 의하여 그어졌다. 그리고 동족이 서로 미워하고 총뿌리를 맞대고 투계(鬪鷄)처럼 논총을 겨누게 했다.[3]

일제의 모진 핍박을 견뎌야 했던 한국교회도 예외는 아니었다. 회복과 재건의 과제 속에서 이를 풀어낼 해결책을 놓고 갈등이 예고되고 있었다. 당시 한국교회는 일제강점기의 가장 혹독한 시기였던 1938년부터 해방이 되기 전까지 신사참배 문제를 고리로 사실상 일본 기독교로의 편입이 강제로 이루어졌다. 한국교회는 일본에 의해 모든 교파가 하나로 통합하여 1945년 7월 19일 일본 기독교 조선교단으로 개편되었다.[4] 해방은 와해되었던 한국교회를 다시 재건해야 한다는 과제를 던졌다. 북한 지역은 비교적 빠르게 장로교를 비롯한 각 교파의 조직이 재건되

---

3 김재준, 『범용기』, p.180.
4 서정민, "해방 전후의 한국 기독교계 동향", 「기독교사상」, 제29권 8호, 1985. p.31.

1945년 12월 19일 임시정부요인 환국기념회에서(좌측 두 번째 서있는 이가 함태영, 좌측 세 번째는 신익희, 네 번째 마이크 잡은 이(이름미상))
(출처: 위키피디아 백과)

었다. 그러나 남한 지역의 교회는 '일본기독교조선교단'의 존속에 대한 논란이 일어났다.

1945년 9월 8일 새문안교회에서 남부대회가 소집되었다. 남부대회의 전신은 일제에 의해 강제로 통폐합되어 출범한 '일본기독교조선교단'이었다. 이를 그대로 이어받아 '조선기독교단'이라는 이름으로 조직을 재정비하고 향후 진로를 모색하기 위해서 남부대회를 개최한 것이었다. 북한지역이 제외되었기 때문에 남부대회라는 명칭을 붙였다. '조선기독교단'의 통리는 김관식이었고, 장로교는 김영주, 김춘배, 박용희, 함태영, 최거덕, 김종대 등이 대표하는 인물이었다. 감리교는 강태희, 김영섭, 방훈, 신공숙, 심명섭 등이 주요 인물이었다.

그러나 대회가 개회되자 감리교의 변홍규와 이규갑을 중심으로 한 감리교 대표자들이 감리교의 조직 재건을 선언하고 퇴장했다.[5] 남부대회는 11월 27~30일에 정동제일교회에서 다시 열렸다. 김관식을 대회장

---

5 윤춘병, 『한국감리교 교회성장사』(서울:감리교출판사, 1997), p.755.

으로 김영섭을 부대회장으로 선출하고 조직구성을 했다. 이때 함태영은 법제부장으로 이름을 올리고 있었다.

1. 대회 임원

대회장: 김관식, 부대회장: 김영섭

서기: 김종대, 부서기: 정등운, 총무부장: 강태희, 전도부장: 김영주, 교육부장: 장석영, 종교교육부장: 최거덕, 출판부장: 김춘배, 사회부장: 이규갑, 재정부장: 박용래, 여자사업부장: 이호빈, 청년사업부장: 유호준, 법제부장: 함태영, 재판부장: 신공숙, 규칙수정위원장: 이자익

2. 중요 결의안

1) 순교자 추도회(순교자 통계 32인)

2) 결의건

(1) 조선독립촉성을 위하여 3일간 금식 기도키로

(2) 대한민국 임시정부 절대 지지키로

(3) 대회장 방미시는 물심양면으로 협조키로

(4) 선교사 내방, 환영의 편지 발송키로

(5) 38선 문제와 조선 완전 자주독립키 위하여 미국 교인에게 여론을 환기할 것과 트루만 대통령께 진정키로

(6) 제주 한림교회 구제키 위하여 성탄시 연보키로

(7) 1946년 1월 첫 주일을 출판부주일로

(8) 1946년 2월 첫 주일을 청년주일로

(9) 1946년 3월 첫 주일을 신학교 주일로

(10) 폐쇄되었던 교회를 속히 문을 열기로

(11) 기관지 발행키로

(12) 유년 및 장년 공과 발행키로

(13) 각 교구회마다 종교교육 강습회 개최키로

(14) 전도목사 2인 채용하되 예산은 감사연보 2할을 수입하기로

(15) 찬송가 합편 발행키로
(16) 성서공회 및 기독교서회와 연락키로
(17) 종전 기독교 계통의 학교는 기독교계로 환원할 것이며 성경은 정과로 편입토록 교섭키로
(18) 중앙방송국에 교섭하여 일요 강화키로
(19) 형무소에 목사를 파견 전도키로[6]

특히 이 대회의 둘째 날에는 김구를 비롯한 임시정부의 인사들과 미군정청의 아놀드 장관과 주요간부들, 그리고 이승만이 참석해 임시정부 요인들을 환영하는 환영식이 성대하게 거행되었다. 이는 '조선기독교남부대회'가 전체 기독교를 대표하는 기구로써 국내로 돌아온 인사들을 환영한 것이었다.[7] 이 자리에 임시정부를 대표하는 인사로 참석한 김구는 축사를 통해 건국(建國)에서 건교(建敎)의 중요성을 설파했다.

> 나는 건국문제와 병행하여 건교문제를 생각한다. 즉 교화가 없는 나라는 굳세여 망하지 안는다 나는 조선에 경찰서 열을 세우는 것보다 교회당 하나를 세우는 것이 더 의미있는 일인 줄 생각한다.[8]

남부대회에 참석했던 이들은 단순히 교회를 재건하는 것에만 매여있지 않았다. 오히려 교회의 재건은 복음과 기독교 정신의 기초를 다짐으로써 건국의 초석을 다지는 것이었다.

함태영과 적극신앙단에 참여했던 인사들이 남부대회에 참여했던 이유는 명료했다. 한국교회가 복음주의 교회로 다르지 않다는 사실 때문

6 "조선기독교남부대회", 『기독교공보』, 1946년 1월 17일.
7 "미군과 임시정부요인, 기독교인들 환영성대", 『중앙신문』, 1945년 11월 29일.
8 강흥수, "건국의 초석", 『기독교공보』, 1946년 1월 17일.

이었다. 남부대회가 창간한 기관지였고 함태영이 초대 발행인이었던[9] 『기독교공보』는 창간사에서 다음과 같이 언명하고 있었다.

> 조선의 교회는 새로운 지평을 향하였다. 그것은 '하나'로써 한다. 구주도 하나요, 신앙도 하나요, 소망도 하나인 우리는 교회의 형태도 하나라는 것이다. ... 기독교공보는 이 새로운 지평을 향하야 등정한 조선기독교회의 전령사이다.[10]

한국교회의 단일교회 형성에 대한 이상을 염원했던 그룹에서는 모든 교파가 하나의 기독교회를 이루고 있는 현재의 상황을 쉽게 포기하기는 어려웠다. 그러나 여기에는 일본에 의해 주도된 단일교회라는 태동의 한계와 친일이라는 굴레의 한계가 있었다.[11] 결국 남부대회는 1946년 4월 30일부터 5월 2일까지 정동제일교회에서 2차 대회를 열고 각 교파로의 환원을 결정함으로써 해체되었다. 단일 복음주의 교회를 추구했던 함태영으로서는 적극신앙단의 좌절 이후에 또 다시 그 이상을 접어야 했다.

그러나 그는 1946년 10월 10일 '한국기독교연합회'(Korean National Christian Council)를 출범시키는데 적극적으로 나섬으로써 자신의 의지를 이어갔다. 함태영은 1947년 제33회 조선예수교장로회 총회에서 '한국기독교연합회'에 장로교를 대표하는 인물로 선임되었다.[12] 여전히 그에게 한국교회는 복음주의 신앙과 신학 안에서 하나라는 인식이 있

9 김춘배, 『필원반백년(筆苑半百年)』(서울:성문학사, 1977), p.124. 대부분의 기록에서는 김춘배를 초대 발행인으로 기술하지만 김춘배는 초대 발행인이 함태영이었다고 증언하고 있다.
10 "창간사", 『기독교공보』, 1946년 1월 17일자.
11 민경배, 『한국기독교회사』(서울:연세대학교 출판부, 2000), p.517.
12 『조선예수교장로회 총회 제33회 회록』, 1947년 4월 18일, 대구제일교회, p.5.

었던 것이다. 다시 교파로 나누어졌지만 연합기구를 통해서 그 이상을 실현하고 싶었던 것이다.

함태영의 신학과 사상의 근거지였던 한국장로교회는 1942년 이후 끊긴 독자적인 총회를 다시 재개하기로 하면서 본격적인 재건에 들어갔다. 1946년 6월 북한지역의 교회들이 참석하지 못한 채 한국장로교회의 남부총회가 열렸다. 총회는 첫날 회의에서 총회장에 배은희를 부총회장에 함태영을 선임했다. 그리고 '조선신학교'의 직영 승인 문제를 해결하려고 구성된 총회심사위원회[13]의 위원으로 참여했다.

이미 은퇴한 목회자였고, 현직 목회의 자리를 떠난 그였지만 한국교회는 여전히 그가 필요했다. 이번에도 최거덕이 나섰다. 안동교회에서 덕수교회로 목회지를 옮겼던 그는 함태영과 가족들을 서울로 모셨다. 용산구 동자동에 있던 조선신학교 내에 있었던 사택에 방한칸을 얻어주었다.[14] 그를 따랐던 목회자들은 함태영에게 일본인들이 세웠던 약초정교회를 인수한 초동교회의 초대 담임목사를 맡아줄 것을 부탁했다.[15] 비록 목회일선에서 물러났지만 함태영도 그런 후배들의 요청을 받아들였다. 교회를 초기에 안정시킬 수 있는 상징적인 목회자가 필요했던 것이다.[16] 재건이라는 사명을 감당해야 하는 한국교회로서는 여전히 그가 지니고 있는 한국장로교회의 역사적 정체성과 위치가 필요했다.

그러나 해방정국은 함태영에게 교회적 사명의 짐만을 지우지 않았다.

---

13 서정민, "해방 전후의 한국 기독교계 동향", p.36. 이자익, 계일승, 함태영, 문승아, R.Knox, H.A.Rhodes 등으로 구성되었다.

14 최거덕, 『나의 인생행로』, p.133.

15 이원중, "식민지 조선에 존재했던 일본기독교회", 「한국교회사학회지」 제50편, 2018, p.240.

16 초동교회 홈페이지 교회소개, http://chodong.or.kr/. 함태영은 목회의 전반적인 일은 맞지 않았다.

그가 사회복음주의를 통해 명료하게 그리고 있었던 이상적 국가를 실현할 수 있는 기회를 제공해 주고 있었다. 모든 터전이 무너진 상황에서 다시 터를 닦고 국가의 정체성과 터전을 건설하는 일은 그에게 국가적 사명의식을 발현시키고 있었다.

함태영에게 교회와 국가는 따로 떨어져 있는 것이 아니었다. 기독교의 복음 속에 담겨 있는 자유와 정의, 질서의 가치가 국가 속에서 구현되어야 한다고 믿었다. 함태영은 복음적 교회의 회복과 그것을 담지(擔持)하는 신학교의 유지, 그리고 기독교 정신을 실현할 수 있는 국가의 건설을 그의 사명으로 여기고 있었다.

함태영은 교회재건에 매진하던 같은 시기에 한국민주당의 창당 발기인에 자신의 이름을 올리고 있었다. 뿐만 아니라 독립촉성기독교협의회의 회장, 그리스도교도 연맹의 회장을 맡았다. 목회자 함태영이 정치인으로서의 본격적인 행보에 나선 것이었다. 여기에 그의 정치관이 있었다. 그에게 정치는 기독교적 가치 위에서 이루어져야 했다. 그것은 그가 3·1운동의 전면에 나서서 기독교 지도자들을 설득했던 논리이기도 했다.

7.2. 한국장로교회 역사성의 보수(保守)

7.2.1 한국기독교장로회의 출범

7.2.1.1. 조선신학교 문제

함태영은 해방공간에서 분주하게 움직이고 있었다. 교회의 재건을 위한 장로교 총회의 구성에 관여한 것뿐만 아니라 한국교회를 하나로 연결하기 위한 대한기독교연합회의 구성과 활성화에도 힘을 쏟았다. 아울러 정치의 일선에서 본격적인 정치인으로서의 활동을 전개하고 있었다. 하지만 그는 이미 목회자로서 은퇴한 상황이었다. 그것은 예전과 같은 목회적 근거지가 없음을 의미했다. 그의 직함에는 더 이상 교회의 이름은 없었다. 그럼에도 그가 총회의 부회장과 경기노회의 노회장을 할 수 있었던 것은 그가 당시 남한에 남아있는 유일한 장로교신학교였던 조선신학교의 이사장직을 수행하고 있었기 때문이었다. 함태영은 조선신학교가 한국 장로교회를 대표하는 신학을 넘어서 한국교회를 대표하는 신학교가 되길 원했다.

그러나 해방이후 전개된 한국교회, 특히 장로교회의 정치적인 상황은 분열이라는 심각한 상황을 맞이하고 있었다. 해방과 함께 신사참배를 거부하며 투옥된 성도들이 출옥했다. 신사참배 거부로 고초를 겪었던 그들에게 한국교회는 신앙의 수호자라는 명예로운 호칭을 부여했다. 사선을 넘나드는 고문을 견디어낸 그들의 모습은 신사참배를 거부하지 못한 성도들에게 부끄러움과 함께 신앙의 본이 되기에 충분했다. 그들은 출옥과 함께 신사참배에 참여한 목회자들에 대한 회개와 재건을 촉구했다.[17]

그러나 뜻밖에도 출옥성도들의 신앙적 고백과 한국교회 갱신에 대한

---

17 박용규, 『한국기독교회사 2』 (서울:생명의 말씀사, 2005), p.804. 1945년 9월 20일 출옥성도들은 산정현교회에서 한국교회 재건을 위한 성명을 발표했다. 1. 교회의 지도자(목사와 장로)들은 모두 신사에 참배하였으니 권징의 길을 취하여 통회정화한 후에 교역에 나아갈 것. 2. 권징은 자책 혹은 자숙의 방법으로 하되 목사는 최소한 2개월간 휴직하고 통회자복할 것. 3. 목사와 장로으 휴직중에는 집사나 혹은 평신도가 예배를 인도할 것. 4. 교회재건의 기본원칙을 전한 각 교회 또는 지교회에 전달하여 일제히 이것을 실행케 할 것. 5. 교역자 양성을 위한 신학교를 복구재건할 것.

요구는 예기치 않은 갈등을 야기하고 있었다. 출옥성도들이 요구하는 재건원칙에 기성교회 유지를 명분으로 신사참배에 응했던 목회자들은 자신들의 교회를 지킨 고초를 인정해 줄 것을 요청하며 이를 거부하며 갈등이 촉발되었다. 북한지역이 소련에 의해서 공산화 되면서 한국교회의 무대가 남한지역으로 한정되기 시작한 상황에서 출옥성도들은 경남노회를 중심으로 강력한 교회갱신과 재건을 요구하기 시작했고, 새롭게 구성된 남부총회에 신사참배 결의에 대한 취소와 사과를 요구했다. 그러나 총회의 태도에 불만을 느낀 경남노회가 이에 반발하며 고려신학교를 설립하면서 분열이 본격화하기 시작했다. 경남노회를 중심으로 한 고려신학교 그룹은 결국 1949년 한국 장로교회의 첫번째 분열을 결행했다. 그들이 대한예수교장로회 고신측이다.

신사참배 문제와 동시에 조선신학교 문제가 대두되었다. 조선신학교의 이사장으로 활동하며 한국교회의 재건에 열심을 내고 있었던 함태영에게는 곤혹스러운 문제였다.

1947년 4월 18일부터 22일까지 5일간 서울 새문안교회에서 개최된 대한예수교장로회 제33회 총회에서 함태영은 남부총회에 이어 부회장으로 선임되었다. 그런데 이날 조선신학교의 51명의 학생이 조선신학교와 김재준에 대한 진정서를 제출했다.

1) 김재준 교수는 웨스트민스터 신조 제1조를 범한다.
2) 조선신학교(김재준 교수)가 문서설을 주장하고 성서에 오류가 있다고 가르침으로써 성서의 권위를 파괴한다는 것.
3) 따라서 성서의 고등비판 연구를 사용하는 자유주의 신학을 배척한

다는 것
4) 정통주의 신학자들로서 교수진을 강화하여 장로교 전통에 입각한 신학교육의 완수를 위해서 중앙에 완전한 장로교 정통 신학교를 세워줄 것.[18]

51명의 학생들은 대부분 평양신학교로부터 편입되어 들어온 학생들이었다. 당시 북한지역 교회의 교인들이 대거 남하하면서 평양을 중심으로 한 소위 장로교의 교권을 주도하는 그룹도 함께 월남해 있었다. 북한지역 교회와 교인들이 대거 합류하기 시작한 1947년의 총회는 분위가 사뭇 다르게 전개되고 있었다. 조선신학교 학생들의 진정서에 대한 총회 조사위원회가 구성되었는데 문제는 이 위원회가 조선신학교의 이사회를 거치지 않고 진행되었다는 것이었다. 학교에서는 이미 이 학생들에 대한 징계를 단행하고 있었다.

1930년대 진보적 신학의 단죄를 명분으로 한국장로교회의 신학을 보수정통으로 이끌었던 박형룡의 영향력은 아직까지 교계 전반에 영향을 미치고 있었다. 남한의 유일한 장로교 신학교로 남아 있는 조선신학교가 총회의 인정을 받는 한 박형룡의 학문적 입지와 영향력은 제한될 수밖에 없었다. 더군다나 지역적 기반이었던 평양으로부터의 이탈은 새롭게 영향력을 주도할 지역적 명분을 상실한다는 의미를 가지고 있었다. 그들에게 신학교를 주도하는 문제는 그만큼 중요한 문제였다.

문제의 당사자로 지목된 김재준은 총회의 특별위원회에 나가 자신의 신학을 변증해야 했다. 특별위원들의 질문은 김재준의 신학이 가지고 있었던 진보성과 성서관에 집중하고 있었다. 이러한 풍경은 사실 이미

---

18 한국기독교장로회 역사편찬위원회, 『한국기독교 100년사』, p.357.

1930년대 박형룡과 김재준 사이에서 일어났던 신학논쟁에서 이미 목도된 바 있었다.

1948년 제34회 총회는 조선신학교 이사진과 교수진의 총퇴직을 건의한 '신학문제 대책위원회'의 보고 안건 채택을 논의했다. 그러나 이 안건은 부결되었다. 대신에 새로운 신학교를 설립하여 개강하기로 결의했다. 그리고 1948년 5월 20일 박형룡이 주도하는 "장로회신학교"가 개강했다.

1949년 제35회 총회에서는 "장로회신학교"를 총회의 직영 신학교로 승인해 줄 것을 요청하는 청원이 올라왔다. 청원의 명목은 복음적 진리와 정통신학사상을 보수하기 위해서였다. 장로교회의 정통신학이 박형룡의 장로회신학교에 있다고 본 것이었다.[19] 총회는 신학교 문제에 대한 잇따르는 청원에 장로회신학교를 총회직영신학교로 승인했다. 이어서 장로회신학교와 조선신학교의 합동을 추진하기 시작했다. 그런데 여기에는 단순하게 신학교를 하나로 해야 한다는 순수한 의도만 있었던 것은 아니었다. 신학교의 통합은 아직까지 강력한 영향력을 가지고 있었던 박형룡의 신학적 입지를 강화시켜 주는 것을 의미했다. 이는 장로교 신학의 보수가 복음주의 신학에서 박형룡의 정통보수의 신학[20]으로 교체되는 것이었다.

조선신학교는 이러한 움직임에 동의할 수 없었다. 함태영이 볼 때 오히려 한국장로교회의 신학적 전통을 보수하고자 했던 곳이 조선신학교였다. 한국기독교장로회가 출범했을 때 여기에 참여했던 인사들이 스

---

19 『조선예수교장로회 총회 제35회 회의록』, 1949년 4월 19일, 새문안교회, p.90.

20 박형룡이 말하는 정통보수의 신학은 근본적이고 교회의 전통을 중시하는 것을 의미했다. 성서의 문자적 해석과 신학의 경직성, 복음의 확장을 사회적, 국가적 확장보다는 복음전도로 한정해서 인식했다.

스로를 '호헌총회'라고 불렀던 이유도 조선신학교가 한국장로교회의 복음주의 신학을 보수하는 곳으로 보았기 때문이었다.[21]

조선신학교의 이사장을 맡고 있던 함태영에게 이 문제는 특별히 중요한 의미로 다가오고 있었다. 특히 은퇴했지만 조선신학교의 이사장으로 노회와 총회에서 활발하게 활동하고 있었던 그였기에 조선신학교 문제의 향배는 무척 중요했다. 1952년 37회 총회는 다음과 같은 결의안을 채택했다.

> 1) 조선신학교 졸업생들에게는 일체 교역자 자격을 부여하지 않는다.
> 2) 한국신학대학 교수 김재준 목사는 목사직을 박탈하고 그의 소속노회인 경기노회에 제명을 지시하여 이를 선포케 한다.
> 3) 제36회 총회시 성경 축자영감설을 부정한 조선신학교 교수요, 캐나다선교사인 스코트(William Scott)목사를 심사하여 해당노회에 명하여 처단케한다.
> 4) 각 노회에서 위 두 교수의 사상을 옹호, 지지, 선언하는 자는 해당 노회에서 처벌한다.[22]

사실상 총회가 조선신학교 즉, 한국신학대학[23]을 퇴출시킨 것이었다. 김재준의 신학을 자유주의 신학으로 규정하고 이를 배제시킨 것이었다. 이제 막 한국신학대학의 학장에 올랐던 함태영으로서는 이 결의가 당황스럽고 충격적인 것이었다. 심계원 원장의 직임을 맡아보고 있었던 함태영이 학장에 오른 데에는 총회와의 문제 해결이 목적이었다. 한국신학대

21 이남규, 『온 세상 위하여』(서울:삶과 꿈, 1995), p.247.
22 한국기독교장로회 역사편찬위원회, 『한국기독교 100년사』, p.369.
23 조선신학교는 대학령에 의해 1947년 조신학대학으로 개칭했다가, 1951년 한국신학대학으로 이름을 변경한 후 지금은 '한신대학교'로 명칭이 변경되었다.

학 이사회는 학장을 맡고 있던 송창근이 납북된 상황에서 후임 학장이 유력했던 김재준은 총회와의 관계를 악화시킨다고 판단하고 있었다.[24] 신학적으로는 김재준이 주도하고 있는 것은 분명했지만 역사적 당위성에서 총회를 설득할 수 있는 인물을 함태영으로 본 것이었다. 함태영도 그러한 결정을 마다하지 않았다. 그러나 학장이 된지 얼마 뒤에 열린 총회에서 사실상 한국신학대학이 퇴출되었을 뿐만 아니라 총회결의는 목회자의 정치참여를 원천적으로 금지하는 결의안을 통과시켰다.[25]

정치에 참여하고 있던 함태영이 총회 안에서 활동할 수 있는 근거가 모두 사라진 것이었다. 이러한 총회의 결정은 총회의 역사적, 신학적 정체성을 거스르는 것이었다. 1952년 부통령에 당선된 함태영은 한국장로교회 내부의 일에 신경을 쓸 여력이 없었지만 그에게 교회와 신학은 건국의 기반이었다. 이것을 견고히 하는 것이 건국의 초석을 놓는 것이었다. 1953년 함태영은 기존의 총회를 불인정하고 한국장로교회의 역사성을 다시 회복하겠다는 의지로 한국기독교장로회의 출범에 찬성했다.

7.2.1.2. 한국기독교장로회

> 우리는 우리 장로교회의 정상적이요, 세계적인 전통을 이 작은 집단인 타교파의 전단에 맡길 수 없으며 복음의 자유를 그들의 율법주의 희생시키거나 신앙 양심의 자유를 그들의 불법한 교권에 굴종시킬 수는 없었던 것이다. 그리하여 우리는 총회 당석에서 항의함과 동시에 1952년 7월 19일 전국적인 '호헌대회'를 구성하여 총회에 그 불법 시정을 요청하였으며 경기, 목포, 충북, 충남노회 등 제 노회에서는 예를 갖추어 금번 제38회 총회에 그 불법 시정을 건의하였다.

24 김재준, 『범용기』, p.232.
25 『대한예수교장로회 총회 제37회 회의록』, 1952년 4월 29일, 대구서문교회, p.164.

> 그러나 총회는 추호도 반성하는 의도가 없었을 뿐 아니라 더욱 강포하여 정당한 여론을 봉쇄하여 양심에 충성하려는 회원들을 개인 또는 노회를 총회에서 제거하였으며 계속 제거할 태세를 갖추고 있는 것이다. 그리하여 총회 안에 머물러 그 불의와 불법을 시정하려는 우리의 의도는 이제 온전히 그 가능성을 상실하였다.
>
> .....
>
> 1) 우리는 온갖 형태의 바리새주의를 배격하고 오직 살아 계신 그리스도를 믿음으로 구원얻은 복음의 자유를 확보한다.
> 2) 우리는 건전한 교회를 세움과 동시에 신앙 양심의 자유를 확보한다.
> 3) 우리는 노예적인 의존 사상을 배격하고 자립, 자조의 정신을 함양한다.
> 4) 그러나 우리는 편협한 고립주의를 경계하고 전 세계 성도들과 협력 병진하려는 '세계교회' 정신에 철저하려고 한다.[26]

'대한기독교장로회' 출범의 명분은 크게 복음의 보수, 신학의 자유, 한국교회의 자립, 세계교회와의 연합이었다. 총회가 고신 측의 분열 이후에 또 다시 나누어진다는 부담감과 고뇌가 있었음에도 함태영이 한국기독교장로회의 출범에 앞장 선 것은 본래적 신앙전통을 계승하는 것이 무엇인지를 분명히 하고 싶었기 때문이었다. 경직된 신학적 태도에 대한 거부이기도 했지만 교회의 사회와 국가에 대한 역사적 책무를 거부하는 것이 한국장로교회의 전통이 아니라는 사실을 분명히 하고자 했다. 경기노회의 대부분의 인사들이 함태영의 결정을 따르고자 했다.

경기노회는 36회 총회에서 한국신학대학 문제가 불법적으로 결정되었다는 사실을 총회 석상에서 분명하게 짚고 넘어가고자 했다.[27] 경기노회 내부는 총회의 결정에 의견이 갈리고 있었다. 1953년 5월 12일

---

26 한국기독교장로회 역사편찬위원회, 『한국기독교 100년사』, pp.375~377
27 『대한예수교장로회 제38회 총회록』, 1953년 4월 24일 대구서문교회, p.200.

인천제일교회에서 열린 제60회 경기노회에서는 총회의 불법적인 결정에 총대 파송을 보류하자는 동의가 올라왔다. 그러나 이 동의에 모두가 찬성하지 못했다. 투표를 통해 간신히 총대 파송을 거부하는 결의안을 통과시켰는데 찬성과 반대의 표가 56대 51로 불과 5표 차이밖에 나지 않았다.[28]

경기노회가 1954년 5월 11일 새문안교회에서 열린 제62회 노회에서 김재준의 목사직 제명을 전격적으로 결의하면서 이에 반발한 경기노회원들의 이탈을 계기로 대한기독교 장로회의 총회가 결성되었다. 김세열, 이남규, 함태영, 김종대 등이 총회 분립을 최종적으로 결정했다.[29]

경기노회의 각 지교회들도 어느 쪽에 서야 하는지에 대한 갈등이 있었다. 뒤에 제2공화국에서 대통령을 지낸 윤보선과 그의 아내로 조선신학교에서 강의를 했던 공덕귀가 출석하고 있었던 안동교회는 서울에서도 규모가 큰 교회에 속해 있었다. 그러나 안동교회는 교단을 선택해야 하는 상황에서 당회원들뿐만 아니라 교인들 간에도 어느 총회에 설지에 대한 찬반이 갈리고 있었다. 당회를 주도했던 인물들은 기독교 장로회 총회로 결정했지만 교인들은 예수교 장로회 총회로 남기를 주장하면서 갈등이 심화되었다. 안동교회가 최종적으로 대한예수교장로회 총회 소속을 결정한 것이 1962년이 되어서였다. 무려 8년여간의 긴 갈등이 이어졌다.[30]

함태영은 1956년 부통령 임기를 마친 후에 "대한기독교장로회"의 총회장에 올랐다. 1923년 총회장을 역임한 뒤에 두 번째 오른 총회장의

28 『경기노회 제60회 회록』, 1953년 5월 12일 인천제일교회, p.261.
29 김재준, 『범용기』, p.245.
30 안동교회 역사편찬위원회, 『안동교회 90년사』, p.222.

자리였다. 1956년 총회장의 자격으로 캐나다연합교회 총회에 참석한 함태영은 인사말을 통해 한국신학대학의 의미를 다음과 같이 설명했다.

> 나는 한국 교회를 대표하여 한국 교회와 한국민을 사랑하는 여러분에게 이렇게 친히 대면하고 인사의 말씀을 드리게 됨을 무한한 기쁨과 영광으로 생각합니다.
> 육십(六十)여년 전에 귀국에서 선교사를 보내주신 이래 여러 훌륭한 선교사들이 가져온 복음으로 예수 그리스도를 알게 되고 그의 교훈과 사상을 통하여 거듭나는 새사람의 교리를 배우게 된 것을 참으로 감사하는 바입니다.
> 특히 지난번 공산 침략으로 나라와 민족이 위험한 지경에 빠졌을 때 여러분의 나라에서 귀한 생명을 보내어 우리나라를 지켜주셨고, 또한 전쟁 후 지금까지 민족 생활이 여지없이 파괴되었음을 일일이 돌보아 주셔 많은 구제품으로 구제금으로 개인 생활과 국민 생활의 재건을 위하여 도와 주셨음을 감사합니다. 또 한 가지 감사하지 않을 수 없는 것은 우리나라의 교계가 여러가지 모양으로 혼란하여 어느 것이 바른 길이며 무엇이 전 세계 교회가 관심하고 있는 것인바를 잘 알지 못하고 있을 때 여기 계신 서고도 박사 이하 여러 현명하신 선교사들이 한국 교회의 갈 길을 바루 지도하여 주시고 본인이 총회장으로 봉사하고 있는 대한 기독교 장로회와 손을 잡고 금후 한국 선교 사업을 하시게 된 것을 우리 교회는 모두 감격하고 있읍니다. 작년 봄에는 여기 계신 귀 교회 총무와 저를 친절하게 이 시간 소개해 주신 년로하신 도리 박사께서 친히 한국까지 찾아 오셔서 서울은 물론 지방 각 교회까지 일일이 찾아 주셔서 우리 모든 교회는 지금까지도 치사의 말을 하고 있읍니다.
> 한국 교회는 여러분에게 특별한 인사를 드립니다. 앞으로도 변함없이 여러분의 관심과 기도가 한국 교회를 크게 발전케 하여 주시기를 바랍니다.
> 우리나라에는 여러가지 필요한 것이 많습니다. 의복도 필요하고 먹을 것

> 입을 것이 다 필요합니다. 그러나 가장 필요한 것은 인물을 양성하는 것입니다. 장래교회와 사회를 지도할 수 있는 기독교 지도자를 가장 필요히 요구하고 있습니다. 제가 관계하고 있는 한국 신학대학은 여러가지 악조건 가운데서도 교회가 사회가 요청하는 인물을 기를려고 애 쓰고 있습니다. 과거에도 이 기관을 위해 많이 도와주셨지만 앞으로 더욱 유의하셔서 인물 양성 사업이 활발하게 진행하도록 돠 주시기를 바랍니다. 과거에도 많은 학생들이 귀국에 와서 공부를 하고 가서 지금 모두 중요한 자리에서 착실히 일하고 있습니다. 앞으로 계속하여 이런 방면으로 인물을 양성하는 점도 잊지말아 주시기를 바랍니다.
> 끝으로 여러분에게 하나님이 축복이 늘 함께 하시며, 이 성회 위에 특별한 가호와 축복이 있아옵기를 바랍니다.[31]

7.2.1.3. 한국장로교회 역사의 보수(保守)

한국신학대학의 목표가 교회와 사회를 지도할 수 있는 기독교 지도자를 양성하는 것이었다. 특히 교회가 사회에 필요한 인물들을 길러내는 곳으로서 존재해야 한다고 보고 있었다. 교회와 사회의 관계를 유기적인 관계로 이해하고 있었던 것이다. 이는 한국장로교회가 가지고 있었던 복음주의의 특성이기도 했다. 목회자의 사회적 책무를 중요하게 여기던 전통을 한국신학대학이 계승하고 있다는 것을 의미하는 것이기도 했다. 건국에 있어서 교회가 가지고 있는 역할이 단순히 정신에만 머물러 있는 것이 아니라 실제적인 역량을 갖춘 인물을 길러내는 것으로 이해하고 있었던 것이다.

그것이 함태영이 총회의 분립을 각오하면서까지 한국신학대학을 지키려 했던 이유였다. 하나의 교회를 이루는 것이 더할 나위 없이 좋은 것

31 김정준, 『함태영옹 세계일주기』(서울:성문학사, 1957), pp.36~38.

이지만 이미 조선기독교단이 해체되고 각 교파로 돌아갔을 때 함태영은 그것을 유지하는 것이 얼마나 힘겨운 일인지를 깨닫고 있었다. 오히려 대한기독교연합회 활동을 주도하면서 단일교파보다는 연합적 일치를 추구하고 있었다. 더군다나 교권주의를 내세웠던 박형룡 등이 장로교 교권을 주도하기 시작한 상황에서는 자신의 뜻을 펼칠 수 있는 신학적 기반과 근거를 찾을 수 없었다.

함태영은 부통령이 되어서도 한국신학대학의 학장을 내려놓지 않았다. 오히려 자신이 할 수 있는 영역에서 한국신학대학의 기초를 놓는데 심혈을 기울이고 있었다. 특히 동자동에 있었던 한국신학대학을 새롭게 이전해야 하는 상황에서 함태영은 학교설립이 가능한 부지를 적극적으로 알아봤다. 당시 함태영은 한국신학대학의 재정과 운영을 책임져야 하는 임무를 담당하고 있었다.[32] 그가 해결해야 했던 가장 우선한 문제가 학교 부지를 확보하는 것이었다. 함태영은 부통령의 직을 수행하고 있었지만 자신이 할 수 있는 최선을 다해 부지를 알아보았다. 서울시청을 통해 학교부지로 쓸수 있는 지역을 알아보며 적극적으로 움직였다.[33] 그리고 최종적으로 수유리에 부지를 확보하는데도 결정적인 역할을 할 수 있었다.

현재의 한국신학대학 부지는 함태영이 여름이면 더위를 피해서 오던 화계사 계곡의 오탁수란 옹달샘이 있던 곳 근처의 자리였다. 원래 적산임야였던 곳을 함태영이 추천하여 그곳을 알아보게 되었고, 구입하게 된 것이었다.[34] 그가 생을 마감한 이후에도 그 자리에 송암기념관을 건

---

32 김재준, 『범용기』, p.239.
33 위의 책, p.258.
34 조선출, 『은발의 뒤안길』(서울:경건과신학연구소, 2004), p.116.

립했던 이유도 그가 한국신학대학에 쏟았던 열정과 헌신 때문이었다.[35] 그에게 한국신학대학은 자기 신앙과 신학의 결과물이었고, 신념의 산실이었다. 이곳이 김재준에게는 신학적 자유의 쟁취였지만 함태영에게는 한국장로교회의 역사를 보수하는 출발점이었다.

7.2.2. 함태영과 송창근, 김재준

7.2.2.1. 한국기독교장로회 계보의 분화

함태영이 보수하고자 했던 복음주의 신학은 철저하게 개인구원과 국가구원, 즉 그리스도인의 사회적 책무가 나란히 병립되어 있었다. 개인구원의 문제에서도 부흥회적 경건과 복음전도를 중요시 여겼다. 그러한 영적체험 과정을 거치면서 개인의 성서적 윤리가 완성된다. 성서적 윤리를 통해 인간화가 이루어진다. 인간화는 곧 복음화를 의미했다.

그러나 복음의 가치가 개인에게서 머물러서는 안되었다. 사회와 국가

한국전쟁 직전 조선신학대학 이사장 함태영 목사가 말씀을 전하는 모습.
왼쪽부터 이상식 교수, 김재준 목사, 최윤관 목사, 송창근 목사.
(출처: 국민일보)

35 한신대학교출판부, 『이소성대(以小成大)』(서울:한신대학교출판부, 2015), p.31.

적 차원으로 확장되어서 궁극적으로는 이 땅을 하나님의 나라로 변화시켜 나가야 한다고 보았다. 기독교적 정의로 세상을 변화시켜 나가는 것이 그리스도인의 당연한 의무로 인식했다.

그가 내세운 기독교인의 사회적 책무는 명확했다. 기독교의 정의를 실천하는 것이었다. 그런 차원에서 그에게 신앙과 정치는 구분되지 않았다. 정치의 영역 또한 복음 확장의 영역일 뿐이었다.

1953년 출범한 한국기독교장로회 총회는 스스로의 정체성을 확립하기 위한 노력을 경주해야 했다. 한국기독교장로회가 출범했을 때 총회의 정치적 구성은 조선신학교와 한국신학대학으로 연결되는 김재준의 신학을 지지하는 그룹과 서울지역에서 활동하는 목회자로 함태영, 박용희와 같은 원로들을 대표하는 그룹, 김세열과 이남규, 조승제와 같이 전라도 지역을 대표하는 그룹, 송창근의 제자들로 '성빈학사'를 중심으로 했던 그룹 등으로 어느 정도 구분되어 있었다. 구성원들은 신앙과 학문, 신학의 자유와 대한예수교장로회의 역사를 계승한다는 총회 출범의 역사적 대의와 의미에는 별다른 이견이 없었다.[36]

그러나 '조선출 사건'을 계기로 점차 정치적으로 분화하기 시작했다. 김재준은 이러한 분화를 교권욕으로 치부했다.[37] 그러나 그것은 단순히 교권욕으로 해석하기 어려운 지점이 있었다. 분화된 계보 속에서 교회, 경건, 신학을 바라보는 입장에서 차이를 드러내고 있었기 때문이었다.

조선출(趙善出, 1915~2003)은 송창근이 가장 아꼈던 3인의 제자 중 한명으로 김정준, 정대위와 함께 납북된 송창근을 대변하는 인물이었

---

36 한국기독교장로회 역사편찬위원회, 『한국기독교 100년사』, p.371.
37 김재준, 『범용기』, p.233.

다. 송창근이 부재한 상황에서 기독교장로회의 주도권은 신학적으로 권위를 가지고 있었던 김재준에게로 쏠릴 수밖에 없었다. 그러나 김재준은 교회나 노회의 기반이 아직 확고하지 않았다. 한국신학대학의 교수들과 제자들이 주요한 기반이었다. 김재준 스스로도 서울지역 목회자들을 중심으로 자신을 견제하고 있다는 사실을 토로하고 있었다.[38]

1959년 한국기독교장로회 총회를 뒤흔들었던 이른바 '조선출 사건'은 조선출이 한국신학대학의 재정을 이사장인 함태영으로부터 위임받아 캐나다연합교회로부터 지원받은 신학교 건축지원비 3만 불을 운용하는 과정에서 손해를 끼친 일이었다.[39] 이 당시 조선출은 송창근의 제자이기도 했지만 함태영을 대변하는 인물로 활동하고 있었기 때문에 이 사건이 어떻게 다루어지는지는 총회적으로 큰 이슈가 되고 있었다. 김춘배와 이남규를 비롯한 총회의 원로들은 이 사건이 확대되는 것을 원치 않았다. 김춘배와 이남규 등이 확대를 원하지 않았던 것은 이 사건의 책임을 학장인 함태영이 짊어지는 것을 염려했기 때문이었다. 김재준은 김춘배를 함태영의 직계라고 지목하고 있었다. 이 사건이 총회로 넘어가면서 함태영의 계보에 있는 인물들과 김재준의 정치적 싸움으로 발전해 가고 있었다. 재판국장에 함태영의 뒤를 이어 이남규가 재판국장이 되었고 판결은 이사회가 결정했던데로 조선출이 퇴직하고 손해 금액을 변상하는 것으로 최종 결정이 되었다.[40] 한국기독교장로회가 크게는 함태영의 계보와 김재준의 계보로 분화된 것이었다. 그러나 이것은 단순한

38 위의 책, p.286.
39 조선출, 『은발의 뒤안길』, p.120~121. 조선출은 당시 지원받은 건축비를 미군이 수입하여 두었던 발전소 설비였던 애자(일명:뚱딴지)를 인도네시아에 역수출하면 수입을 낼 수 있다는 친구의 말을 듣고 헐값에 샀다가 역수출이 무산되면서 큰 손해를 보았다.
40 김재준, 『범용기』, pp.285~288.

정치적 계보의 분화만을 의미하는 것이 아니었다. 함태영과 김재준이 가지고 있었던 신학적 지향이 정치적 계보로 나타난 것을 의미했다.

7.2.2.2. 함태영과 송창근

함태영은 부흥회적 경건과 복음전도를 통한 교회의 복음적 기능을 무척 중요시 했다. 교회가 복음의 본질을 잃어버리는 것은 있을 수 없는 일이었다. 모든 기독교 정신은 그 본질 속에서 나오는 것이기 때문이었다. 조선신학교는 설립 당시부터 신학적으로 송창근, 김재준, 한경직 세 사람을 중심으로 했다. 모두가 미국 유학을 거치면서 돈독한 관계를 형성하고 있었을 뿐만 아니라 신학적으로도 큰 차이를 느끼지 못했다. 1930년대 신학갈등의 한 가운데에서도 이들은 의기투합할 수 있었다. 한경직은 해방 후 월남하면서 조선신학교 문제가 대두되었을 때 이탈했다. 함태영이 이사장을 맡았고, 송창근은 교장이었다. 김재준은 사실상 실무를 맡고 있었다.

함태영과 송창근은 이미 1919년 남대문교회를 통해서 인연을 맺고 있었다. 3·1운동을 투옥된 함태영의 뒤를 이어 남대문 교회 조사로 부임한 인물이 당시 피어선성경학원을 졸업했던 송창근이었다. 송창근이 조사로 부임해서 한 일은 함태영을 비롯한 투옥된 성도들을 돌보는 것이었다. 이때 송창근은 함태영을 자신의 목회적 사표로 삼고 목회자로서의 신앙적 인격과 확고한 소명감을 가질 수 있었다.[41]

송창근은 함경도 출신으로 일본과 미국에서 유학을 하고 아일리프 신학교에서 박사학위를 받았다. 그는 논문 서문에서 논문의 목적을 다

41 주재용, "만우 송창근의 삶과 사상", 「신학연구」 제40집, 1999년 7월호, p.190.

음과 같이 기록했다.

> 이 논의의 목적은 교회, 기독교, 세상은 계속 변화하는 살아있는 유기체라는 개념과 부합하는 바울의 구원론에 대해 해석하려는 것이다. 나는 소위 전통 혹은 진보와 같은 어떤 특정한 입장을 옹호하려고 하지 않았다. 이 논문은 학술적인 논문이 아니라 나의 내적 신앙과 확신을 솔직히 고백하는 것이다.[42]

송창근은 기독교의 구원이 교회와 세상을 분리시키지 않는다고 보았다. 복음의 생명력이 세상을 향해 나가야 한다고 본 것이었다. 함태영과 기본적인 신학적 구조가 같았다. 송창근은 한국교회의 신앙을 신학적으로 접근하는 것을 거부한다. 그에게 신앙은 신학적으로 정해지는 것이 아니라 산 물건이요, 생명력이 있는 것이었다. 그는 교리적 신앙을 거부했다. 그는 신앙이 형식화되고 전통화될 때 교권의 횡포가 생기고 생활의 위선이 생기는 것이라고 진단했다.[43] 또한 교회가 철저히 영적인 공간이 되어야지 사회계몽이나 민족운동을 하는 공간이 되어서는 안된다. 신앙은 지나친 감정과 신비적인 경향으로 치우쳐서도 안되었다. 오히려 역사적 예수와 종교적 감정이 어우러져야 했다. 성서적 신앙의 실천운동을 한국교회 신앙의 본류로 보았다.[44]

송창근의 그러한 교회와 신앙에 대한 이해는 자신이 목회했던 산정현교회가 교회를 신축하고자 했을 때 이에 반대하면서 끝내 교회를 사임한 모습에서 잘 나타났다. 교회가 복음을 전하는 것은 웅장한 교회의

42 송우혜, 『벽도 밀면 문이 된다』(고양:도서출판 생각나눔, 2008), pp.229~230.
43 송창근, "조선교인의 신앙을 논함", 『만우 송창근 전집』(서울:만우송창근기념사업회, 1998), p.78.
44 위의 책, p.84.

건물의 모습에서가 아니라 가난한 자들을 위한 헌금과 신앙의 실천을 통해서 이루어진다고 본 것이었다. 송창근은 평양의 대교회였던 산정현 교회를 사임하고 부산으로 내려가 그가 실현하고자 했던 '성빈(聖貧)'의 정신을 실천하기 위해 '성빈학사(聖貧學舍)'를 세웠다.[45]

영적인 체험과 성서적 신앙의 실천, 신앙적 근거지로서의 교회, 사회에 대한 복음의 확장에 대한 강조는 함태영의 신학적 지향과 다르지 않았다. 특히 영적인 기독교와 교회의 강조는 송창근을 따르던 그의 제자들이 그의 납북 이후에 대부분 함태영을 따른다는 점에서 차이가 없었음을 드러내었다.

하지만 송창근이 함태영과는 다른 부분이 있었다. 그것은 경건의 모양과 정치참여에 대한 이해였다. 송창근은 자신의 '성빈사상'을 완성하면서 교회와 개인의 경건을 이루어가는 방향성에 있어서는 함태영과 접근하는 방식이 달랐다. 함태영에게 경건의 출발은 강력한 영적인 체험으로부터 시작되었다. 그래서 목회하는데 있어서도 정기적인 부흥회의 개최를 통한 영적갱신을 무척 중요하게 여겼다. 부흥회는 복음전도의 도화선 역할을 했으며 새로운 신앙생활의 활력을 가져다 준다고 보았기 때문에 목회에서도 중요한 의미를 가지는 것이었다. 송창근은 부흥회를 배척하지 않았지만 감정적이고 신비적인 것을 추구하는 부흥회에 대해 경계했다. 부흥회를 하는 목적이 궁극적으로 성서적 신앙의 실천이 일어나야 했다. 송창근은 성빈(聖貧)의 삶을 사는 것이 성서적 신앙이 말하는 그리스도를 따르는 사람이라고 보았고, 복음의 내용이라고 보았다. 그것이 곧 경건의 모양이라고 본 것이었다.[46]

45 송우혜, 『벽도 밀면 문이 된다』, p.285.
46 주재용, "만우 송창근의 삶과 사상", p.211.

송창근도 교회의 사명으로 전도를 꼽고 있었다. 전도는 복음전파와 구령사업이었다. 전도의 불길이 일어나지 않는 교회는 죽은 교회라고 할 정도로 전도에 대한 교회의 사명을 강조했다. 그러나 전도가 단순히 복음을 전하는 것에서 그치는 것을 경계했다. 전도의 완성을 개인과 사회생활에서 사회를 비추는 양심이 되어야 함을 강조했다. 전도를 기독교 윤리적 삶의 태도를 동반해야 함을 강조한 것이었다.[47]

부흥회와 전도의 중요성을 인정했지만 윤리적이고 실천적 삶으로 개인과 사회를 변화시켜 나가지 못하는 것은 경건의 의미가 없다고 본 것이었다. 그럼에도 두 사람에게는 언제나 교회가 중심이어야 했고, 복음이 개인구령과 사회변혁의 중심이었다. 엄격한 윤리성을 강조하는 것도 크게 다르지 않았다. 이는 그들의 신앙과 신학의 구조가 크게 다르지 않았음을 의미했다. 김정준이나 조선출, 정대위 등 송창근의 제자들이 송창근의 납북 이후에 함태영 곁에서 그를 보좌하는 역할을 할 수 있었던 것도 두 사람의 신학이 다르지 않았기 때문이었다.

함태영과 송창근이 가지고 있었던 또 하나의 차이는 정치를 바라보는 관점이었다. 함태영은 정치를 복음의 영역으로 받아들였고, 정치활동을 당연한 것으로 받아들였다. 기독교인으로 건국에 참여하는 것은 당연한 것이었다. 그는 사회복음주의를 통해서 기독교의 복음이 어떻게 사회적으로 실현될 수 있는지를 발견하고 있었다. 그리고 이 땅에 하나님의 복음적 정의가 실현되는 이상사회를 건설하는 것을 추구할 수 있다고 생각했다. 반면 송창근은 사회적 영역에 목사가 참여하는 것에 대해서는 부정적이었다. 그는 사회복음주의가 하나님의 주권을 훼손하는 것

47 송창근, "오늘 한국교회의 사명"(1933년 10월 평양 산정현교회 설교), 『만우 송창근 전집』, p.72.

으로 받아들였다. 사회복음주의가 지향했던 정의의 실현이 성경으로부터 온 것이 아니라 사회과학의 충동으로 보았다. 사회복음이 영적인 것을 도외시하고 사회적인 것으로 신앙운동이라고 생각한다고 비판한 것이었다. 그에게 영적인 것이 무시된 농촌운동이나 문화운동은 신앙운동이 아니었다.[48]

7.2.2.3. 함태영과 김재준

한편 김재준은 한국교회를 경건의 문제나 역사성의 문제로 접근하지 않았다. 목회보다는 신학자로서의 삶을 추구했던 것에 알수 있듯이 그에게 중요한 문제는 교회가 중심이 되는 목회보다는 신학이 중심이었다. 함태영과 김재준의 목표가 달랐던 것이다. 함태영이 교회의 부흥과 국가건설을 동일시했다면 김재준은 교회의 부흥을 신학적 자유의 성취로 이해하고 있었다.

> 세계 교회의 신학은 정통 교의에서 그 정반대인 자유주의로 옮겼다가 다시 통합된 더 높은 자원에로 진행되고 있다. 틸리히의 말대로 한다면 정통주의라는 타율에의 반동으로 자유주의라는 자율로 옮겼다가 지금은 그 종합인 신율을 지향하고 나아간다는 것이다. 소위 정통주의자와 우리가 신학의 내용에 있어서 대동소이하다 할지라도 그 신학하는 태도에 있어서는 온전히 반대되는 다름이 있다. 예를 든다면 그들이 배타적인 데 반하여 우리는 협동적이며, 그들이 주입적인 데 반하여 우리는 비판적이며, 그들이 통제적이고 억압적인 데 반하여 우리는 자유인 것이다.
>
> 우리의 이런 태도가 위험하다고 느낄는지 모른다. 실수와 미혹이 우리의

---

48 송창근, "조선교인의 신앙을 논함", 위의 책, p.80.

이런 태도 때문에 더 많아질지도 모른다. 그러나 이에 대한 대답은 간단하다. 이 위험을 떠나서는 참된 의미에서 인격적 신앙이란 있을 수 없다는 그것이다. 그리고 이런 자유, 비판, 진취 등 독립적 활동 없이 역사가 있을 수 없다는 것을 또한 기억해야 할 것이다.[49]

1947년 5월 조선신학교 학생들이 김재준, 송창근, 정대위 교수의 강의에 대한 진정서를 제출함에 따라 총회 조사위원회가 구성되었다. 이 사건은 장차 장로교회가 다시한번 분열하는데 단초를 제공하는 사건이었다. 여기에는 함태영도 조사위원으로 참여하고 있었다. 그런데 이 조사위원회의 조사를 받는 세 사람의 태도가 달랐다. 송창근은 자신이 강의 중에 했던 자신의 견해를 철회했다. 정대위도 조사위원들이 원하는 답을 했다. 하지만 김재준은 논문형식의 진술서를 작성해 제출했을 정도로 자신의 신학적 신념을 굽히지 않았다. 이러한 태도는 조사위원으로 참여한 선교사들에 의해 부정적인 결론으로 이르게 했다.[50] 김재준에게 장로교회가 하나를 유지하는 것은 중요한 문제가 아니었다. 신학적 진보와 자유를 추구할 수 있는 토대를 갖추는 것이 더 중요했던 것이다.

이는 한국장로교회에 영향을 미치고 있었던 외국선교부들을 대하는 태도에서도 그대로 나타났다.

그 후 『와싱톤』에서 일주일(一 週日)을 묵고 다시 『뉴욕』에서는 우리 대사관(大使館)과 그리고 한국교회(韓國教會)도 찾아보았다.
그 뿐만이 아니라 국제연합안전보장이사회(國際聯合 安全 保障 理事會)

49 김재준, “대한기독교장로회의 역사적 의의(1956년 5월 25일)”, 장공김재준목사기념사업회, 『장공 김재준의 삶과 신학』(서울:한신대학교출판부, 2014), pp.353~354.
50 송우혜, 『벽도 밀면 문이 된다』, pp.389~390.

와 미국북장로회(美國北長老會) 선교본부(宣敎本部)도 방문하였다.
또한 내가 미국북장로회(美國北長老會) 선교본부(宣敎本部)를 방문한 것은 다음과 같은 세 가지 이유에서였다.
첫째, 과거 칠십년(七十)년간 수많은 선교사(宣敎師)를 한국(韓國)에 파견하여 정신적으로나 경제적으로나 한국교육사업(韓國敎育事業)에 커다란 공을 남겼으며 지금도 이를 계속하고 있음에 감사하기 위해서……
둘째는 우리 민족사상(民族史上) 그 유례(類例)가 없는 육. 이오(六.二五) 사변에 한국교회(韓國敎會)를 통하여 가지가지의 구제사업(救濟事業)을 했음에 감사하기 위해서……
셋째는 한국장로회 분열사건(分裂事件)을 어떻게 하면 원만히 해결할 수 있을까? 하는 방안(方案)을 협의하기 위한 세 가지 이유에서 방문하였다.[51]

이제 막 출범한 한국기독교장로회가 가지고 있었던 가장 취약한 부분은 한국 장로교회의 뿌리를 이루고 있었던 네 선교부, 즉 미국 북장로교회와 남장로교회, 호주장로교회, 캐나다장로교회[52]선교부 모두의 동의를 받지 못한 것이었다. 네개의 선교부 중에서 유일하게 캐나다연합교회만 기독교장로회의 출범을 정당하게 보고 있었다. 서울과 경기지역을 대표했던 이들이 미국 북장로교 선교부의 동의를 받지 못한 것은 뼈아픈 일이었다. 한국장로교회에서 서울과 평양, 언더우드와 마펫으로 대표되는 미국 북장로교회의 영향력은 상당했다. 사실상 북장로교회가 주류를 이루고 있다고 해도 과언이 아닐 정도로 그 지역과 교회의 수가 많았다. 서울지역의 유력한 교회들이 대부분 북장로교 선교사들에 의해 개척된 교회들이었다. 역사적 정통성을 인정받기 위해서는 캐

---

51 함태영, "나의 세계일주(워싱톤-런던-로마)", 「신태양」 제6권 제4호, 1957년 4월호, p.31.
52 캐나다장로교회는 1925년 회중교회, 감리교회 등의 모든 교파들과 교회의 일치를 이루어 캐나다연합교회로 이루었다.

나다연합교회 외에 최소한 미국 북장로교회와의 관계가 중요했다. 세계 일주를 하고 있었던 함태영이 미국 북장로교회 선교본부를 방문한 이유도 그와 같았다. 함태영은 이 방문에서 한국교회를 위해 헌신했던 선교사들에 대한 감사와 6·25 전쟁 중에 북장로교 선교부가 보여준 구제의 사업에 대한 감사를 전하고자 했다. 그러나 무엇보다도 분열된 한국장로교회의 해결방안을 찾고자 했다. 누구보다 한국장로교회의 신학에 대한 자부심을 가지고 있었던 함태영이었기에 분열된 한국장로교회가 다시 회복되기를 바라는 것은 당연한 일이었다. 이에 반해 김재준은 자신의 신학적 입장을 지지했던 그외 선교부의 태도를 부정적으로 생각했다. 오히려 그들과 관계가 멀어진 것을 한국교회의 자주 독립으로 이해하고 있었다.[53]

그럼에도 그들이 함께 할 수 있었던 것은 기독교의 복음이 사회로 확장되어야 하고 세상을 기독교의 가치와 정신으로 변화시켜야 한다는 국가구원과 역사참여의 의식이 같았기 때문이었다.

7.2.2.4. 함태영의 계보

함태영의 계보에 속했던 인물들 중에는 함태영이 세상을 떠나고 예수교장로회가 합동과 통합으로 나누어졌을 때 통합 측으로 돌아가는 이들이 있었다. 박형룡 그룹과 분리된 상황을 긍정적으로 받아들인 것이었다. 또한 통합의 신학이 자신들과 다르지 않다고 판단한 것이었다.[54]

---

53 김재준, 『범용기』, p.296.

54 김종대, 조선출 등이 통합 측으로 넘어갔다. 김춘배는 기독교서회와 기독교연합회 일에 매진하며 안동교회에 권사로 있었던 공덕귀도 안동교회가 최종적으로 통합측에 남는 것을 결정했을 때 이를 수용하고 안동교회에 남았다. 조선신학교에서 활동했던 최거덕, 정준이 장로로 있었던 김포읍교회도 통합측에 남았다.

1967년 한국장로교회가 신앙고백 논쟁[55]을 거치면서 기독교장로회는 새로운 신앙고백의 제정을 통해서 기존의 한국장로교회의 신학이었던 복음주의와 결별하고자 했다. 김재준이 주도하기 시작한 기독교장로회의 신학은 더 이상 함태영이 보수하고자 했던 신학과는 거리가 있었다. 더욱이 함태영을 따랐던 서울과 호남권의 목회자들이 대부분 은퇴하고 일선에서 물러나면서 부흥회와 전도를 통한 교회 부흥을 주장하는 그룹은 총회 안에서 존재가 미미해져 갔다. 기독교장로회의 교회성장이나 영적부흥, 개인구령의 구호는 자취가 희미해졌고, 사회구원과 정치참여에 대한 열망으로만 가득했다. 그것은 함태영이 지향했던 신학적 태도와는 다른 것이었다.

그러나 함태영이 추구했던 신학적 지향을 따르는 계보가 수면 위로 드러나기 시작한 것이 이때부터였다. 그것이 1970년대 한국기독교장로회 내부에 논쟁을 일으켰던 '성풍회'운동이었다. 처음 성풍회 운동을 주도했던 인물은 충남노회를 중심으로 활동하며 총회장을 역임했던 정규태였다. 그는 함태영이 청주제일교회를 담임하고 있을 때 청주사범학교에 다니면서 청주제일교회에 출석하며 기독교에 입교한 인물이었다. 청남학교 교사를 거쳐 조선신학교에 입학하고 청주제일교회에서 전도사로 활동했었다.

'성풍회'는 1969년 한국기독교장로회가 그들의 신앙고백을 전격적으로 새롭게 제정했다. 미국장로교회의 신앙고백을 따라 교회보다는 사회참여에 초점을 맞추는 것에 위기 의식을 느끼고 있었다. 한국장로교회가

---

55 1967년 미국연합장로교회가 신앙고백을 신정통주의 신학을 기반으로 변경하면서 한국교회 내부에서도 미국장로교회의 신앙고백에 대한 수용여부로 논쟁이 있었다. 합동측은 적극반대, 통합측은 비판적 수용, 기장은 적극수용했다.

그동안 가지고 있었던 교회와 선교의 개념 속에서 개인구령과 복음의 위치를 약화시킨 것이다. '새 신앙고백'의 내용은 기장이 가지고 있는 모든 활동의 지침을 제공해 주었다. 1970년대 '민중신학'이 기장 교단 안에서 지지를 받을 수 있었던 것도 새로운 신앙고백이 가지고 있었던 신학적인 포용성 때문이었다. 특히 선교에 대한 이해에서 WCC의 '하나님의 선교' 신학을 적극적으로 수용하고 있다.

> 제6장 교회와 선교
> 3.교회의 선교
> "선교는 인간이 변화하고 사회의 구조가 혁신되기 위한 것이며 또 진리를 선양하며 세계를 바로 파악하기 위한 것이므로 교육적인 것이다.
> 선교의 범위는 세계적이며 사회 전체를 상대로 한다. 오늘과 같은 다원사회에서 선교는 국가의 기관, 사회의 집단, 생업의 부면 등 각계 각층에 대해 실시되어야 하고 교회의 손이 닿지 않은 모든 곳에 개척의 길을 닦아야 한다.....
> 선교는 언제나 전 기독교계의 변혁과 사람의 생래의 신앙심과 문화를 혁신할 사명도 다해야 한다. 우리의 선교의 대상은 현실의 인간이기 때문에 일반 문화와 타종교와의 접촉은 불가피하다. 일반 문화와의 접촉에서는 마음을 열고 창조의 하나님이 설정하신 진리를 이해할 수 있는 능력을 기르고 나아가서는 그것을 선교에 활용하도록 한다. 타종교와의 만남에서는 인간의 근본 곤경을 해결하고 인류의 복지를 이룩하는 일에 협력한다."[56]

한국장로교회가 가지고 있었던 선교의 개념은 개인의 신앙과 교회의 확장과 성장이라는 개념에서 이해가 되었는데 기장은 그 선교의 개념을

56 한국기독교장로회 총회, 『한국기독교장로회–연혁 · 정책 · 선언서』, 38~39쪽.

사회의 변혁까지로 넓히고 있다. 뿐만 아니라 사회의 문제에 대한 교회의 역할을 구체적으로 명시하며 적극적인 참여를 공식적으로 천명한 것이었다.[57] 사회참여와 정치참여는 함태영도 추구하던 바, 문제는 구조적으로 교회의 문제가 약화되었을 뿐만 아니라 개인구령의 문제, 교회의 갱신이라는 목적의식은 찾아볼 수 없었다.

> 부흥회를 무작정 무당종교 근성에서 온 것이라고 비판해 온 우리 교단의 발전은 무엇이며 교회 부흥을 위한 새로운 아이디어 방법은 어떤 것을 교회 앞에 제시하고 있는가? 교단 창립 17년이 지난 오늘 교단 지도자로부터 일반 신도에 이르기까지 스스로 자기 반성과 비판의 소리를 발하고 있지 않는가? 과연 기장의 걸어가는 노선이 옳은 것인가? 과연 우리가 주장해 온 새 것, 새 운동, 새 신학, 새 목회상이 교계에 빛과 자랑이 되었는가? 우리교단은 지금이야말로 옛날 예언자들의 경고를 들어야 하겠다.[58]

1970년 10월 12일 남경산기도원에서 진행된 성풍회의 제1회 교역자 기도회에서 강연을맡은 김정준은 기독교장로회 총회의 현실을 기탄없이 비판하고 있었다. 핵심은 교회의 양적인 부흥을 비판하면서 그렇다면 갱신된 교회의 모델이 기장에 있는지를 묻는 것이었다. 오히려 새로운 신학을 주장하면서 무작정 부흥회를 비판한 것은 아니냐는 비판이었다. 성풍회는 김정준이 그랬던 것처럼 교회의 갱신, 부흥회와 복음전도를 통한 교회부흥을 간과해서는 안된다고 보았다. 사회참여를 중요시 여기지만 오히려 그 사회참여가 교회의 부흥과 분리된 것이 아니었다.

---

57 김정회, "1967년 미국연합장로회신앙고백이 한국장로교에 미친 영향"(서울장신대학교 석사학위논문, 2007), p.43.
58 정규태, 『충남노회사』(서울: 예루살렘, 1992), p.404.

그들은 교회의 신앙부흥운동을 전면에 내걸고 있었다.

> 인권운동만이 기장의 사명인것 처럼 주장하는 것이나 성령운동만이 기장의 사명으로 인식하는 것도 교단 발전에 적신호가 아닐 수 없다. 왜냐하면 이것도 어디까지나 상대적이기 때문이다. 절대적인 것은 오직 그리스도의 이름으로 서로가 화해하는 일만이 본 교단을 살리는 것이다. 성령은 분열케 하시지 않고 화해케 하신다.…
> …우리 교단의 성풍운동이나 인권운동이 철저하게 하나님의 말씀과 역사적 활동범위 안에서 전개될 때 기장교단과 국가의 소망은 밝게 빛날 것이다.[59]

1977년 총회장이었던 조덕현은 성풍회가 주관한 교역자 수련회에서 기장의 정체성을 성풍운동과 인권운동이 함께 있는 것이라고 강조했다. 개인구원과 국가구원을 병립해서 보고자 했던 함태영의 이상이 그대로 계승되고 있었던 것이다. 1978년 성풍회의 조직은 전국노회와 서울지역에 상당한 세력을 형성하고 있었다. 총회의 조직구성이 다음과 같았다.

1. 중앙조직
   회장: 오병직, 부회장: 한상면, 총무: 조원길, 부총무: 허덕조, 권헌중
   서기: 박찬섭, 부서기: 박 원, 회계: 김수배, 부회계: 김동원
2. 지방조직
   경기노회: 차순환, 충북노회: 박은규, 충남노회: 안기중, 전북노회: 김영기, 전남노회: 이두영
   경북노회; 소신열, 경남노회: 김기수, 강원노회: 박춘배, 제주노회: 조명준

59 한국기독교성풍회 창립 20주년 기념문집 출판위원회, 『성풍회 20주년 기념문집』(남양주:한돌출판사, 1993), p.166.

3. 서울지역

믿음조: 오병직, 한상면, 김용원, 김홍종, 장대웅, 조원길, 최재범, 박원근, 고종진, 김병두, 이동주

소망조: 권현찬, 이정룡, 김성환, 김인호, 이중표, 유호철, 유영규, 이경훈, 서달수, 최북렬, 이희철

사랑조: 김수배, 조규향, 김정현, 이세진, 이구승, 서정덕, 송두규, 방영식, 박찬섭, 염순섭, 김동원[60]

기독교장로회안에서 성풍회의 계보는 아직도 교단 내부에서 의미있는 흐름을 형성하고 있다. 또한 대한예수교장로회 통합측 안에도 함태영과 같은 신학적 지향을 토대로 한국장로교회의 신학과 연합을 이루려고하는 그룹이 주를 이루고 있는 것은 그의 계보가 단순히 정치적인 것으로만 해석하기 어렵다. 그의 모교회이지만 교단을 달리했던 연동교회가 아직도 그를 연동교회역사의 중요한 인물로 다루는 이유도 그와 같은 이유일 것이다.

함태영과 송창근, 김재준은 한국기독교장로회의 정체성을 말해주는 인물들이었다. 함태영과 송창근의 그 기반이 언제나 개인구원과 교회중심이었던 반면에 김재준은 신학적 입장이 우선시되었다. 앞에 두 사람이 한국교회와 사회의 복음화를 내세웠다면 김재준은 한국교회의 기독교화를 이루어내는 것이 그의 목표였다.[61] 그러나 그러한 지향점의 차이는 역설적으로 사회를 바라보는 관점에서 공통적인 인식을 가지고 있었다. 모두가 국가구원의 문제를 중요한 과제로 인식했다는 점이다. 유재

---

60 위의 책, p.170.

61 장공김재준목사기념사업회, 『장공 김재준의 삶과 신학』, pp.428~434. 김재준이 말하는 한국교회의 기독교화는 교회주의를 극복하고 역사적 사명을 감당하기 위해 세상으로 나가는 것을 의미했다. 개인과 교회의 성장, 부흥 이런 개념은 미미했다.

기가 주도했던 '흥국형제단'의 참여에 주저함이 없었다. 뿐만 아니라 함태영이 정치활동에 참여하는 것에 대해서도 직접 정치에 참여하는 것에 부정적이었던 송창근도 큰 거부감을 가지고 있지 않았다. 오히려 그들은 건국이라는 거대한 역사적 흐름에서 기독교 정신에 바탕을 둔 국가건설을 중요한 과제로 인식하고 있었다.

8장 기독교적 민주주의 국가의 이상

8.1. 기독교흥국형제단 – 농촌경제의 재건

백만 기독자는 일어나자. 기도의 봉화를 들고 제단의 화염이 일어나도록 기도전(祈禱戰)으로 궐기하자. 기도의 불 꺼진 우리가 아닌가. 그러므로 교회도 사회도 국가도 암흑하지 않는다. 그리고 복음으로써 사회에 원리를 삼고, 성서로써 정치의 헌법을 삼도록 민생지도의 근본방법도 방책도 일책(一册)의 속에서 나와야 한다.
자본주의화된 사회제도의 비복음주의적인 이데올로기에서 벗어나서 가난한 자에게 복음을 전하러 오신 그리스도의 복음주의에서 가난한 자를 중심하여 참된 구원의 국가사회로 개조하기 위하여 기독자는 총궐기하자.
조국강토에 십자가를 세우기 위하여 십자가를 지고 떨어지는 밀알이 되기를 맹세코 일어나자. 개인주의의 몽롱한 자본주의의 꿈에서 깨어 일어나자.
이 강산에 일하려고
대답을 누구라 할까?
일하러 가세 일하러가
삼천리 강산 위에[62]

62 "기독자의 약기", 『흥국시보(興國時報)』, 1946년 9월 1일자.

갑작스럽게 다가온 해방은 시급히 국가 건설을 이루어야 한다는 과제를 던져주었다. 특히 일본에 의해 주도되었던 전반적인 경제구조가 다시 세워져야 했다. 식민지 조선의 산업구조는 80%가 농업에 종사할 정도로 변화가 없었다. 산업은 일본 본토의 병참기지와 같은 역할을 뒷받침할 수 있는 정도의 발전이 필요할 뿐이었다.[63] 특히 일본-조선-만주로 이어지는 상품과 자본의 순환구조가 형성되어 있었는데 이 구조가 일제의 패망으로 해체되었다. 그리고 조선 공업화의 중심지였던 북한 지역이 분단으로 떨어져 나가면서 남한의 경제적 충격은 심각한 수준이었다. 소련군은 1945년 8월 24일 남북을 연결하는 경원선과 경의선 철도를 차단해 남북간의 대형 물류의 이동을 차단했다. 9월 6일에는 남북간의 전화와 전보, 우편물의 교환도 금지시켰다. 북한지역에서 철을 비롯한 1차 금속, 각종 중간제, 비료 등을 공급받고 있던 남한의 경제는 심각한 타격을 받았다.[64]

더군다나 소련군의 진주 후에 남한으로 월남한 사람들과 해외에서 귀국한 사람들이 급격히 늘어나면서 남한 인구가 급증했다. 이는 심각한 실업난을 양산하고 있었다.[65] 그나마 버티고 있었던 것이 농촌이었다. 생산량은 그대로 유지되고 있었고, 일제의 배급제가 폐지되면서 소비가 촉진되는 현상이 나타났다. 그러나 미군정이 실시한 미곡수집령 등의 경제정책이 농민들의 반발을 불러오고 있었다. 미곡을 수집하면서 시중가격의 1/3 가격으로 강요된 것이 원인이었다. 농민들의 불만을 부추기며 파고들어간 것이 조선공산당 세력이었다.[66]

---

63 오다 쇼고, 박찬승 외 3인 역, 『국역 조선총독부 30년사 下』, p.1062.
64 이영훈, 『한국경제사 Ⅱ』(서울:일조각, 2017), pp.275~276.
65 이대근, 『해방후 1950년대의 경제』(서울:삼성경제연구소, 2002), p.1443.
66 이영훈, 『한국경제사 Ⅱ』, p.280.

농촌의 재건은 단순히 경제문제로만 인식된 것이 아니었다. 노동자와 농민의 프롤레타리아 혁명을 목표로 내걸었던 공산주의 세력에게 농촌은 그들의 가장 중요하게 여기는 지지기반이었다. 실업자의 양산과 농민의 불만이 고조되는 상황은 공산주의자들의 세력이 확산되기에 좋은 환경을 제공해주고 있었다.

함태영은 이미 1930년대 연동교회 담임목사로 부임했을 때 사회복음주의 운동에 영향을 받으면서 그러한 공산주의가 가지고 있는 모순점과 농촌문제를 어떻게 접근해야 하는지를 알고 있었다. 그가 참여했던 '적극신앙단'에서도 이 문제를 실제적으로 해결하고자 했다. 그에게 농촌운동은 단순한 경제문제가 아니었다. 그것은 농민들의 생각과 가치관을 기독교 복음의 가치로 변화시키고자 하는 신앙운동이었다. 특히 그는 이 땅에 하나님의 나라가 이루어지는 이상촌 건설을 꿈꾸고 있었다. 그의 이상촌은 현실세계를 벗어난 것이 아니라 현실세계를 기독교의 가치로 변화시키는 것을 의미했다. 이상촌은 건국이라는 과제 속에서 실현해야 하는 것이었다. 기독교적 가치 위에 국가를 세워야 한다는 것이 그의 생각이었다. 이는 그가 농촌복음화운동을 주도했던 '기독교흥국형제단'에 참여하면서 정치단체인 '그리스도교도 연맹'을 창설해 기독교적 민주주의를 실현하고자 했던 것에서 드러났다. 함태영은 이 두 단체에서 모두 총재로 이름을 올리고 있었다.

기독교흥국형제단은 1946년 10월 16일 서울시 황금정(현 을지로)에 있는 흥국호텔에서 첫 창립총회를 개최했다. 총회에서 초대 총재는 함태영, 부총재 유재기, 회계 정훈, 박위준, 감사 이영하, 이원우 등이 선출되었다. 형제단 산하에 총무부, 재단부, 전도부, 사회사업부, 농촌부,

상담부, 흥국시보, 흥국산원 등을 하부조직으로 설치했다. 또한 예수촌 건설을 핵심사업으로 지정하고 예수촌으로 지정된 촌에는 직접 전도사를 파송하기로 했다. 농민복음학교는 농촌지도자 양성을 위한 필수과정으로 개설된 흥국형제단의 교육기관이었다. 그들은 설립강령은 다음과 같았다.

1. 우리는 조국을 기독의 정신으로 무장토록 홍륭케 함.
2. 우리는 기독의 형제애로써 단결을 성고(聲固)히 함.

농민복음학교의 교장 유재기(劉載奇, 1905-1949)는 1930년대 배민수와 함께 장로교의 농촌운동을 주도했던 인물이었다. 기독교농촌연구회와 노동조합 운동을 펼쳤던 그는 일본에서 가가와 도요히꼬의 영향으로 기독교 사회주의를 받아들인 인물이었다. 그러나 그의 기독교 사회주의는 배민수의 사회복음주의와 크게 다르지 않은 구조를 가지고 있었다. 유재기는 자신의 기독교 사회주의가 사회주의를 배격하고 복음주의의 신앙에 입각해 불합리한 현실사회주의 제도를 기독의 근본정신으로서 개량시키고 참된 하나님의 나라가 지상에 이루어지도록 싸우고자 하는 것이었다.[67]

농민복음학교설치
시내 인현동 기독교흥국형제단 본부 안에 조선농민복음학교(朝鮮農民福音學校)가 탄생되었다. 동교는 세례교인으로서 농촌지도에 헌신할 사람들을 수용하게 되는데 첫번 남자부 개강을 오는 21일에 하기로 되었다. 그리고 동교는 신학교, 기독교 관계자가 강사로 추천되었으며 진

67 "기독교사회주의의 고찰", 『흥국시보』, 1946년 5월 1일.

용은 다음과 같다.

설립자 함태영 ▲교장 유재기 ▲교무주임 조민형 ▲주사 정준[68]

함태영은 조선농민복음학교의 설립자에 이름을 올리고 있었다. 단순히 유재기에게 이름만을 빌려준 것이 아니었다. 그는 흥국형제단과 농민복음학교 운동에서 정신적 지주와 같은 존재였다. 유재기는 함태영을 자신의 지도자로 여겼다. 그리고 노구에 병약한 몸으로 함태영이 흥국형제단과 농민복음학교를 위해 애쓰는 것에 대해 탄식할 정도로 함태영은 이 운동에 적극적으로 임하고 있었다.[69] 그는 자신의 고향이었던 김제군 진봉면에 이웃한 신태인읍에 두번째 농민복음학교를 개설했다.[70]

총재로 기독교흥국형제단과 조선농민복음학교에 관여하고 있던 함태영은 재정적인 어려움에 빠진 흥국형제단을 위해 동분서주했다. 특히 하와이에 있었던 지인들에게도 도움을 요청했다. 하와이에는 같은 강릉 함씨로 목회를 하고 있었던 함호용이 있었다. 함호용은 하와이에서 목회를 하고 있었던 인물로 함태영과는 국내에서 개화파 관료로 활동했을 때부터 종형제로 지내던 사이였다. 미국으로 이민 후에는 서로 서신을 주고 받을 정도로 가까운 사이로 지내고 있었다. 함호영의 아들인 로마가 해방 후 한국에 들어와 활동할 때 함태영이 그를 돌봐주었을 정도로 친분을 가지고 있었다.[71] 함태영은 하와이 교포들에게 흥국형제단의 어려움을 호소하는 편지를 보냈다. 그는 이 편지에서 '이남에 이 운

68 『동아일보』, 1947년 1월 17일.
69 암산(岩山), "유재기 목사와 그의 친구들과 동지들", 『흥국시보』, 1949년 9월 1일자.
70 "농민복음학교 개강", 『한성일보』, 1947년 3월 19일.
71 국외소재문화재재단, 『미국UCLA리서치도서관 스페셜 컬렉션 함호용 자료』(서울:국외소재문화재재단, 2013), p.34.

동을 시작하여 성과를 거두는 마을이 약 350 동리가 되었다'고 전함으로써 기독교흥국형제단의 조선농민복음학교가 이미 상당한 성과를 거두고 있다고 자평하고 있었다.[72]

그에게 복음은 곧 실천이고 실제여야 했다. 한국교회 교인들의 대부분이 농업에 종사하고 있는 현실에서 복음이 그들의 삶을 실제적으로 이끌어 주어야 하는 것이 당연한 것이었다. 반대로 현실 농촌의 궁핍함을 타개할 수 있는 것은 농민들의 정신을 새롭게 개조하는 것으로 보았다. 그 개조의 정신이 바로 기독교의 복음이었다. 기독교의 복음은 인간에게 인간에 대한 새로운 눈을 뜨게 할 뿐만 아니라 새로운 사명을 가져다 준다. 노동을 하는 목적과 노동을 통한 사명을 일깨워 주는 것이다. 농민들에게 농촌이 생계를 이어가는 터전이었지만 농민복음학교는 농촌이 건국의 터전이며 기초임을 가르쳤다. 새로운 국가의 경제적 기반이 농촌으로부터 시작된다는 사실을 일깨워 준 것이었다.[73]

> 조선이 사는 길은 조선농촌이 사는 길에 있다. 농촌을 살리는 길은 그리스도의 십자가에 있을 뿐이다. 십자가를 지고 농촌을 개척할 젊은이들은 이 학교로 오라 우리의 불같은 리론과 하나님의 뜨거운 능력으로 연마하여 우리는 각기 한 촌락으로 드려가자"[74]

공산주의가 계급혁명을 통해 사회를 개조하려고 했다면 기독교흥국형제단은 기독교 복음화를 통한 의식과 정신의 개혁을 통해 농촌사회

---

72 『홍국시보』, 1949년 1월 11일.

73 "예수촌 무지리를 찾아서", 『홍국시보』, 1947년 6월 1일. "오! 무지리여 너의 품에 안은 젊은이, 어린이 모두 힘차고 참된 농군을 길러라, 죄가 없고 배가 고프지 아니한 행복한 애들의 '예수의 촌'이 되어지기까지. 오!어린이들의 새벽나팔에 독념에 솟는 태양은 우리 조선의 새로운 예언을 안고 삼천리를 축복한다."

74 "조선농민복음학교 개강", 『홍국시보』, 1947년 1월 15일.

스스로가 변화를 통해 국가의 기초가 되어야 개조될 수 있다고 본 것이었다. 힘에 의한 개조가 아니라 자유의식의 변화를 통한 개조를 추구했던 것이다. 이는 사회복음주의가 추구했던 개인의 복음화를 통해 사회를 변화시키고자 했던 인식과 일맥상통 했다.

함태영의 이러한 농촌에 대한 열정은 조선신학교의 교수들이 기독교흥국형제단의 수양회와 농민복음학교에서 강의를 하며 적극적인 참여로 이어졌다. 김재준은 『흥국시보』의 주필을 맡았다. 일주일간 진행되는 하기수양회에서는 영적인 각성과 함께 특강이 진행되었는데 그 과목과 강사는 다음과 같았다.

〈표 3〉 하기수양회 과목과 강사[75]

과목	강사
성경강해	최윤관
신학강좌	송창근
기독교와 사상문제	김재준
농업협동조합의 실제	유재기
예수촌론	유재기
농촌위생강좌	김영춘
농촌문제연구소	조민형
정말(丁抹)농촌소개	정 준

복음의 신학과 복음의 실천이라는 두 가지 과제를 농촌으로부터 시도했던 것이다. 또한 농촌 지도자의 양성이 어느 정도의 수준까지 이루어져야 하는지를 수양회와 농민복음학교를 통해서 보여준 것이었다. 새로운 국가는 자유 민주주의 국가를 의미했다. 그러나 함태영이 생각한 자

75 유재기, 김병희 편, 『세대를 뛰어넘는 경계인 - 虛心 유재기 목사 유고집』(서울:예영커뮤니케이션, 2011), p.655.

유 민주주의는 단순히 정치체계나 제도를 의미하는 것이 아니었다. 개개인이 가지고 있는 개인의 정신 속에 자유, 윤리, 정의의 개념들이 상식화되어 나타나는 것을 의미했다. 그는 이미 3·1운동을 통해 개인의 자각이 얼마나 큰 위력을 발휘하는지를 몸소 경험했었다.

> …지금 회고하건대 3·1 운동은 어디까지나 자발적이고 거족적이었다는 것이 귀중하다. 그리고 어느 누구를 막론하고 한민족이면 공의를 위해 주검을 아끼지 않았다는 점, 즉 삼·일 운동에 참가해야 한다는 의무를 제각기 느꼈고 거기에 가담하지 않을 경우 그것은 한사람 한사람의 민족적인 수치로서 자각했다는 점이 귀중한 것이다.[76]

개인의 자각은 기독교의 복음으로 복음화 될 때 참된 인간의 자유와 정의를 배울 수 있었다. 농민들에게 성서와 기독교의 복음을 가르친 이유가 여기에 있었다. 그리고 농촌을 실제적으로 어떻게 바꾸어 가야 하는지를 깨달아야 했다. 그 모델을 농업강국으로 부상한 덴마크의 농촌으로 삼은 것이었다. 덴마크의 농촌은 이미 1920년대부터 YMCA를 비롯한 농촌계몽운동에서 이상적인 모델로 참고되어 왔다. 그 이유는 덴마크가 기독교 정신과 가치관으로 농촌의 부흥을 이끌어 냈기 때문이었다. 함태영에게 개인의 정신적 자각은 중요한 의미를 가지고 있었다. 그리고 대부분의 국민이 농촌에 기반을 두고 있는 상황에서 농촌경제의 재건은 중요한 과제였다. 기독교 정신으로 농촌을 재건하는 것이 곧 건국의 기반을 다지는 중요한 기초작업이었던 것이다.

함태영은 조선이 성리학을 기반으로 국가를 형성했다면 이제 세워야

---

76 함태영, "공의를 위한 열혈의 분류", p.28.

할 새로운 국가는 기독교 정신을 통해서 건국되어야 한다고 인식했다. 국가의 이념에 있어서도 철저하게 기독교적 민주주의를 지향해야만 이상적인 국가를 이룰 수 있다고 판단했다. 그가 정치에 뛰어든 이유였다.

8.2. 함태영과 이승만

> 기독교인의 최고 사상은 하나님 나라가 인간 사회에 여실히 건설되는 그것이다. 그러나 이 하나님 나라라는 것을 초세간적, 내세적인 소위 천당이라는 말로써 그 전부를 의미한 것인 줄 알아서는 안된다. 하나님의 뜻이 인간의 전 생활에 군림하여 성령의 감화가 생활의 전 부분을 지배할 때 그에게는 하나님 나라가 임할 것이며, 이것이 전 사회에 삼투되며 사선을 넘어 미래 세계에까지 생생발전하여 우주적 대극의 대낙원의 날을 기다리는 것이 곧 하나님의 나라의 전모일 것이다.
> …이제 우리 조선의 새로운 건국에 있어서도 이 사상이 조선 나라에 임하도록 기구갈력(祈求竭力)하는 것이 우리 신자의 책무다. 천국은 전 우주적으로 오직 하나인 왕국이다.[77]

서울에서 뜻밖의 소식이 들렸다. '삼팔선'이 생긴다는 것이다. 개성 이북 어디쯤에 삼팔선이 생기는데 이남에만 미군이 들어오고 이북으로는 소련군이 들어온다고 했다. '공산당인 소련이 이북에 들어온다면 어떻게 될 것인가?' 우리는 그 소식을 듣고 얼마나 비통했는지 한동안 말을 잇지 못했다.
…이미 부위원장직을 박탈당해 아무 힘도 쓸 수 없는 윤 목사와 나는 서울로도 평양으로도 소식이 끊긴 채 답답한 세월을 보내고 있었다. 공산당에 맞서는 조직이 필요하다는 데 합의를 보고 신의주자치위원회에

---

77 김재준, "기독교의 건국이념", 『장공 김재준의 삶과 신학』, p.482.

> 서 활약하던 이들을 중심으로 사회민주당을 조직했다. 사회민주당은 대부분 목사와 장로, 집사들과 믿는 청년들로 구성되었다. 신의주뿐만 아니라 평양과 서울까지 세력을 규합할 것이라는 큰 그림도 그려 두었다.[78]

1945년 8월 선린형제단 집회의 강연에서 김재준은 기독교인들에게 건국이 하나님의 나라를 이루는 기회임을 역설하고 있었다. 해방과 건국은 하나님 나라의 실현이라는 측면에서 하나님이 주신 기회의 시간이었다. 고려가 불교를, 조선이 성리학을 바탕으로 건국했던 것처럼 이제 세워질 새로운 국가는 기독교 정신을 바탕으로 해야 한다고 생각한 것이다. 그는 기독교의 자유의 정신과 정의가 바탕이 되는 민주적인 국가를 이루는 것이 기독교적 건국의 모습이라고 이해하고 있었다.[79]

한편 신의주에서 해방을 맞이했던 한경직도 소련군의 진주에 발맞추어 '사회민주당'을 조직하고 활동을 시작했다. 그가 정치에 참여한 이유는 공산당에 맞서는 조직을 결성하기 위해서였다. 주류의 한국기독교인들이 가지고 있는 건국은 반공(反共)이 전제되고 있었다. 기독교인들에게 건국은 자유민주주의 국가 건설이 하나님의 나라를 실현하는 것이었으며 동시에 공산주의를 막아야 한다는 역사적 사명의식을 동시에 가지고 있었다. 그리고 이것은 단순히 생각과 이념으로만이 아니라 정치단체를 조직하고 적극적으로 건국운동에 참여했다.

함태영이 정치에 참여했던 신학적 근거와 시대적 명분도 다르지 않았다. 새로운 국가건설에 하나님 나라의 가치를 실현하고자 하는 '신부적 국가관'의 실현과 반공에 대한 의지 때문이었다.

---

78 한경직, 『나의 감사』, pp. 310~312.
79 김재준, "기독교의 건국이념", 『장공 김재준의 삶과 신학』, pp.504~505

법관으로, 목회자의 삶을 이어온 그가 정치인 함태영으로 처음 이름을 올린 것은 1945년 9월 8일 한국민주당이 발표한 '임정 외에 정부를 참칭하는 단체 및 행동 배격 결의서'에 한민당 발기인으로 참여한 것이었다.[80] 그러나 한민당이 그의 정치활동의 근거지가 되지는 않았다. 한민당을 주도한 그룹은 기독교 민족주의자들이었다. 특히 기호계와 안창호계의 기독교 민족주의 계보가 망라되어 있었다.[81] 자신과 가까운 인사들이 주를 이루었고 한민당이 내세웠던 이념과 정책들도 함태영이 가지고 있었던 신념과 크게 다르지 않았다.[82] 그럼에도 그가 한민당에서 더 이상 활동하지 않은 이유는 독립촉성중앙협의회를 주도한 이승만의 부탁이 직접적인 영향을 주었다.

1945년 10월 16일 이승만이 귀국했다. 일제강점기 안창호와 함께 국내 정치세력을 양분했던 정치지도자였던 그의 귀국은 좌우를 막론하고 건국에 대한 희망을 갖게 했다.[83] 이승만은 그가 귀국할 때 국내의 지도자들 중에 반드시 만나야 할 인물 중의 한 명으로 함태영을 지목하고 있었다.[84] 귀국한 이승만과의 만남을 덕수교회의 최거덕이 주선했다. 비서실장 역할을 하고 있던 윤치영을 통해서였다.[85]

이승만은 함태영에게 독립촉성을 위한 정치결사체에 기독교의 참여

80 「전단」, 1945년 9월 8일.

81 김명구, "한민당과 기독교", 서울신학대학교 현대신학연구소 엮음, 『해방공간과 기독교 Ⅰ』, p.214.

82 위의 책, pp.216~235. 한민당의 정책은 크게 자유민주주의, 경제정의의 실현, 반공을 내세웠다. 특히 경제정의의 문제는 사회복음주의로부터 영향을 받고 있었다.

83 윤치영, 『윤치영의 20세기』(서울:삼성출판사, 1991), pp.157~158. 이승만이 귀국하던 날 이승만을 만나기 위해 송진우, 백관수, 장덕수, 김도연, 김준연 등 우파 지도자들뿐만 아니라 많은 시민들이 조선호텔 주변으로 찾아와 장사진을 이루었다. 뿐만 아니라 좌파 지도자로 분류되었던 여운형과 허헌 등도 찾아와 건국과 관련해 그들이 주도하고 있던 인공(人共)의 주석으로 이승만을 추대하고자 했다.

84 함동욱, "고종황제와 검사 함태영", p.490.

85 최거덕, 『나의 인생행로』, p.133~134.

를 요청했다. 자신이 주도적으로 이제 막 출범시킨 '독립촉성중앙협의회'의 지지기반으로 여기고 있던 기독교의 참여가 미진하다고 여겼던 것이다. 국내에서 자신의 정치적기반을 구축해야 했던 이승만으로서는 독립운동에 있어서 자신의 주요한 지지기반이었던 한국교회가 정치적기반이 되어주길 원했던 것이다.

1945년 12월 11일 '조선기독교남부대회'는 '독립촉성기독교중앙협회'의 조직을 출범시켰다. 이는 아직까지 교회조직이 재건되지 않은 상황에서 기존의 기독교조직으로 한국교회를 대표하고 있었던 남부대회가 독립촉성중앙협의회에 대한 지지를 선언한 것이었다. 이 단체의 강령과 조직은 다음과 같이 이루어져 있었다.

조직강령
1. 우리는 조국의 완전한 자주독립을 촉성함
2. 우리는 단결을 공고(鞏固)히 하야 민족통일을 기함!

조직
회장: 함태영
부회장: 박용희, 김영주
총무: 김종대[86]

함태영이 회장을 맡았다. 우파의 기독교정치세력을 대표하는 인물로 그가 선택된 것이었다. 부회장 박용희와 김종대는 함태영과 이미 오랫동안 목회자로서 같은 노회 소속으로 활동했고 조선신학교에 깊이 관여하고 있는 인물들이었다. 김영주도 새문안교회를 담임하고 있었지만 조

86 "독립촉성기독교중앙협의회", 『기독교공보』, 1946년 1월 17일.

선신학교와 연관되어 있었다.[87]

하나님의 섭리는 역사를 통하여 나타났다.

제2차 세계대전의 종결은 정의의 신의 섭리대로 처리되었다.

36년간 일본제국주의의 질고에 매여서 신고(辛苦)와 학대를 세계에 유래없이 받아온 백의성족(白衣聖族)은 감격한 1945년 8월 15일, 이날 이야말로 우리 자자손손이 무궁토록 불망할 대한의 유월절이다.

성서를 뺏기고 교회당을 헐리고 갇히고 옥사순교의 피를 흘리던 기독자들에겐 민족의 해방, 신앙의 자유를 맞이하매 백만신도의 제단은 다시 불타고 승리의 찬송소리는 세기에 높이 나고 있다. 우리 기독자는 이제 더욱 조국광복에 마치어야 할 사명은 중대함을 느낀다.

그래서 우리 백만 기독자는 하루라도 빨리 민족통일로써 자유독립을 위하여 총진군의 합력을 맹서하며 대한임시정부를 적극적 지지하여 건국조선의 촉성을 성명하노라.

1945년 12월

조선독립촉성기독교중앙협회

결의문

一. 백만 기독자는 총력을 집중하여 민족통일로써 독립을 촉성함.

一. 대한임시정부를 전폭적으로 지지함.[88]

독립촉성기독교중앙협회는 이 성명에서 기독교인들이 가지고 있었던 해방의 의미와 그들의 건국에 대한 열망을 드러내고 있었다. 해방은 건국을 위한 자유가 주어진 것이지 독립을 이룬 것이 아니었다. 국가의 체제가 완성되어 자주국임을 선포하는 것이 진정한 독립이었다. 이는 3·1

---

87 민경배, 『새문안교회 85년사』 (서울:새문안교회, 1973), p.187.

88 "독립촉성기독교중앙협회 성명서", 김흥수 엮음, 『해방후 북한 교회사』 (서울:다산글방, 1992), p.493.

운동의 목표이기도 했다. 건국의 주도세력으로 임시정부를 상정하고 있었다. 독립운동의 맥을 이어오고 있었을 뿐만 아니라 건국을 주도할 수 있는 이승만, 김구, 김규식 모두가 임시정부와 연결되어 있다고 보았기 때문이었다. 독립촉성중앙협의회 내부에서의 이러한 움직임은 이승만계와 김구의 임시정부계로 나누어져 있던 우익세력을 결집시키는 동력이 되었다. 그리고 이것은 1946년 2월 8일 대한독립촉성국민회의 결성으로 이어졌다.[89] 독립촉성기독교중앙협회는 이를 계기로 해산했다.

함태영은 "대한독립촉성국민회"에서 오하영, 조만식 등과 함께 기독교를 대표하여 고문으로 참여했다. 전북은 배은희(裵恩希, 1888~1966), 전남은 이남규(李南圭, 1901~1976), 충북은 구연직(具然直, 1891~1967)[90]이 지방대표로 유재기는 산업부장을 맡았는데 이들은 모두 함태영의 계보라 할만한 인물들이 적극적으로 참여하고 있었다.[91] 대한독립촉성국민회는 독립촉성중앙협의회에서 이탈했던 김구의 임시정부계가 통합되면서 당시 우익진영의 총본산으로서 역할을 담당하고 있었다. 이승만계와 김구의 임시정부계가 치열하게 주도권 다툼을 벌였다. 초기에 반탁을 주장하는 면에서는 크게 다르지 않았지만 정부수립의 문제에 있어서는 의견이 갈리고 있었다. 특히 1946년 4월 15일부터 두달여간 진행된 이승만의 남선여행 중 6월 3일에 있었던 정읍연설에서 남한만의

---

89 장금현, "독립촉성중앙협의회와 조선기독교단 남부대회와의 관계", 서울신학대학교 현대신학연구소 엮음, 『해방공간과 기독교 Ⅱ』(서울:도서출판선인, 2017), p.211. 독촉중협의 주요한 거점들이 대부분 남부대회 소속교회들이었다. 그리고 이들이 독립촉성기독교중앙협회에 가입되어 있었다.

90 함태영이 시무했던 청주제일교회의 담임목사로 시무하고 있었다.

91 이은선, "대한독립촉성국민회와 기독교", 「한국교회사학회지」, 제46권, 2017, pp.293~296. 대한독립촉성국민회의 고문은 모두 5명이었는데 위의 3명 외에 천도교의 권동진과 유교의 김창숙이 고문으로 활동했다.

단독정부구상을 밝히면서 건국노선에서 차이를 드러내고 있었다.[92]

대한독립촉성국민회의 고문을 맡고 있던 함태영은 미군정의 자문기구로 헌법제정 등의 과도정권을 추진하고 있었던 민주의원으로 활동했다. 민주의원이 개원했을 때 그는 특정한 정치단체에 소속된 것이 아니라 기독교를 대표하는 인사로 참여했다. 민주의원 개원 당시 의원들의 분포는 다음과 같았다.

> 의장: 이승만
> 부의장: 김구(임시정부 주석), 김규식(임시정부 부주석)
> 의원: 원세훈, 김도연 백관수, 김준연, 백남훈(이상 한민당), 권동진, 오세창, 김려식, 최익환(이상 신한민족당), 조완구, 조소앙, 김붕준(이상 임시정부계), 안재홍, 박용희, 이의식(이상 국민당), 여운형, 황진남, 백상규(이상 인민당), 김선(여자국민당), 장면(천주교), 김창숙(유교), 김법린(불교), 함태영(기독교), 정인보, 황현숙(무소속)[93]

함태영은 기독교 우파의 지도자로 민주의원에 참여했다. 독촉기독교중앙협의회의 회장을 역임했던 그가 대한독립촉성국민회에 이어서 민주의원에서도 기독교를 대표하는 인사로 참여한 것은 그가 이승만의 계보에 선 것을 의미했다. 이승만을 지지했던 것은 자유민주주의와 반공을 핵심으로 했던 이승만의 국가건설 노선을 지지했던 것이었다.

자유민주주의와 반공이라는 뚜렷한 지향점을 따라 건국을 해야 한다는 점에서 함태영과 이승만의 생각은 같았다. 또한 기독교적 국가건설을 모토로 한국교회가 건국의 주체로서 적극적으로 나서야 한다는 점

92 오유석, "한국'보수'지배세력연구–대한독립촉성국민회를 중심으로", 「사회와 역사」 45권, 1995년 12월호, p.177.
93 송남헌, 『해방 3년사 I (1945–1948)』 (서울:까치글방, 1985), p.282.

을 강조하고 있었다.[94] 그러나 이승만에게 있어 기독교적 국가건설은 기독교적 가치보다는 정치적 의미가 더 강했다. 이는 이승만이 대통령에 오른 뒤에 자신의 통치 이데올로기로 '일민주의'를 주창하는데서 분명히 나타났다.

이승만은 일민주의를 국시(國是)로 삼기를 원했고 그의 지지자들이 일민주의의 기치 아래 통합되기를 원했다. 그러한 배경 속에는 정당 중심의 정치체제로는 국민의 통합을 이루기 어렵다는 그의 인식이 깔려 있었다. 이승만에게 정당정치는 국론의 분열을 의미했다. 그런 모습으로는 북한의 공산주의를 이길 수 없다고 인식했던 것이다.[95]

일민주의는 이승만이 주창했지만 양우정(梁又正,1907~1975), 안호상(安浩相,1902~1999) 등이 이데올로기화시켰다. 그리고 이범석(李範錫, 1922~1983)이 전면에서 일민주의를 보급시키는 데 앞장섰다. 그들은 대부분 대종교인으로 민주주의에 대한 이해보다는 신규식에게서 볼 수 있었던 단군 민족주의를 자신들의 신념으로 여기고 있던 인물들이었다. 그들은 이승만의 통치이데올로기를 강화시켜 줄 강력한 수단으로 자유민주주의가 아닌 단군을 민족의 시조로 받아들이면서 이를 통한 강력한 민족주의적인 이념을 강화시키려 했다.[96] 그것은 민주주의가 공산주의에 맞서기에는 강력한 통치력을 발휘하기 어렵다는 인식에서 비롯된 것이었다.

일민주의는 구조적으로 민족을 위해서는 모든 개인이 무조건적으로 희생되어야 한다는 논리를 가지고 있었다. 또한 강력한 민족적인 힘을

94 김권정, "해방 후 기독교세력의 동향과 대한민국 건국운동", 박명수 외, 『대한민국 건국과 기독교』(서울:북코리아, 2014), p.38.
95 『자유신문』, 1948년 5월 23일
96 김명구, 『해위 윤보선 생애와 사상』, p.172.

기르기 위해서는 강력한 통치력이 필요했다. 자유민주주의에서는 그러한 힘이 나오기 어렵다고 본 것이다. 의회 중심의 정치체제에서는 이승만의 이와 같은 이상을 실현하기는 어려웠다. 이승만은 강력한 리더십을 발휘할 수 있는 대통령중심제로의 개헌을 통해 그러한 리더십을 확보하려 했다. 1952년 전시 중임에도 대통령직선제 개헌안을 밀어붙인 것도 그와 같은 이유 때문이었다. 독실한 기독교 신앙의 소유자였고, 기호계 기독교 민족주의를 대표하는 위치에 있었던 그였지만 정작 그의 정치이데올로기 속에는 기독교적 가치보다는 보다 강력한 힘을 가져다 줄 수 있는 사상이 우선했던 것이다. 전체성이 강하게 드러날 수밖에 없는 구조였다.[97] 이는 기독교가 추구했던 자유와 정의를 강조했던 민주주의의 구조와는 다른 것이었다.

함태영은 이승만의 권유로 정치를 시작했고, 자유민주주의와 반공의 확고한 신념을 따라 이승만의 노선에 동참했다. 그러나 이승만을 맹목적으로 추종하지 않았다. 그는 직접적으로 이승만의 전위조직이나 정당에 가입한 적이 없었다. 남부대회에서 회장을 맡았고 함태영과 함께 한국기독교장로회를 대표하는 인물 중의 한 사람이었던 배은희가 적극적으로 이승만을 지지하는 정치활동을 했던 것과도 달랐다. 함태영은 이승만과 직접적으로 친분을 쌓아 온 적이 없었다. 그에게는 정치적인 야망이나 목표가 없었다. 다만 건국의 과정에서 기독교적 가치가 적극적으로 실현되는 국가를 건설한다는 목표가 있었을 뿐이었다.

함태영은 자유민주주의에 있어서 자유의 개념과 함께 정의의 개념을 중요시했다. 이는 그가 건국정신의 바탕으로 여기고 있던 3·1운동의 핵

97 김정회, 『한국기독교의 민주주의 이행연구-해위 윤보선을 중심으로』, p.194.

심적 가치이기도 했다. 진정한 민주주의와 통일의 사명이 이 정의를 바탕으로 해야 했다.[98]

함태영은 국가를 위해서 개인이 희생되는 것을 당연한 것으로 여기지 않았다. 개개인의 자각과 의의 실천을 통해 국가를 위해 헌신하는 것이 애국이었다. 이를 위해서는 개인의 정신함양이 중요했다. 그는 이것을 할 수 있는 곳이 기독교이며 기독교의 신부적 인간이해가 새로운 국가의 도덕과 정신을 고양시킬 것이라고 믿었다. 정치적인 힘의 문제가 아니라 개인과 국가의 도덕과 정신의 문제가 올바른 국가를 이루는 관건으로 여겼던 것이다. 함태영은 '기독흥국형제단' 운동을 통해 농촌의 문제를 정신의 문제로 보고 기독정신을 바탕으로 농촌을 진흥시키고자 했다.

또한 기독교적 민주주의를 기치로 하는 정치단체의 결성을 주도했다. 그것은 그의 정치사상을 분명하게 드러낸 것이었고, 당시의 혼란스러운 시대 속에서 기독교인들이 추구하는 가치가 무엇이었고, 어떤 국가를 꿈꾸고 있었는지를 상징적으로 보여주는 것이었다.

함태영이 이승만의 권유로 정치활동을 본격화 한 것은 사실이지만 그것은 개인적 친분이나 맹목적인 추종에 의한 결과가 아니었다. 그가 가지고 있었던 신부적 국가관의 신념과 정치에 대한 그의 신념이 건국에 대한 시대적 사명감 속에서 표출된 것이었다. 정의의 관념을 우선시했던 그의 정치신념은 부통령이 되었을 때 대통령인 이승만에게 직언을 하고 갈등의 원인이 되었다.

98 함태영, "공의를 위한 열혈의 분류", p.29.

8.3. 그리스도교도연맹

우리 민족이 새로운 건국을 앞두고 그동안 얼마나 초조히 지낸 것은 다시 말할 것도 없습니다. 이제 미소공위로 말미암은 임시정부수립도 바야흐로 그 추진이 농후하니만치 이때는 3천만 겨레가 일어서지 않을 수 없는 일확천금의 기회라 아니할 수 없읍니다. 그동안 우리기독교도는 건국에 숨은 초석을 쌓는 심령의 중생을 위하야 꾸준한 기원활동을 관철하여 왔읍니다. 그리고 교육, 문화, 행정 등에 허다한 인사를 보내어 각기 응분의 봉사를 하였으며 정치계에도 수십년내의 영도자들을 비롯하야 각 정당에 많은 기독교도가 참가하야 중대한 실무를 담당해 왔읍니다. 그러나 우리나라의 정치적 경제적 위기를 극복할 뿐 아니라 그보다도 더욱 위급한 문제인 도덕의 부패 기강의 망각, 사상의 혼돈 등을 극복하야 우리 민족대업의 정신적 기초를 확립하려면 우리 기독교도가 다만 개별적 분산적으로 숨은 일꿈되는 종래의 방식만으로는 도저히 그 소임을 완수할 수 없다는 것을 느끼지 않을 수 없읍니다.
그리하던 중 우리나라에 거룩한 축복의 피를 가장 먼저 가장 많이 흘린 천주교도와 신교도 각파가 일치단결하야 이 기독교적 이념에 의한 건국의 대업을 완성하려는 의미에서 전기독교도 총집합의 **를 가주게 된 것은 진실로 희열을 금할 수 없는 일입니다. 유물무신의 현대문명이 붕괴의 최후단계에 직면하고 있는 이때 우리 기독교도는 새 시대의 정신적 기초수립에 일로 매진하여야 하겠읍니다 우리는 정권을 탐하지 않읍니다. 우리는 정략을 농(弄)함을 능사로 하지 않읍니다. 오직 그리스도교적 정의를 규명하며, 그 진리를 **식히기 위하야 싸우며 나아가려는 것 뿐입니다. 바라건대 동숙제현은 사심없는 적성(赤誠)과 명철한 비판과 희생적인 실천으로 이 연맹의 뜻하는 바를 이루어 우으로 하나님께 영광 돌리고 아래로 우리 민족과 국가에 축복되도록 하시기를 바라는 바입니다.

1947년 7월 일 [99]

---

99 "그리스도교도연맹 결성에 제하야", 김흥수 엮음, 『해방후 북한 교회사』, p.460.

함태영은 '신부적 국가관'에 입각한 민주주의 국가를 건설하기 원했다. 새로운 국가의 건설을 위해서는 정신적, 윤리적 토대가 있어야 했다. 조선이 망한 것은 도덕의 부패와 기강의 망각, 사상의 혼돈 때문이었다. 그것을 바로잡아 줄 수 있는 것이 기독교였다. 그는 3·1운동을 통해 기독교의 정신적 가치가 국민을 어떻게 일깨울 수 있는지를 이미 경험했다. 그에게 있어 건국은 철저히 정신적 무장이 우선하는 것이었고, 이를 위해서는 기독교가 그 일을 할 수 있다고 믿었다. 기독교의 자유와 정의의 가치, 나눔의 정신이 건국의 기초가 되어야 한다고 본 것이었다. 정치인 함태영에게 그리스도교도연맹은 자신의 정치적 신념을 구체화한 것으로 중요한 의미를 가지고 있었다.

함태영이 창설을 주도한 그리스도교도연맹은 개신교만의 정치세력이 아니라 신교와 구교가 연합한 정치세력으로서 특징을 가지고 있었다. 장로교와 감리교, 천주교를 비롯해서 구세군 성공회까지 국내의 모든 기독교 세력을 포함하고 있었다.[100] 위원장은 함태영이 맡았고, 부위원장은 천주교의 남상철이었다. 지도부에는 황종률, 박현명, 배은희, 김활란, 강태희 등이 지도부를 이루고 있었는데 천주교에서는 부위원장이었던 남상철을 비롯해 정지용, 장면 등이 참여하고 있었다. 이승만을 지지하는 정치단체로 인식하지만 천주교의 남상철과 정지용은 김구의 지지자이기도 했다.[101] 신교와 구교가 연합했다는 것은 그들이 가지고 있는 교리나 정치체계의 차이를 기독교적 민주주의라는 이념적 틀 안에서 극복하고 있었음을 의미했다.

100 "종파를 초월! 전국기독교도연맹 결성", 『대구시보』, 1947년 7월 10일.
101 강원용, 『빈들에서 ①-나의 삶, 한국현대사의 소용돌이』 (서울:도서출판 열린문화, 1993), p.261.

이런 흐름은 2차 세계대전이 종전한 이후 독일을 비롯한 서구 유럽을 중심으로 활발하게 전개되었던 기독교 민주주의 운동과도 유형적으로 같았다. 신구교가 기독교적 가치를 전제로 연합된 정치세력으로 등장한 것과 그들이 내세웠던 가치들이 다르지 않았다.

유럽에서 기독교민주주의(Christian Democracy)가 등장한 것은 19세기 후반 이탈리아에서였다.[102] 그러나 본격적으로 유럽사회에서 영향력을 갖기 시작한 것은 2차 세계대전이 끝난 이후였다. 2차 세계대전은 자유방임주의로 대변되던 자유주의적 세계관의 한계성과 함께 전체주의의 잔인함을 목도할 수 있었던 현장이었다. 아울러서 공산주의가 자유민주주의와 함께 세계를 양분하는 이데올로기로 자리를 잡기 시작했다. 2차 세계대전의 직접적인 피해자였던 서부유럽에서는 공산주의를 대체할 수 있는 이데올로기가 필요했다. 두 번의 세계대전과 경제대공황을 거치면서 자유주의를 바탕으로 하는 기존의 민주주의 체제의 한계가 드러난 상황에서 자유주의의 한계를 보완하고 공산주의를 사상적으로 극복해야 했다. 그러한 대안으로 등장한 것이 기독교민주주의였다.

특히 나치 치하에서 패전을 경험해야 했던 전후 독일을 중심으로 기독교민주주의운동이 활발하게 전개되었다. 독일, 네덜란드, 벨기에, 룩셈부르크, 스위스, 오스트리아, 이탈리아, 프랑스 등서부 유럽 대륙의 국가들을 중심으로 기독교민주주의를 표방하며 정당을 창당했다. 기독교민주주의는 개신교와 로마가톨릭이 연합된 형태로 이루어져서 발전했으며 영국과 미국에도 영향을 주었다. 영국은 기독교민주주의가 정당

---

102 『동아일보』, 1960년 2월 10일자는 소련의 흐루시초프와 이탈리아의 그롱키 대통령이 공산주의와 기독교민주주의를 놓고 벌인 사상논쟁을 보도하고 있다. 기독교민주당 소속이었던 그롱키는 기독민주당이 공산당보다는 조금 늦게 만들어졌다고 말하고 있다.

으로 발전하지는 않았지만 기독교인들의 개별적인 참여로 기독교민주주의적 가치들이 정치, 경제, 사회적 영역에서 반영되었다. 미국의 경우에는 엄격한 정치와 신앙의 분리로 인해 종교적 가치를 배제한 채 정당의 선거에 교회가 연결되거나 시민운동이나 도덕운동과 같은 형태로 영향을 끼쳤다.[103]

함태영의 기독교적 민주주의도 그와 다르지 않았다. 그가 추구하는 이상적인 국가는 신부적 가치로 정의로워야 하고, 부의 분배가 자율적으로 이루어져야 했다. 그리고 민주적인 질서로 운영되는 국가였다. 그리스도교도연맹의 강령과 선언서에는 그가 이루고자 하는 것이 무엇인지가 분명하게 드러나 있다.

그리스도교도 연맹 발기 취의서

건국의 대업을 앞두고 사상의 혼란과 도의의 퇴폐는 마츰내 우리 백만 기독교도로 하여금 분기하지 않을 수 없게 되었다. 우리는 이제 정치, 경제, 문화 등 각 부문에 기독교적 이념을 명시하여 위선은 우리 교도로서의 국가적 진로를 확립함과 동시에 전민족적 통일과 자주독립에 가장 근본적인 기여가 있고저 하는 바이다. 백만교도가 교파를 초월하여 십자가 앞에 총집결할 때는 왔다. 우리는 이 조국광복의 위업에 있어서 하나님의 은총의 섭리를 확신하고 예언자적 입장에서 시대를 비판하며 정의를 확립하여 조국을 불멸의 진리 우에 세우고저 좌기강령을 걸고 이 연맹을 xx하는 바이다.

강령

一. 우리는 교파를 초월하며 총집결로서 조국의 자주독립을 위하여 봉

103 Micahel Fogarty, *Christian Democracy in Western Europe 1820-1953* (London: Routledge and Kegan Ltd, 1957), pp.8~10.

사함

一. 우리는 기독정신에 입각한 민주주의의 실현으로 정치, 경제, 문화의 승등적(昇騰的)

평형을 위하여 봉사함

一. 우리는 세계형제주의로서 국제친선과 평화를 위하여 봉사함

선언서

우리 민족은 제3차대전의 종결을 계기로 위대한 미래를 약속받은 채 전후 2대 역류의 와중에 빠저 혼란과 분열에 신음하고 있다. 정치, 경제, 문화 등 제사상의 대립과 분쟁이 일로 심각해간다. 정치인은 모략을, 경제인은 참욕을 임삼는 일이 많으며 무신유물(無神唯物)이 사상이 미만하고 도덕은 퇴페하니 민생은 도탄 속에 신음하고 있다.

우리 백만 기독교도는 하나님의 계명을 따라 사랑과 정의를 생활에 실현하며 위선 건전한 정신적 도덕적 기초를 세우고 근로대중의 최대 승리를 위한 신사회 실현을 촉진하야 정치적, 경제적, 문화적 종교적으로 다시 압제없는 진정한 자주와 독립을 달성하기 위하야 십자군적 총집결과

在日本財産搬入 六月末까지延期

美國소금은더짜다 使用方法에注意必要!

選擧날자에異狀있다 基督敎團體서日曜日이라고反對

어제또火災

美에新型로켙트出現

大靑建設隊派遣

聲明書

조선 그리스도교도연맹 성명서 (1948년 3월 19일 평화일보)

진격을 3천만 동포 앞에 엄숙히 선언한다.[104]

자유방임주의가 가져오는 도덕적 퇴폐와 공산주의의 유물무신 사상을 막아내기 위해서는 정의와 도덕적 기반 위에 민주주의를 실현해야 한다고 본 것이었다. 그가 말하는 도덕은 유교적 도덕주의를 의미하는 것이 아니었다. 신부적 인간화의 결과물이었다. 하나님의 피조물로서 모든 인간이 존귀하고 평등하기 때문에 개인의 자유를 존중한다. 그리고 정직과 순결, 친절함, 욕심을 이겨내는 것을 의미했다.[105] 도덕은 사랑과 정의의 기초 위에 세워져야 한다. 정의는 이기주의를 극복하고 사랑과 나눔의 가치를 실현하는 것이었다. 자기 욕심을 탐하고 뇌물을 받거나 불법을 행하는 것은 엄격하게 다스려져야 했다. 궁극적으로 민초들이 인간다운 삶을 누리는 신사회를 실현하는 것이 기독교적 민주주의의 목표였다.

그리스도교도연맹은 그가 기독교 정치세력을 대표하는 인물임을 각인시켜 주는 단체였다. 그러나 그리스도교도연맹의 한계는 아직 주류의 한국개신교회가 완전히 수용하지 못하고 있었던 천주교와 연합하는 데서 오는 괴리가 있었다. 이는 주류의 한국교회가 이 연맹에 참여하지 못한 이유이기도 했다.

또한 아직까지 실제적인 기독교적 민주주의 정치의 실체를 체득하지 못한 상황에서 그리스도교도연맹의 역할은 건국과정에서 한국교회의 요구를 대신 전달하는 정도에 그칠 수밖에 없었다. 단체의 활동도 미미

104 "그리스도교도연맹 발기취의서", 김흥수 엮음, 『해방후 북한 교회사』, p.461~462..

105 정준, 『道義와 人生』(서울:신교출판사, 1960), pp.95~96. 정준은 김포읍교회 장로로 평양신학교 와 한국신학대학을 모두 거쳤다. 흥국형제단의 일원으로 활동할 정도로 함태영을 따르던 인물이었다. 제헌의원으로 정계에 진출했다.

했다. 구국기도회와 강연회의 개최, 주일선거에 대한 반대성명 정도였다. 자유와 정의, 질서와 같은 기독교적 가치를 가지고 있는 관념들을 정치화시키지 못한 것이었다. 정치세력으로 자리를 잡지 못한 그리스도교도연맹은 정부수립과 함께 사실상 해체되었다. 독일의 기독교민주당이 정권을 잡으면서 자신들의 가치를 국가적 차원에서 실현하려 했던 것과는 대비되었다.

그리스도교도연맹이 더 이상 활동하지 못한 이유는 정치세력으로써 한국기독교를 지지세력으로 내세우고 있었던 한민당과 이승만의 계보와의 차별성을 드러내지 못했기 때문이었다. 심지어 이승만을 지지하는 전위세력으로서의 기독교 단체라는 인상을 주고 있었다. 결국 그리스도교연맹의 일원들은 대부분 한민당, 독촉을 비롯한 친이승만 정치세력으로 흡수될 수밖에 없었다.

그러나 함태영에게 그리스도교도연맹은 이제 막 단독정부수립이 본격화하고 건국의 기초들이 만들어지는 과정에서 기독교 정신을 한국사회에 드러내는데 중요한 의미를 지니고 있었다. 뿐만 아니라 기독교를 대표하는 정치인으로서 함태영의 이름이 각인되었고, 이는 1952년 정부통령선거에 한국기독교인을 대표해 부통령을 출마하는 동기가 되었다.

비록 기독교적 민주주의의 이상이 그리스도교도연맹을 통해 실현되지는 못했지만 이는 기독교 정치인들이나 정치인으로 기독교 신앙을 공유하고 있던 이들에게 영향을 주었다. 제2공화국의 대통령을 지냈고 반독재 민주회복운동의 선두에 있었던 윤보선이 대표적인 기독교 민주주의를 표방했던 인물이었다. 함태영의 이상이 단순히 당대의 기독교인들이 정치에 참여하기 위한 수단이 아니라 한국기독교인들이 가지고 있었던 민주정치의 이상을 대변하고 있었던 것이다.

8.4. 심계원장 함태영

8월 15일 해방 세돌을 마지하여 감개도 무량한 가운데 대한민국정부수립(大韓民國政府樹立)의 역사적인 대축전은 거행되어 40여년 간의 외정(外政)을 물리치고 이 나라의 독립을 세계만방에 선포하엿다. 이리하야 이 민족은 우호연합제국(友好聯合諸國)의 협조와 더부러 이제 진정한 해방을 찾게 되여 주권(主權)을 확립하게 된 것이니 우리는 이 역사적인 순간에 제회(際會)하여 앞으로 최단기일내에 분단된 강토를 통일하고 완전한 자주독립국가로서 세계우방과 열(列)을 가치하게 된 것으로 우리의 맹서를 더 한층 공고히 하여야 할 것이다. 이날 식전은 중앙청 광장에서 오전 11시부터 널니 일본으로부터 이 식전에 참석코저 내방한 "맥아-더"장관부처 유엔한위(韓委)각대표급 미군요로(美軍要路) 등 외빈과 국내다수 인사참석하에 원로 오세창씨 사회로 식은 진행되여 먼저 동씨의 개회사를 명제세씨가 대독한 다음 이대통령으로부터 별항과 같은 기념식사와 맥아더장군 환영사가 있은 다음 외빈의 축사로서 맥 장군 하-지중장 한위(韓委)대표 루나박사 뻰 교황사절유특사의 순서로 각각축사가 있은 다음 오세창씨 선창으로 만세삼창이 있은 뒤 동 오후 1시 30분 공전의 성

1949년 심계원장 함태영
(출처:한국학중앙연구원)

황리에 폐식하였다.[106]

1948년 8월 15일 세번째 광복절을 맞이하여 대한민국의 정부가 수립되었다. 언론은 정부수립식 광경을 장엄한 국가의 기초가 놓이는 성스러운 예식이었다고 기록했다. 대한제국이 멸망한 이후 한반도에 국제연합이 인정한 유일한 합법정부가 출범했다. 자주적 주권을 가진 새로운 국가가 탄생한 것이었다. 주권국가로서 항해를 시작했지만 대한민국의 과제는 국가적 기초와 틀을 잡아야 하는 과제와 함께 통일을 통해 자주독립국가를 이루어야 한다는 과제를 가고 있었다.

함태영이 그렇게 바라던 민주주의 국가가 탄생한 것이었다. 그에게 있어서 국가의 건설은 개인과 신앙의 자유를 지키고, 기독교의 정의를 실현할 수 있는 장(場)이 만들어지는 것을 의미했다. 그에게 대한민국의 우선적인 과제는 국가의 기초를 확립해 나가는 것이었다. 그는 건국의 기초를 놓는데 자신의 사명이 있다고 믿었다. 그것이 무엇인지를 자신이 찾기보다는 하나님의 주관과 섭리 속에서 찾으려 했다.

1948년 9월 제헌국회는 반민족행위처벌법을 통과시켰다. 그리고 특별법에 따라 반민족행위자처벌 특별조사위원회를 구성하고 특별재판부를 구성하도록 되어 있었다. 12월 2일 특별재판장 후보에 두 사람이 공천되었다. 함태영과 김병로(金炳魯)였다.[107] 12월 4일 국회 본회의에서는 무기명투표를 통해 김병로를 특별재판부장에 선출했다. 당시 김병로는 대법원장이었고 함태영은 별다른 직함을 가지고 있지 않았다. 단지 대한제국의 판사요 기미독립운동의 38인 중의 성명을 발표한 이로 소개되

106 "장엄! 민국조기(民國肇基)의 성의(聖儀)", 『동아일보』, 1948년 8월 16일.
107 『민국일보』, 1948년 12월 4일.

었을 뿐이다. 그럼에도 김병로가 85표, 함태영이 38표를 얻었다.[108] 함태영은 반민특위의 특별재판관 후보로도 추천되었지만 기권했다.[109]

그가 특별한 정치이력을 가지고 있지 않았음에도 이미 그는 제헌국회의 의원들에게 유력한 법조인이자 정치인으로 인식되고 있었다. 이승만은 함태영이 가지고 있는 이러한 위상을 활용하고자 했다. 1949년 이승만은 그가 77세의 나이에도 불구하고 제2대 심계원(현 감사원) 원장으로 임명했다.[110]

심계원은 초기에는 일본의 '회계감사원'이나 중화민국의 '심계원'을 모티브로 했으며 이름은 중국의 심계원을 따랐지만 기능은 국가재정을 관리 감독하는 회계검사의 역할을 담당하는 기관이었다. 공무원들에 대한 직무감찰기능은 별도의 '감찰위원회'가 담당하도록 했다. 심계원은 매 연도 심계결과를 대통령에게 보고하고 (심계원법 18조), 심계의 결과 법률상 또는 행정상 개정을 요한다고 인정할 때에는 각 주관책임자에게 그 개정을 요구하고 이를 대통령에게 보고하며(심계원법 제19조), 출납책임자가 행한 계산이 정당하다고 인정할 때에는 그 책임해제의 판정을 하고(심계원법 제20조), 심계의 결과 회계상 위법 또는 부당한 조치가 있는 경우에는 문책, 정정 등 상당한 처분을 요구할 수 있었으며(심계원법 제21조), 변상책임의 판정(심계원법 제22조), 재심판정(심계원법 제23조), 징계처분 요구(심계원법 제24조) 등을 할 수 있도록 규정되어 있었다.[111] 재정회계의 감독과 징계요구권 등의 상당한 권한이 부여되어

108 『서울신문』, 1948년 12월 5일.
109 "국회본회의 특별재판관등 선정", 『경향신문』, 1948년 12월 8일.
110 『서울신문』, 1949년 11월 27일.
111 홍종현, "감사원의 헌법상 기능 및 권한에 대한 소고", 「공법학연구」, 제19권 2호, 2018년 5월호, p.22.

있었다.

심계원의 초대원장은 3·1운동의 지도자로 함태영과 함께 대한독립촉성국민회 고문을 맡았던 명제세(明濟世)[112]였다. 그러나 1949년 4월초 이승만의 양녀로까지 불리던 임영신 상공부장관의 비위가 감찰위원회에 의해 적발되었다.[113] 이 사건은 막 출범한 정부내부에 큰 충격을 주는 사건이었다. 그것도 대통령인 이승만 주변의 인사라는 점에서 파장이 컸다. 이승만으로서도 부담을 느낄 수밖에 없었다. 임영신이 기소되었을 때 『동아일보』는 이 사건의 사법적 단죄가 '국법의 위신과 대한민국의 국위(國位)'가 걸려있음을 명심해야 한다고 주장했다.[114]국가의 권위가 고위직을 비롯한 공무원들의 부정부패를 해결하지 않으면 안된다는 사회적 공감대가 형성된 것이었다. 이승만으로서 분위기를 일신해야 하는 상황이었다. 이는 사정기관으로 기능하고 있는 심계원과 감찰위원회의 기능을 강화해야만 했다. 함태영이 심계원장에 임명되면서 그에게 주어진 과제는 이도(吏道)를 바로 세우는 것이었다.

> 건국초기에 있어가 가장 중요한 것이 국민전반의 국기이념의 철저한 파악실천과 아울러 민중의 공복(公僕)으로의 공무원의 확고정상한 이도(吏道)의 확립인 것이다. 이도(吏道)란 비단 식관오리(食管汚吏)의 발호를 근멸시키어 명랑하고 민중이 신임하는 공무원의 도의(道義)말함은 물론 적어도 공무원 된자는 어떠한 정당이나 계파에 조종당하여도 안되는 것도 포함여 의미하는 바이다. 우리나라를 비록 반세기간이나마

112 명제세(明濟世)(1885~?). 광복단과 임시정부에 참여했고, 톈진불변단을 조직하여 상해임시정부의 광복정책에 협조했다. 국내에서 민흥회를 조직해 활동하고, 광복 후 건국준비위원회와 대한독립촉성국민회를 통해 건국과 통일운동에도 노력했으며, 초대 심계원장을 역임했다. 6 · 25 때 납북되었다.

113 "임(任) 상공장관 감위(監委)서 적발", 『동아일보』, 1949년 4월 5일.

114 "위정자의 양심", 『동아일보』, 1949년 6월 3일.

외적의 토족에게 유린받게 하였던 원인이 어디있었던가 냉정히 비판하여 볼때 이조 오백년간을 통하여 극단의 당쟁과 정권지배를 위요(圍遶)한 골육지쟁(骨肉之爭)과 족당정치(族黨政治)로 인한 민중의 고혈착취를 정치의 목표로 삼던 정치의 부패에 있었던 것은 부인치 못할 사실일 것이다.[115]

제1공화국의 초대 내무부장관으로 도백을 임명하는 권한을 가지고 있었던 윤치영은 자신의 자서전에서 시장과 도지사의 임명 기준 가운데 하나로 부정부패 척결을 위해 이도(吏道)를 바로 세울 청렴결백한 인사를 세우는 것을 최우선으로 하고 있었다.[116]

이승만이 후임 심계원장을 임명하는데도 독립적이고 강직하게 이도를 세울 인물이 필요했다. 또한 그는 철저한 국가이념의 소유자여야 했다. 함태영은 이미 법관으로서의 강직한 이미지와 청렴결백함으로 존경을 받던 인물이었다. 또한 초대원장이었던 명제세와 함께 대한독립촉성국민회의 고문으로 활동하며 자유민주주의 이념을 바탕으로 한 건국에 동참했었다.

신부적 국가관의 실현과 사회복음주의적 정의의 신념을 가지고 있었던 그에게 심계원장의 자리는 거절할 수 없는 제안이었다. 국가의 건국에 실질적으로 기여할 수 있을 뿐만 아니라 자신의 신념을 드러낼 수 있는 기회였기 때문이었다.

그는 심계원장 취임사에서 다음과 같이 언명했다.

나라가 바로 되자면 정의가 서야 되는 것이며 정의를 위하여는 법이 법

115 "감위활동과 이도(吏道)의 쇄신", 『경향신문』 1949년 12월 29일 사설.
116 윤치영, 『윤치영의 20세기』, 222.

> 대로 시행되어야 한다. 그런데 이 법이 옳게 시행되고 못되는 것은 오로지 우리 관직자의 손에 달린 것임은 두말할 필요도 없다. 관직자 중에서도 심계원은 파사현정(破邪顯正)의 양심 노릇을 하여야 할 관직이다. 오늘 우리 나라에서 여출일구(如出一口)로 걱정하는 것은 리도(吏道)의 타락이니 거룩한 국법을 사사(私事)에 이용한다, 권위를 상품화한다 하는 비난이 너무나 자자하다.
> 나는 지금까지 항간에 있어서 그런 소문이 어느 정도로 사실인지 알 수 없으나 예컨대 우리에게 그런 일이 있다면 그것은 가장 무서운 파렴치죄임과 동시에 반국가적 행동인 것이다. 그러므로 나는 취임에 당하여 여러 동료 관직자에게 이 한 마디 말을 특히 강조하려고 한다. 즉 우리는 몸을 가지는 데 절대 염결(廉潔)하여 황금이나 권세가 내 인격을 더럽히는 것을 추호라도 허용해서는 안 된다는 것이다.[117]

심계원의 목표를 함태영은 정의를 바로 세우는 것이라고 천명했다. 그리고 이도(吏道), 즉 공무원의 도(道)가 타락하면 그것이 곧 국가의 타락이라는 인식을 분명하게 보여주었다. 함태영의 심계원장 취임이후 심계원은 그 이전보다 훨씬 강력한 권한을 행사하기 시작했다. 심계원장에 취임한 지 한달여가 지난 1950년 1월 귀속농지국 부산지국장 등 5명에 대한 공금횡령사건을 적발하고 면직 처리시켰다.[118] 뿐만 아니라 1950년 2월에는 국유재산에 대한 대대적인 검사에 착수했다. 이는 해방 후에 처음 실시하는 것이었으며 처음으로 국유재산의 현황을 파악하는 일이었다. 이와 동시에 각종 횡령사건에 대한 검사를 강화하고 있었다.[119]

함태영은 심계원의 법 적용을 은행을 비롯한 전 금융기관으로 확대하

117 "파사현정에 노력 함태영 심계원장 취임사", 『동아일보』, 1949년 12월 5일.
118 "귀속농지관리국 부산국장등 파면", 『동아일보』, 1950년 1월 19일.
119 『동아일보』, 1950년 2월 10일.

여 적용했다. 이는 정부가 투자하거나 관계된 모든 기간을 검사해야 한다는 자신의 의지를 반영한 것이었다. 그만큼 정부의 재정은 엄격하고 공정하게 다루어져야 했다.

> 현존 각 은행이 검사대상에 드는 것은 법리(法理)상(上)으로나 재정(財政)상(上)으로나 당연한 체결이다. 각 금융기관은 심계에 적극협력하여 주기 바란다.[120]

함태영의 부임 이후에 심계원은 공무원과 정부의 재정이 투입되는 은행 등의 금융기관과 교육기관 등, 법이 적용될 수 있는 모든 기관으로 검사의 권한을 확대하고 있었다. 언론은 "심계원의 날카로운 눈초리는 흐려진 국가기관재정 앞에 대단히 무섭기도 하고 또한 국가를 위하여 긴한 것"[121]이라고 평가하고 있었다. 엄격한 법의 집행과 감독자요 건국 초기 공무원의 이도(吏道)를 적립한 추상(推尙)같은 인물, 심계원장 함태영은 그렇게 대중에게 각인되어 가고 있었다.

함태영은 심계원을 통해 기독교의 정의가 어떻게 국가 속에서 실현될 수 있는지를 보여주었다. 이는 그가 추구했던 신부적 국가관의 실현이었다. 그는 자신의 정치적 이상으로 제시했던 기독교적 민주주의가 엄격한 도덕성과 정의의 바탕 위에서 실현되어야 하며 그것이 기초가 될 때 비로소 올바른 국가로 자리잡을 수 있다는 사실을 분명하게 제시하고 있었던 것이다.

그러나 심계원이 그 역할과 권위에서 자리를 잡아갈 무렵이었던 1950

---

120 "은행은 심계대상 함심계원장 담", 『동아일보』, 1950년 2월 17일.
121 "휴지통", 『동아일보』, 1950년 6월 16일.

년 6월 25일 전혀 예상하지 못했던 북한군의 남침으로 한반도는 전쟁의 소용돌이 속으로 빠져들고 있었다. 이는 함태영의 생각과 사고에도 크게 영향을 미치고 있었다. 더군다나 전쟁의 참화 속에서 나타나는 국가의 기강과 방향은 그가 상상했던 것 이상으로 처참한 것이었다.

9장 대한민국 부통령 함태영

9.1. 1952년 정부통령 선거

9.1.1. 전쟁의 참화

> 금 25일 작효(昨曉) 5시-8시 사이에 38선 전역에 걸쳐 이북괴뢰집단은 대거(大擧)하여 불법남침하고 있다. 즉 옹진전면으로부터 개성, 장연, 의정부, 동두천, 춘천, 강릉 등 각지 전면의 괴뢰집단은 거의 동일한 시각에 행동을 개시하여 남침하여왔고 동해안에는 괴뢰집단의 선척(船隻)을 이용하여 상륙을 기도하여왔으므로 목하(目下)전기(前記) 각 지역의 우리 국군부대는 이를 요격하여 긴급적절한 작전을 전개하고 있다. 그중 동두천 방면 전투에서는 적측이 전차까지 출동시켜 내습(來襲)하였으나 아군 대전포에 격침당하고 말았다.[122]

1950년 6월 25일 새벽 북한의 공산군이 소련제 탱크를 앞세워 전면적인 남침을 단행했다. 25일 북한군의 남침을 제대로 알지 못했던 시민들은 다음날인 월요일 신문과 라디오를 통해 다급한 전황을 듣고 있었다. 정부의 공식발표는 국군이 북한 괴뢰군의 공격을 성공적으로 막아내고 있다는 것이었지만 시시각각 서울로 들려오는 소문은 북한군에 일방적

122 "작효 괴뢰군 38선 전역에 불법남침", 『연합신문』, 1950년 6월 26일.

으로 밀리고 있다는 것이었다. 특히 탱크에 대한 두려운 소문이 퍼지고 있었다. 242대의 소련제 탱크는 국군이나 미군이 가지고 있었던 무기로는 당해낼 수가 없었다. 대통령 이승만을 비롯한 행정부는 서둘러 대전으로 옮겨가야 했다. 불과 3일만인 6월 28일 서울이 함락되었다.

심계원장이었던 함태영도 자세한 전황을 알 수 없었다. 다만 황급히 피난해야 한다는 소식만 듣고 서울이 함락되기 전날인 27일 돌보고 있던 병소, 병춘과 함께 서울을 빠져나왔다. 아무런 짐도 가지고 나오지 못할 정도로 급박한 순간이었다. 병소는 그날을 다음과 같이 기록했다.

> 저는 아버지와 동생 병춘과 함께 6월 27일에 서울을 탈출해서 지금까지 대전과 대구, 부산으로 피난 다니고 있습니다. 너무 불쌍한 인생입니다. 저희는 집과 가족, 재산 등 모든 것을 잃었습니다. 가진 것이라고는 여름 옷 한벌 밖에 없습니다. 일부 피난민들로부터 서울과 저희 집에 대해 듣는데, 공산당이 저희 집을 부수고 피난민 수용소로 썼다고 합니다. 그리고 기독교 신자들을 굶겨 죽이고 있습니다.
> 저는 너무 화가 나고 더 이상 참을 수 없어서 제꿈과 희망, 모든 것을 포기하고 군에 입대했습니다. 지금 미군에서 통역사로 일하고 있습니다. 제가 있는 연대는 매우 우수하고, 항상 최전선에 있습니다. 제가 있는 참호에서는 늘 적군의 전동차와 포탄이 지나갑니다. 이 편지도 2-3일 잠시 잠잠한 틈을 타서 쓰는 것입니다. 여하튼, 저는 전투 중이며 위가 승리할 것을 확신합니다.[123]

함태영은 두 아들을 모두 군에 보냈다. 병소는 통역병으로 막내아들 병춘은 이제 고등학교를 졸업했지만 공군장교로 입대했다.[124] 함태영은

123 "함병소가 함호용 부부에게 보낸 편지", 『미국 UCLA리서치도서관 스페셜 컬렉션 함호용 자료』, P.215.
124 "인간 함병춘, 그는 누구였나", 「2000年」, p.20.

피난하는 와중에도 함호용의 아들 노마를 찾아야 했다. 그가 연동교회를 담임할 때부터 종형으로 친분과 교제를 나누었던 하와이의 함호용 목사의 아들 노마가 한국에 들어와 왔을 때 그를 돌보고 있었기 때문이었다. 함태영은 노마가 미국대사관으로 피해 무사히 피난한 줄 알았지만 찾지 못했다.[125] 함노마는 피난 나오지 못하고 공산군에 잡혀 결국엔 죽음을 당하고 말았다.[126]

전쟁은 국가뿐만 아니라 함태영 개인에게도 고통스러운 순간이었다. 군에 입대한 두 아들을 노심초사하며 기다려야 했고, 급박한 전황 속에서 국가의 안위를 걱정해야 했다. 그러나 9월 28일 서울을 수복하고 삼팔선을 넘어 평양으로 진격하면서 전세가 다시 연합군으로 넘어왔다. 1952년 중공군의 참전으로 압록강까지 진군했던 연합군이 밀리기 시작하면서 역전에 역전을 거듭하는 장기전의 양상으로 돌입하고 있었다. 전선이 38선을 중심으로 형성되면서 전방지역에 비해 후방지역은 어느 정도 안정을 찾아가고 있었다.

피난지 수도였던 부산에서 함태영은 부산시청에 마련되어 있었던 심계원의 업무를 계속했다. 당시 임시수도 부산의 모습은 참혹했다. 1951년 1·4후퇴 이후 급증한 피난민들로 부산인구는 100만명이 넘어섰고 좁은 공간, 부족한 먹을거리, 식수난, 용변 처리 문제가 사람들을 괴롭혔다. 정부가 마련한 40여개의 수용소가 수용할 수 있는 피난민 인원은 7만명에 불과했다. 수십만명의 피난민들은 부두 주변, 산등성이, 해안지역, 공동묘지 지역에 판자와 미군 부대에서 나온 박스로 판자집이

---

125 "함태영이 함호용에게 보낸 편지", 『미국 UCLA리서치도서관 스페셜 컬렉션 함호용 자료』, p.216.

126 위의 자료집, p.217.

나 움집을 짓고 목숨을 이어가야 했다.[127]

1951년 1·4 후퇴가 단행될 무렵 부산에서는 피난 내려오는 국민방위군의 참혹한 광경에 들끓고 있었다. 국민방위군은 1950년 12월 11일 공포된 '국민방위군설치법'에 의하여 제2국민병역 해당자 만 17세 이상 40세 미만의 장정으로 조직된 것으로 공산침략에 대비하는 것이 목적이었다. 그러나 그들의 처우는 처참할 정도로 끔찍한 것이었다. 국회의 진상조사에서 드러난 바에 의하면 간부들이 장정들에게 지급해야 하는 식량과 의류, 그밖의 보급품을 빼돌리면서 장정들 중에 아사자가 1천여명을 넘었고, 다수의 병자들이 발생했다. 더군다나 그들이 남하하면서 길거리에서 굶어 죽거나 질병으로 쓰러지는 광경들이 고스란히 국민들에게 목격되었다.[128]

전쟁 직전 서울시장과 상공부장관을 역임했고, 전쟁과 함께 대한적십자사 총재를 맡아 종횡무진했던 윤보선도 국민방위군의 모습을 보고 경악했다.

> 어느 날엔가 고 장덕수 씨의 미망인 박은혜와 여사와 함께 수영비행장에 갈 일이 있어 동행했다가 도중에 충격적인 현장을 목격하게 되었다. 삼삼오오 떼지어 있는 걸인(乞人)군상을 목격한 것이다. 그들은 국민방위군들이었다. 옷은 다 해지고 사람을 분간하지 못할 만큼 얼굴은 모두 부어있는 상태였다. 국민방위군들은 다수가 목숨을 잃고 살아남은 사람들조차 굶주림과 병고에서 신음하고 있었다. 그 현장을 목격하고 돌아온 당시 나는 즉시 대통령 관저로 찾아가 대통령에게 사실대로 상세히 보고했다.[129]

127 주인식, 『1952 부산, 이승만의 전쟁』(서울:기파랑, 2018), p.38.
128 해방22년사 편찬위원회, 『해방20년사-기록편』(서울:세문사, 1967), p.384.
129 윤보선, 『외로운 선택의 나날』(서울:해위윤보선기념사업회, 2012), p.562.

이 사건의 파장은 상당했다. 1951년 4월 30일 국회는 국민방위군설치법의 폐지안을 의결했다. 이 여파로 국방부장관 신성모가 사퇴했다. 국회는 최종진상보고에서 간부들의 횡령액이 총액 23억원, 식량 5만 20여석이었다. 식량 5만여석을 금액으로 환산하면 20여억원에 이르렀다. 약 50여억원이 횡령된 것이었다. 이 진상보고에 충격을 받은 부통령 이시영이 사과와 함께 이 사건의 공정한 처리를 요구하며 자진사임했다.[130]

이 사건을 무마하려는 이승만과 여당, 그리고 사건의 진상을 따라 부조리함을 해결해야 한다고 주장하는 야당은 국회에서 격투를 벌이면서까지 대립하고 있었다. 당시 함태영은 이 사건이 발생하는 과정을 지켜보면서 전시 중임에도 국가재정이 심각하게 유용되고 있다는 사실을 절감하고 있었다.

심계원은 아직 국민방위군의 진상조사가 완료되지 않은 시점이었던 1951년 3월 25일 예산낭비에 대한 특별점검을 실시했다. 그리고 국회에서 국민방위군 사건에 대한 진상이 최종보고되던 4월 30일 심계원장 함태영은 담화를 통해 국가 회계의 잔액에 대한 전격적인 동결조치를 취했다. 예산에 대한 전횡과 유용을 차단하기 위한 조치였다.[131] 전시 중이었고, 예산잔액의 동결조치는 행정부에게는 상당한 타격을 주는 것이었다. 함태영이 심계원장에 취임하면서 했던 이도(吏道)를 바로 세우겠다는 일성은 단순한 허언이 아니었다. 그것이 비록 전시(戰時)라 할지라도 반드시 지켜져야만 국난(國難)을 극복할 수 있는 것이었다. 그런데 이러한 반응은 대통령 이승만에게는 불편한 조치들이었다. 윤보선이 자신이 목격한 국민방위군의 참상을 전했을때, 그것을 들으며 자신

130 해방22년사 편찬위원회, 『해방20년-기록편』, p.385.
131 "예산잔액 동결 함원장 소급 유용금지", 『동아일보』, 1951년 5월 1일.

과 정부를 모략하는 것으로 이해했던 이승만이었다.[132]

전쟁이라는 상황이 계속되고 있는 상황에서 이승만에게 다가온 정치적 현실은 녹록치 않았다. 전쟁직후 치러진 2대 국회의원 선거에서 무소속이 전체 의원의 60%를 차지할 정도로 이승만이 대통령에 당선되었던 제헌국회와는 다른 구도를 형성하고 있었다. 당시 대통령은 간선제로 의회에서 선출된다는 것을 감안했을 때 이는 이승만에게 불리하게 작용하고 있었다. 이승만이 우선했던 것은 전쟁에서 이겨서 국가의 통일을 완성하는 것이었다. 그러기 위해서는 강력한 통치권이 있어야 했다. 북한뿐만 아니라 유엔군을 이끌고 있는 미국을 설득하기 위해서는 자신이 필요하다고 느끼고 있었다. 더군다나 전쟁 중의 민심은 아직까지 이 전쟁을 이끌 지도자로 이승만을 원하고 있었다.[133]

여기에 자신의 생각과 다르지 않았던 맥아더가 해임되었다. 이는 이승만에게 커다란 충격으로 다가왔다. 이런 와중에 터진 국민방위군사건은 그 자체로 자신의 위상은 물론이고 정부에 대한 불신을 가중시키는 일이었다. 이승만에게 이 사건이 부각되는 것 자체가 부담일 수밖에 없었다.

이승만이 주변정세와 정치상황에 대한 고민 속에서 이 사건을 바라본 반면 함태영은 정의의 문제로 이해했다. 아무리 전시라고 해도 국가의 재정을 이렇게 유용하고 횡령하는 것은 있을 수 없는 일이었다. 더군다나 국가의 재정을 감사하는 위치에 있었던 그에게 이를 유야무야 넘기는 것은 올바른 일이 아니었다. 그가 꿈꾸었던 민주주의 국가는 부정과 부패 위에 건설되는 국가가 아니었다. 함태영에게 정치적 고려나 주

132 윤보선, 『외로운 선택의 나날』, pp.562~563.
133 주인식, 『1952 부산, 이승만의 전쟁』, p.40.

변 정세를 판단하는 것은 자신의 사명과 주어진 책무를 방기하는 일이었다.

정치현실과 주변정세를 바라보았던 이승만과 정치 이상을 실현하려는 함태영의 목표가 달랐던 것이다. 국민방위군사건은 그것을 표면화시킨 사건이었다. 한편 함태영은 이 사건을 지나면서 정부 관리들의 국가에 대한 사명감과 책임의식이 얼마나 심각한 수준인지를 절감하고 있었다. 심계원이라는 정부의 기관이 아니라 국가 전체를 아우를 수 있는 지도력이 필요하다는 것을 자각하고 있었다. 대통령 이승만의 측근들이 벌이는 전횡을 목도해야 했던 그로서는 그러한 의식은 더욱 깊이 각인될 수밖에 없었다. 그것이 이승만에 대한 비토를 의미하는 것은 아니었다. 함태영은 여전히 이승만에 대해 신뢰했고, 그의 애국심을 의심하지 않았다. 다만 이승만의 통치방식과 정치스타일에 대해서는 견해를 달리하기 시작한 것이었다.

9.1.2. 부산 정치파동

> 막후 절충이 한창 진행되고 있을 때, 민국당 소속 국회의원이 중심이 되어 국회 본회의를 성립시키고 전격적으로 장면 박사를 대통령으로 선출하리라는 말이 나돌게 되었고, 사실상 이렇게 될 가능성도 없지 않았다.
> 이 대통령에게 아첨을 일삼던 무리들은 이 소문을 이 대통령에게 알려주어 크게 자극을 받은 이 대통령은 나를 불러 직선제 개헌안을 당장 제출하라고 독촉했다. 나는 직선제 개헌안의 국회 통과는 바랄 수 없고 국민의 여론도 개헌을 반대한다고 말했으나, 이 대통령은 고집을 꺾지 않았다. 나중에 이 대통령은 화가 나 “안될 때 안되더라도 개헌안을 제출하라”고 명령조로 말하며 “내가 다 생각이 있어서 그러는 것이오”라고

말했다. 그의 복안은 민의를 동원해 국회를 견제하려는 것임을 나는 잘 알고 있었다.[134]

국회 내에서 입지를 잃어가고 있었던 이승만은 국무총리 서리였던 허정(許政)에게 직선제 개헌을 준비시켰다. 그러나 전시 중에 이러한 개헌안이 추진되는 것이 국회적인 상황이나 민심의 흐름 상 쉽지 않다고 판단했던 허정은 이 제안에 반대하고 있었다. 그러나 1952년에 들어서면서 직선제 개헌안은 국무회의를 통과하고 국회로 상정되었다. 이는 소위 '부산정치파동'의 서막을 여는 일이었다.

1952년 1월 18일 국회에 상정된 대통령 직선제와 양원제 개헌안은 찬성 19, 반대 143의 압도적인 표차로 부결되었다. 국민방위군 사건과 거창양민학살사건[135]의 여파로 입지를 잃어가고 있었던 이승만에게 개헌안의 부결은 충격이었다. 더군다나 아직 전쟁이 끝나지 않았고 휴전을 추진 중인 미국 트루먼 행정부를 설득해야 했다. 그러한 상황에서 자신이 실각할 가능성이 높아진 것이었다. 이승만에게는 지금이 통일을 이룰 수 있는 절호의 기회였다. 이승만의 측근들도 그의 생각을 알고 있었다. 그러나 국회의 정치지형은 야당인 민국당에 의해 주도되고 있었다. 심지어 이승만 자신이 창당을 주도한 여당 자유당 내부에서도 직선제 개헌보다는 의원내각제를 선호하고 있었다. 이범석이 주도하는 원외 자유당만이 대통령직선제 개헌을 강하게 추동하고 있을 뿐이었다.[136]

당시의 간선제에 의한 대통령 선출방법이나 야당이 주장하는 의원내

---

134 허정, 『내일을 위한 증언』(서울:샘터, 1979), p.182.
135 1951년 2월 경상남도 거창군 신원면에서 국군 제11사단 소속 군인들이 마을 주민을 집단학살한 사건.
136 주인식, 『1952 부산, 이승만의 전쟁』, p.72.

각책임제 개헌으로는 자신의 집권이 불가능할 뿐 아니라 통일국가를 이루겠다는 신념 또한 무위로 돌아가는 것이었다. 이승만이 이를 타개하기 위해서는 국회에서 무리수를 두더라도 직선제 개헌안을 통과시키는 것 외에는 방법이 없었다. 이를 위해서 이승만은 담화를 통해 국회의원 국민소환이라는 카드를 꺼내 들었다. 이는 국회에 대한 국민들의 불신을 유도하는 것이었다.

1952년 4월 16일 국회의원 123명이 서명한 의원내각책임제 개헌안이 국회에 제출되었다.[137] 이것이 부산정치파동이라는 판도라의 상자를 연 사건이었다. 이 개헌안의 통과는 이승만에게는 정치적 생명의 단절을 의미하는 것이었다. 이승만은 이를 저지하기 위해서 원외 자유당과 청년단체들을 동원하여 국회 밖에서 의원내각제 반대 캠페인을 전개했다. 또한 5월 25일 공비 토벌을 명분으로 경남지역에 비상계엄령을 선포한 후 의원내각제 개헌을 주도한 의원들을 체포했다. 26일에는 국회의원 40여명이 탄 버스를 국제공산당과 관련된 혐의가 있다는 이유로 헌병대로 연행했다. 강경파 야당 의원들을 체포하고 연행해 감으로써 이들의 국회 출석을 막아 버렸다. 국회는 마비되었다.[138]

부통령 김성수는 사임을 발표했다. 그는 비상계엄을 선포하고 국회의원들을 잡아들인 정부의 행위를 쿠데타로 정의했을 뿐만 아니라 이승만을 전형적인 독재주의자로 규정해 버렸다.[139] 김성수의 선언은 해방이후 줄곧 이승만을 지지했던 한민당 계보가 이승만과 결별한 것을 의미했다. 한국의 정세를 지켜보고 있었던 미국은 한국군을 동원해 이승만

137 "내각책임제개헌안 제의", 『동아일보』, 1952년 4월 16일.
138 양동안, 『이승만의 민족통합주의 연구』(서울:연세대학교 대학출판문화원, 2017), p.110.
139 김성수, "진정한 민주주의의 실현을 - 부통령 사임이유서", 『해방20년사』, p.400.

을 축출하려는 계획까지 진행시키려 했다.[140] 그러나 이승만은 의원내각제 개헌안을 추진했던 의원들을 회유하고 의원내각제 요소를 일부 가미한 대통령직선제 개헌을 밀어 붙이기 시작했다. 1952년 6월 8일 대통령직선제를 골자로 하는 정부의 개헌안이 제출되었다. 국회의원들이 사실상 회의장에 감금된 상태에서 7월 5일 소위 '발췌개헌안'[141]이 기립표결 끝에 전격적으로 국회를 통과했다. 183명의 의원 중에서 163명이 찬성, 기권 3표였다.

직선제 대통령 선거일은 8월 5일로 정해졌다. 개헌안이 통과된지 꼭 한달만에 선거가 치러지는 것이었다. 그 누구도 대통령과 부통령에 출마하겠다는 생각을 갖지 못할 정도로 갑작스럽게 치러지는 선거였다. 그런데 대통령은 물론이고 부통령으로 출마할 수 있는 유력한 정치인들의 상황이 녹록치 않았다. 대통령 후보로 거론될 수 있는 후보는 여당에서는 이승만이 독보적인 반면에 야당에서는 부통령직을 사임한 김성수나 이시영, 국무총리로 대통령 후보로 끊임없이 거론되었던 장면 모두 부산정치파동의 여파로 전면에 나서기 어려운 상황이었다. 그들조차도 이승만과의 대결은 부담스러운 일이었다. 자연스럽게 이 선거의 초점은 부통령 출마자들에게 쏠리고 있었다. 개정된 헌법에서 부통령의 직무가 명확하게 규정되지 않았지만 적어도 선거로 선출되는 만큼 대통령을 견제할 수 있는 위치로 여겨졌기 때문이었다. 당시 부통령 후보들로 거론되었던 후보들은 이윤영, 이갑성 등이 각 정파들로부터 추천되었고, 이범석과 함태영도 이름이 거론되고 있었다.[142]

140 양동안, 『이승만의 민족통합주의 연구』, p.111.
141 대통령 직선제와 상 · 하 양원제를 골자로 하는 정부측 안과, 내각책임제와 국회단원제를 골자로 하는 국회안을 절충해서 통과시켰다고 하여 발췌개헌이라 부른다.
142 "정부통령후보 동향 미묘", 『동아일보』, 1952년 7월 20일.

함태영의 이름이 부통령 후보 속에 등장한 것은 그가 심계원장에 취임한 이후에 보여주었던 명망 때문이었다. 함태영의 원장 취임 이후에 심계원은 정부관리들의 부정부패를 일소하는데 연일 성과를 내고 있었다. 특히 국민방위군 사건이후에 보여준 국가회계부정에 대한 엄격한 관리는 야당으로부터도 호응을 얻고 있었다. 반대로 이승만에게는 정부관리들의 부패한 모습이 드러나는 것 자체가 부담스러운 일이었다. 더군다나 정부 고위관리임에도 두 아들을 장교로 입대시킨 그의 면모는 귀감이 되기에 충분했다.

부산정치파동은 전쟁의 혼란과 함께 대한민국 국가이념으로 제시된 민주주의 체제를 혼돈에 빠져들게 했다. 국민방위군사건으로 스스로 국가의 정의를 세워야 한다는 사명의식을 절감하고 있었던 함태영이었다. 전쟁과 정쟁으로 혼란한 국가의 현실 앞에서 그가 자신에게 주어진 사명을 감당해야 하는 것이 무엇인지를 고민해야 했다. 그리고 3·1운동에 좌고우면하지 않고 뛰어들었던 자신의 모습이 다시 한번 역사에 드러나야 함을 느끼고 있었다.

9.2. 부통령 함태영

9.2.1. 제2대 정부통령 선거

1952년 7월 5일 통과된 개정된 헌법에 따라 제2대 정부통령 선거는 7월 26일까지 정부통령 입후보자 등록을 마감하고 8월 5일 선거를 실시하는 일정으로 공고되었다. 7월 26일 후보등록이 마감되었을 때 대통령

1952년 심계원장 퇴임식

후보는 이승만, 조봉암, 이시영, 신흥우 4명이었다. 부통령 후보는 이범석, 이윤영, 조병옥, 함태영, 전진한, 이갑성, 임영신, 백성욱, 정기원 등 9명이나 되었다. 대통령 후보로 등장한 인물 중에는 이승만에 필적할 유력한 인물이 없었다.

반면 부통령 후보들의 판도는 쉽게 전망하기가 어려운 상황이었다. 그럼에도 이승만과 가까운 이범석, 이윤영, 이갑성이 유리한 고지를 점하고 있었다. 이범석은 내무부장관으로 족청계를 이끌며 의회불신운동을 조직적으로 이끌었던 인물로 자유당을 이끌고 있었다. 이윤영(李允榮, 1890~1975)[143]은 북에서 월남한 기독교인들을 대표하는 인물로 이승만과도 각별한 관계였다. 신흥우는 대표적인 기호계 기독교민족주의자들의 리더로 함태영과 함께 적극신앙단을 이끌정도로 기독교계 일부에서

143 호는 백사(白史). 3·1운동 때 독립선언강연회를 연 후 시위전개로 옥고를 치렀다. 평양남산현교회를 담임했던 감리교 목사였다. 해방 직후, 8월 조만식(曺晩植) 등과 함께 평양인민정치위원회를 조직하고 부위원장이 되었고, 11월 조선민주당 창당에 참여해 부당수로 선출되었다. 신탁통치반대결의 밀서를 서울로 보낸 것이 문제가 되자 1946년 2월 월남했다.

여전히 영향력을 가지고 있었다. 조병옥은 야당인 민국당의 지지를 등에 업고 있었다. 함태영과 관계가 깊은 이갑성 또한 자유당내의 일부와 성년층의 지지를 얻고 있었다. 이외에도 백성욱은 불교계의 지지를 받고 있었고, 전진한(錢鎭漢, 1901~1972)은 노동자들을 지지층으로 확보하고 있었다. 임영신은 여성계를 정기원[144]도 기독교계 일부의 지지층을 가지고 있었다. 함태영은 이렇다할 정당이나 계층의 지지기반이 없었다. 단지 기독교 경기노회계와 북에서 월남한 동포들의 지지를 받을 것으로 전망할 뿐이었다.[145]

함태영은 사실 부통령 후보로 나서는 것에 대해서 상당한 부담을 가지고 있었다. 조직기반이 전무했고, 지지층 또한 기독교계의 지지도를 확신할 수 없었다. 스스로도 출마를 결정하기에 어려움이 있었지만 주변 기독교계 인사들의 강력한 권유에 의해 떠밀리다시피 후보등록이 이루어진 것이었다. 그는 내심 당선보다는 자신의 출마가 정국 안정과 기독교계가 하나로 단합할 수 있기를 바라는 정도를 목표로 삼고 있을 뿐이었다.[146]

선거운동이 본격적으로 시작되었을 때 초반 분위기는 여당의 이범석과 야당의 조병옥이 두각을 나타내고 있었으며 두 사람의 경쟁으로 좁혀지는 분위기였다. 특히 이승만의 사실상 러닝 메이트로 입후보한 이범석의 당선이 유력시 되는 상황이었다.

그런데 선거분위기는 묘하게 흘러가고 있었다. 선거기간이라 해봐야

144 정기원(鄭基元, 1898~1986)은 황해도 은율 출신으로 평양숭실 출신으로 샌프란시스코대학에서 신학을 공부하고 프린스턴대학에서 박사학위를 받았다. 프린스턴에서 교수로 활동하다가 해방과 함께 귀국해서 동아대학교 학장을 역임하고 제2대 민의원에 무소속 당선된 이력을 가지고 있는 인물이었다.

145 "정부통령 입후보 등록완료, 대통령 4명, 부통령 9명", 『경향신문』, 1952년 7월 28일.

146 함동욱, "고종황제와 검사 함태영", 『신동아』, p.476.

1952년 정 · 부통령 선거 당시 선거벽보

불과 열흘이 채 되지 않는 시간이었다. 초반 분위기에 따라 선거의 결과가 결정될 수도 있는 상황이었다. 부통령 선거는 대통령 당선이 유력했던 이승만의 의중에 의해서 민심의 동요가 불가피한 상황이었다. 그런데 입후보 등록이 끝난 직후인 7월 28일 이승만은 성명을 통해 자신의 러닝 메이트인 부통령을 추천하지 않겠다고 선언해 버렸다.[147] 이 성명은 이승만의 사실상 러닝 메이트로 알려졌던 이범석에게는 큰 타격이었다.

친 이승만계로 보이는 7명의 후보자 모두에게 기회가 돌아간 것이었다. 야당의 조병옥에게도 이는 기회로 받아들여지기에 충분했다. 특히 기독교계에서는 이승만에 대한 절대지지를 공언하고 있었다. 문제는 이윤영과 함태영 두명의 목회자가 부통령 후보로 나온 것이었다. 둘 중의 한명에게 기독교인들의 표를 몰아주어야 하는 상황이었다. 이윤영은 평양의 감리교를 대표하는 목사였고, 함태영은 서울과 경기지역을 대표하

147 "부통령 추천 않겠다", 『동아일보』, 1952년 7월 29일.

는 장로교 목사였다. 월남이후에 이승만에 의해서 주요 공직을 두루 거쳤던 이윤영이 눈에 띄는 인물임에는 틀림없었다. 기독교 내부에서도 이윤영을 지지하는 후원조직이 결성되었고, 기독교인들에게 지지를 호소하고 있었다.[148]

장로교 목사였던 함태영의 지지기반은 단순히 서울과 경기지역에만 국한 되는 것이 아니었다. 당시 선거가 치러지는 대부분 지역은 장로교가 중심인 지역이었고, 함태영은 충청지역과 경남지역의 기독교계에도 상당한 인지도를 가지고 있는 인물이었다. 청주제일교회와 문창교회를 담임하면서 충청노회와 경남노회의 노회장으로 이 지역을 대표했던 경력이 있었다. 또한 조선신학교의 이사장으로, 장로교 총회의 부회장으로 해방 후에도 여전히 장로교 내부에서 활발하게 활동하고 있었다. 반면 이윤영의 지지기반은 감리교와 북한지역이라는 한계를 가지고 있었다. 아직 남한에 그의 지지기반이 만들어지기 어려운 측면이 있었다.

그러나 역시 기독교인들에게 중요한 결정요인은 이승만이 누구를 지지할 것인가 하는 것이었다. 이승만은 이범석이 부통령이 되는 것에 대한 경계심을 가지고 있었다. 이러한 이승만의 속내가 국무총리 장택상에게 전해졌다. 이승만의 측근들이 부통령으로 누가 좋은지를 물었을 때 이승만이 누군가를 지목하지 않고 함태영 목사가 양심적이라는 말만 했다는 것이다.[149]

이범석을 견제하고 있었던 장택상이었다. 그런 상황에서 이승만이 자신의 의중을 밝혔다는 것은 이범석에 대한 비토로 받아들여졌다. 장택

148 "전국기독교도에게 고함", 『기독공보』, 1952년 8월 4일.
149 장택상, 『대한민국 건국과 나』(서울: 창랑장택상기념사업회, 1992), p.112.

상은 그때부터 이범석에 대한 낙선운동에 착수했다.[150] 실제로 이범석을 부통령후보로 추대한 원외 자유당에서는 선거 포스터에 이승만과 이범석을 나란히 자유당 후보로 붙여 놓았는데 이것이 이승만의 수락을 받지 못한 것으로 알려지면서 경찰이 강제로 포스터를 제거해 버렸다.[151]

선거가 종반으로 다다른 8월 3일 『동아일보』에는 8월 1일 자유당 이범석 진영에서 발표한 광고를 게재했다. 그것은 이승만이 함태영을 지명했다는 것이 모략이라는 것이었다. 이날 신문에는 함태영의 선거운동 진영에서도 처음으로 선거광고를 실었다.[152] 부통령 선거의 판도가 급격하게 흔들리고 있었다. 함태영의 의도와는 상관없이 이승만이 함태영을 지명하는 것으로 알려지면서 판도가 바뀐 것이었다. 실제로 부통령 선거의 흐름이 이범석이 이승만 지지세력으로부터 외면당하기 시작했고, 기독교에서도 함태영에 대한 지지층의 결집이 뚜렷하게 나타나고 있었다.[153]

조직적인 선거운동 자체가 어려웠던 함태영은 사실 선거출마 자체에 의미를 두고 있었다. 그것은 선거출마로 자신의 신념과 정견을 말할 수 있는 기회가 주어졌기 때문이었다. 함태영은 실제로 이승만의 출마권고를 직접적으로 받은 적이 없었다. 그의 성향상 이승만이 요청했어도 자신의 판단에 따라 자신과 맞지 않다고 판단하면 나서지 않았을 것이다. 함태영은 심계원장을 사퇴하고 출마를 선언하고 후보등록을 한 뒤에야 이승만에게 인사를 할 수 있었다.[154]

---

150 주인식, 『1952 부산 이승만의 전쟁』, p.461.

151 "이갑성씨 근소우세", 『경향신문』, 1952년 8월 1일.

152 "이승만 대통령의 부통령후보 함태영씨 지명설은 모략", 『동아일보』, 1952년 8월 3일.

153 "정부통령 선거 최고조", 『경향신문』, 1952년 8월 3일. 함태영의 측근들은 함태영이 이승만의 내락을 받고 출마한 것처럼 이야기를 흘리고 있었다. 그러나 이승만은 8월 4일 특별담화를 발표하면서 그 어느 누구도 지명하거나 후원하지 않는다는 것을 공식적으로 발표했다.

154 함동욱, "고종황제와 검사 함태영", 『신동아』, p.477.

선거의 양상은 이승만이 의도한 대로 흘러갔다. 선거 하루 전날인 8월 4일 신문들은 부통령 후보들의 판세를 조병옥과 함태영의 양자대결 구도에 이범석이 따라가고 있다고 분석하고 있었다.[155] 8월 5일 제2대 정부통령 선거의 투표가 개시되었다. 8월 7일 처음 발표된 중간개표 결과는 함태영과 이범석이 박빙의 차이를 드러내며 치고 나가고 있었다. 언론은 함태영의 당선을 점치고 있었다.[156]

1952년 8월 8일 제2대 정부통령 선거의 당선자가 공고되었다. 최종 집계결과 대통령은 이승만이 5,238,769표로 2위인 조봉암과 표차이가 450여만표 이상 차이가 날 정도로 압도적으로 당선되었다. 이목이 집중되었던 부통령 선거의 결과는 다음과 같았다.[157]

〈부통령선거개표결과〉

함태영	2,943,812
이범석	1,815,692
조병옥	575,260
이갑성	500,972
이윤영	458,483
백성욱	181,388
전진한	302,471
임영신	190,211
정기원	164,907

함태영이 2위인 이범석과 1백만표차 이상의 압도적인 승리로 당선되었다. 지역적으로도 경기와 경북, 전남 등지에서 압승한 것이 결정적인 영향을 미쳤다.[158] 여기에는 이승만을 절대적으로

155 "정부통령 선거 최고 절정", 『동아일보』, 1952년 8월 4일 ; "부통령은 어디로", 『경향신문』, 1952년 8월 4일. 『동아일보』는 조병옥과 함태영의 양자구도로 정리했고, 『경향신문』은 함태영 지명설이 장택상의 작품으로 보도하면서 이범석에게 큰 타격을 주고 있다고 정리했다.

156 "부통령에 함(咸) 이(李) 양씨 백중", 『동아일보』, 1952년 8월 7일. 8월 6일 현재, 함태영은 339,828표, 이범석은 304,438표를 획득하고 있었다. 대통령은 이승만에게 표가 압도적으로 쏠리고 있었다.

157 "정부통령당선정식선포", 『동아일보』, 1952년 8월 14일.

158 "도별득표수", 『경향신문』, 1952년 8월 10일.

1953년 하와이 방문을 마치고 귀국하는 함태영 부통령

지지했던 기독교인들의 표가 이승만의 함태영 지명설에 힘입어 분산되지 않고 함태영에게로 결집했던 것이 결정적인 이유였다.

9.2.2. 부통령의 당선과 의미

함태영의 부통령 당선이 거의 결정되었을 즈음 신문사 기자가 함태영의 자택을 찾았다. 부산으로 피난와 있던 함태영은 서대신동의 신(申)산부인과 안에 있는 조그마한 단칸방에 혼자서 생활하고 있었다. 심계원장이라는 고위직에 있었던 그가 일반 피난민과 다르지 않은 고된 삶을 살고 있었던 것이다. 소지품은 넥타이 두개와 군복바지 한벌이 전부일 정도로 그는 검소할 뿐만 아니라 엄격한 삶을 살았다.[159] 그에게 기독교의 복음과 정의로운 삶의 실현은 겉으로 치장하는 용어가 아니었다. 스

159 "함옹을 고대하는 한 간방", 『경향신문』, 1952년 8월 9일.

스로 복음적 삶과 정의로운 삶을 실천하려 노력하고 있었다. 그러한 삶은 가지는 것을 죄악시 여기고 이기적인 태도를 죄악으로 본다. 부정과 부패를 견디기 어렵고 독선과 독단적인 태도를 불의하게 여긴다. 그러한 삶의 태도가 그의 부통령 취임사에도 그대로 드러나 있었다.

> 금번 실시된 대통령과 부통령 선거에 있어서 내가 그 그릇이 아니고 나의 능과 힘이 미칠바 못됨을 잘 알면서도 동지들의 간곡한 권장과 친지들의 부르심을 거역하기 어려워 감히 부통령 후보로 출마하였던 바 실로 의외에도 전국처처에서 국민제위의 열렬한 성원과 지지에 접하게 되어 감사와 감격의 정을 누를 길 없어 하는 동시에 일찌기 국민적인 후의에 보답할 아무런 말도 한 바 없음을 부끄러워 하는 바입니다.
> 내 일찌기 이 민족을 위하여 이 몸을 바치려 하면서도 죽지 아니하고 오늘까지 산 것만도 죄송하거늘 이제 전 국민의 성심과 기대 앞에 이 몸과 생명 아울러 바쳐서 산 제물이 되고자 하매 무엇을 주저하여 무엇에 비겁하리이까?
> 나도 이 나라 대다수 국민과 함께 일제 40년 간의 억압고 공산주의 공세의 신산(辛酸)을 국내에서 같이 겪으면서 살아온 몸으로 오늘 이 겨레의 애절한 소원이 자손만대에 전할 내 조국의 자유독립이며, 이 국민의 최소한의 욕구가 그들의 일상생활의 최저의 안정이며, 이 동포의 간절한 민의(民意)가 동포애에 의한 균등한 인권(人權)과 정의감(正義感)의 유지에 있음을 밝히 알고 있는 바이매 내가 국민의 소망에 답할 길이 또한 여기에 있음을 잘 기억하는 바입니다.
> 다행히 이번 대통령 선거에 제(際) 세계 반공민주전선에 있어서 국제적인 지도자로 그 정견과 역량에 대한높이 숭앙(崇仰)을 받고 있는 이승만박사를 대통령으로 모시게 되었으니 위로 그의 정계의 실천과 그 이의 정치이념의 실현에 이바지하며, 아래로 국민제위의 소원과 애국지정이 직접 우리 영도자의 구국정치(救國政治)에 반영되고 직결되게 함에 내 온갖 노력을 기울이려고 하는 바입니다.

> 특히 이번 개정된 헌법은 부통령이 참의원 직책을 겸나(兼拿)하게 되어 행정부와 입법부와의 연계관계를 조절할 수 있게 되어서 나 스스로 기약하는 나의 사명수행에 새로운 길이 열려있다고 생각하는 동시에 국민의 소원과 말(여론)이 정치에 도달할 수 있게 하는 교량이 될 나의 임무에 편달과 협조를 아끼시지 마시기를 바라는 바입니다. 끝으로 전화(戰禍)와 한화(旱禍)가 중첩하는 고란 중에서도 우리 겨레는 더욱 조국재건 신념을 굳게 하셔서 상부상조 국정의 쇄신과 발전에 기여함이 있기를 바라는 바입니다.[160]

목사인 함태영의 부통령 당선은 그 자체로 한국기독교의 영향력을 보여주는 것이었다. 대부분의 사람들은 함태영의 당선을 이승만에 의한 것으로 폄훼하려고 했지만 함태영과 이승만의 관계가 종속적이지 않았다. 이승만에게는 북진통일을 이루겠다는 대통령으로서의 집권에 대한 현실적인 목표가 분명했다. 그것을 이루기 위한 정치적 작업들이 필요했다. 그것은 함태영에 대한 지지가 아니라 원외 자유당과 족청계를 이끌고 정치적 힘을 키우고 있었던 이범석에 대한 견제였다. 이러한 태도가 암묵적으로 함태영을 지지하는 것으로 보였던 것이다. 그렇지만 함태영은 부통령의 위치를 이승만과는 다르게 해석하고 있었다.

함태영은 취임사에서 지도자로서 시대적 사명을 국민들의 최저생활 안정과 인권과 정의의 실현이라고 진단했다. 이는 전쟁이라는 참혹한 상황을 견뎌내야 했던 국민들의 삶을 가장 가까이에서 지켜보고 있었던 터였기에 누구보다도 그 심각성을 깨닫고 있었기 때문이었다. 또한 국민방위군사건과 거창양민학살사건과 같은 일련의 사건들 속에서 나타난 인권유린의 문제와 관리들의 부정부패 문제를 해소하지 않고서는 국가

---

160 함태영, "인화를 도모하자– 제3대 부통령 취임사. ", 『해방 20년사』, p.435.

를 바로 세울 수 없다는 자신의 신념이 반영된 것이었다. 여기에 더해서 전쟁으로 갈라진 국민을 하나로 통합해야 한다는 사명감이 더해져 있었다. 이는 국가의 이념과 질서를 지키고 유지하는 가운데서 발현되는 것이었다. 부통령 취임사는 그가 부통령직을 수행하는데 있어서 무엇에 초점을 맞추고 있는지를 분명하게 드러내고 있었다.

부통령 당선을 이례적이고 뜻밖의 사건으로 받아들였던 언론과 대중들이었다. 실제로 함태영은 이미 취임식 자리에서부터 그 존재감이 미미했다. 그것은 발췌개헌으로 내각제적 요소가 들어옴으로써 대통령중심제에서 그나마 권한을 가지고 빛을 발할 수 있었던 부통령의 위치가 애매해진 탓이기도 했다. 1952년 8월 15일 서울 중앙청 광장에서 거행된 제2대 대통령, 제3대 부통령 취임식에서 함태영은 이승만에게 가려져 버렸다. 그에 대한 소개도 변변히 나오지 않았고 취임인사도 할 수 없었다.[161] 이는 그가 앞으로 부통령직을 수행하는데 있어서 자신이 기대했던 바와는 전혀 다른 것이라는 것을 예고하는 것과 같았다.

함태영은 그럼에도 한국신학대학의 이사장과 새롭게 분립된 한국기독교장로회를 이끌면서도 부통령직을 끝까지 수행했다. 절대적인 기독교 신앙과 복음정신으로 무장되어 있는 그가 부통령이 되었다는 것 자체만으로도 한국기독교의 복음이 개인과 교회의 울타리를 넘어서 국가로까지 확장되었음을 보여주는 것이었다. 그러나 그것은 단순히 의미와 가치로서만이 아니었다. 함태영이 부통령직을 수행하면서 보여주었던 모습들은 그가 추구했던 기독교적 민주주의의 가치가 어떤 방향을 토대로 이루어져야 하는지를 보여주는 것이었다.

161 "휴지통", 『동아일보』, 1952년 8월 19일.

9.3. 부통령의 직무수행

9.3.1. 부통령의 헌법적 권한과 한계

> 함태영옹은 일찌기 한말의 법관으로써 이루어져가는 나라의 관기를 바로 잡기에 헌신한 분이며 특히 독립협회 사건에는 담당검사로써 고종황제의 엄명에도 불구하고 끝까지 무죄를 주장, 월남선생이하 관계자를 석방하여 관직을 추방당하였다. 기미운동 때에는 48인의 1인으로 이면(裏面)지도자의 기둥이기도 하였다. 함옹은 표면적으로는 별다른 업적이 남기지 못하였으나 강력 집권자이던 이박사도 옹의 재임시에는 후진국에 흔한 민권침해를 감행할 수 없었던 것이며, 이 점은 옹의 평생소신인 민족단결, 인화도모의 반영이었다.[162]

1952년 부산정치파동을 거치며 개정된 헌법은 대통령중심제와 의원내각책임제를 발췌해서 통과시킨 특징을 가지고 있었다. 이는 대통령의 권한은 명확하지만 부통령과 국무총리의 역할과 권한이 애매한 측면이 있었다. 개정된 헌법에 명시된 부통령의 권한은 다음과 같았다.

> [전문개정 1952.7.7.]
> 제36조 민의원은 의장 1인, 부의장 2인을 선거한다.
> 　　　　참의원은 부통령을 의장으로 하고 부의장 2인을 선거한다.
> 　　　　참의원의장은 양원합동회의의 의장이 된다.

162 함태영, "인화를 도모하자-제3대 부통령 취임사", 『해방 20년사』, p.435. 이글은 『해방20년사』의 편집자가 부통령 취임사를 게재하면서 함태영을 소개하는 글이다.

第53조 대통령과 부통령은 국민의 보통, 평등, 직접, 비밀투표에 의하여 각각 선거한다.
국회폐회중에 대통령과 부통령을 선거할 때에는 그 선거보고를 받기 위하여 양원의 의장은 국회의 집회를 공고하여야 한다. 대통령과 부통령의 선거에 관한 개표보고는 특별시와 도의 선거위원회가 입후보자의 득표수를 명기하여 봉함한 후 참의원의장에게 송부하여야 한다.
참의원의장은 즉시 각원의 재적의원 과반수가 출석한 공개된 양원합동회의에서 전항의 득표수를 계산하여 당선된 대통령과 부통령을 공표하여야 한다.

대통령과 부통령의 당선은 최고득표수로써 결정한다.

최고득표자가 2인이상인 때에는 전항의 양원합동회의에서 다수결로써 당선자를 결정한다.

대통령과 부통령의 선거에 관한 사항은 법률로써 정한다.

대통령과 부통령은 국무총리 또는 국회의원을 겸할 수 없다.

第55조 대통령과 부통령의 임기는 4년으로 한다. 단, 재선에 의하여 1차중임할 수 있다.
부통령은 대통령재임중 재임한다.
第56조 대통령, 부통령의 임기가 만료되는 때에는 늦어도 그 임기가 만료되기 30일전에 그 후임자를 선거한다.
대통령 또는 부통령이 궐위된 때에는 즉시 그 후임자를 선거한다.[163]

직접선거를 통해 선출된 부통령으로 국회에서 선거된 이전의 부통령의 지위에 비해서 그 권위가 한층 강화된 것은 사실이었다. 그러나 부통령의 역할은 현직 대통령의 궐위 되었을 때 주어진 권한이 행사되도

163 1952년 7월 7일 공포된 대한민국 헌법 제1차 개헌안 전문 중 발췌.

록 되어 있었다. 참의원의 의장을 동시 수행하는 역할로 미국과 같은 권위를 가지고 있었지만 정작 법률로 제정되어야 할 참의원과 관련한 법률이 미비되어 참의원 구성 자체가 이루어지지 않았다. 함태영은 자신의 재임기간 동안 참의원 의장으로서 권한을 행사해 본 적이 없었다. 대통령이 궐위되지 않는 한 그 어떤 권한도 행사할 수 없는 입장이었던 것이다. 내각은 기형적으로 의원내각제와 비슷한 권한을 가진 국무총리가 주도하도록 되어 있었다. 총리를 임명할 권한을 가지고 있었던 대통령의 권한이 그만큼 강력해진 것이다.

1954년 다시 개정된 2차 개헌 헌법에서는 부통령이 탄핵재판소의 재판장, 헌법위원회의 위원장을 맡도록 함으로써 부통령의 권한이 강화된 것처럼 보였다. 그러나 헌법위원회를 제외하고는 참의원이 구성되어야만 정상적으로 운영될 수 있었다. 1차 개헌에 의해서 국회가 민의원과 참의원의 양원제를 구성해야 했지만 제1공화국이 끝날 때까지 헌법상에 존재했던 참의원은 선거와 구성, 역할에 관한 법률이 정해지지 않았다. 참의원 제도가 명목상만 존재했던 것이다. 정당에 소속되지 않은 부통령이 할 수 있는 것이 아무도 없었다.

함태영은 그 존재가 잊혀질 정도로 과묵하고 침묵하는 존재로 비쳐졌다. 그의 이름이 나오는 곳은 이시영과 김성수의 국민장에 장례위원장으로 등장하거나 부활절연합예배의 축도를 맡는 등의 모습이었다. 언론조차도 부통령의 역할보다는 국가의 원로나 목사로서의 역할이라고 할 정도로 그의 역할은 한정적일 수밖에 없었다. 그럼에도 그의 행동은 사람들에게 부통령의 전통을 만들어가고 있는듯 하다고 평했다. 뿐만 아니라 그가 지난 날 대한제국의 법관으로 삼일운동의 지도자로 역할을 했던 것을 생각하면 부통령의 직무수행 속에서도 그 가슴이 편치 않을 것이라고 진단했다. 그의 존재가 미미한 이유는 그가 무능해서가 아니었다. 사람들은 함태영으로부터 은보다 더 값나가는 금같은 침묵과 무사과욕(無私寡慾)한 인생관을 느끼고 있었다.

> 우리나라의 현 헌법을 보면 부통령은 참의원의 의장이요 대통령이 궐위했을때는 즉시 이를 대행하는 지극히 중요한 직위인 것이다. 그러나 송암은 참의원 의장석의 환영(幻影)조차 아직 보지 못했고, 오늘날까지 별반 정사(政事)의 추기(樞機)에 관여하지도 않은 듯 하다. 이 점이 그의 장점이요, 부통력직에 나가게된 요인이라면 더할 나위없는 일이지만 「야심가」들의 입장에서 보면 이해가 안되는 점도 없지 않을 것이다. 이조말에 법관을 지냈고, 3·1운동때는 중요한 역할을 해온 송암의 장년시대를 생각하면 백발노옹의 가슴도 결코 무난할 수는 없으리라
> …
> 과시(果是) 송암은 남보다 특출한 무엇이 있는 것이 사실인 듯 하다. 그것은 무엇일까? 속단할 수는 없으나 아마 송암의 침묵 –은보다 값나가는 금같은 침묵– 그리고 무사과욕한 담담한 인생관– 우리는 옹으로부터 그러한 것을 느끼게 된다.[164]

함태영은 사회복음주의로부터 죄가 무엇으로부터 출발하는 지를 명확하게 인식하고 있었다. 더군다나 그가 국가의 2인자로서 국정을 책임지는 위치에 있었을 때 자기 자신을 드러내고 무언가를 과시하고 욕심을 드러내는 것은 있을 수 없는 일이었다. 침묵하는 것이 국가의 질서와 안녕을 유지하는 길이라면 가슴이 끓어도 침묵해야 하는 것이 사명이었다. 자신의 견해는 언제나 국가의 질서 안에서 합법적으로 이루어져

164 "해방 후 십년의 인물들 (9) 송암 함태영", 『경향신문』, 1955년 8월 15일.

야만 했다. 개인의 정치적 욕심이나 자신의 권위를 앞세워 무언가를 얻어내는 것은 기독교 신앙에서 강조했던 정의가 아니었다.

역사는 묘하게 존재 자체가 미미했다고 평가받았던 함태영이 이승만 정부의 민권침해 행위를 줄이는 역할을 담당했다고 기록했다. 함태영은 한번도 어느 정당에 속해 있지 않았다. 그가 정치적으로 어떤 목표를 가지고 움직이지 않았기 때문이었다. 그럼에도 그가 부통령으로서의 소임을 다하려고 했던 이유는 대한민국의 건국을 인간의 노력에 의해서 이루어진 것이 아니라 하나님의 은총으로 여겼기 때문이었다. 함태영은 자신이 부통령으로서 해야 하는 역할을 정의를 바로잡는데 두고 있었다. 그리고 그것이 건국초기 국가의 기틀을 잡는 것이라고 이해하고 있었다. 그러나 그에게는 전쟁 중에 이루어지는 선거를 통해 구성된 새로운 정부가 가장 우선해야 할 일은 국가를 안정시키는 일이라는 것을 분명하게 인식하고 있었다.

일민주의를 내세우며 자신의 정치적 목표인 자유민주주의를 바탕으로 한 통일국가를 이루겠다는 집념을 가지고 있었던 대통령 이승만과 기독교적 정의를 실현하는 바탕으로 한 기독교적 민주주의 국가를 이루겠다는 부통령 함태영의 구조는 자칫 정치적 갈등을 야기하기에 충분한 구조였다. 그는 법관으로 조선의 국가 멸망의 순간을 지켜보았던 인물이었다. 또한 한국장로교회가 막 시작했을 때 그 기초를 놓는데 일조했을 뿐만 아니라 총회장에 올라 전국조직을 이끌면서 어떻게 자신의 위치를 세워가야 하는지를 잘 알고 있었다.

함태영은 정치적인 활동보다는 간접적이지만 이승만이 소홀히 하고 있었던 일들에 집중하고 있었다. 그것은 민간시찰을 통해 민생을 돌보는 일이었고, 현하 국가에 필요한 역사적 정체성과 정신을 찾고 강조함으로써 국가의 기틀을 다지는 일에 매진하는 것이었다. 특히 함태영은 전쟁 중에 억울하게 죽음을 당한 이들을 신원하는 일들에 적극적으로 나섰다.

이승만과 접견한 함태영(1953)

9.3.2. 이상과 현실 사이에서

9.3.2.1. 민정시찰, 그리고 이승만과의 갈등

함태영이 부통령에 취임한 이후 그가 주력했던 것은 민정을 시찰하는 일이었다. 그 이전까지 부통령이었던 이시영이나 김성수는 민정시찰의 개념이 거의 없었다. 이시영의 경우는 연로하기도 했지만 부통령의 지위와 역할이 갖는 한계 때문에 민생을 돌보는 것이 자칫 대통령과 충돌될 가능성이 있었기 때문이다. 김성수의 경우는 피난한 부산에서 부산정치파동의 여파가 있었던 것을 감안하면 민정시찰 자체가 어려운 일이었다. 그러나 국민들의 직접선거로 선출된 함태영은 부통령에 취임한 이후에 전쟁이 휴전으로 치닫고 안정을 찾기 시작하면서부터는 민정시찰을 정기적으로 다니기 시작했다.

민정시찰의 목적은 민생을 돌아보기 위한 것이었다. 전쟁으로 폐허가 된 도시의 모습과 처참하고 잔인하게 무너져 버린 지방의 도시와 농촌의 모습을 그는 직접 보기 원했다. 80을 넘긴 그의 나이에 민정시찰은 쉬운 일이 아니었다. 그럼에도 그가 그렇게 그 일에 최선을 다했던 것은 국민의 선택을 받은 지도자로서 그가 해야 할 일이 민생을 돌아보는 것이라고 여겼기 때문이었다.

> 함부통령은 지난 10일부터 15일까지 강원도 일대의 지방민정을 시찰하고 귀임하여 다음과 같은 담화를 발표하였다.
>
> 첫째 강원도는 민심이 순박하고 도내 치안이 확보되어 있는 것이 가장 유쾌하였으며 특히 경찰서마다 묘포(苗圃)를 설치하여 산림록화에 협력하고 있는 것은 가찬할일이었다.
> 춘천지구에는 아직도 전기가 복구되지 못하여 상수도를 이용할 수 없고 중요 생산공장이 움직이지 못하고 있으므로 민생문제가 곤난한 것은 국가적으로도 중대한 손실이므로 시급히 차등시설이 완비되고 절실히 요청되는 바이다.
> 금년 도작상황은 최초에는 풍작을 예상하였던 것이 발수 후의 병충해로 인하여 풍작을 면하지 못할 실정을 다소 우려되는 바이었다. 횡성군 관내의 농촌공동작업상황을 보았는데 그 조직과 활동체계는 극히 양호하였다. 현하 농촌 노력이 긴박하여 가고 있는 이때에 이러한 제도는 실로 유효적절한 시책이므로 앞으로 전국적인 모금을 도모하여 농촌노력을 최고도로 이용하여야 할 것이다.
> 일선 군단은 멸공성전에 건투하고 있을 분 아니라 많은 교육기관을 설치하여 원주민 아동들을 취학케 하고 있는 것은 실로 국가 장래를 위하여 경하하는바이며 도한 수복지의 농업지도까지 담당하여 주는 군단의 노

호남지역을 민정시찰하는 함태영 부통령

고를 심사(深謝)하며 그 공적을 찬양하는 바이다.[165]

본래 민정 시찰은 전쟁 전에 이승만이 주로 하던 일이었다. 전쟁 이후 이승만의 지방시찰이 어려워지면서 그 역할을 함태영이 대신하는 것처럼 보였다. 그러나 함태영에게 민정시찰은 남다른 의미로 다가오고 있었다. 그는 해방 직후 유재기와 함께 '흥국형제단' 운동을 전개하면서 농민복음학교를 전국적으로 운영했던 경험이 있었다. 누구보다도 농촌과 지방의 상황을 잘 알고 있었다. 전쟁으로 모든 것이 무너진 상황에서

165 "민생문제해결 시급하다-함부통령 지방시찰담", 『경향신문』, 1953년 10월 19일.

농촌의 타격 또한 심각한 상황이었다. 특히 전선을 바로 코 앞에 둔 강원도의 상황은 가장 위험한 지역이었다. 그런 곳에 민정시찰을 나가는 것은 쉬운 일이 아니었다. 형식적인 권한 만을 가지고 있었던 함태영이었지만 그의 시찰은 언론의 관심을 받기에 충분했다. 함태영이 시찰을 통해 보았던 것은 전후 재건을 위해 눈물겹게 애쓰고 있는 군인과 민초들의 모습이었다. 함태영은 그 모습에 경의를 표하면서도 국가가 우선적으로 무엇을 해야만 하는지를 고민하고 있었다. 이러한 상황은 직접보지 않고 보고로만 파악할 수 없는 부분들이었다.

1952년 4월 이시영이 경남과 울산지역의 민정시찰을 나갔을 때 국민방위군의 충격적인 광경을 보고 충격을 받은 적이 있었다.[166]이시영은 그 사실을 이승만에게 보고하고 시정을 요구했지만 받아들여지지 않자 부통령을 사임했다. 함태영도 민정시찰을 통해서 지방과 농촌의 심각한 상황들을 그대로 느끼고 있었다. 그것은 단순히 민초들만의 문제가 아니었다. 지방공무원들의 경제난 또한 심각한 상황이었다. 이미 대한제국에서 정부관리들의 생활난이 부패로 이어지는 광경을 목도했던 그였기에 이 상황은 심각하게 받아들여졌고, 정부가 이 문제를 긴급히 해결해야 한다고 인식했다.[167]

1955년 6월에는 고향인 김제를 비롯한 전북을 시찰한 적이 있었다. 전쟁 후에도 여전히 국내 농업생산에서 절대적인 위치를 차지하고 있는 곳이었음에도 비료가 부족한 상황이었다. 또한 김제의 방조제 보수 관리가 제대로 이루어지지 않아 곳곳이 파손되어 있는 것을 목격했다.[168]

---

166 "가슴아픈 국민병처우 관공리는 염결(廉潔)하라", 『동아일보』, 1951년 5월 2일.
167 "농촌의 실정(實情)은 목불인견(目不忍見)", 『경향신문』, 1953년 5월 28일.
168 "비료의 적기배급긴급 함부통령, 전라도시찰소감", 『경향신문』, 1955년 6월 11일. 함태영의 출생지는 함경북도 무산이지만 함태영은 자신의 고향을 김제라 했고, 실제 김제에서 시찰중

함태영은 그외에도 구호물품이 지원되는 현장과 군병원, 군부대 등 국민들이 살아가고 있는 현장이라고 생각하는 곳은 어김없이 찾아갔다.

민정의 심각한 상황을 함태영은 그냥 보고만 있지는 않았다. 함태영은 시찰을 다녀올때마다 느낀 점과 대책들을 대통령 이승만과 만나 가감없이 전달했다. 그러나 함태영의 보고는 이승만을 불편하게 했다. 자신의 직무를 함태영이 하고 있다는 생각 때문이었다. 이승만은 함태영에게 불같이 화를 냈다. "내가 대통령이지 당신이 대통령이오?" 그 순간 이후로 함태영은 다시는 발걸음을 경무대로 향하지 않았다. 행정적인 일이 있을 때도 비서실장을 보낼 뿐이었다.[169] 함태영이 이승만과 결별한 것이었다. 함태영은 이승만의 국정운영에 찬성할 수 없었다.

이승만은 대통령으로 모든 행정권을 장악하고 있었지만 전쟁 이후 국민들이 극심한 민생고에 시달리는 상황을 제대로 파악하지 못하고 있었다. 인의 장막에 싸여 민정을 모른다는 말이 나돌 정도로 이승만은 실제 민심과 민생에서 멀어지고 있었다.[170]

이승만과 함태영은 바라보는 지점과 국가운영의 방법론에 있어서 차이가 컸다. 이승만이 전쟁을 겪으면서 민주주의를 반공의 토대 위에서 이루어진다고 생각했다면 함태영은 기독교적 민주주의의 가치가 실현될 때 올바른 국가를 이룰 수 있고 반공을 견고히 할 수 있다고 생각했다. 이승만은 멸공을 통해 자유민주주의 국가를 이룰 수 있다고 여겼다. 그러기 위해서는 정부에 대한 비판보다는 국민을 반공이라는 목표 아래

에는 청년들을 모아놓고 강연하기도 하였다.

169 김재준, 『범용기』, p.297.

170 서중석, 『이승만과 제1공화국』(서울:역사비평사, 2019), p.171. 이승만의 민정시찰은 1956년 정부통령선거가 치러지기 전까지는 거의 이루어지지 않았다. 선거 이후에 이러한 소문을 의식한 듯 민정시찰을 한 기록들이 등장한다.

하나로 묶어내는 것이 무엇보다 중요했다. 그가 통치이념으로 일민주의를 내세운 이유도 그와 같은 것이었다. 그래서 자신과 정부에 비판적이거나 정부의 치부를 드러내는 것을 탐탁하게 여기지 않았다. 이승만은 점점 독선적으로 변해가고 있었다. 자신의 판단과 주변 측근들의 보고에만 의지하고 있었다.[171]

함태영은 이승만과는 달랐다. 심계원장직을 수행할 때에도 그는 정의가 바로 서지 않으면 올바른 민주주의 국가로 세워갈 수 없다고 생각하고 있었다. 그것은 그가 가지고 있었던 신부적 국가관의 핵심이었다. 국민방위군 사건이 불거져 나왔을 때 함태영은 심계원장으로 자신의 역할이 무엇인지를 찾았고, 이승만의 눈치를 보거나 정권의 이익을 먼저 생각하지 않았다.

그에게 있어 국가의 운명과 역사는 하나님의 주권 안에 있는 것이었다. 인간은 국가 안에서 정의를 실현하는데 최선을 다해야 했다. 그 정의는 이기심과 억압, 부정과 부패를 몰아내는 것이었으며 도저히 일어설 수 없는 민초들을 어루만지고 일으켜 세우는 것이었다. 반공과 멸공은 정의를 실현하는 것으로부터 이루어져야 했다. 개개인이 자유를 누릴 수 있어야 하고 그 자유로 정의를 찾아갈 수 있어야 했다. 그리고 그 토대 위에 세워진 질서를 통해서 국가를 이끌어 가는 것이었다. 그것이 그가 꿈꾸었던 기독교적 민주주의 국가였다.

9.3.2.2. 헌법질서의 수호(守護)

함태영은 자신에게 부여된 권한을 행사하는 것을 국민들이 자신을

171 윤치영, 『윤치영의 20세기』, p.

뽑아준 사명으로 받아들였다. 부통령의 권한에는 참의원 의장과 헌법위원회의 위원장을 자동으로 맡게 되어 있었다. 참의원이 구성되지 않은 상황에서 그가 부통령으로서 헌법에 명시된 권한을 행사할 수 있는 유일한 일은 헌법위원회였다. 헌법위원회는 정부와 국회가 제정한 법률들이 헌법의 가치질서를 지키고 있는지를 판단하는 곳으로 지금의 헌법재판소와 같은 역할을 하는 곳이었다. 그러나 1952년 6월 정치파동이 한창 진행되던 즈음에 헌법위원회는 기능이 사실상 정지되어 있었다. 그때까지 헌법위원회가 처리한 위헌관련 법률은 2건에 지나지 않았다. 그 위상이 아직 정립되지 않았던 것이다.[172]

법관출신이었고, 한국장로교회의 헌법을 제정하고 해석하는데 주도적인 역할을 했던 함태영이었다. 대법원장과 반민특위의 재판장으로도 물망에 올랐던 그였기에 헌법위원장의 직무는 어쩌면 그에게 가장 잘 맞는 옷을 입은 것과 같았다.

헌법위원회의 구성은 부통령이 위원장을 맡고 대법관 5인과 민의원 3인과 참의원 2인으로 구성되어야 했다. 아직 참의원이 구성되지 않은 상황에서 헌법위원회의 기능이 정당한지에 대한 서로 다른 견해가 있었지만 함태영은 헌법위원회 구성에 문제가 없다고 판단하고 기능을 정상화시켜야 한다고 보았다.[173]

헌법위원장로서의 활동은 부통령 취임 직후부터 적극적이었다. 가장 먼저 다루어진 법률은 새롭게 제정된 일부 법률과 법령 중에 헌법에 명시된 삼심제가 아닌 단심이나 재심에서 판결이 확정되도록 한 조항들이

---

172 "『헌위(憲委)』, 기능중단", 『동아일보』, 1952년 6월 11일.
173 이동호, "참의원의원의 부존재와 헌법위원회의 구성", 「법조」, 8권 11호, 1959년 11월호, pp.2~4.

있었다. '농지개혁법', 비상사태하의 '특별조치령' 등이 그러한 대상이었다. 헌법위원회는 이 법률과 법령의 조항에 대해서 위헌판결을 내렸다. 이는 정부의 법을 위반한 자에 대한 처벌조항이 헌법에 보장된 인권이 보장되지 않는다고 판결한 것이었다. 언론은 이러한 헌법위원회의 결정이 인권옹호에 서광이 비추었다고 평가했다.[174]

이 결정은 당시 즉결심판으로 처리하며 과도한 공권력을 행사하던 정부의 행정권에 제동을 건 것이었다. 그리고 행정권 집행에 있어서 무엇을 우선해야 하는지를 알려준다는 점에서 중요한 결정이었다. 이후부터 인권과 관련한 위헌관련 신청이 헌법위원회에 요청되기 시작했다. 헌법위원회의 위상이 강화되었음을 보여주는 장면이 더 있었다.

1953년 7월 10일 비상계엄하에서 서울지방법원으로부터 구속영장없이 인신을 구속하는 문제에 대한 비상계엄법 13조에 대한 위헌제정신청이 헌법위원회에 접수되었다. 당초 8월 14일에 최종결론을 내기로 되어 있었던 이 문제는 그해 10월이 되어서야 판결이 내려졌다. 계엄령 하에서 영장없이 구속되는 경우가 빈번했던 당시의 관행상 이 제정신청이 받아들이기는 쉬운 일이 아니었다. 더군다나 헌법위원회 자체가 독립된 기관이기보다는 여전히 행정부의 강력한 영향력 아래에 있었기 때문에 자칫 공권력을 위축시킬 수 있는 이 판결은 그만큼 중요한 의미를 가지고 있었다.

10월 8일 함태영이 주재한 헌법위원회는 이 문제에 대한 최종결론을 내렸다. "법관의 보장없이 인신을 구속하는 것은 헌법에 명백히 위반되나 한편 이 보장에 관한 헌법규정에 위반 안되는 한도 내의 특별조치는

174 "인권옹호에 서광!", 『동아일보』, 1952년 9월 11일.

위헌이 아니다"는 것이었다. 이는 계엄법이 위반은 아니지만 계엄지구의 사령관이 공고로 '법관의 보장없이 인신을 구속할 수 있게 한' 특별조치를 위헌으로 판결한 것이었다.[175] 이는 절묘한 판결이었다. 행정부의 권한이 특별조치에 대해서는 합헌으로 판결하면서도 법관의 보장없는 인신구속을 위헌으로 판결함으로써 개인의 인권을 보장하는 내용이었다. 이는 파장을 가져왔다. 법원이 영장없이 구속된 피고인들에 대해서 잇따라 구속을 보류하기 시작했다.[176] 당시 법관의 보장없이 인신을 함부로 구속했던 공권력의 관행에 대한 위법함을 분명히 한 것이었다.

또한 1954년 3월에는 법령 120호로 공포된 '간이소청절차에 의한 귀속재산해제결정의 재확인에 관한 법률'에 대한 위헌여부를 제정신청이 헌법위원회에 제출되어 이를 심의했다. 이 법률은 해방이전에 일인과 부동산매매계약을 체결하고도 등기하지 못하고 군정 당시에 소유권의 확정을 받았는데 법무부가 여기에 부정이 있었다고 판단하고 법무부의 심사를 거쳐 귀속재산을 인정받도록 했다. 그렇지 못한 경우는 귀속재산을 해제하는 법령이었다. 여기에 관련된 건만 800여건이었고, 재산가치도 수백억환에 이르는 큰 문제를 야기하고 있었다. 함태영은 이 법령 역시 국민의 기본권인 재산권에 대한 헌법적 유권해석을 통해 긴급히 판결을 유보시킨 일이 있었다.[177] 헌법위원회는 이 법률에 대해 최종적으로 합헌 결정을 내렸다. 하지만 법무부의 심사에서 소유재산이 아니라고 판명된 재산소유권에 대해서 별도의 소송을 통해 소유권을 인

175 "인신구속시는 영장필요 계엄법 13조 문제 헌위서 결론", 『동아일보』, 1953년 10월 11일.
176 "허공에 뜬 구속근거", 『동아일보』, 1953년 10월 29일.
177 "법령 120호는 위헌 확실 해방전 매수한 미등기귀재처리에 서광", 『경향신문』, 1954년 3월 17일.

정받을 수 있는 길을 열어놓았다.[178]

함태영이 헌법위원회를 맡는 동안 그가 가장 우선했던 것은 국민의 기본권리, 즉 인권이 법률에 의해 보장되고 있느냐 하는 것이었다. 개인의 자유와 사유재산의 인권이 보장되지 않는 것은 올바른 민주주의의 토대가 아니었다. 그러면서도 개인의 자유와 사유재산의 보장이 국가의 질서 안에 속해야 했다. 함태영은 위헌 판결을 내리는데 있어서 신중했다. 그리고 행정부와 입법부의 의견을 충분히 들었고, 사법부의 권한을 존중해야 했다. 그는 헌법위원장인 동시에 부통령이라는 행정부의 두번째 권위자였다. 엄격한 법률적 판단과 함께 이의 적용에 있어서 행정적이고 국가적인 상황을 고려한 판단을 했던 것이다.

행정부의 통치 권력이 사법부와 입법부를 주도할 정도로 강력한 힘을 발휘하고 있을 때였다. 법치주의가 사실상 무력화될 정도로 극심한 사법와 입법부의 존재가 미약할 때였다.[179] 행정부가 주도한 법률과 법령에 대해 위헌요소를 지적하고 이를 시정한다는 것은 그 자체로 행정부의 권력을 견제하는 것이었다.

건국 초기의 혼란한 정치 상황 속에서 법적 권한이 거의 없었던 함태영이 가장 강력하게 자신의 권한을 행사할 수 있는 유일한 일이 헌법위원회의 기능을 법적 취지에 맞게 운영하는 것이었다. 헌법의 권위를 지키는 일은 국가의 질서를 확립시킨다는 점에서 중요한 일이었다. 자칫 이승만 정부의 거수기가 될 수 있었던 헌법위원회가 함태영으로 인해서 그나마 올바른 궤도로 들어갈 수 있었던 것이다.

---

178 "합헌으로 최종결정", 『동아일보』, 1954년 3월 28일

179 장영수, 『대한민국 헌법의 역사』(서울: 고려대학교출판문화원, 2019), p.112.

강성갑 목사 동상 제막식에 참석한 함태영 부통령(1954년 5월 14일)
(출처:국민일보)

9.3.3. 신원(伸冤)과 회복(回復)

1953년 7월 27일 한국전쟁의 휴전협정이 조인되면서 전쟁이 멈추었다. 이승만은 아직도 북진통일을 주장했지만 사실상 전쟁이 끝난 것이었다. 도로와 건물을 비롯한 주요한 사회기반시설 뿐만 아니라 산림도 대부분 파괴되어 버릴 정도로 참혹한 광경만이 남아 있었다. 이를 재건해야 하는 과제가 남아 있었다. 하지만 그보다 더 시급한 것은 피폐한 국민들의 마음을 추스르고 전쟁 중에 입은 피해들을 치유해야 하는 과제가 남겨져 있었다.

상상을 초월하는 폭력성과 잔인성을 동반하며 진행된 전쟁의 양상은 점령과 수복, 역전에 역전을 거듭하면서 서로의 가슴에 씻을 수 없는 증오심을 각인시키고 남북한 체제의 분단구조와 분단의식을 이분법적 구조의 사회로 내면화시켜 놓고 있었다.[180] 특히 국민방위군 사건을

180 정성호, "한국전쟁과 인구사회학적 변화", 정성호 외 3인, 『한국전쟁과 사회구조의 변화』(서울: 백산서당, 2002), p.33.

비롯해 보도연맹 사건, 거창양민학살사건 등과 같은 민간인들과 관련한 문제들의 신원(伸冤)과 회복(回復)이 이루어져야 했다.

부산의 궁핍한 피난처에서 서울의 서소문에 마련된 부통령 관저로 옮겨와서야 생활의 안정을 찾을 수 있었다. 전쟁 전에도 온전한 거처가 없었던 그였다. 이미 상처한 뒤였기 때문에 그를 돌봐줄 사람도 없었다. 다행히 둘째 아들인 병승의 자부가 관저에 들어와 그를 뒷바라지 해주었다.[181]

목사인 함태영에게 가장 어려운 일은 주일을 지키는 것이었다. 부통령의 위치는 주일 예배 출석을 어렵게 했다. 교회를 가는 것은 많은 수행원들을 대동해야 했기 때문에 교회도 어려울 뿐 아니라 본인도 번거로울 수밖에 없었다. 함태영은 주일이면 관저로 목회자들을 초청해 예배를 드렸다. 부통령직을 수행하면서 동시에 한국신학대학 학장을 겸하고 있었기 때문에 학교의 일도 보고를 받아야 했다. 여기에 한국기독교장로회가 예수교장로회로부터 분리되면서 총회의 리더로 여러 가지 일들을 처리해야 하는 상황이었다. 예배의 자리는 유일하게 학교와 교회의 상황을 알 수 있고 조언할 수 있는 자리였다. 그는 부통령의 직무에 충실하고자 했다.

부통령으로서 함태영은 그가 가지고 있는 법적인 권한으로는 어떤 일들을 계획하거나 추진할 수 없었다. 가장 직접적인 권한을 가지고 있었던 참의원이 구성되지 않은 것은 많은 부분에서 그를 무기력하게 하고 있었다. 민정시찰과 헌법위원회 활동이 그나마 자신이 부통령으로 할 수 있는 일들이었다. 하지만 부통령 함태영이 할 수 있는 일은 그것으

181 함태영의 증손인 함철호의 증언. 함병소의 자부는 연동교회의 이원희 권사였다.

로 끝나지 않았다.

부통령의 임기를 시작한 지 얼마되지 않았을 때 함태영이 자주 방문하던 곳이 있었다. 그곳은 부산 인근의 김해의 진영에 있었던 한얼중학교였다. 그가 그곳을 찾은 이유는 한얼중학교를 설립했던 강성갑이 전쟁 중에 모함에 의해서 억울하게 총살 당한 사건에 대한 진상을 확인하고 어려움에 처한 학교를 돌보기 위해서였다.[182]

함태영은 해방 직후부터 여러방면에서 활발하게 활동했던 인물이었다. 특히 흥국형제단을 통해서 농촌부흥운동에도 상당한 공을 들였었다. 농민복음학교를 통해서 농촌의 지도자를 양성하고 그들이 기독교정신으로 농촌부흥을 이끌어야 한다는 의식을 가지고 있었다. 농민복음학교와 관련된 인사들은 신부적 세계관으로 무장되었고, 철저한 반공의식을 가지고 있었다. 김해의 진영교회를 담임하며 한얼중학교를 설립했던 강성갑도 농민복음학교의 관계자들과 교류하고 있었다. 한얼중학교를 개교했을 때 강성갑의 소식을 듣고 흥국형제단과 농민복음학교를 이끌고 있었던 유재기가 방문해서 기독교농촌운동에 대한 견해를 주고 받기도 했다.[183] 1950년 10월 강성갑이 억울한 모함에 의해서 총살당한 이후에 김재준을 비롯해 조향록, 주태익 등이 한얼중학교를 방문해 재건을 논의하기도 했다.[184] 함태영도 강성갑에 대해 잘 알고 있었다. 그리고 그가 추구했던 이상촌 건설에 대한 희구(希求)가 자신의 생각과 결코 다르지 않다는 것을 알았다.

1912년 경남 의령에서 태어난 강성갑은 연희전문을 나와 일본의 동

182 김재준, 『범용기』, p.229.
183 홍성표, "해방공간 강성갑의 기독교 사회운동" (연세대학교 박사학위 논문, 2016), p.112.
184 김재준, 『범용기』, p.228.

지사대학에서 신학을 공부했다. 강성갑은 여기에서 당시에 동지사대학의 신학을 공부하고 국내로 들어왔다. 그가 동지사에서 배운 신학은 사회복음주의가 강조하고 있었던 사회정의와 덴마크의 그룬트비가 주도했던 농촌운동에 대해 배울 수 있었다.[185] 그가 농촌운동을 본격화하기 위해 진영교회에 부임한 뒤 한얼중학교를 설립했다. 1950년 전쟁이 발발하고 8월 2일 진영 지서장이 한얼중학교 학생들의 학도병 소집을 요구했지만 강성갑은 학도병 대상이 고등학생 이상임을 들어 이를 거부했다. 이것이 단초가 되었다. 여기에 지역 유지들이 강성갑을 보도연맹과 관련된 것처럼 꾸며 그를 낙동강 수산교 아래에서 총살시켜 버렸다.[186] 다행히 이 사건은 연희전문의 원한경과 백낙준 등과 선교사들에 의해서 알려지면서 진상조사가 이루어졌고, 관계자들이 처형됨으로 강성갑의 억울함을 풀 수 있었다.

1954년 5월 27일 한얼중학교 교정에서 강성갑을 추모하는 의식과 함께 추모동상의 제막식이 거행되었다. 이 자리에 함태영이 부통령 자격으로 참석했다. 전쟁 중에 총살을 당한 사람 중에 그의 신원(伸冤)을 받고 추모동상을 세운 사람은 그가 유일했다. 그것은 함태영이 아니었으면 불가능한 일이었다.[187] 그는 취임 직후부터 강성갑의 신원을 해결하기 위해 노력하고 있었다. 부통령이 이곳에 참석하는 것만으로도 이 사건의 진상이 무엇인지를 분명하게 드러내 주는 것이었다. 전쟁 중에 정부의 치부를 드러내야만 했던 사건이었다. 이것이 드러나는 것은 정부로서 달가울리가 없었다. 더군다나 국정의 2인자 위치인 부통령이 참석

---

185 홍성표, “해방공간 강성갑의 기독교 사회운동”, p.73. 강성갑은 연희전문에서 윤동주와 함께 수학했다.

186 “김해인물열전 〈1〉 찬란한 삶을 살다간 목사 강성갑”, 『김해인터넷신문』, 2019년 9월 29일.

187 “동상제막식 거행”, 『동아일보』, 1954년 5월 29일.

하는 것은 정부가 자신들의 잘못을 인정하는 것을 의미했다. 함태영도 그것을 모르지 않았을 것이다. 그럼에도 그가 진영까지 내려간 것은 억울함을 당한 이들을 신원하는 것이 그의 일이라고 여겼기 때문이었다. 이는 전쟁 중에 일어났던 일들을 어떻게 치유하고 회복시켜야 하는지를 보여주는 상징적인 것이기도 했다. 함태영에게 그것은 공의(公義)를 행하는 일이었다.

> 삼(三)·일(一)운동을 통해서 보더라도 공의(公義)라는 것이 얼마나 숭고하고 공의를 위한 개개인의 항거와 그 집단지인 힘이 얼마나 무섭다는 엄지한 하나 하나의 사실을 산 교훈으로서 느낄 수 있다. 이와같이 생생한 교훈을 우리들은 대부분의 겨우 잊고 있다는 느낌을 품게 되는바 이것은 현실적인 이대의 불행이 아닐 수 없으리라.
> 민족사상 전례없는 동란을 겪고 난 우리들의 헌신은 너무도 참혹하고 너무도 보잘 것 없는 고독에 싸여 있는 것이다.
> 행복한 사람보다도 가난한 사람이 한층 많은 숫자를 제시하고 있으며 파괴될 모든 부민을 재건하기에는 아직도 허다한 시일을 필요로 하는 것이다.
> 산업부민이 적고 그리하여 생산이 없는 국가정세이고 보니 생황이 안정은 도시 바라기 어렵고 따라서 생활고로 인한 사회적인 병폐는 점점 악화돼 가기만 하는 것이 오늘날 숨길 수 없는 우리들의 생활 실태이다.
> 이웃과 이 민족의 한사람 한사람을 도웁겠다거나 도왔다는 미담을 듣기보다도 개인의 욕심을 위해 이웃과 이 민족을 해롭게 했다는 슬픈 이야기를 듣기가 쉽다.
> 이와같은 현실속에서 우리들은 삼(三)·일(一)절을 그 관례적인 대도로서 맞이하지 말고 하나 하나의 교훈으로서 맞이하고 실천에 옮지 않을 것이다.
> 그렇게 되면 우리들은 삼(三)·일(一) 정신과 똑같은 단결된 집단 세력 속에서 사회의 질서로 원만히 확보할 수 있고 생활의 안정도 가져올 수 있

고 남북통일도 이를 수 있는 것이다.[188]

함태영은 그가 주도적으로 참여했던 3·1운동의 정신을 알리는데 적극적으로 노력하고 있었다. 그에게 대한민국의 건국정신은 3·1운동의 정신적 가치 속에서 나온 것이었다. 그것은 자유와 정의, 양심의 가치를 의미했다. 공산주의와 치열한 전쟁을 치른 그들에게 이 자유와 정의의 정신을 고양하는 것은 그들의 싸움과 수고가 결코 헛되지 않다는 것을 심어주는 것이었다. 정신의 회복 없이는 폐허 속에서의 재건은 모래 위에 지은 성과 같은 것이었다. 함태영은 기독교 정신과 민족애를 하나로 이해하고 있었다.

1955년 3·1정신선양회 경상북도본부는 함태영의 증언을 바탕으로 『3·1운동사』(삼일정신선양회 경상북도본부, 1955)를 편찬했다. 함태영은 이 책에 "일월병휘(日月並輝)"라는 휘호를 써주었다. 여기에 함태영의 마음이 담겨 있었다. 태양과 달이 함께 찬란하게 빛나는 것이 바로 3·1운동의 정신이었다. 그 빛은 자유와 정의(공의)였다. 누군가를 미워하고 적대시하는 것으로는 통일을 이룰 수 없고, 국난을 극복할 수 없었다. 남녀노소와 신분의 지위고하를 막론하고 민초들이 독립국가와 자유, 정의의 열망으로 자신 스스로를 희생하며 참여했던 3·1운동의 정신처럼 모든 국민들이 함께 해야만 피폐하고 폐허만 남은 국가를 재건할 수 있는 것이었다. 우리 스스로를 자유와 정의의 가치 위에서 국가를 일으켜 세울 때 비로소 통일의 대업을 이룰 수 있다고 믿었다. 그에게 통일은 언제나 기독교적 정의를 통해 이루어지는 것이어야 했다.

---

188 함태영, "공의(公儀)를 위한 열혈(熱血)의 분류(奔流)-3·1운동 당시의 회고록", 「희망(希望)」, p.29.

퇴임을 앞둔 함태영은 퇴임을 두달여 남겨둔 1956년 6월 14일 경향신문 기자와 만났다. 그리고 자신의 임기 동안의 소회를 밝혔다. 자신이 그동안 묻어두었던 속내를 그나마 그것으로 대신하고 있었다.

> "뭐 다 지나간 일 …… 할말은 없지만 우리나라 헌법에 부통령의 지위가 언듯 보기에는 행정부의 고위층의 하나로 되어 있는 것 같으나 국민이 다 알다시피 실제에 있어서는 참의원 의장과 탄핵재판소 소장 등으로 행정면에는 관여할 수 없는 위치에 있는 것이며 행정면에 있어서의 부통령은 단지 조문(條文)에만 부통령의 존립이 규정되어 있을 뿐 더우기 나의 임기 동안에는 참의원도 구성되지 못하여 그대로 부통령이라는 자리만을 지켜왔을 따름이다."
>
> …"자유당으로부터는 수차 입당하라고 권고도 받았지만 …… 내가 구한국 시절에 뼈저리게 느낀바 있어 입당을 거절하였다."
>
> "당시 한국에는 윤치호씨 등이 선봉이 되고 있는 독립협회=혁신파와 당시의 영의정이 영도하는 한국협회=국민당=보수파의 2개 정당이 서로 상극하고 맹렬한 일방책으로 윤씨 등 일파 17명을 체포하고 말았으나 그때 법관으로 있던 내가 만약 어느 한편에 치우쳐 있었더라면 공정한 재판을 할 수는 없었을 것이다."
>
> 그러나 이러한 부통령의 회고담은 구한국시절의 부패된 관료정치를 규탄하려는 그것보다도 오히려 일개정당의 횡포에 신음하며 질식하는 현재의 우리나라 정계의 혼란상에 대해 경종을 울리기 위함인듯 느껴지는 것이었다.
>
> …"그분(이대통령)이 내말은 어렵게 생각하였다고 느끼고 있으며 내가 진언하는 것은 퍽 고려하였었다."… "이제 나의 임기도 거의 끝났으니 교회로 돌아가서 평신도로 교회에 이바지 하겠으며 미국에 가 있는 두아들도 찾아가서 만나보았으면 한다"[189]

---

189 "신앙의지해 살으리-임기 두달 남긴 함부통령의 동정", 『경향신문』, 1956년 6월 15일.

10장 황혼의 여정

10.1. 함태영의 세계일주

1955년 12월 1일 춘천을 방문한 함태영은 기자회견에서 명년 5월에 치러질 제3대 정부통령 선거에 불출마할 것임을 공언했다.[190] 함태영은 자신이 더 이상 공직에 머물 수 없다는 사실을 알고 있었다. 별로 한 일이 없다고 말했지만 그 의미 속에는 더 이상 할 수 있는 일이 없다는 사실을 말하는 자조(自照)하는 의미가 담겨 있었다. 그는 이승만과 자유당의 문제들을 누구보다 잘 알고 있었다. 그러나 정당이나 지지세력이 없는 부통령은 정치적인 힘을 발휘할 수 없었다. 이승만과는 더 이상 독대나 만남도 갖지 않고 있었다. 이승만의 통치방식에 대한 강한 거부감을 가진 함태영이었지만 그에게 있어 저항은 상대에 맞서는 것이 아니라 의를 드러내는 것이었고, 국가의 질서체계인 법적인 틀 안에서 자신의 권한을 행사하는 것이었다. 권력이나 집권에 대한 욕심이 없던 그에게 임기의 마무리는 국가적 사명의 마무리를 의미하는 것이었다.

1956년 8월 14일 부통령의 임기를 마무리했다. 그러나 함태영은 퇴임 이후 기거할 거처가 없었다. 국가에서는 그에게 서소문의 부통령 관저

190 "단상단하", 『동아일보』, 1955년 12월 2일.

를 사용하도록 허락해주었다. 함태영은 북아현동에 자택이 마련될 때까지 그곳에서 머무를 수 있었다. 이례적인 일이었다. 그러나 그의 청렴함과 국가원로로서의 공로를 알기에 그 누구도 이 문제에 대해서 이의를 제기하지 않았다.

함태영은 퇴임 후 얼마되지 않아 그가 목회했던 둔전교회에 건축헌금으로 50만 환을 헌금했다. 지금의 가치로 2천여만 원이 넘는 큰 돈이었다.[191] 어쩌면 그가 퇴임 이후에 가지고 있던 전 재산이었는지도 모른다.[192] 그러나 그에게 예배당을 짓는 일은 국가를 세우는 일과 다르지 않았다. 그렇게 그는 다시 교회로 돌아갔다.

함태영은 퇴임을 준비하면서 두 아들이 유학하고 있던 미국을 비롯해 캐나다와 유럽의 국가들을 돌아볼 계획을 가지고 있었다. 그것은 노년의 한가한 여행이 위한 일이 아니었다. 함태영은 이 여행을 통해 보고 싶은 것이 있었다. 개인적으로 예수 그리스도의 탄생지와 교회의 발생지가 있었던 성지를 순례하고픈 마음이 있었다. 그리고 미국과 캐나다를 비롯해 기독교 세계관을 바탕으로 했던 국가들의 모습을 직접 보고 싶었다. 부통령 재임 중 하와이를 찾은 적이 있었지만 서구의 교회들이나 사회를 둘러볼 기회는 없었다. 대한제국의 법관이던 일본을 방문했을 때 그가 받았던 문명적인 충격을 받았던 적이 있었다. 그에게 서구사회를 찾는 일은 자신이 가지고 있었던 신학과 사상, 그리고 그가 배웠던 서구의 사회상을 확인할 수 있는 좋은 기회이기도 했다.[193]

---

191 둔전교회, 『둔전교회 100년사』, p.173.
192 김재준, 『범용기』, p.297. 김재준은 함태영이 임기를 마무리하면서 이승만으로부터 받은 금일봉으로 세계일주를 갔다고 말하고 있으나 이는 김재준이 사실 확인없이 했던 말이었다. 오히려 그 금일봉이 건축헌금으로 드려졌을 가능성이 더 높다.
193 김정준, 『함태영옹 세계일주기』, p.2.

그러나 더 직접적인 동기는 그가 이제 막 출범한 지 5년째가 되어가는 한국기독교장로회의 총회장에 오른 것이었다. 1923년에 이미 한국장로교회의 총회장을 역임했던 그가 84세의 나이에 다시 총회장에 오른 것이다. 그가 부통령에 선출되지 않았다면 초대 총회장은 함태영의 몫이었을 것이다. 마침 캐나다 연합교회의 총회에서 함태영을 초청했다. 그리고 막내아들 병춘의 결혼식에 참석하지 못한 아쉬움에 퇴임 이후에 이들 부부를 만나려는 목적도 있었다.[194]

1956년 8월 17일 함태영은 세계일주여행을 위해 여의도공항을 출발했다. 그의 수행원은 송창근이 아꼈던 김정준이었다. 5개월여의 긴 일정이었다. 84세의 연로한 그에게 세계를 한 바퀴 돌다시피 하는 이 일정은 쉬운 일정이 아니었다. 여기에는 세계일주의 여비를 모두 부담했던 민의원 정해영의 부부가 함께 했다.[195] 정해영은 본래 석탄 사업으로 큰 돈을 벌었던 재력가였다. 그런 그가 1952년 정부통령 선거 때 이승만이 함태영을 존경하는 인물로 표현한 것을 두고 함태영의 선거운동에 경비를 부담했었다. 그리고 함태영의 추천으로 정계에 입문했던 인물로 정치적으로 각별한 관계를 유지하고 있었다.[196] 자유당이 1954년 사사오입 개헌을 밀어붙이는 모습을 본 정해영은 정치에 대한 회의를 느끼고 있었다. 그럴 때마다 그가 찾았던 곳이 함태영의 부통령 관저였다. 정해영에게 함태영은 정치의 표상과 같은 인물이었다.

3대 국회에 진출하면서부터 틈만 있으면 순화동 부통령 공관으로 찾아

194 함태영, "나의 세계일주(워싱톤-런던-로마)", 「신태양」, p.31.
195 "단상단하", 『동아일보』, 1956년 8월 19일 ; 정해영, 『해석 정해영 회고록 상』(서울:도서출판 오름, 2001), p.102.
196 정해영, 『해석 정해영 회고록 상』, pp.75~76.

가 함태영 부통령을 모시고 구한말의 이야기와 시국담을 나누는 것이 일과처럼 되어버렸다. 구한말의 법관으로서 기울어 가는 국운을 개탄하면서 지조를 지켜오신 탓으로 이 대통령에 의해 심계원장 자리를 맡게 된 함 부통령은 청백리의 표본이었다.

한마디 한마디의 말씀마다 집권욕이나 물욕 같은 것은 찾아볼 수가 없고 오직 나라의 장래와 겨레의 앞길을 걱정하시는 양심의 표출이 있을 뿐이었다.[197]

정해영은 뒤에 8대 국회부의장에 올랐고, 민주당 구파에 속했다. 윤보선, 김영삼의 정치적 동지이자 조력자로 한국 현대 정치사에서 활약했다.

함태영은 일본과 하와이를 거쳐 미국을 방문했다. 불과 얼마 전까지 대한민국의 부통령이었던 인사의 방문이었기에 주재하는 공관뿐만 아니라 언론도 그의 동정에 관심을 가지고 지켜보았다. 그가 미국에 도착했을 때 가장 먼저 만난 이들은 그와 함께 신학을 공부했던 동창들이었는데 친정부적이거나 반정부적인 인사들로 나뉘어 갈등하는 광경을 보아야 했다. 함태영은 그들에게 작은 차이를 극복하고 하나가 되어 대한민국을 드러내 줄 것을 당부하기도 했다.[198]

한국기독교장로회 총회장 자격으로 캐나다연합교회 총회를 방문했던 함태영은 10월 25일 뉴브런즈윅주에 있는 마운트 앨리슨 대학교(Mount Allison University)로부터 명예법학박사학위를 수여받았다.[199] 그리고 유럽으로 건너가 영국, 노르웨이를 거쳐 그가 전해듣기

197 위의 책, p.101.
198 김정준, 『함태영옹 세계일주기』, p.22.
199 "함태영옹 「명박(名博)」 미 아리슨대학서", 『경향신문』, 1956년 10월 28일. 정확하게는 캐나다 뉴브런스윅 주에 있는 마운트 앨리슨 대학교다.

만 했던 덴마크의 농촌을 방문할 수 있었다. 그룬트비(Nicholas F. S Grundvig, 1783~1872)의 신학으로 일군 덴마크 농촌의 발전상을 직접 살펴본 감격은 자신의 신학적 지향이 어떤 결과물을 가져올 수 있는지를 확인할 수 있었다. 해방 직후부터 함태영은 이준열사의 기념사업회였던 일성회의 총재를 맡고 있었다. 그가 뜨거운 눈물을 흘렸던 것은 이준의 애국심과 정신과는 상관없이 그의 죽음에 대한 논쟁이 함태영이 세계일주를 출발하기 전 몇달 동안 계속되었기 때문이었다.[200]

함태영은 영국을 방문했을 때 인상 깊은 장면을 목격했다. 영국의 글래스고우 비행장을 빠져나왔을 때 영국의 청년들이 깡통을 들고 구제금을 모금하고 있었다. 그들은 헝가리의 이재민들을 돕기 위해 구제금을 모금하고 있었던 것이었다. 이는 소련의 침공으로 공산화되어 어려움을 겪고 있었던 헝가리를 돕는 것이었다. 함태영은 당시 영국이 수에즈운하 문제로 세계 각국으로부터 비난을 받는 상황에서도 영국 청년들의 소련에 대한 의분과 자신들 뿐만 아니라 가난하고 남을 위해 노력을 아끼지 않으며 희생을 주저하지 않는 모습에 감동을 받았다.[201] 그는 그 모습에서 자신이 추구했던 기독교적 정의(正義)가 어떻게 사회에서 구현되고 있는지를 확인했던 것이다. 그는 마지막까지 기독교 신앙과 가치에 대한 위대함을 찾고 있었다.

그는 대만에 들려서 장개석 총통을 만나는 것으로 5개월여의 공식일정을 마무리했다. 그리고 귀국길에 잠시 들른 일본 동경에서 그는 자신이 그토록 가지고 싶었던 것을 얻을 수 있었다. 그것은 자신이 가장 감

200 "자연사? 자결?", 『동아일보』, 1956년 7월 13일. 이준열사의 죽음에 대한 논쟁은 1956년 7월 30일 국사편찬위원회에서 최종적으로 분사(憤死)한 것으로 확정했다.
201 함태영, "나의 세계일주(워싱톤-런던-로마)", 「신태양」, p.34.

명깊게 읽었던 일본의 기독교의 거인인 우찌무라 간조의 전집(內村鑑三全集)이었다. 함태영은 일제말엽 한권씩 애써 모은 이 전집 책을 생활고에 시달려 백환에 어느 목사에게 판 일이 있었다. 그것을 다시 찾고 싶었지만 책을 가져간 목사가 전쟁 중에 이북으로 납치되어 가는 바람에 찾을 길이 없었다. 마침 동경에 잠시 들릴 수 있어 이를 구입했던 것이었다. 그는 더하여 기독교대사전, 성서대사전, 기독교회사 등의 책들을 구입하는 즐거움을 누렸다.[202] 그에게는 언제나 가장 가치 있는 일이 신학적 탐구였다. 하나님을 알아가는 만큼 자신의 지평이 넓어진다는 사실을 알았다. 비록 일본인이었지만 신앙과 신학에서 존경을 받았던 우찌무라 간조의 책은 그에게도 큰 감명을 주었던 것이다.

함태영은 1956년 1월 9일 귀국으로 기나긴 여정을 마쳤다. 85세의 함태영에게 구미(歐美)지역과 중동, 이스라엘, 대만을 거친 힘겨운 일정이었다. 그럼에도 그가 건강하게 이 일정을 소화할 수 있었던 것은 이 여행을 한 개인의 사적인 여행이 아니라 교회와 국가 원로로서 마지막 사명처럼 여겼기 때문이었다.

10.2. 인고(忍苦)의 생을 마감하다

1957년 세계일주를 마무리하고 귀국한 지 얼마 되지 않아서 무장독립운동의 영웅으로 칭송받던 지청천(池青天)이 세상을 떠났다. 함태영은 사회장으로 치러진 지청천의 장례식 위원장을 맡았다.[203] 또한 1956

202 김정준, 『함태영옹 세계일주기』, p.481.
203 “지청천씨 사회장”, 『동아일보』, 1957년 1월 22일.

1956년 정 · 부통령 선거에서 투표하는 함태영

(출처:국가기록원)

년 정·부통령 선거유세 중에 서거했던 해공 신익희의 일주기 추념식에서도 위원장을 맡았다.[204] 부통령으로 재직하며 인촌 김성수와 해공 신익희의 장례위원장을 맡았었지만 퇴임한 그를 사회장의 장례위원장을 맡기고, 신익희의 추념식 준비위원장을 맡긴 것은 그만큼 국가원로이자 독립운동의 상징으로서 자리하고 있었음을 보여주는 것이었다.

1957년 한국기독교장로회 총회는 대한예수교장로회와의 분리 이후에 정식교단으로 '한국기독교연합회(KNCC)'에 가입하는 것을 의결했다. 그리고 한국신학대학은 동자동에서 수유리로 자리를 옮겼다.[205] 한국기독교장로회의 총회장으로, 한국신학대학의 이사장이었던 함태영이 교회를 위한 마지막 사명을 다한 것이었다.

함태영이 생애 마무리를 향해 달려가고 있을 때 국내의 상황은 혼란

---

204 "故(고)『海公(해공)』先生(선생) 一周忌追悼式(일주기추도식)", 『동아일보』, 1957년 4월 30일.
205 한국기독교장로회 역사편찬위원회, 『한국기독교 100년사』, p.396.

을 거듭하고 있었다. 1960년 3월 15일 제4대 정·부통령 선거가 실시되었다. 그러나 이 선거는 한국 현대정치사에서 가장 큰 오점을 남긴 부정선거의 결정판이었다. 특히 이승만과 이기붕을 정부통령 후보로 내세운 자유당의 선거부정은 일반인들의 상상을 초월하는 것이었다.[206] 민주당의 대통령 후보였던 조병옥이 급서하면서 이 선거는 자연스럽게 부통령 자리를 놓고 치열한 선거전이 펼쳐졌다. 대통령은 삼선개헌을 밀어붙인 이승만의 당선이 확정적이었다. 그러나 부통령은 1956년 선거에 이어서 자유당의 이기붕과 민주당의 장면이 다시 맞붙었다. 그만큼 치열한 선거전이 전개될 수밖에 없었다.

선거는 자유당 이기붕의 당선으로 마무리 되었다. 그러나 이 선거는 여기에서 끝난 것이 아니었다. 국민들은 선거를 통해 이승만 정권의 한계를 보았다. 그리고 그들의 부정한 모습에 분노했다. 전쟁 중에도 교육을 포기하지 않았던 국민들이었다. 민주주의가 무엇이고 어떤 것이 올바른 것인지를 이제야 서서히 알아가던 시기였다. 그러한 분노는 1960년 4월 11일 마산상고 1학년생 김주열 군의 시체가 마산 신포동 해안에서 발견되면서 폭발하고 말았다. 눈에 최루탄이 박힌 시신의 모습은 참혹했고 이 광경이 여과 없이 신문을 통해 세상에 알려진 것이었다.[207] 이는 4·19 혁명의 기폭제가 되었다.

부정선거를 규탄하는 시위가 전국으로 확대되었고, 서울에서도 울분에 터진 군중들이 거리로 나왔다. 군중들은 파고다 공원에 세워진 지 얼마 되지 않은 이승만의 동상을 떼어내어 줄에 매여 가지고 종로거리

---

206 김명구, 『해위 윤보선 생애와 사상』, p.188. 4할 사전투표, 3인조 5인조 공재투표, 야당선거 참관인 추출, 완장부대 동원 공포 분위기 조성, 야당성 유권자에 투표권 안 주고 대리투표, 민주당 유효표를 무효표 만들기, 사복경찰관이 공개투표 지휘 등의 부정이 자행되었다.

207 "인양된 시체 신원확인되자 흥분", 『동아일보』, 1960년 4월 12일.

로 끌고 나갔다. 이 광경을 목격한 김춘배가 함태영을 방문해 목격한 상황을 전했다. 함태영은 그 이야기를 듣는 순간 눈물을 흘릴 수밖에 없었다. 그들에게 대한민국은 아직 정치의 기반이 다져지지 못한 민주주의 훈련이 아직 어린 국가였다.

> 4·19혁명 때이다. 울분이 터진 민중이 파고다 공원에 세웠던 이 박사의 동상을 떼어내어 줄에 매어 가지고 종로거리로 끌고 가는 것을 보았다. 나는 차마 그 꼴을 볼 수 없어 고개를 돌렸다. 그를 높이고 기리기 위하여 국민의 이름으로 세웠던 그 동상을 세운지 몇 달이 못 가서 그렇게 할 줄이야. 나는 그 후에 전 부통령 함 태영 목사를 그 저택으로 방문하고 이야기하는 중에 그 동상을 끌고 가던 이야기를 하였다. 나의 그 이야기를 듣던 그는 눈물을 주루루 흘리는 것이었다.[208]

1960년 4월 26일 이승만이 대통령직 하야 성명을 발표했다. 국민이 원한다면 대통령직을 물러날 것이며 정·부통령 선거를 다시 실시할 것을 지시했다는 내용이었다.[209] 불과 몇달 전 신년 인사차 경무대를 방문해 이승만과 담화를 나눴던 함태영에게 하야 소식은 큰 충격이었다. 함태영은 이제 건국의 초석을 다졌던 한 세대가 저물어가고 있다는 사실을 깨닫고 있었다. 함태영은 막내아들 병춘과 함께 사람들의 눈을 피해 밤중에 이승만이 머물고 있던 돈암장을 방문했다. 두 사람은 아무 말없이 그저 손을 맞잡고 바라보다 그렇게 헤어졌다. 그것이 함태영과 이승만의 마지막 만남이었다.

---

208 김춘배, 『필원반백년』, p.163.
209 "이대통령 하야 결의", 『동아일보』, 1960년 4월 27일.

> 퇴진한 이승만은 돈암장에 우거했다. 이승만 대통령 사임과 함께 함태영 부통령도 물론 사임했다. 그에게는 실권이 없었기 때문에 국민은 그에 대하여 아무 기대도 없었고 책임을 묻는 일도 없었다. 그의 막내 아들 함병춘이 아버님인 함 옹을 모시고 돈암장에 갔다. 밤이었다 한다. 두 노인은 아무 말없이 손을 잡고 서로 쳐다보다 헤어지더라고 병춘은 말했다.[210]

90을 넘어갈 즈음에 그에게 뇌일혈이 찾아왔다. 세브란스 병원에 입원한 그는 거동조차 힘겨웠다. 그러나 그는 올곧은 정신을 유지하려고 노력했다. 성경을 읽는 것과 조선왕조실록을 읽으며 그 시간을 붙잡고 있었다.[211] 그런 와중에도 1962년 2월 정부는 그에게 건국훈장 국민장

1964년 부통령 함태영의 국민장

210 김재준, 『범용기』, p.313.
211 위의 책, p.310.

을 수여했다. 1964년 2월 중앙대학교는 명예법학박사학위를 수여했다. 마지막까지 온전한 정신을 유지하며 생기있는 삶을 살던[212] 함태영은 1964년 10월 24일 향년 92세로 북아현동에 있는 자택에서 고난과 인내로 가득 채워진 생을 마감했다.

함태영의 장례식은 5일간의 국민장으로 치러졌다. 장례위원장은 조진만 대법원장이 맡았다. 입관식은 연동교회가 하관식은 한국신학대학에서 집례했다.[213] 그리고 10월 30일 거행된 장례예배에서는 그를 존경했던 영락교회의 한경직이 기도하고 한국신학대학 학장인 김재준이 설교를 했다. 정신여고 학생들이 부른 조가의 가사에는 '나라를 섬기려 법관되시고 정의를 세우려 매를 맞았네'라는 내용이 담겨 있었다. 3·1운동 당시 남대문교회 집사로 함태영의 지도를 받았던 이갑성은 조사(弔詞)를 하던 도중 목놓아 울고 말았다.[214] 함태영은 의정부시 자일동에 마련된 장지에 안장되었다.

> 함 옹은 이 나라 관기쇄신(官紀刷新)에도 한 기틀을 마련해 놓았습니다. 심계원장 당시 "송사리는 두고 고래를 잡아야 한다"고 김완섭 차장에게 누차 다짐하던 일이 아직도 기억에 새롭습니다. 함 옹은 항시 눈에 보이지 않는 공을 세워 숱한 후배들에게 미치는 감화력은 그 누구에게도 견줄 수 없을 것 같습니다.
> 함 옹은 항상 나라의 돌아가는 꼴을 걱정했습니다. 후배들은 그 분을 만나고 나면 무엇인가 머리에 하나를 얻어 가지고 나왔습니다. 이와 같은 지도자를 잃어버리게 된 것을 무엇보다 안타깝게 생각며 우리 후배들은 그

212 "찾는이 드문 함태영옹 빈소, 꽃다발 두개 댕그러니", 『조선일보』, 1956년 10월 25일.
213 연동교회, 『연동교회 애국지사 16인 열전』, p.163.
214 "정의를 세우려 매를 맞았네", 『동아일보』, 10월 30일.

분의 뜻을 이어받는 것만이 그 분에게 보답하는 길이라 생각합니다.[215]

'인고(忍苦)의 대쪽같은 생애', 법조인 후배였던 이인(李仁, 1896~1979)은 함태영을 그렇게 추억했다. 그만큼 그의 삶은 모진 고난과 인내의 세월이었다. 그럼에도 그가 그 고난 속에서도 정의를 추구하고 변함없는 소신으로 스스로를 채찍질 할 수 있었던 것은 자신의 삶이 언제나 하나님의 마음에 합한 사람이기를 원했기 때문이었다.

그의 삶을 너무도 잘 아는 후손들은 그의 장례식을 치르고 남은 부조금 5만원을 대한적십자사에 기부하며 힘겨운 겨우살이를 해야 하는 불우한 노인들을 위해 사용해 줄 것을 요청했다.[216]

한국신학대학교는 함태영의 공로를 기념해 송암기념관 건립을 추진했다. 그리고 1969년 1월 캠퍼스 입구에 송암기념관을 건립했다. 이후에 수유동교회가 송암기념관으로 이전하면서 수유동교회와 송암기념관이 합쳐져서 지금까지 함태영 기념교회인 송암교회로 남아있다.[217]

함태영의 신앙과 신학은 비단 한국기독교장로회에만 머물지 않았다. 그의 신앙의 근원이자 모교회였던 연동교회 또한 그를 기리며 '송암봉사상'을 제정하여 5년마다 교회와 사회, 국가를 위해 헌신한 인물들에게 격려하는 일을 하고 있다. 지금도 함태영의 후손들이 연동교회를 출석하고 있다.[218]

.......우리 민족에게 그동안 적지 않은 가혹한 시련이 있었으나 그것은

215 "인고(忍苦)의 대쪽 같은 생애 – 함태영 옹을 애도하며", 『조선일보』, 1964년 10월 27일.
216 "함옹 부의금 – 불우한 노인에", 『경향신문』, 1964년 11월 6일.
217 송암교회 홈페이지 교회소개, http://www.songam.or.kr/info/i02.htm
218 연동교회, 『연동교회 애국지사 16인 열전』, p.164.

> 우리 민족에게 더 큰 은총이 준비되는 시련일 수도 있었다고 나는 믿습니다. 내 생전에 소원이 있다면 민주화된 조국, 민주주의로 통일된 조국의 모습을 보는 것입니다만 아직은 희미한 채로 민주화된 조국의 모습이 다가오고 있습니다. 회개 위에 관용, 관용 위에 정의로운 사랑의 화해를 이룩하여 참된 민주 조국을 이룹시다.[219]

제2공화국의 대통령을 역임했던 해위 윤보선은 1980년 서울의 봄이 시작되던 3·1절을 맞이하여 성명서를 발표했다. '회개 위에 관용, 관용 위에 정의로운 사랑의 화해를 이루어 참된 민주조국'을 이룩하자는 윤보선의 외침은 함태영이 이루고 싶었던 신부적 국가의 모습이었다. 함태영의 신학과 사상이 그렇게 한국교회와 사회에 녹아들어 가고 있었던 것이다.

의정부시 자일동에 있었던 함태영의 묘는 고속도로 공사와 함께 사라졌다. 다행히 2004년 유족들과 연동교회가 주도하여 대전 현충원 애국지사 3묘역 116호에 안치되었다. 그의 명성과 교회와 국가에 헌신했던 공적을 생각하면 수많은 애국지사들 속에 감추어져 있는 묘비석과 한평 남짓한 묘는 초라함과 아쉬움을 금할 길이 없다. 어쩌면 자신의 이름보다 주

대전 국립현충원에 있는 함태영의 묘

219 윤보선, "3 · 1절에 고함", 1980년 3월 1일.

님의 영광만을 드러내고자 했던 그의 삶을 반추하는 것 같다.

> 잃어버린 조국을 되찾고 시들은 민족정기를 되살리려는 이 분의 숭고한 애국애족의 의지는 만인에게 봉사하는 기독교 정신으로 승화하였다. 그래서 이분의 일생은 강직하고 청렴한 그래서 나라와 이웃을 사랑하고 주님께 영광을 돌리는 삶이었다.[220]

10.3. 함태영의 가계(家系)

아버지 함우택의 독자로 태어난 함태영은 이른 나이에 결혼하여 세명의 부인에게서 모두 10남 3녀를 두었다. 첫 번째 부인인 밀양 손(孫)씨에게서 병석(柄晳)과 병승(柄昇)을 낳았다. 그러나 1904년 첫 번째 부인과 사별해야 했다. 법관양성소를 나와서 대한제국의 법관으로 활발한 활동을 이어가던 중이었다. 아직 어린 둘째 아들을 돌봐야 했기에 두 번째 부인인 전주 최씨와 재혼했다. 그러나 두 번째 부인도 셋째 아들인 병창(柄昌)을 낳고 그해에 세상을 떠나고 말았다. 연이어서 부인을 잃은 슬픔이 가득한 때에 그에게도 갑작스럽게 병이 찾아왔다. 다리뼈에 종양이 발견되어 극심한 고통과 함께 사경을 헤매던 그가 언더우드에게 안수기도를 받고 치병(治病)의 기적을 경험했다. 이때 그의 나이 36세 때였다. 이후 기독교인이 되어 연동교회에 출석한 함태영은 연동교회에서 활발하게 신앙생활하고 있던 제주 고(高)씨인 고숙원과 세 번째 결혼을 했다.

---

220 대전국립현충원 함태영의 묘비에 쓰인 글.

첫 번째 부인과의 사이에서 태어난 장남이 병석(秉晳)이고 병석은 기독교식 이름을 가진 강리백가(姜利百加)와 혼인을 했는데 이때가 아직 함태영이 기독교 입교 전이었다. 함태영의 부친인 함우택이 기독교 입교 이후에 기독교 신앙을 적극적으로 받아들인 시기였기에 혼인이 함우택과 연관이 있었다. 장손이 되는 병석의 아들이 함인섭(咸仁燮, 1907~1986)으로 해방 후에 함태영이 부통령에 당선되기 직전에 농림부 장관으로 재직했다. 장관에서 물러난 뒤에는 춘천 농과대학을 설립하고 강원대학교의 초대 학장을 지냈다.

차남 함병승(秉昇)은 경성의학전문대학교를 졸업한 의사였다. 그는 경성부 숭산동 5번지에 주소를 둔 경성의전 2학년 때 3·1운동 시위에 참여했다가 체포되었다. 이때 함태영도 3·1운동의 주모자로 투옥되어 있었다. 가족들이 서대문형무소에 면회를 갈 때면 두 부자(父子)를 함께 면회해야 했다. 3월 1일 함병승은 파고다공원에서 독립선언식을 마치고 경성의전 학생 40여 명과 함께 교동·종로·창덕궁 앞을 지나면서 "대한독립만세!"를 쉴 새 없이 외치며 열광적인 활동을 전개했다. 경성의전 학생들은 종로 4정목 파출소 앞에 모인 군중들에게 독립의 정당성을 기세 높게 연설했는데 이들 가운데 3월 1일 체포되거나 남은 학생들은 3월 5일 남대문 앞에서 제 2차 독립 시위운동을 벌였다. 경성의전 구속 학생은 2학년 함병승 등 9명을 포함해 1학년부터 4학년까지 모두 31명이었는데 이들에게는 대부분 2년의 징역형에 처해지고 학교당국으로부터 단호하게 정학 처분까지 내려졌다. 그는 자신이 시위에 참가한데에는 아버지 함태영과는 상관없이 자신 스스로 결정에 의한 것이라고 주장했다.[221] 함병승은 감옥에서의 고문과 고된 생활을 견뎌내지 못하고 병보석을 신청해야 했다. 보석으로 풀려나 복학한 뒤 경성의전을 졸업하고 경성의전병원(서울대학교)에서 근무하다가 함경도 지방 공의(公醫)로 갔다.

두 번째 부인(최씨)은 만난 지 1년 후 작고했는데 그와 사이에서 태어난 3남 병창(秉昌)은 일본 유학 중 행방불명됐다.[222]

세 번째 부인 고숙원은 연동교회 첫번째 여자 집사로서 함태영이 기독교에 입교한 이후에 연동교회에서 만나 결혼했다. 모두 10명의 자녀를 낳고 1943년 53세로 세상을 떠났다. 고숙원이 남긴 첫번째 아들인 4남 병욱(1911~30)은 연희전문학교 시절 대동강에서 익사하는 슬픔을 맛보아야 했다. 함태영이 막 연동교회에 부임하고 얼마 되지 않았을 때였다. 병욱 다음으로는 5남 병조(秉晁), 6남 병엽(秉曄), 장녀 병사(秉思)를 얻었지만 어린 남매 3명은 한 주일 사이에 홍역으로 잃는 등 대부분 소년기를 넘지 못했다. 차녀인 영욱(永昱)도 어린 나이에 단명하고 말았다. 이후에 삼녀를 얻었다고 알려져 있지만 이름이나 그외의 기록은 찾을 수 없었다. 순서로 열번째가 되는 병소(1928~현재)는 지금 경기도 용인시에 거주하는 아들로서 해방 후 세브란스의과대학을 다니다가 한국전쟁 중에는 통역장교로 참전했고, 이후 도미해 뉴욕주 렌슬레어공과대학을 졸업하고 상공부에서 근무한 뒤 영남화학을 거쳐 코리아엔지니어링(현 삼성 엔지니어링) 사장을 역임했다.[223]

열한 번째 아들 병춘(咸秉春, 1932~1983)은 1932년 함태영이 연

221 『함병승 신문조서』.
222 1919년 함병승의 민적등본에는 병창의 이름이 특별한 기록없이 남겨 있다.
223 연동교회 역사위원회, pp.162~163.

동교회를 담임하고 있을 때 태어났다. 경기중학교를 졸업했다.[224] 이때 6·25 전쟁이 발발했다. 그는 공군으로 입대하여 전쟁에 참전했다. 1953년 중위로 제대했다. 전쟁 중 부통령에 당선된 아버지의 후광을 생각하면 국내에 남아 있을 수도 있었지만 그는 미국으로 유학을 떠났다. 함태영이 그랬던 것처럼 학구열과 지적인 열정 때문이었다. 노스웨스턴대학에서 경제학사를 받았고, 하버드대학교에서 법학박사 학위를 받았다. 국내로 들어와 연세대학교에서 정법대학 전임강사로 있다가 함태영의 서거이후에는 1966년 예일대학교 법대에서 연구과정을 거쳤다.

1970년 박정희에 의해서 정치담당 특별 보좌관으로 발탁되었고, 1973~77년까지는 주미대사로 활약했다. 1977~1981년 외무부 본부대사를 역임했다. 1981년 연세대학교 법과대학 교수로 복귀했다. 이때 연동교회에서 서리집사가 되었다. 이제 막 정권을 잡은 전두환의 부탁을 몇번이나 거절했지만 1982년 대통령비서실장이 되었다. 그러나 1983년 10월 9일 대통령의 버마(현, 미얀마)순방을 수행하던 중 아웅산 테러사건에 그만 순국하고 말았다. 막내 병춘은 일생 동안 부친 함태영을 닮아가려 노력했다. 부친의 청렴함과 충애국의 정신을 본받으려 했다. 또한 기독교 신앙을 떠나지 않았다.

---

224 당시 경기중학교는 1946년에 수업연한이 6년으로 늘어나면서 고등학교 과정까지 통합되어 있었다.

여언

소나무는 경쟁을 피해 어떤 나무도 좋아하지 않는 바위 땅을 자신의 생존지로 선택한다. 해만 충분히 들면 산비탈의 바위틈에서도 자랄 수 있는 생명력 있는 나무가 소나무인 것이다. 송암(松巖)은 그런 의미를 가지고 있다. 송암은 척박한 시대, 끊임없이 다가오는 고난의 시간 속에서도 신앙의 뿌리를 깊이 내리고 견뎌냈던 함태영의 삶과 맞닿아 있다.

함태영은 갑오개혁과 을사늑약, 한일강제병합, 105인 사건, 3·1운동, 신사참배, 해방과 건국, 한국전쟁과 4·19와 5·16이라는 한국 현대사의 격변과 격랑 속에 있었다. 그는 강직하고 올곧은 판사였고, 초기 한국 장로교회를 대표하는 인물이었다. 그의 이름이 세상에 각인되기 시작한 것은 그가 3·1운동의 주역이었기 때문이었다. 해방이후 건국에 참여하면서 그는 청렴하고 강직한 지도자로 두루 존경을 받았다.

그의 강직함과 일생의 공로들은 모두에게 귀감이 되기에 충분했음에도 그의 이름이 빛나지 않았던 것은 한국 근현대사에서의 아쉬움이다. 역사가들에 의해 비춰지고 드러나지 않으면 고귀했던 그의 삶의 궤적은 쉬이 왜곡되거나 그릇될 수 있다. 송암은 한번도 자신이 역사의 주인공으로 빛나는 것을 원하지 않았다. 법관, 목회자, 정치가로서의 인생을 살았던 그였지만 어느 순간에도 자신의 부와 명예를 위해 높은 곳을 향해 달려가지 않았다. 오로지 국권회복과 독립, 건국이라는 시대적 사명에 응답하고자 노력했다. 그에게 수많은 좌절과 절망 속에서도 생명력을 제공해 준 것은 그가 극단의 고통 속에서 만난 절대자 하나님이었다. 복음은 그에게 새로운 사명을 부여해 주었고, 시대를 뚫고 지나갈 수 있는 신념을 제공해 주었다.

함태영은 기독교의 신앙을 통해 비로소 정의가 무엇인지를 분명하게 깨달았다. 그리고 그 정의의 실현은 언제나 자신으로부터 시작되어야 했다. 자신에게 더욱 엄격했으며 가난을 부끄럽지 않게 여겼다. 자신의 이름이 빛나는 것조차 부끄러워 했다.

하나님 앞에 선 인간은 절대로 의로울 수 없다. 그러나 의롭지 않기에 의를 추구하는 인간이 진정한 그리스도인이어야 한다. 그리스도처럼 십자가를 짊어지고 끊임없이 절대자인 하나님께로 향해야 한다. 그는 자신이 정의를 실현하는 것을 일생의 사명처럼 여겼지만 정작 자신은 의롭다고 여긴 적이 없었다. 고문의 고통 속에서 철저히 벌거벗겨졌고, 신사에 참배하는 내내 내면에서 끓어오르는 수치심과 싸워야 했다. 그는 존경했던 이준이나 이상재와 같은 인물과 자신을 비교하는 것 자체를 부끄러워했다. 자신의 부족함을 알았기 때문이었다. 그러나 그것이 끝까지 정의를 실현하려 했던 이유였다.

3·1운동의 주역이 될 수 있었지만 그는 전면에 자신의 이름이 내세워지는 것을 마다했다. 한국장로교회의 지도자로 치열한 교권의 한 자리를 차지할 수 있었음에도 그는 그 싸움에서 지는 것을 선택했다. 이승만에 가려 그의 진정성이 훼손될 때에도 그는 자신이 있어야 할 자리에서 주어진 사명을 감당하고자 했다. 그가 지나간 자리에는 언제나 새로

운 기운이 흘렀고 토대와 기반이 만들어졌다. 그래서 많은 이들이 그의 이름이 필요했고, 그가 쓴 글씨로 현판과 제호를 만들기를 원했다. 그와 함께 시대의 길을 걸었던 이들은 그와 뜻이 달랐어도 그를 존경으로 대했다.

공정과 공평, 신부적 인간관, 정의와 자유가 대한민국의 토대가 되기를 원했다. 그리고 그러한 토대는 한국교회의 부흥을 통해서 이루어질 것이라고 믿었다. 기독교 복음은 자신의 의를 드러내기 위해서 나와 다른 상대방을 비난하고 조롱하지 않는다. 상대가 죽어야만 내가 사는 약육강식의 원리가 지배하지 않는다. 정의를 드러내기 위해서 스스로를 헌신하고 죽어야 한다. 다른 사람의 신념을 꺾는 것이 아니라 나의 신념을 변함없이 지켜냄으로써 상대방이 스스로 자신의 신념을 변화하도록 하는 것이 정의를 구현하는 것이다. 그가 3·1운동을 위대한 신앙운동으로 보는 이유였다.

그의 생각 속에는 오로지 교회와 국가가 우선순위였다. 교회와 국가를 지키고 발전시키는 것이라면 고난이 오고 부끄러움을 당하는 한이 있더라도 그것을 감내했다. 감옥의 차가운 바닥과 수치스러웠던 신사참배의 행렬 속에서도 그가 견딜 수 있었던 것은 그 고난과 수치의 끝자락에서 하나님이 이루실 구원에 대한 성취의 기대감 때문이었다.

그는 사회적으로 결코 낮은 자리에 있지 않았다. 그러나 그는 자기의 유익을 구하거나 자리를 탐한 적이 없었다. 그는 늘 가난했고, 드러나지 않았다. 전쟁 통에 두 아들이 군에 입대하는 것을 막지 않았던 아버지였다. 한 국가의 국민으로 나라를 지키기 위해 싸우는 것은 당연한 일이었고 그것이 애국이었다. 자신에게 주어진 한 개인으로, 국민으로서의 사명의식이 언제나 그의 중심에 있었던 것이다.

그는 교회와 국가를 복음으로 연결하는 다리가 되고자 했다. 개인적인 삶 속에서만 아니라 교회와 국가가 복음의 가치 위에 있을 때 비로소 참된 인간, 교회, 국가를 이룰 수 있다고 믿었기 때문이었다.

함태영은 늘 자신이 아무것도 한 일이 없다고 말하곤 했다. 자신이 드러나는 것을 원하지 않았다. 누군가를 빛나게 하는 존재이길 원했고 하나님만을 드러내는 존재이길 원했다. 하나님의 마음에 합당한 자로 남는 것이 그의 소원이었을 뿐이었다. 어느 자리에 무엇을 얻는지가 그에게는 중요한 문제가 아니었다. 그에게 삶의 주제와 방향은 보이지 않지만 늘 존재하고 함께 하는 하나님이었다. 그것이 가난과 고난, 부끄러움을 이기는 힘이었다. 또한 그 어느 누구 앞에서도 당당할 수 있는 이유였다.

대립과 갈등, 돈과 권력, 약육강식의 경쟁, 인간성의 상실과 무한한 자유로 인한 무질서함이 난무하는 이 시대 속에서 교회가 지켜야 하는 것이 무엇이고, 국가가 지켜야 하는 것이 무엇인지를 찾아야 한다. 지키지 못하면 앞으로 나아갈 수 없다. 교회와 국가의 힘은 오직 진리와 정의로부터 나오는 것이어야 한다.

그의 일생을 통해 보여주었던 강직한 신념, 인격적이고 굳건한 신앙의 모습, 사명적 존재로서의 헌신과 희생의 모습은 끊임없이 시대의 표상을 찾고 있는 오늘의 세대 속에서 우리가 찾아야 하는 역사의 사표가 되기에 충분하다.

교회사가인 필자가 가지고 있는 한계에 비추어 보면 이 책은 함태영의 한 단면만 보았는지 모른다. 앞으로 더 깊이 있는 연구와 작품들로 인해 함태영의 진면목이 드러나길 기대해 본다.

참고문헌

1. 함태영 1차 자료

함태영, "인화(人和)를 도모(圖謀)하자", 『해방20년사』, 서울:세문사, 1965.
______, "공의(公義)를 위한 열혈(熱血)의 분류(奔流)", 「希望」 1955년 3월호.
______, "기미년의 기독교도", 「신천지」, 통권 2호, 제1권 제2호1946년 3월.
______, "강대-신앙의 용사", 『기독신보』, 1936년 1월 29일.
______, "하나님 마음에 합한 사람", 대한예수교장로회 총회 종교교육부, 『선교70주년 기념설교집 (중) 역대총회장설교』, 서울:대한예수교장로회 종교교육부, 1955.
______, "나의 세계일주(워싱톤-런던-로마)", 「신태양」 제6권 제4호, 1957년 4월호.
함태영 외 2명, 『조선예수교장로회사기(하)』, 서울:한국기독교사연구소, 2017.
조선기독교서회, 『희년기념설교집』, 조선기독교서회, 1940.
오다연 외, 『미국 UCLA 리서치 도서관 스페셜 컬렉션 소장 함호용 자료』, 서울:국외소재문화재재단, 2013.
강릉양근함씨 대동보편찬위원회, 『강릉 양근 함씨 대동보』, 대전:회상사, 1987.
『함태영 신문조서』
『함병승 신문조서』.
『이상재 신문조서』.
삼일운동정신선양회, 『3 · 1 운동사』, 경북:삼일정신선양회경상북도본부, 1955.

2. 국내 단행본

강원용, 『빈들에서 ①-나의 삶, 한국현대사의 소용돌이』, 서울:도서출판 열린문화, 1993.
고범서 외, 『기독교 윤리학 개론』, 서울: 대한기독교출판사, 1987.

국사편찬위원회, 『한국사 40- 청일전쟁과 갑오개혁』, 서울:국사편찬위원회, 2013.
_____, 『한민족운동사자료집 3: 105인사건 신문조서 2』, 서울:국사편찬위원회, 1987.
_____, 『한국사-일제의 무단통치와 3 · 1운동』, 서울:국사편찬위원회, 2013.
국회도서관, 『한말 근대 법령 자료집 I 』, 서울:대한민국국회도서관, 1971.
김승태, 박혜진 엮음, 『내한선교사 총람 1884~1984』, 서울:한국기독교역사연구소, 1994.
김영모, 『조선지배층연구』, 서울:일조각, 1981.
김명구, 『월남 이상재의 기독교사회운동과 사상』, 서울:도서출판 시민문화, 2003.
_____, 『소죽 강신명 목사』, 경기:서울장신대학교 출판부, 2009.
_____, 『해위 윤보선의 생애와 사상』, 서울:고려대출판부, 2011.
_____, 『한국기독교사 1 ~1945』, 서울:예영, 2018.
_____, 『복음, 성령, 교회』, 서울:예영, 2017.
김병조, 『한국독립운동사략 상』, 상해, 1922, 서울:아세아문화사, 1976.
김병학, 『우리고장인물사』, 김제:김제문화원, 2010.
김인수, 『장로회신학대학교 100년사』, 서울:장로회신학대학교 출판부, 2002.
김인서, 『김인서 저작전집 2』, 서울:신망애, 1974.
김정준, 『함태영옹 세계일주기』, 서울:성문학사, 1957.
김정회, 『한국기독교의 민주주의 이행연구-해위 윤보선을 중심으로』, 서울:해위윤보선대통령기념사업회, 2017.
김재준, 『범용기』, 서울: 장공 자서전 출판위원회, 1983.
김춘배, 『필원반백년(筆苑半百年)』, 서울:성문학사, 1977.
김학준, 『고하 송진우 평전』, 서울:동아일보사, 1990.
김호일 외 3명, 『3 · 1운동기 서대문형무소와 학생운동』, 서울:서대문형무소역사관, 2007.
김효전, 『법관양성소와 근대 한국』, 서울: 소명출판, 2015.
김흥수 엮음, 『해방후 북한 교회사』, 서울:다산글방, 1992.

남강문화재단, 『남강 이승훈과 민족운동』, 서울:남강문화재단출판부, 1988.
남대문교회, 『남대문교회사 1885~2008』, 서울:남대문교회, 2008.
둔전교회, 『둔전교회 100년사』, 성남:둔전교회, 2005.
묘동교회 100년사 편찬위원회, 『묘동교회 100년사』, 서울:묘동교회, 2011.
문창교회100년사 편찬위원회, 『문창교회100년사』, 서울:한국장로교출판사, 2001.
민경배, 『한국기독교회사』, 서울: 연세대학교 출판부, 2000.
, 『역사와 신앙』, 서울:연세대학교출판부, 2000.
, 『서울YMCA운동100년사 1903~2003』, 서울:서울YMCA, 2004.
, 『새문안교회 85년사』, 서울:새문안교회, 1973.
박명수 외, 『대한민국 건국과 기독교』, 서울:북코리아, 2014.
박영효, 『건백서』.
박용규, 『한국기독교회사 2』, 서울:생명의 말씀사, 2005.
박은식, 남은성 역, 『한국독립운동지혈사』(상)(하), 서울:서문문고, 1999.
박찬승, 『1919: 대한민국의 첫 번째 봄』, 서울:다산북스, 2019.
방광석, 『근대 일본의 국가체제 확립과정』, 서울:도서출판, 혜안, 2009.
법원행정처, 『한국법관사』, 서울: 고법사, 1976.
서울노회사편찬위원회, 『서울노회의 역사』, 서울:서울노회, 2001.
서울노회, 『서울노회 회의록』, 서울:서울노회, 1975.
서울신학대학교 현대신학연구소 엮음, 『해방공간과 기독교』Ⅰ Ⅱ, 서울: 도서출판 선인, 2017.
서중석, 『이승만과 제1공화국』, 서울:역사비평사, 2019.
선우훈, 『민족의 수난』, 서울;독립정신보급회, 1955.
손형부, 『박규수의 개화사상연구』, 서울:일조각, 1997.
송남헌, 『해방 3년사 Ⅰ(1945-1948)』, 서울:까치글방, 1985.
송병기외 편, 『한국근대법령자료집 1』, 서울:국회도서관, 1970.
송우혜, 『벽도 밀면 문이 된다』, 고양:생각나눔, 2008.
송창근, 『만우 송창근 전집』, 서울:만우송창근기념사업회, 1998.
신석구, 『자서전』, 서울: 한국감리교사학회, 1990.
신용하, 『갑오개혁과 갑오독립협회운동의 사회사』, 서울:서울대학교출판부, 2002.

　　　　, 『독립협회 연구(하)』, 서울:일조각, 2006.
안동교회 역사편찬위원회, 『안동교회 90년사』, 서울:안동교회, 2001.
양동안, 『이승만의 민족통합주의 연구』, 서울:연세대학교 대학출판문화원, 2017.
여암선생문집편찬위원회, 『여암문집下』, 서울:여암선생문집편찬위원회, 1971.
연갑수, 『고종대 정치변동 연구』, 서울:일지사, 2008.
연동교회 80년사편찬위원회, 『연동교회 80년사』, 서울: 연동교회, 1974.
연동교회 90년사 편찬위원회, 『연동교회90년사』, 서울:연동교회, 1984.
연동교회 100년사 편찬위원회, 『연동교회100년사』, 서울:연동교회, 1995,
연동교회 역사위원회, 『연동교회 애국지사 16인 열전』, 서울: 연동교회, 2009.
연동교회 역사위원회, 『연동교회 주일학교 100년사』, 서울:연동교회, 2008.
월남이상재선생동상건립위원회, 『월남이상재연구』, 서울:로출판, 1986.
유길준, 허경진 역, 『서유견문』(파주:서해문집, 2013)
유재기, 김병희 편, 『세대를 뛰어넘는 경계인 - 虛心 유재기 목사 유고집』, 서울: 예영커뮤니케이션, 2011.
윤경로, 『105인 사건과 신민회 연구』, 서울:일지사, 1990.
윤보선, 『외로운 선택의 나날』, 서울:해위윤보선기념사업회, 2012.
윤춘병, 『한국감리교 교회성장사』, 서울:감리교출판사, 1997.
윤치영, 『윤치영의 20세기』, 서울: 삼성출판사, 1991.
이남규, 『온 세상 위하여』, 서울:삶과 꿈, 1995.
이능화, 오세종외, 『조선기독교와 외교사』, 서울:삼필문화사, 2014.
이대근, 『해방후 1950년대의 경제』, 서울:삼성경제연구소, 2002.
이동초, 『천도교 민족운동의 새로운 이해』, 서울:도서출판 모시는 사람들, 2010.
이만열, 『한국기독교와 민족의식』, 서울:지식산업사, 1991.
이병헌, 『3、1운동 비사』, 서울:시사시보사출판국, 1959.
이선준, 『일성 이준 열사』, 서울: 을지서적, 1994.
이성환, 이토 유키오 편저, 『한국과 이토 히로부미』, 서울:선인, 2010.
이승만, 오영섭 역주, 『독립정신』, 서울:연세대학교 대학출판문화원, 2019.
　　　　, 김명구 역주, 『한국교회핍박』, 서울:연세대학교출판문화원, 2019.
이영미, 김혜정 역, 『한국사법제도와 우메 겐지로』, 서울:일조각, 2011.
이영훈, 『한국경제사 1』, 서울:일조각, 2017.

_____,『한국경제사 Ⅱ』, 서울:일조각, 2017.
이해준,『조선후기 문중서원 연구』, 서울:경인문화사, 2008.
이호우,『초기 내한선교사 곽안련의 신학과 사상』, 서울:생명의 말씀사, 2005.
일성이준기념사업회,『이준열사, 그 멀고 외로운 여정』, 서울: 한비미디어, 2010.
장공김재준목사기념사업회,『장공 김재준의 삶과 신학』, 서울:한신대학교출판부, 2014.
정성호 외 3인,『한국전쟁과 사회구조의 변화』, 서울: 백산서당, 2002.
장영수,『대한민국 헌법의 역사』, 서울: 고려대학교출판문화원, 2019.
장영숙,『고종의 정치사상과 정치개혁론』, 서울:선인, 2010.
장택상,『대한민국 건국과 나』, 서울: 창랑장택상기념사업회, 1992.
전명혁,『1920년대 한국 사회주의 운동연구』, 서울: 도서출판 선인, 2006.
전병무,『조선총독부 조선인 사법관』, 서울: 역사공간, 2012.
전상숙,『조선총독정치연구』, 서울:지식산업사, 2012.
전순동,『충북기독교100년사』, 청주:충북기독교선교100주년 기념사업회 역사편찬위원회,2002.
전택부,『인간 신흥우』, 서울: 기독교서회, 1971.
전필순,『목회여운』, 서울:대한예수교장로회 총회교육부, 1965.
정규태,『충남노회사』, 서울: 예루살렘, 1992.
정교, 조광 편, 변주승 역,『대한계년사』, 서울:소명출판, 2004.
정동제일교회,『정동제일교회 125년사 - 통사편』, 서울:정동제일교회, 2011.
정용화,『문명의 정치사상:유길준과 근대 한국』, 서울:문학과 지성사, 2004.
정준,『道義와 人生』, 서울:신교출판사, 1960.
정해영,『해석 정해영 회고록 상』, 서울:도서출판 오름, 2001.
조병옥,『나의 회고록』, 서울:민교사, 1959.
조선출,『은발의 뒤안길』, 서울:경건과신학연구소, 2004.
주인식,『1952 부산, 이승만의 전쟁』, 서울:기파랑, 2018.
최거덕,『나의 인생행로』, 서울:덕수교회, 1986.
최종고,『한국법학사』, 서울: 박영사, 1990.
한경직,『나의 감사』, 서울:두란노서원, 2010.

한국사특강편찬위원회, 『한국사특강』, 서울:서울대학교출판부,2003.
한국기독교성풍회 창립 20주년 기념문집 출판위원회, 『성풍회 20주년 기념문집』, 남양주:한돌출판사, 1993.
한국기독교역사연구회, 『한국기독교의 역사Ⅰ』, 서울: 기독교문사, 1992.
, 『한국기독교의 역사Ⅱ』, 서울:기독교문사 1992.
한신대학교출판부, 『이소성대(以小成大)』, 서울:한신대학교출판부, 2015.
함재봉, 『한국 사람 만들기Ⅰ』, 서울:아산서원, 2017.
, 『한국인 만들기 Ⅱ』, 서울:아산서원, 2017.
해방22년사 편찬위원회, 『해방20년사-기록편』(서울:세문사, 1967),
허정, 『내일을 위한 증언』(서울:샘터, 1979)

3. 국내외 번역본 및 해외단행본

오다 쇼고, 박찬승 외 3명 역, 『국역 조선총독부 30년사 上』, 서울:민속원, 2019.
, 『조선총독부 30년사 下』, 서울:민속원, 2019.
존 울프, 이재근 역, 『복음주의의 확장』, 서울:기독교문서선교회, 2010.
스탠리 그렌츠, 신원하 역, 『기독교 윤리학의 토대와 흐름』, 서울:IVP, 2017.
J. S. Gale, 최재형 옮김, 『조선, 그 마지막 10년의 기록 (1888~1897)』, 성남:책비, 2018.
J. S. Gale, 유영식 편역, 『착한목자 - 게일의 삶과 선교 2』, 서울:도서출판 진흥, 2013.
올리버 R, 에비슨(Oliver.R.Avison), 황용수 역, 『구한말 40여년의 풍경』, 경산:대구대학교 출판부, 2016.
H. B. 헐버트, 신복룡 역, 『대한제국멸망사』, 서울:집문당, 2006.
, 김동진 역, 『헐버트 조선의 혼을 깨우다』, 서울:참좋은친구, 2016.
Harry A. Rodes, 최재건 역, 『미국북장로교 한국 선교회사』, 서울:연세대학교 출판부, 2010.
C.A.Clark, *Memories of Sixty Years.*
, 『설교학』, 서울:대한기독교서회, 2008.

, 『목회학』, 서울:대한기독교서회, 2017.
, 박용규 · 김춘섭 역, 『한국교회와 네비우스 선교정책』, 서울:대한기독교서회, 1994.
Anthony A. Hoekema, *Created in God's Image*, Michigan: Wm. B. Erdmans Publishing Company, 1994.
Micahel Fogarty, *Christian Democracy in Western Europe 1820-1953* ,London:Routledge and Kegan Ltd, 1957.
W. Rauschenbusch, *A Theology For the Social Gospel* ,New York: Abingdon Press, 1945.
, 남병훈 역, 『사회복음을 위한 신학』, 서울:명동출판사, 2012.

4. 학위논문

김정회, "1967년 미국연합장로회신앙고백이 한국장로교에 미친 영향", 서울장신대학교 석사학위논문, 2007.
김석수, "1930년 이전 한국장로교회 복음주의신학연구 - 미국 북장로교 한국선교를 중심으로", 서울장신대학교 박사학위논문, 2015.
김일환, "한국장로교회 헌법의 변천과 제도적 변화연구 - 해방이후부터 1970년대까지 예장 통합을 중심으로", 서울장신대학교 박사학위논문, 2018.
정해은, 「조선후기 무과급제자 연구」, 한국학중앙연구원 한국학대학원, 박사학위논문, 2002.
홍성표, "해방공간 강성갑의 기독교 사회운동", 연세대학교 박사학위 논문, 2016.

5. 논문 및 기고문

곽안련, 박용규 역, "곽안련 선교사 60년 회고록", 「신학지남」 60권 4호, 1993년 12월

, "조선예수교장로회신경론", 「신학지남」 2권 1호, 1919년 4월호.
권정호, "갑오개화파 개혁사상의 구조와 성격", 「한국행정사학지」 10권, 2001년
김상태, "1920~1930년대 동우회 · 흥업구락부 연구", 「한국사론」 28권, 1992년 12월호.
김석수, "1930년대 이전 한국장로교회 복음주의 신학연구", 「한국교회사학회지」, 제50집, 2018년 8월호.
김성혜, "1873년 고종의 통치권 장악 과정에 대한 일고찰", 「대동문화연구」 72권, 2010.
김승태, "105인 사건과 선교사의 대응", 「한국기독교와 역사」 36권, 2012년 3월호.
김정준, "풍운의 현대사와 종교심-함태영", 『한국인물대계』 9, 서울:박우사, 1973.
김재준, "건국과 기독교", 「새사람」 1945년, 『김재준전집 1-새술은 새부대에』, 서울:한신대학교 출판부, 1992.
김현숙, "한말 법률고문관 그레이트하우스의 국제법 및 사법 자문활동", 「이대사원」 31권, 1998년 12월호.
도현철, "권근의 유교정치 이념과 정도전과의 관계", 「역사와 현실」 84권, 2012년 6월호.
류대영, "함태영, 해방 후 기독교 조직을 재건하다", 「한국사 시민강좌」 43권, 2008년 8월호.
, "윌리엄 레이놀즈의 남장로교 배경과 성경번역 사상", 「한국기독교와 역사」, 33호, 2010년 9월호.
서정민, "해방 전후의 한국 기독교계 동향", 「기독교사상」, 제29권 8호
송건호, "3 · 1운동과 기독교", 「기독교사상」, 23권 3호, 1979년 3월.
송지예, "우드로 윌슨의 민족자결과 2.8 독립운동", 「한국동양정치사상사학회 학술대회 발표논문집」, 2011년 11월.
신흥우, "듸모크레시의 意義", 『청년』, 1921년 3월호.
오유석, "한국'보수'지배세력연구-대한독립촉성국민회를 중심으로", 「사회와 역사」 45권, 1995년 12월호.
윤경로, "105인 사건에 관한 기독교사적 이해", 「기독교사상」 32권, 1988년 12월호.
육홍산, "積極信仰團을 싸고도는 朝鮮基督敎會의 暗流", 『사해공론』, 1936년 8월호.

이경자, "인간 함병춘 그는 누구였나", 「2000年」, 현대사회연구소, 1983년 11월호.
이광수, "現代의 奇人 李商在翁", 『동광』 1권 2호, 1929년 11월호.
이대위, "사회주의와 기독교사상", 「청년」, 1923년 5월호.
이동호, "참의원의원의 부존재와 헌법위원회의 구성", 「법조」, 8권 11호, 1959년 11월호.
이만열, "기독교와 삼일운동(1)", 「현상과 인식」3권 1호, 1979년 4월.
이방원, "한말 중추원 연구", 「이대사원」, 31권, 1998년 12월호.
이상재, "여(余)의 경험과 견지로브터 신임선교사제군의게 고흠", 「신학세계」, 제8권 6호.
이원중, "식민지 조선에 존재했던 일본기독교회", 「한국교회사학회지」 제50편, 2018.
이은선, "대한독립촉성국민회와 기독교", 「한국교회사학회지」, 제46권, 2017
이재근, "매코믹신학교 출신 선교사와 한국복음주의 장로교회의 형성 1888~1939", 「한국기독교와 역사」 제35호, 2011년 9월호.
이진구, "미국 남장로회 선교사 루터 맥커첸(Luther Oliver McCutchen)의 한국 선교", 「한국기독교와 역사」, 37호, 2012년 9월호.
장규식, "3 · 1운동과 세브란스", 「연세의사학」 제12권 제1호, 2009년 6월호.
주재용, "만우 송창근의 삶과 사상", 「신학연구」 제40집, 1999년 7월호.
최기영, "한말 법관양성소의 운영과 교육", 「한국현대사연구」 제16권, 2001년 3월호.
최재건, "1907년 한국교회의 회개 영성 부흥", 「신학논단」, 제47집, 2007년 2월호.
최종고, "한국의 법률가상-송암 함태영", 「사법행정」 25권, 1984년 3월호, 4월호.
, "한국 법치주의의 행방", 「기독교사상」, 1990년 34권 12호
전세영, "퇴계 인본주의와 노비관", 「2018년 한국동양정치사상사학회 춘계학술회의」, 2018년 5월.
정병준, "주한미군정의 '임시한국행정부' 수립구상과 독립촉성중앙협의회", 「역사와 현실」, 1996년 제19호.
한규무, "해방 직후 남한교회의 동향", 「한국기독교와 역사」, 제2권, 1992년 11월.
함동욱, "고종황제와 검사 함태영", 「신동아」 8, 1982;
홍종현, "감사원의 헌법상 기능 및 권한에 대한 소고", 「공법학연구」, 제19권 2

호, 2018년 5월호.

Eugen Bucher, 최병규 역, "영미법과 대륙법의 대조성", 「법학논집」 32권, 1996.

Japan Chronicle 특파원, 윤경로 역, 『105인 사건 동찬 참관기(The Korean Conspiracy Trial, 1912)』, 서울, 한국기독교역사연구소, 2001.

V. 콜랭 드 플랑시, "미국인 고문 데니의 해임과 그레이트하우스의 임명", 「프랑스외무부문서」 5 조선Ⅳ · 1891년 1월 26일, 『대한민국근대사자료집성』 제15권.

"*Dear Dr and Mrs Oliver*", 국사편찬위원회, 『대한민국사자료집』31, (경기:국사편찬위원회, 1996)

"*Official Report on Matters connected with the Events of October 8th, 1895, and the Death of the Queen*", *The Korea Repositary,* vol.3, March, 1896

C. A. Clark, "Seoung Dong Church of Seoul", *The Korea Mission Field*, Vol.3, August 1907.

"Recent Work of The Holy Spirit in Seoul", *The Korea Mission Field*, Vol.3, March 1907.

"An Address to a Joint Session of Congress"(1918.2.11.); Woodrow Wilson, *The Papers of Woodrow Wilson 46*, Princeton, N.J.: Princeton University Press, 1966,

6. 전집, 회의록, 일기, 신문

The Korean Repository.

The Korea Mission Field.

일본외무성 기밀문서, [孔服敬 · 裵致實 · 咸台永 등의 動靜], 『要視察外國人ノ擧動關係雜纂 韓國人ノ部 (三)』.

『태종실록』.

『고종실록』.
『고종시대사』.
『승정원일기』.
『관보』.
『윤치호일기』.
「기호흥학회 월보」.
『대한민국근대사자료집성』.
『조선예수교총회록』.
『대한예수교장로회 총회록』.
『경기충청노회록』.
『경성노회록』
『조선예수교장로회신학교 요람』, 1916.
『연동교회 당회록』.
『독립신문』.
『복음신보』.
『기독신보』.
『기독교공보』.
『전단』.
『서울신문』.
『중앙신문』.
『조선일보』.
『중앙일보』
『민국일보』.
『동아일보』.
『경향신문』.
『민주일보』.
『부산일보』.
『민주신보』.
『흥국시보(興國時報)』.
『한성일보』.

『자유신문』.
『대구시보』.
『연합신문』.
『김해인터넷신문』.

「기미독립선언서」, 현대어 번역본.

7. 인터넷주소

한국방송(KBS) 홈페이지, http://news.kbs.co.kr/news/view.do?ncd=4154193.
청주제일교회 홈페이지, http://www.chjeil.com/.
송암교회 홈페이지 교회소개, http://www.songam.or.kr/info/i02.htm.
초동교회 홈페이지 교회소개, http://chodong.or.kr/.

함태영 연보

1873년 12월 11일(음력 10월 22일) 함경북도 무산면에서 강릉함씨인 함우택과 원주 변씨 사이에서 독자로 출생

1886년 아버지 함우택의 중앙관직 등용으로 한성으로 함께 이사

1889년 16세의 나이로 밀양 손씨와 혼인(병석과 병승 두 명의 아들 출산)

1895년 4월 16일 법관양성소 입학

1895년 10월 법관양성소 수석 졸업

1896년 3월 5일 헌법재판소 6등 주임관 검사시보 시작

1896년 법관양성소 동기인 이준의 검사 면직으로 인해 대신하여 한성재판소 검사 시작

1897년 25세의 나이에 한성재판소 판사로 품계 승진

1898년 8월 21일 판사를 거쳐 고등재판소 검사로 승진

1898년 10월 독립협회, 만민공동회 관련 사건 담당 검사

1899년 3월 13일 한성 재판소 검사로 전임

1899년 4월 3일 검사 활동 중 사표 제출

1899년 6월 ~ 10월 고종의 밀명으로 일본 방문

1902년 2월 판임과 6등에 해당하는 전라남도 관찰부의 주사로 임명

1903년 9월 전라남도 관찰부 주사직에서 의원 면직

1904년 철도원 주사로 재임명되었으나 한 달만에 의원 면직

1904년 첫 번째 부인 밀양 손씨와 사별

1905년 3월 30일 평리원 검사로 복귀

1905년 두 번째 부인 최씨와 재혼

1905년 7월 25일 법률기초위원으로 법무 참서관으로 임명

1907년 셋째 아들 병창 출산 후 두 번째 부인 최씨 동년 10월 사별

1908년 10월 8일 순종 황제로부터 대심원 판사 임명

1908년 국권회복을 위한 계몽단체 기호흥학회에 5원 기부

1909년 대심원 판사 재임 중 골육종으로 세브란스 병원 입원, 언더우드 선교사의 기도로 병이 낫는 체험을 하고 기독교에 입교

1910년 연동교회에서 세례 받음

1910년 제주 고씨 고숙원과 재혼

1911년 8월 연동교회 시무장로로 장립(경기충청노회 문권위원 위촉)

1912년 연동교회 장로로 조선예수장로회 제 1회 총회에 경기충청 노회 총대 역임

1912년 3월 경성복심법원의 판사로 직임 수행

1912년 7월 105인 사건을 계기로 경성복심법원 판사직 휴직

1915년 3월 조선예수교장로회신학교(평양신학교)에 입학

1915년 9월 조선예수교 장로회 제4회 총회에서 서기로 피선(5회 총회까지 연임)

1918년 5월 남대문교회 조사로 부임

1918년 조선예수교장로회 사기 집필위원으로 참여

1919년 2월 남강 이승훈과 함께 기독교를 대표하고 장로교와 감리교의 참여를 적극적으로 설득하는데 역할을 함.
천도교의 최린과 함께 3.1 운동의 전체적인 거사를 기획함.

1919년 3월 2일 3.1운동의 주도 인물로 체포되어 투옥되었다. 최고형인 3년형을 언도 받음
곽안련의 교회정치문답의 교열 작업에 참여

1921년 12월 23일 가석방으로 마포형무소에서 출소

1922년 3월 조선예수교장로회신학교 복학

1922년 6월 조선예수교장로회신학교 교과과정 마침 (1923년 3월 졸업)

청주읍교회 조사로 부임

1922년 12월 26일 경기충청노회에서 목사안수

1923년 1월 7일 청주읍교회 담임목사 부임

1923년 9월 조선예수교장로회 12회 총회에서 총회장으로 선출

1924년 충청노회의 초대 노회장 역임

1927년 11월 청주읍교회 사임

1927년 12월 경남 마산의 문창교회 내분을 수습하던 중 문창교회 담임목사로 부임

1928년 경남노회의 노회장 역임

1929년 10월 연동교회 담임목사로 부임

1934년 조선예수교연합공의회의 회장으로 추대

1938년 9월 10일 제27회 총회 공천부장으로 추대

1940년 조선신학교 이사장 역임

1941년 4월 13일 연동교회 원로목사 추대

1943년 세 번째 부인 고숙원 위암으로 사별

1944년 1월 경기도 광주의 둔전교회 담임

1945년 10월 조선기독교단 남부대회 법제부장 역임
초동교회 초대 담임목사(1946년 6월까지)

1945년 12월 11일 독립촉성기독교중앙협회 회장

1946년 2월 대한독립촉성국민회 고문 역임
민주의원의 의원으로 피선 (기독교계 대표로 참여)

1946년 10월 16일 기독교흥국형제단 총재

1947년 제33회 조선예수교장로회 총회에서 한국기독교연합회 부회장 선임

1947년 신구교 연합 정치단체 조선그리스도교도 연맹 위원장

1949년 11월 24일 제2대 심계원장 취임

1951년 한신대학교 학장 취임

1952년 7월 22일 심계원장 퇴임

1952년 8월 15일 정·부통령 선거를 거쳐 제3대 부통령에 취임

1955년 2월 13일 고 김성수 선생 국민장의위원회 위원장 역임

1956년 5월 23일 고 신익희 선생 국민장의 위원회 위원장 역임

1956년 8월 14일 부통령 퇴임

1956년 대한기독교장로회 총회장 역임

1956년 8월 17일 세계일주를 위해 출국

1956년 2월 14일 캐나다 뉴브런스윅 주 마운트 앨리슨 대학교 명예 법학박사학위 수여

1956년 11월 20일 네덜란드 헤이그 방문 중 이준 열사 묘지 참배

1957년 1월 9일 세계일주를 마치고 귀국

1957년 1월 20일 고 지청천 장군 사회장의 장례위원장 역임

1957년 5월 23일 해공 신익희 선생 1주기 추념식 준비위원장 역임

1964년 대한민국 건국훈장 국민장 수여

1964년 2월 중앙대학교 명예법학박사학위 수여

1964년 10월 24일 향년 92세 서소문에 있는 자택에서 생을 마감

부록

설교문

하나님의 마음에 합한 사람

『역대총회장설교 中』

사울을 사십년간 주셨다가 폐하시고 다윗을 왕으로 세우시고 증거하여 가라사대 내가 이새의 아들 다윗을 만나니 내 마음에 합한 사람이라 내 뜻을 다 이루게 하리라
(행13(十三)장 22(二二)절)

다윗의 역사를 상고하여 보건대 착한 것이 없지 아니하나 또한 일반 인류와 같이 범죄함도 없지 않거늘 무엇이 하나님의 마음에 합한 것이 있을까? 그의 인격과 그의 사업 중에서 하나님의 마음에 맞는 것 몇 가지를 찾어 보고자 한다.

一. 고난을 많이 받았으나 낙심하지 않고 곧 한 결 같이 전진만 하는 것이 하나님의 마음에 합한 사람이라고 생각한다. 다윗이 무슨 고생을 그다지 많이 받았느냐고 묻는다면 그는 과연 고난을 만ㄹ이 받았다고 대답할 수 있다. 어릴 때부터 자기 아버지의 양을 일 때에 사자와 이

리의 침입을 종종 받은 일이 있었으나 어린 마음과 연약한 체구를 가지고도 참고 견디어 성공을 보게 된 것이 하나님의 마음에 합한 것이라고 할 수가 있다. 그 뿐이랴 사울에게 시기함을 받아 무수한 고난을 받고 견딤과 자녀의 비행으로 말미암아 받은 고난도 이루 다 말할 수 없도다. 이 모든 고난 중에서 참고 견디어 큰 성공을 보게 됨이 하나님의 마음에 합한 사람이 되었다.

二. 다윗은 신앙이 반석과 같다. 다윗이 기록한 글 중에 시편을 상고하여 보면 하나님을 신뢰하는 그 믿음이 과연 반석과 같다. 할 수 있을 것이다. 그는 하나님을 산성이라 나의 목자라 나의 주인이라 나의 대장이라 나의 피난처라 나의 반석이라 한 이상 모든 말씀을 종합하여 본다면 그는 과연 믿음이 반석 이상의 견고한 신앙이라고 아니할 수 없다. 그뿐 아니라 블레셋대왕 골리앗을 죽이는 것이 곧 그의 믿음뿐 일 것이다. 어찌 그뿐이랴! 어린 때에는 전술과 같이 양을 먹일 때에 사자 이리 같은 것을 죽일 때에도 그가 하나님을 믿는 것은 틀림이 없는 사실일 것이다.

三. 다윗은 회개하는데 용맹이 있는 사람이다. 부모 된 사람으로서 자녀가 잘못되었던 길에서 돌아서서 좋은 사람이 된다면 그 얼마나 기쁘고 즐거우랴! 이와 같이 죄인이 자기의 죄를 깨닫고 원통히 역이고 깊이 뉘우치고 모든 잘못된 것을 고치고 돌아서서 착한 일만 행하기에 힘쓴다면 하나님이 얼마나 기뻐하실까? 그 기쁨이야말로 측량할 수가 없을 것이다. 선지자 나단이 다윗에게 충고한즉 깊이 통회하였다.

'나단' 나의 이웃에 큰 부자가 있었는데 손님이 한 분 왔는데 자기의 소유한 많은 양은 아끼어 이웃에 가난한 자의 한 마리밖에 없는 양을 강탈하였다가 잡아 손님대접을 하였으니 어찌 하리까 하였다.

'다윗'이 그 말을 듣고 대노하여 그놈을 죽여 마땅하다고 그의 생명까지 죽었으니 어찌 하리까 '다윗'이 이 말을 듣고 주먹으로 땅을 치며 대성통곡을 하고 시편 51(五十一)편을 지었다. 참으로 다윗은 회개하는데 용맹스러운 사람이다. 이것이 하나님의 마음에 합하는 것이다.

四. 다윗은 일을 잘 하는 사람이다. 어린 때부터 부지런하여 양 먹이는데 열심 하였으며 장성하여 나라 일에 치산치수 토목공사 같은 것을 세세에 짝이 없이 잘 하였다. 하나님의 성전 지으려고 목제와 석재와 철재와 많은 금을 준비하기에 얼마나 열심 하였으며 참 노력하였는가?

참으로 일 잘 하기로 유명하였다. 이러한 것을 하나님은 기뻐하신 것이다. 다윗은 어려서부터 늙기까지 한시도 게을리 한 일이 없고 기종이 일관하여 일을 잘 하였으니 이것이 하나님 마음의 합하는 것이다.

五. 다윗은 사랑하는 마음과 용서하는 마음이 풍부하다. 하나님을 사랑하기를 많은 제물보다 더한 것은 말할 것도 없거니와 태자 압살롬이 부왕이 죽기도 전에 찬위를 하겠다고 대병을 일으켜 가사 역적을 다 진멸시키되 짐의 사랑하는 아들 압살롬만은 죽이지 말고 잘 보호하라 하였다. 이 얼마나 용서하는 것이랴? 말로 붓으로 다 형용할 수 없을 것이다. 외구되는 사울 왕은 다윗을 시기하고 외심하여 백방으로 죽이려고 경영하는 불공대천지 원수라. 그렇지마는 비수를 들어 그의 옷단을 끊었을 기회를 가졌지마는 그 원수의 생명을 보전하여 주었다. 이것이야 말로 참 사랑이요 이것이야말로 참 용서이다. 이 사랑과 이 용서가 하나님의 마음에 합하는 것이다.

六. 사람이 누구나 허물과 죄가 없어서 하나님의 마음에 합하리오 마는 고난을 참으매 믿음이 있고 죄를 깨달을 때에 즉시 회개하며 일을 부지런히 하고 남을 사랑하고 너그럽게 용서하는 것은 하나님이 기뻐하시는 일인즉 이런 사람이 하나님의 마음에 합하는 사람이다.

심계원장 취임사

파사현정(破邪顯正)에 노력(努力)

나라가 바로 되자면 정의(正義)가 서야 되는 것이며 정의(正義)를 위(爲)하여는 법(法)이 법(法)대로 시행(施行)되어야 한다. 그런데 이 법(法)이 옳게 시행(施行)되고 못 되는 것은 오로지 우리 관직자(官職者)의 손에 달린 것임은 두말할 필(必)요도 없다. 관직자 중(官職者 中)에서도 심계원(審計院)은 파사현정(破邪顯正)의 양심(良心) 노릇을 하여야 할 관직(官職)이다. 오늘 우리나라에서 여출일구(女出一口)로 걱정하는 것은 이도(吏道)의 추락(墜落)이니 거룻한 국법(國法)을 사사(私事)에 이용(利用)한다. 권위(權威)를 상품화(商品化)한다 하는 비난(非難)이 너무나 저(藷)하다.

나는 지금(只今)까지 항간(巷間)에 있어서 그런 소문(所聞)이 어느 정도(程度) 사실(事實)인지 알 수 없으나 예(例)컨데 우리에게 그런 일이 있다면 그것은 가장 무서운 파렴치죄(破廉恥罪)임과 동시(同時)에 반국가적행동(反國家的行動)인 것이다. 그러므로 나는 취임(就任)에 당(當)하여 여러 동료관직자(同僚官職者)에게 이 한마디 말을 특(特)히 강조(强調)하려고 한다. 즉(卽) 우리는 몸을 가지는데 절대렴결(絕對廉潔)하여 황금(黃金)이나 권세(權勢)가 내 인격(人格)을 더럽히는 것을 추호(秋毫)라도 허용(許容)해서는 안 된다는 것이다.

제3대(第三代) 부통령(副統領) 취임사(就任辭)

인화(人和)를 도모(圖謀)하자

금반실시(今般實施)된 대통령(大統領)과 부통령선거(副統領選擧)에 있어서 내가 그 그릇이 아니고 나의 능(能)과 힘이 미칠바 못됨을 잘 알면서도 동지(同志)들의 간곡한 권장(勸奬)과 친지(親知)들의 부르심을 거역(拒逆)하기 어려워 감(敢)히 부통령후보(副統領候補)로 출마(出馬)하였던 바 실(實)로 의외(意外)에도 전국처처(全國處處)에서 국민제위(國民諸位)의 열렬(熱烈)한 성원(聲援)과 지지(支持)에 접(接)하게 되어 감사(感謝)와 감격(感激)의 정(情)을 누릴 길 없어 하는 동시(同時)에 일찌기 국민적(國民的)인 후의(厚誼)에 보답(報答)할 아무런 일도 한 바 없음을 새삼스럽게 부끄러워하는 바입니다. 내 일찌기 이 민족(民族)을 위하여 이 몸을 바치려 하면서도 죽지 아니하고 오늘까지 산 것 만도 죄송(罪悚)하거늘 이제 전국민(全國民)의 성심(誠心)과 기대(期待) 앞에 이 몸과 이 생명(生命) 아울러 바쳐서 산 제물(祭物)이 되고자 하매 무엇을 주저(躊躇)하며 무엇에 비겁(卑怯)하리이까?

나도 이 나라 다대수(多大數) 국민(國民)과 함께 일황(日皇) 사십(四十)년간의 억압(抑壓)과 공산주의공세(共産主義攻勢)의 신산(辛酸)을 국내(國內)에서 같이 겪으면서 살아온 몸으로 오늘 이 겨레의 애절(哀切)한 소원(所願)이 자손만대(子孫萬代)에 전(傳)할 내 조국(祖國)의 자유(自由) 독립(獨立)이며, 이 국민(國民)의 최소한(最小限)의 욕구(慾求)가 그들의 일상생활(日常生活)의 최저(最低)의 안정(安定)이며, 이 동포(同胞)의 간절(懇切)한 민의(民意)가 동포애(同胞愛)에 의한 균등(均等)한 실현(實現)에 이바지하며 아래로 국민(國民) 제위(諸位)의 소원(所願)과 애국지정(愛國至情)이 직접(直接) 우리 영도자(領導者)의 구국정치(救國政治)에 반영(反映)되고 직결(直結)되게 함에 내 온갖 노력(努力)을 기울이려고 하는 바입니다.

특(特)히 이번 개정(改正)된 헌법(憲法)은 부통령(副統領)이 참의원(參議員) 직책(職責)을 겸장(兼掌)하게 되어 행정부(行政府)와 입법부(立法府)와의 연계관계(連繫關係)를 조절(調節)할 수 있게 되어서 나 스스로 기약(期約)하는 나의 사명수행(使命遂行)에 새로운 길이 열려 있다고 생각하는 동시에 국민(國民)의 소원(所願)과 말(여론(輿論))이 정치(政治)에 도달(到達)할 수 있게 하는 교량(橋梁)이 될 나의 임무(任務)에 편달(鞭撻)과 협조(協助)를 아끼시지 마시기를 바라는 바입니다.

끝으로 전화(戰禍)와 한화(旱禍)가 중첩하는 곤란(困難) 중(中)에서도 우리 겨레는 더욱 조국재건신념(祖國再建信念)을 굳게 하셔서 상부상조(相扶相助) 국정(國政)의 쇄신(刷新)과 발전(發展)에 기여(寄與)함이 있기를 바라는 바입니다.

색인

번호

ㄱ

ㅇ

C

G

K

T

W

Y